9급 공무원 시험대비 **개정판**

브랜드만족
1위
박문각

2025

박문각
공무원

기본서

합격까지 함께
한국사 만점 기본서

최근 출제 경향 분석을 통한 본문 구성

주요 핵심 내용의 도식화 + 기출 수록

풍부한 자료들과 주요 사료 모두 탑재

노범석 편저

노범석
한국사 #1 전근대사

애엄상강일 www.pmg.co.kr

박문각

이 책의 **머리말**✦

▶ 노량진 현장에서 검증되고 다져진 해법국사가,

이제 수험생 여러분의 합격 파트너가 되겠습니다.

20여 년 동안 강의를 하면서 맞닥뜨리는 것 중 하나가 바로 국사에 대한 수험생 여러분들의 절치부심한 고민들입니다. 한국사 수업에 대한 수험생들의 고민 중 가장 흔한 것이 '지루하고 암기량이 너무 많아 어렵다'는 것이었습니다. 역사라는 긴 시간의 흐름이 요즘 수험생들의 짧게 생각하려는 특성과는 아무래도 어울리지 않는 것이 사실이기도 합니다.

그러나 이러한 수험생 여러분들의 고민을 '요즘 수험생들'의 탓으로만 돌릴 수는 없습니다. 기실 시중에 출판된 공무원 한국사 수험서의 상당수를 살펴보면 오랜 강의 생활을 한 본인으로서도 이해하기 어려운 부분이 적지 않습니다. 내용이 쉽게 전달되지 않을 뿐만 아니라, 사전 지식 없이는 이해할 수 없는 낯선 용어나 개념이 하나 둘이 아닙니다. 문장이나 단어의 사용도 한문 투의 것이 많아 한글 세대가 읽어내기가 그리 쉽지 않은 것이 사실입니다.

이 같은 점 때문에 현장에서 수험생들을 가르치는 교수로서 나름대로 쉽게 그리고 오래 기억될 수 있도록 여러 가지 방법을 시도하고 있습니다. 아무리 중요한 내용일지라도 학생들에게 명확히 전달되지 않는다면 그 수업은 실패이기 때문입니다.

『해법국사』는 바로 그러한 현장 수업의 경험을 기초로 하여 집필하였습니다. 이 시기의 이 부분에서는 어떤 설명, 어떤 사화(史話)가 학생들에게 쉽게 받아들여졌고, 학생들이 특히 관심을 갖는 부분은 어떠한 내용이었는지를 수업의 실제 경험에서 기억하여 찾아내고자 하였습니다.

또한 통계학적 분석을 동원하여 최신 출제 경향을 한눈에 파악할 수 있도록 하였으며, 국정 교과서는 물론 개정 교과서의 내용까지 담아 돌발적인 고난도 문제까지 해결할 수 있도록 한국사의 모든 내용을 폭넓게 다루었습니다.

이처럼 『해법국사』는 공무원 한국사를 준비하는 수험생 여러분들이 최소한의 노력으로 최대의 효과를 얻을 수 있도록, 어떠한 시험 환경에서도 완벽히 대비할 수 있도록 하였습니다. 또한 수험생들로 하여금 가벼운 마음으로 역사에 다가설 수 있도록 현장 수업을 상정하며 구성하였습니다. 따라서 개념 서술 형식도 나열식 설명은 가급적 피하면서 구체적 내용 하나하나에 대하여 인과 관계의 맥을 간결하게 짚어, 전체적인 흐름을 중시하는 방식을 취하였습니다.

기본적으로 국정 교과서에 맞춰 서술 체계는 통사의 형식을 채택하였고, 공무원 한국사 출제 비중에 맞춰 시대별·주제별 비중을 안배하였습니다. 특히 정치사의 경우 전체적인 역사적 흐름을 잡을 수 있도록 인과적 전개 방식을 취해 『해법국사』만이 가진 스토리텔링 기법을 교재에 적극 반영하였습니다. 또한 각종 사료와 역사 통계 자료 및 사진 자료 등을 풍부하게 삽입하여 공무원 시험의 다양한 유형에 적극 대비토록 하였습니다. 그리고 최근 공무원 한국사 시험의 트렌드인 개정 한국사 내용을 적극 반영하기 위해 현행 고등학교에서 이용하고 있는 한국사 교과서의 내용을 심층 분석하여 수록하였습니다.

여기에 엄선된 핵심 기출문제 등을 수록하여 개념 완성과 동시에 개념의 문제 적용력을 향상시킬 수 있도록 하였습니다. 감히 『해법국사』가 최고의 수험서라고 할 수는 없지만, 현장에서 얻어진 경험을 바탕으로 구성된 가장 효율적인 개념과 과학적인 기출 분석 및 예측을 담은 독보(獨步)적인 교재임에는 틀림없다고 자부합니다.

이번 『해법국사』의 출간으로 더 이상 수험생 여러분들이 공무원 한국사 학습에 어려움을 느끼고 고민하지 않기를 바람해 마지않으며, 『해법국사』가 출간되기까지 오랜 시간 수많은 고민과 어려움을 함께해 준 정건수 연구실장 및 신윤원 선생님 이하 연구실 직원들, 늘 학원에서 사는 저를 이해해 준 가족들에게 감사의 말을 올립니다. 또 잦은 교정과 편집 요청에도 한결같이 성심을 다해 준 박문각 출판팀 여러분에게도 깊은 감사의 마음을 표합니다.

아직도 불이 꺼지지 않은 노량진 현장에서

노범석

구성과 **특징**

예·복습을 통한 학습 효율성 극대화!
소단원 '강'의 핵심 내용을 정리한   **해법 요람**

- 소단원인 각 '강'의 핵심 내용을 요약 노트형으로 구성하여 예·복습 시 학습 효율성을 극대화하였습니다.
- 인과성 파악 및 이해를 극대화시킨 서술식 개념 정리와 달리 요약 노트형으로 간추려 스피드한 개념 파악이 가능하도록 하였습니다.

| 법원직 | • 예예
• 동예와 옥저
• 부여
• 부여와 삼한(2)
• 고구려
• 동예(2)
• 옥저 | | | 동예 | |

解法 요람

여러 나라의 성장

	부여	고구려	옥저	동예
위치	만주 송화강	압록강 졸본	함흥평야	강원도 (원산만)
국가	연맹 왕국(5부족) 왕 : 지배자 X ⇒ 대표자 O	연맹 왕국	군장 국가 : 왕 없음	
정치	가(加) : 사출도 대사자, 사자	대가(상가, 고추가) 사자, 조의, 선인	읍군·삼로·후	

무려 7개년 기출을 중단원 '장'별로
세분하여 분석한 그 누구도 모방할 수 없는   **해법 기출 진맥**

- 2018년부터 2024년까지 9급 국가직·지방직·법원직을 모두 망라한 최대 기출 분석으로 출제 경향을 꿰뚫어 봅니다.
- 연도별 출제 빈도와 주요 출제 주제, 각 시험별 출제 빈도 및 패턴을 분석하였으며, 주요 출제 포인트를 제시하였습니다.

解·法·기·출·진·맥

9급 국가직

| 출제 경향 오버뷰 | 출제 빈도가 굉장히 높은 단원으로, 매년 2~3문제 이상 출제됨. 삼국의 발전 |

9급 지방직

디테일한 분석을 더하는 소단원 '강'별   **해법 기출 분석**

- 디테일한 기출 분석을 위한 '강'별 기출 분석
2008년부터 2024년까지 망라한 소단원 '강'별 기출 주제 분석을 더해 출제 포인트를 재각인시키고 중요 개념의 맥(脈)을 잡아 드립니다.

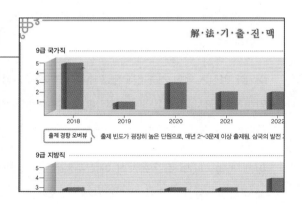

解/法 기출분석

구 분		2008~2017	2018	2019	2020	
9급	국가직	• 삼국의 발전(6) • 고구려의 발전(2) • 소수림왕 • 광개토 대왕 • 지증왕 • 법흥왕 • 금석문(2)	광개토 대왕		삼국의 발전	
	지방직	• 삼국의 발전(5) • 무령왕 • 성왕(2) • 지증왕 • 금석문(2)		삼국의 발전	• 대가야 • 진흥왕	금

혁신적인 스토리텔링 교수법이
녹아 있는 　　서술식 개념 구성

- 정확한 Time Line을 구축하고 역사적 사건을 인과적으로 이해하여 어떠한 문제에도 대처할 수 있도록 완벽한 스토리텔링 개념으로 구성하였습니다.
- 단순 암기가 아닌 이해를 바탕으로 한 개념 학습이 가능하도록 본문을 서술형으로 구성하였으며 개념에 입체적 학습을 돕기 위한 각종 역사 지도, 도식형 부가 서술 및 심화 자료를 총망라하였습니다.

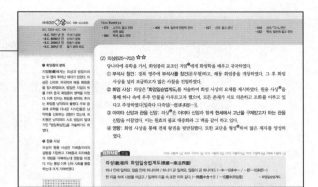

고등 교과서는 물론
수능과 한국사능력검정까지 　　최대·최다 학습 콘텐츠

- 고등 사료 百出
고등 교과서에 수록된 각종 사료와 자료를 정리하여 고등 수준 한국사를 마스터하도록 하였습니다.
- 심화 사료 百出
각종 한국사 시험에 출제된 심화사료 등을 모아 고난도 문제에 대비토록 하였습니다.
- 9급 위 한국사
대학원 수준의 한국사 전문 사료와 자료 혹은 개념 내용을 별도로 정리하여 만점 방지 초고난도 문제는 물론, 9급 수험생의 선택적 학습이 가능하도록 하였습니다.

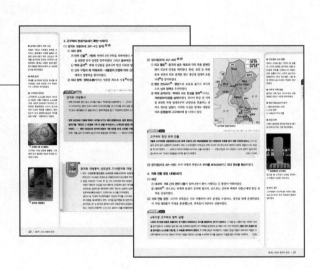

개념 완성과 실전 대비를 한번에 　　대표 기출문제

- 단원이 끝날 때마다 해법국사 노범석 교수님이 심혈을 기울여 직접 선정하고 해설하신 기출문제를 수록하였습니다. 주요 기출문제를 통해 개념 이해 정도를 파악할 수 있고, 최신 기출 문제까지 수록하여 최신 시험 경향을 확인할 수 있도록 하였습니다.
- 선다와 보기에 대한 상세한 해설을 달아 혼자서도 완벽히 기출문제를 소화할 수 있도록 하였습니다.

CONTENTS

이 책의 차례

02권
근현대사

PART

1

한국사의 바른
이해와 선사 문화

제01장 선사 문화의 전개와 국가의 형성

선사 문화의 전개와 국가의 형성

CHAPTER 1

01강 _한국사의 바른이해
- ❶ 역사의 의미
- ❷ 역사 연구와 역사 학습
- ❸ 한국사의 보편성과 특수성

02강 _우리나라의 선사 시대
- ❶ 우리 민족의 기원
- ❷ 구석기 문화
- ❸ 신석기 문화
- ❹ 청동기의 보급과 사용
- ❺ 철기의 사용
- ❻ 청동기·초기 철기 시대의 생활

03강 _고조선의 건국과 발전
- ❶ 단군과 고조선
- ❷ 단군 조선의 발전과 위만 조선
- ❸ 고조선의 사회

04강 _여러 나라의 성장
- ❶ 부여
- ❷ 초기 고구려
- ❸ 옥저와 동예
- ❹ 삼한

解·法·기·출·진·맥

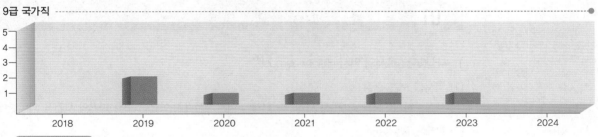

9급 국가직

출제 경향 오버뷰 거의 매년 꾸준히 출제되고 있음. 구석기, 신석기, 청동기, 고조선, 부여, 옥저, 동예, 삼한

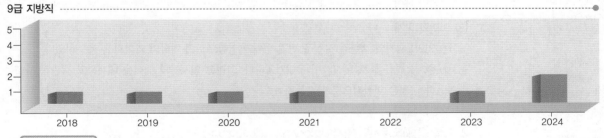

9급 지방직

출제 경향 오버뷰 거의 매년 꾸준히 출제되고 있음. 선사 전반, 신석기, 고조선, 부여, 고구려, 옥저

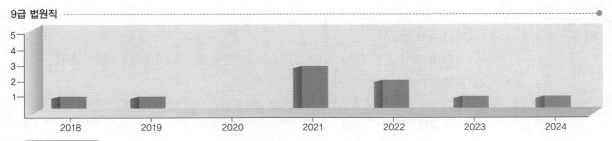

9급 법원직

출제 경향 오버뷰 거의 매년 꾸준히 출제되고 있음. 신석기, 청동기, 고조선, 고구려, 동예

01강 한국사의 바른 이해

解/法 기출분석

구 분		2008~2017	2018	2019	2020	2021	2022	2023	2024
9급	국가직	• 역사가의 사관 • 기록으로서의 역사 • 사료 비판 • 우리 역사의 특수성							
	지방직	• 기록으로서의 역사 • 사실로서의 역사							
	법원직								

❶ 역사의 어원

• 역사는 일반적으로 '과거에 있었던 사실'과 '조사되어 기록된 과거'라는 두 가지 뜻을 지니고 있다.

• 한자의 '역사(歷史)': 역(歷)은 과거에 있었던 사실이나 인간이 과거에 행한 것을 뜻하는 말이며, 사(史)는 기록을 관장하는 사람 또는 '기록을 한다'는 의미이다.

• 영어의 'history': 조사와 탐구를 통하여 획득한 지식을 의미하는 그리스 어의 'historia'에서 유래하였다.

• 독일어의 'Geschichte': 과거에 일어난 일을 뜻하는 말로 사용되었다.

❷ 사실로서의 역사

역사는 바닷가의 모래알과 같이 수많은 과거 사건들의 집합체라고 보았다.

❸ 크로체와 콜링우드

크로체는 모든 역사는 현재의 역사라고 강조했으며, 콜링우드는 주관적 견해가 역사 서술의 바탕이 될 수 있다고 하였다.

01 역사❶의 의미

1. 사실(事實)로서의 역사(History as past)❷

(1) 역사를 보는 관점

사실로서의 역사는 **객관적 사실**, 즉 현재에 이르기까지 일어났던 **모든 과거의 사건**을 의미한다.

(2) 랑케(L. Ranke)

엄격한 사료 비판과 원사료에 충실한 있는 그대로의 사실을 강조하였다. 역사가는 사실을 알리는 역할만 해야 하며, 편견이나 선입견에 사로잡히지 않고 끝까지 객관적으로 기술해야 한다고 했다.

(3) 의의와 한계

① **의의**: 과거의 객관적 사실을 편견 없이 배열함으로써 역사의 과학화를 추구하였다.

② **한계**: 역사를 보는 시각이 무미건조하다. 그리고 역사가의 해석을 배제하고 객관적 사실을 추구하는 것은 현실적으로 불가능하다.

2. 기록(記錄)으로서의 역사(History as historiograpy)❸

(1) 역사를 보는 관점

과거의 객관적 사실을 토대로 역사가가 이를 조사하고 연구하여 **주관적으로 재구성**한 것이다.

(2) 카(E. H. Carr)

역사가의 주관적 해석을 인정하였으나 객관적 역사 연구와의 절충점을 지향하였다.

(3) 의의와 한계

① **의의**: 과거의 재구성을 통해 역사 이면의 수많은 다른 사실을 파악할 수 있다.

② **한계**: 역사가의 가치관 등 주관적 요소가 개입되기 때문에 사료 분석 등을 토대로 학문적 검증을 거쳐야 한다.

심화사료 百出

사실로서의 역사

역사가는 자기 자신을 죽이고 과거가 본래 어떠했는가를 밝히는 것을 그의 지상 과제로 삼아야 하고, 이때 오직 역사적 사실로 하여금 이야기하게 해야 한다. 시간적으로 현재에 이르기까지 일어났던 모든 과거 사건을 의미하며, 역사란 바닷가의 모래알과 같이 수많은 과거들의 집합체가 된다. — 랑케

기록으로서의 역사

역사가와 사실은 서로를 필요로 한다. 사실을 갖지 못한 역사가는 뿌리가 없는 존재로 열매를 맺지 못하고, 역사가가 없는 사실은 생명이 없는 무의미한 존재일 뿐이다. 이리하여 '역사란 무엇인가?'라는 물음에 대한 나의 최초의 대답은 결국 다음과 같은 것이 된다. **역사란 역사가와 사실 사이의 부단한 상호 작용의 과정이며, 현재와 과거 사이의 끊임없는 대화이다.** — E. H. 카, 『역사란 무엇인가?』

랑케

E. H. 카

02 역사 연구와 역사 학습

1. 역사 연구 방법

(1) 정의: 사료(史料, 문헌·금석문·유물·유적 등 포함)를 가지고 과거의 역사를 탐구하고, 그 결과를 그 자신의 사관(史觀)에 입각하여 서술한다.

(2) 사료 비판: 사료의 진위와 가치를 비판적으로 평가하는 것이다.
  ① 외적 비판: 사료 그 자체의 내력과 **진위 여부** 등을 평가하여 사료의 가치를 확인하는 작업이다.
  ② 내적 비판: 사료의 내용이 신뢰할 만한 것인가를 분석하고, 사료의 성격을 밝히는 작업이다.

2. 역사 학습의 목적

(1) '역사' 그 자체를 배움: 역사는 여러 방면에 걸친 지식이 포함되어 있는, 과거 인간 생활에 대한 지식의 총합이다. 역사를 배운다는 것은 과거 사실에 대한 지식을 늘리는 것을 의미한다.

(2) '역사'를 통해 배운다는 의미: 과거의 사실을 토대로 현재의 내가 살아가는 데 필요한 능력과 교훈을 얻을 수 있다는 것을 의미한다. 역사적 사고력과 비판력을 기를 수 있으며, 삶의 지혜를 습득할 수 있다.

✎ **동양의 역사 연구**
동양에서는 정책 시행의 이론적 근거를 마련하기 위해 역사학이 연구되었다. 따라서 역사학의 제1차적인 목적을 귀감(교훈, 본보기)에서 찾았으며, 이에 대부분의 역사책은 거울 감(鑑)자를 쓴다. 서거정의 『동국통감』 등이 그 대표적인 예이다.

03 한국사의 보편성과 특수성

1. 세계사적 보편성: 국가와 민족을 초월한 전 세계 인류의 공통점을 의미한다.

2. 민족의 특수성: 인간은 거주하는 자연 환경에 따라 고유한 언어·풍속·종교·예술·사회 제도 등을 다양하게 창출하는데, 이를 그 민족의 특수성이라 한다.

3. 우리 민족의 보편성과 특수성

(1) 보편성: 우리 민족은 다양한 민족, 국가들과 문물을 교류하는 과정에서 자유와 평등, 민주와 평화 등 전 인류의 공통된 가치를 추구해 왔다.

(2) 특수성: 반만 년 이상의 유구한 역사를 이어 오면서 국가에 대한 충성, 부모에 대한 효도가 중시되고 두레·계·향도와 같은 공동체 조직이 발달하는 등 우리 민족의 특수성이 나타났다.

done# 02^강 우리나라의 선사 시대

 解/法 기출분석

구 분		2008~2017	2018	2019	2020	2021	2022	2023	2024
9급	국가직	• 선사(2) • 구석기 • 신석기(2) • 청동기(2)		청동기	구석기	신석기		청동기	
	지방직	• 선사(전반) • 구석기(3) • 신석기(3) • 청동기(2) • 철기	선사(전반)					구석기	신석기
	법원직	• 선사(3) • 신석기(5) • 청동기(5) • 철기	청동기	청동기		신석기			

 解法
요람

선사 시대 총정리

	70만 년 전	B.C. 8000년 전	B.C. 2000년 전
	구석기	**신석기**	**청동기**
사 회	무리 사회	씨족 ——족외혼→ 부족 사회	군장 국가
도 구	뗀석기(사냥용)	간석기(농기구)	비파형 동검, 반달 돌칼
경 제	채집, 수렵	원시 농경 ⇨ 조 · 피 · 수수	본격적 농경 ⇨ 벼농사 시작
주 거	동굴, 막집	**움집(강가, 해안)** 반지하, 원형 화덕(중앙)	**움집(야산, 구릉)** 지상화, 직사각형, 화덕(벽) 배산임수(취락)
신 앙	주술적	원시 신앙 (애니미즘, 토테미즘, 샤머니즘)	선민사상(제정일치)
대표 유적	연천 전곡리 공주 석장리	서울 암사동	부여 송국리

01 우리 민족의 기원

1. 우리 민족의 기원

우리나라에 사람이 살기 시작한 것은 구석기 시대부터이며, 신석기 시대에서 청동기 시대를 거치면서 민족의 기틀이 형성되었다. 우리 조상들은 대체로 **만주와 한반도를 포함한 동북아시아 지역**[1]에서 하나의 민족을 이루고, 독자적인 문화를 이룩하였다.

2. 우리 민족의 특징

인종상으로는 황인종에 속하고, 언어학상으로는 알타이 어족과 가까운 관계에 있었다.

02 구석기 문화

1. 시대 구분

구석기 시대는 **석기를 만드는 방법**의 발달에 따라 전기, 중기, 후기의 세 시기로 나눈다.

(1) **전기 구석기**: 한 개의 석기를 가지고 여러 가지 용도로 사용했다. **주먹 도끼**[2] 등이 대표적이다.

(2) **중기 구석기**: 큰 몸돌에서 떼어 낸 돌조각인 격지들을 버리지 않고 손질하여 도구로 사용하였다(르발루아 기법). 용도에 맞게 석기를 제작할 수 있어 점차 한 개의 석기가 하나의 쓰임새를 가지게 되었다.

(3) **후기 구석기**: 쐐기 같은 것을 대고 형태가 같은 여러 개의 돌날격지를 만들었다. 이러한 돌날격지를 이용하여 **슴베찌르개**[3]와 같이 작고 날카로운 석기를 제작하였다.

2. 구석기 시대의 생활

(1) **경제 생활**: 약 70만년 전부터 만주와 한반도에 구석기 시대 사람들이 살기 시작하였다. 이들은 뗀 석기와 동물 뼈로 만든 도구 등을 가지고 **사냥과 채집**을 하면서 생활하였다.

(2) **도구의 사용**: 주먹 도끼와 찍개·찌르개·팔매돌은 사냥 도구이고, 긁개·밀개 등은 조리 도구로 사용되었다. 후기에 들어와 슴베찌르개가 등장하였다.

(3) **주거 생활**: 동굴이나 바위 그늘에서 살거나 강가에 막집을 짓고 살았다. 구석기 시대 후기의 막집 자리에는 기둥 자리, 담 자리 및 불 땐 자리[4]가 남아 있다. 집터의 규모는 작은 것은 3~4명, 큰 것은 10명이 살 수 있을 정도의 크기였다.

(4) **사회 생활**: 무리를 이루어 큰 사냥감을 찾아다니며 생활하였다. 무리 중에서 경험이 많고 지혜로운 사람이 지도자가 되었으나, 권력을 갖지는 못했다. 모든 사람이 **평등한 공동체적 생활**을 하였다.

(5) **예술 활동**: 공주 석장리, 단양 수양개 등에서 고래와 물고기 등을 새긴 조각이 발견되었다. 다산과 사냥감의 번성을 비는 주술적 의미가 깃든 것으로 보인다.

선사 시대의 문화권

❶ 동이족(東夷族)

중국 문헌에서는 동북 지역에 살던 우리 조상들을 동이족이라고 불렀다. 또한 중국 측 기록에서 우리 민족을 예족·맥족·예맥족·한족 등으로 표현하고 있다.

❷ 주먹 도끼

짐승을 사냥하고 가죽을 벗기며, 땅을 파서 풀이나 나무 뿌리를 캐는 등 여러 용도에 사용되었다. 한 손에 쥐고 사용할 수 있는 크기였다.

❸ 슴베찌르개

주로 구석기 시대 후기에 사용되었다. 슴베(자루 속에 박히는 부분)가 달린 찌르개로서, 창의 기능을 하였다.

❹ 불 땐 자리 발견

구석기 유적지인 용호동 유적에서 불 땐 자리가 확인되었다.

공주 석장리 유적지

❶ 연천 전곡리
아슐리안계 주먹 도끼의 발견으로 유럽과 동아시아 문화가 나뉘어진다고 한 모비우스의 학설을 무너뜨렸다.

흥수아이(청원 두루봉)

3. 유적지

대표적인 유적지로는 경기도 연천 전곡리, 충남 공주 석장리 등이 있다.

❖ 구석기 시대 유적지

시대	출토 지역 (발굴 시기)	유물 및 특징
전기	단양 금굴(충북) (1983~85)	• 우리나라 최고(最古)의 유적지 • 구석기 상한선 설정(70만 년 전)
	상원 검은모루 동굴(평남) (1966~70)	포유동물 화석, 주먹 도끼, 외날 찍개, 긁개 발견
	연천 전곡리(경기)❶ (1979~83, 86, 91)	• 유럽 아슐리안계 주먹 도끼, 양면핵석기 발견 • 모비우스의 주먹 도끼 학설을 깸.
	공주 석장리(충남) (1964~74, 90~92)	• 전기~후기를 포괄하는 12문화층 형성 • 남한 최초의 유적 발견지
	제천 점말 동굴(충북) (1973~80)	• 전기~후기에 이르는 10여 문화층 • 사람 얼굴을 새긴 코뿔소의 뼈가 출토
중기	제주 빌레못 동굴 (1977~81)	집터, 동물 화석 발견
	웅기 굴포리(함북) – 하층 (1963~64)	• 찌르개, 맘모스 화석 출토 • 신석기·청동기 유물도 발견
후기	웅기 굴포리(함북) – 상층 (1963~64)	• 동침신전앙와장(東枕伸展仰臥葬) – 신석기 • 개, 뱀, 망아지 등으로 여겨지는 장신구 출토(호신부) – 신석기
	종성 동관진(함북) (1935)	• 1935년 최초 발견 유적지 • 동물 뼈, 뗀석기 출토
	단양 수양개(충북) (1983~85, 95~96)	• 석기 제작지 발견 • 고래와 물고기를 새긴 조각품 출토
	청원 두루봉 동굴(충북) (1976~83)	흥수 동굴: 흥수아이(국화꽃을 뿌린 장례 의식 확인, 호모 사피엔스 사피엔스), 사람 얼굴을 새긴 사슴 뼈 발견
	제천 창내(충북) (1982~83)	막집 유적 발견

9급 위 한국사

인골 화석이 발굴된 구석기 시대 유적지: 남한보다 북한에서 먼저 발견되었다.		
북한	평양 대현동 동굴	머리뼈 조각 발견, 7~8세의 어린이 유해(호모 사피엔스)
	평남 덕천군 승리산 동굴 (어금니 화석과 아래턱뼈 조각 발견)	• 하층: 덕천인(호모 사피엔스) • 상층: 승리산인(호모 사피엔스 사피엔스)
	평양 만달리 동굴	20~30대 가량의 남자 두개골·아래턱뼈 발견(호모 사피엔스 사피엔스)
남한	단양군 상시 바위 그늘	25세 가량의 남자 뼈 출토, 동물 화석 출토
	청원 두루봉 동굴의 흥수아이	5세를 전후한 어린아이의 유해(호모 사피엔스 사피엔스)

❷ 중석기 시대
유럽에서는 구석기 시대에서 신석기 시대로 넘어가는 과도기적인 단계를 중석기 시대로 부르고 있다. 그러나 한반도에서 중석기 시대가 존재했는지는 명확하지 않다.

4. 전환기(중석기 시대)❷

(1) **환경의 변화**: 기원전 1만 년 경에 마지막 빙하기가 끝나면서 기온과 해수면이 상승하였다. 이에 따라 큰 동물은 북쪽으로 이동하고 작고 민첩한 동물들이 등장하였다.

(2) **도구의 변화**: '잔석기'라고 불리는 작고 가벼운 석기와 이음 도구(석기를 나무나 뼈에 꽂아 사용)를 제작했다. 빠르게 움직이는 작은 동물들을 사냥하기 위해 활과 화살을 만들었다.

03 신석기 문화 ☆

1. 시기

우리나라의 신석기 시대는 기원전 8,000년경부터 시작되었다.

2. 간석기

돌을 갈아 다양한 모양의 간석기를 만들어 사용하였다. 부러지거나 무뎌진 경우에도 다시 갈아 사용할 수 있게 되었다.

▼ 구석기 시대의 유적지

▼ 신석기 시대의 유적지

3. 토기의 사용: 흙을 빚어 토기를 만들고, 식량을 운반·조리·저장하였다.

(1) 신석기 전기 토기: 빗살무늬 토기보다 앞선 시기의 토기로는 이른 민무늬 토기, 덧무늬 토기, 눌러 찍기무늬 토기(압인문 토기) 등이 있다.

▼ 이른 민무늬 토기
대체로 무늬가 없고 두꺼움.

▼ 덧무늬 토기(융기문 토기)
그릇의 표면에 점토 띠를 덧붙임.

▼ 눌러찍기무늬 토기(압인문 토기)
손가락, 동물 뼈, 나뭇가지로 무늬를 찍음.

▼ 빗살무늬 토기

(2) 빗살무늬 토기: 토기의 밑바닥은 뾰족하거나 둥근 모양이며, 표면에 빗살 모양의 가는 선 무늬를 새 겼다. 서울 암사동, 평양 남경, 봉산 지탑리 등 전국 각지에서 발견되고 있다.

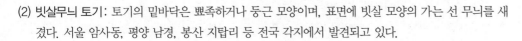

농경 굴지구(땅을 파고 일구는 도구)

오이도 패총

❶ 조개더미(패총, 貝塚)
당시 사람들이 조개류를 많이 먹었으며, 때로는 장식으로 이용했음을 알 수 있다. 대표적인 유적지로는 웅기 굴포리, 부산 동삼동 등이 있다.

가락바퀴
가운데 구멍에 막대를 끼워 축으로 만들고 섬유를 축에 이어 회전시키면서 실을 만드는 방직 도구이다.

가락바퀴 사용 복원

4. 경제 생활: 농경과 목축이 시작되었다(생산 경제).

(1) **농경의 시작**: 신석기 시대부터 농경 생활이 시작되어 조, 피, 수수 등 잡곡을 경작하였다. 황해도 봉산 지탑리와 평양 남경 유적에서 탄화된 좁쌀이 발견되어 농경의 흔적을 확인할 수 있다.

(2) **농기구**: 돌괭이, 돌삽, 돌보습, 돌낫 등 간석기와 뼈나 뿔로 제작한 농기구를 사용하였다.

(3) **수렵과 채집**: 농업 생산량이 적었기 때문에 여전히 사냥, 고기잡이와 채집이 식량을 얻는 중요한 수단이었다. 해안 지역에 형성된 대규모 조개더미❶는 당시 조개류 채집이 활발했음을 보여 준다.

(4) **원시적 수공업**: 가락바퀴나 뼈바늘이 출토되는 것으로 보아 옷이나 그물을 만드는 원시적인 수공업 생산이 이루어졌음을 알 수 있다.

신석기 시대의 주식, 도토리

우리나라 신석기 시대 유적에서는 도토리·가래·밤 등의 견과류가 출토되는데, 그중에서 가장 많은 것이 도토리이다. 도토리는 조와 기장 등의 곡물이 재배되기 이전에 가장 많이 이용된 야생 곡물이었다. 단단한 껍질을 가진 도토리는 잘 썩지 않아 오랫동안 저장할 수 있어 빗살무늬 토기나 저장 구덩이에 넣어 보관하였다. 경남 창녕 비봉리 유적에서 이러한 도토리 저장 구덩이들이 발견되고 있다.

5. 주거 생활

(1) **정착 생활**: 강가나 바닷가 등지에 움집을 짓고 한 곳에 머물러 생활하였다.

(2) **움집**: 반지하형 가옥으로, 바닥은 원형이나 모서리가 둥근 사각형 형태이다. 움집의 중앙에는 불씨를 보관하거나 취사와 난방을 위한 화덕이 있었다. 화덕이나 출입문 옆에는 저장 구덩을 만들어 식량이나 도구를 보관하였다. 움집에는 4~5명 정도의 가족이 거주할 수 있었다.

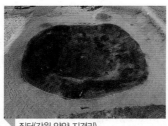

집터(강원 양양 지경리)

움집(서울 암사동)

6. 사회 생활(부족 사회)

(1) **평등 사회**: 구석기 시대와 마찬가지로 지배와 피지배의 관계가 발생하지 않은 평등한 사회였다. 연장자나 경험이 많은 자가 자기 부족을 이끌어 나갔다.

(2) **씨족 단위의 생활**: 신석기 시대에는 혈연 중심의 씨족 사회가 구성되었다. 각 씨족의 생활 구역이 정해져 있었고, 다른 씨족의 생활 구역을 침범하는 것은 금지되어 있었다.

(3) **부족 사회의 형성**: 부족은 혈연을 바탕으로 한 씨족을 기본 구성 단위로 하였다. 이들 씨족은 점차 다른 씨족과의 혼인(족외혼)을 통해 부족 사회를 형성하였다.

7. 원시 신앙의 등장

(1) 애니미즘(Animism) : 농경에 큰 영향을 끼치는 **자연 현상**이나 태양·물 등 **자연물**에도 정령이 있다고 믿어 이를 숭배하였다.

(2) 토테미즘❷ : 자기 부족의 기원을 특정한 **동식물**과 연결시켜 부족의 수호신으로 섬겼다.

(3) 샤머니즘(Shamanism) : 영혼이나 하늘을 인간과 연결시켜 주는 존재인 무당과 그 주술을 믿었다.

(4) **영혼 숭배**❸ : 죽은 후에도 영혼은 없어지지 않는다고 여겨 영혼과 조상을 숭배하였다. 또한, 영혼 숭배와 조상 숭배의 등장에 따라 죽은 사람을 매장하는 풍습이 생겨났다.

8. 예술 활동❹

흙을 빚어 구운 인물상(양양 오산리)과 여인상(울산 신암리), 조개껍데기 가면(부산 동삼동 패총) 등 예술품을 만들었다. 여인상은 풍요와 다산을 상징한 것으로, 조개껍데기 가면은 공동체 의식에 사용된 것으로 추정한다.

▼ 양양 오산리 출토 얼굴상

▼ 신암리 여인상

▼ 조개껍데기 가면

9. 신석기 시대의 대외 교류

한반도에서 발견되는 흑요석❺은 백두산이나 일본에서 생산된 것으로, 당시 원거리 교역을 했음을 알 수 있다. 또한, 경남 비봉리 유적에서 출토된 **통나무배**는 한반도와 일본이 **해상으로 교류**했다는 것을 보여 준다.

✿ **신석기 시대의 유물과 유적지**

서울 암사동	빗살무늬 토기, 탄화된 좁쌀, 움집(바닥 원형, 화덕 중앙)
황해 봉산 지탑리	탄화된 좁쌀, 움집(바닥 원형, 화덕 중앙)
제주 한경 고산리	가장 오래된 신석기 유적, 돌화살촉, 이른 민무늬 토기(고산리 토기) 등 출토
부산 동삼동	조개껍데기 가면, 치레걸이, 조몬 토기, 흑요석(일본 규슈)
평양 남경	빗살무늬 토기, 탄화된 좁쌀
경남 창녕 비봉리	통나무배, 도토리 저장 구덩
평남 온천 궁산리	주거 유적, 뼈바늘, 변형무늬 토기(물결무늬·번개무늬 등)

❷ **토테미즘(Totemism)**
대표적인 예로 단군 신화가 있다. 곰을 토템으로 하는 부족과 호랑이를 토템으로 하는 부족, 그리고 하늘을 모시는 부족 간의 경쟁을 통해 국가가 형성되는 과정을 다루었다.

❸ **동침신전앙와장**
죽은 사람을 매장할 때 머리는 해가 뜨는 동쪽으로 두고 몸을 똑바로 눕혔다. 이를 통해 당시 사람들이 태양 숭배와 영혼 불멸을 믿었음을 보여 준다.

❹ **신석기의 예술**
신석기인들은 동물 뼈나 조개껍데기로 된 목걸이나 팔찌를 만들어 착용하였다.

❺ **흑요석**
화산 지역에서만 나오는 특별한 광물로 원산지마다 구성 성분이 다르다. 면도날처럼 날카롭게 가공할 수 있어 높은 가치를 지닌다.

▼ 흑요석으로 만든 석기(부산 동삼동)

(가) 시기의 생활상에 대한 설명으로 옳은 것은?

2020. 국가직 9급

> 1935년 두만강 가의 함경북도 종성군 동관진에서 한반도 최초로 ___(가)___ 시대 유물인 석기와 골각기 등이 발견되었다. 발견 당시 일본에서는 ___(가)___ 시대 유물이 출토되지 않은 상황이었다.

① 반달 돌칼을 이용하여 벼를 수확하였다.
② 넓적한 돌 갈판에 옥수수를 갈아서 먹었다.
③ 사냥이나 물고기잡이 등을 통해 식량을 얻었다.
④ 영혼 숭배 사상이 있어 사람이 죽으면 흙 그릇 안에 매장하였다.

[해설]

1935년에 함경북도 동관진에서 구석기 유적이 발견되었다. ③ 구석기 시대에는 동물의 뼈나 뿔로 만든 뼈도구와 뗀석기로 사냥과 채집, 물고기잡이 등을 하면서 생활하였다. ① 청동기 시대, ②④ 신석기 시대에 대한 설명이다.

[정답] ③

---

04 청동기의 보급과 사용 ☆

1. 청동기❶ 시대의 시작

기원전 2000년경에서 기원전 1500년경 빗살무늬 토기 문화에서 점차 청동기 시대로 넘어갔다.

2. 청동기의 사용과 토기의 발전

(1) 도구의 발전

  ① 농기구: 반달 돌칼, 바퀴날 도끼, 홈자귀 등의 석기가 농기구로 사용되었으나, 청동제 농기구는 없었다.

  ② 청동기

    ㉠ 비파형 동검: 비파형 동검은 칼날 모양이 비파라는 악기를 닮았으며, 칼날과 손잡이를 별도로 만들어 조립하였다. 주로 만주와 한반도에서 발견되었다.

    ㉡ 기타: 칼, 거울, 방울 등이 청동으로 만들어져 사용되었다. 대표적으로 **거친무늬 거울** 등이 있다.

  ③ 간돌검: 정교하고 날카롭게 칼날을 갈아 만든 간돌검(마제석검)은 주로 사냥이나 전쟁 무기로 사용되었다.

  ④ 고조선의 범위: 민무늬 토기, 탁자식 고인돌, 비파형 동검, 거친무늬 거울 등은 고조선의 영역을 보여 주는 특징적인 유물로 간주된다.

(2) 토기: 쓰임새에 따라 다양한 그릇이 제작되었다. 대부분 납작 바닥이며 그릇 두께가 두꺼워졌다.

  ① 민무늬 토기❷: 청동기 시대의 대표적인 토기로 무늬가 없는 것이 특징이다. 지역에 따라 형태가 약간씩 다르지만, 밑바닥이 판판한 원통 모양의 화분형이 기본 모양이었다. 빛깔은 적갈색이었다.

  ② 미송리식 토기❸: 밑이 납작한 항아리 양쪽 옆으로 손잡이가 하나씩 달리고 목이 길고 넓게 올라가서 다시 안으로 오므라들고, 표면에 **집선 무늬❹**가 있는 것이 특징이다. 고조선의 영역을 보여 주는 특징적인 유물로 주로 청천강 이북, 요령성과 길림성 일대에 분포한다.

  ③ 붉은 간 토기: 바닥이 둥근 모양이고, 목이 안으로 가볍게 오므라지는 것이 특징이다.

---

❶ 청동기

제사용 도구, 지배 계급의 장신구 등으로 주로 사용되었다. 거친무늬 거울과 청동 방울의 쓰임새는 제사 지낼 때의 의식용으로 보인다.

▲ 거친무늬 거울

▲ 청동기 시대의 간돌검(마제석검)

❷ 민무늬 토기(무문 토기)

취사용·저장용·부장용 등 여러 형태의 토기가 만들어졌다.

❸ 미송리식 토기

의주 미송리 동굴에서 처음 발견되었다.

❹ 집선(集線) 무늬

여러 겹의 선이 그려진 무늬를 말한다.

비파형 동검

민무늬 토기

미송리식 토기

붉은 간 토기

3. 유적지

청동기 시대의 유적은 만주 지역과 한반도에 걸쳐 널리 분포되어 있다. 대표적으로 **부여 송국리**, **⑤** 의주 미송리, 여주 흔암리 등이 있다.

4. 무덤

(1) **고인돌**: 한반도 전역뿐 아니라 중국의 산둥 지방과 요동 지방 그리고 일본에도 퍼져 있다.

① **탁자식(북방식)⑥**: 4개의 받침돌로 직사각형 무덤방을 만들고 그 위에 덮개돌(뚜껑돌)을 얹어 놓았다. 시신이 매장된 돌방이 지상에 노출된 것이 특징이다.

② **바둑판식(남방식, 기반식)**: 지하에 무덤방을 만들고, 덮개돌과 무덤방 사이에 3~4개 이상의 받침돌을 놓았다.

③ **개석식**: 받침돌 없이 덮개돌로 직접 지하에 만든 무덤방을 덮은 무덤 양식이다.

④ **의미**: 수십 톤 무게의 큰 돌을 옮기려면 많은 인력을 동원할 수 있는 강력한 권력이 요구되었다. 따라서 고인돌은 이 시기 **계급 분화**를 보여 주는 대표적인 유물이다.

(2) **돌널무덤**: 지하에 구덩을 파고 직사각형의 돌판으로 벽을 만든 뒤, 그 위에 덮개돌을 놓았다.

(3) **돌무지무덤**: 돌로 쌓아 만든 무덤(적석총, 積石塚)이다. 이후 고구려와 백제로 이어졌다.

• 청동기 유적

청동기 시대의 유적지

탁자식(북방식) 고인돌

바둑판식(남방식) 고인돌

개석식 고인돌

解法 도움닫기 거석 문화와 고인돌

고인돌과 선돌(입석)은 거대한 바위를 이용해 만들어진 구조물로, 거석 문화의 상징이다. 우리나라에는 세계에서 가장 많은 고인돌이 분포되어 있으며 한 지역에 수백 기 이상의 고인돌이 밀집 분포하고 있다. 형태에 따라 탁자식·바둑판식·개석식으로 구분하고 있다. 유네스코 세계 유산 위원회는 2000년 12월에 고창, 화순, 강화의 고인돌 유적지를 세계 문화유산으로 지정하였다.

⑤ 부여 송국리 유적지

집터는 원형과 장방형 2가지가 있으며 원형이 많은 편이다. 또한, 중앙에 2개의 기둥이 서 있는 원형 움집도 보인다. '송국리식 토기'라고 불리는 민무늬 토기와 붉은 간 토기가 출토되고, 탄화미도 발견된다. 마을 주변에 도랑을 파고 목책을 설치한 흔적도 발견되고 있다.

⑥ 북방식 고인돌

강화도 부근리 등 여러 곳에서 발견되었다.

돌널무덤

선돌

사사건건 그날 B.C. 2333~B.C. 60

~B.C. 2333 전일 ▶▶
• 약 70만 년 전 구석기인 등장
• B.C. 10000년경 전환기 시작
• B.C. 8000년경 신석기 시대 시작

Now Event ▶▶
• B.C. 2333 고조선 건국
• B.C. 20   청동기 문화의 보급
~15세기경
• B.C. 5세기 철기 문화의 보급
• B.C. 194 위만 조선 성립
• B.C. 108 고조선 멸망

❖ 청동기 시대의 유적지

부여 송국리	• 탄화미 발견, 물에 댄 논에서 벼를 재배한 흔적 발견 • 환호(도랑)를 두르고 목책을 설치(방어 및 의례의 목적) • 원형의 송국리형 주거, 송국리식 토기 출토
여주 흔암리	밭이나 화전에서 벼를 재배한 흔적 발견
평양 남경	탄화미 발견
서천 화금리	국내 최대의 볍씨 창고 발견
충남 보령 관창리	수리 관개 시설 확인(논의 중앙부에 도랑 설치하고 그 양쪽 둑에 나무를 박아 하천의 범람 방지)

05 철기의 사용

1. 철기의 사용: 기원전 5세기경부터 한반도와 만주 등지에서 철기가 사용되었다.

(1) 철제 농기구의 사용 : 철제 농기구의 사용으로 **농업이 발달**하여 경제 기반이 확대되었다.

(2) 청동기의 의기화 : 철제 무기와 도구를 사용함에 따라 청동기는 점차 **의식용 도구**로 변하였다.

2. 중국과의 교류

(1) 경제적 교류 : 명도전(연), 반량전(진), 오수전(한)은 중국과 활발하게 교류했음을 보여 준다.

(2) 문화적 교류 : 경남 창원 다호리 유적에서 나온 붓과 평양에서 출토된 '진과(秦戈)'라는 한자가 새겨진 창을 통해 당시에 한자를 사용했음을 알 수 있다.

▷ 명도전
춘추 전국 시대 연나라 청동 화폐

▷ 반량전(경남 사천 늑도)
진에서 사용한 청동 화폐

▷ 붓(경남 창원 다호리)

3. 청동기의 독자적 발전

한반도에서 청동기 문화가 독자적으로 발전하였다. 이에 따라 비파형 동검은 한국식 동검인 **세형동검**으로, 거친무늬 거울은 **잔무늬 거울**로 변하였다. 청동기 제작과 관련된 전문 장인이 등장했으며, 청동 제품을 만드는 틀인 **거푸집**이 전국 각지에서 발견되었다.

▷ 세형동검

▷ 잔무늬 거울

▷ 청동 도끼 거푸집
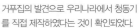
거푸집의 발견으로 우리나라에서 청동기를 직접 제작하였다는 것이 확인되었다.

4. 초기 철기 시대의 토기

토기의 입구에 원형·타원형·삼각형의 덧띠를 붙인 **덧띠 토기**와 **검은 간 토기** 등이 사용되었다.

5. 초기 철기 시대의 무덤

철기 시대에는 항아리 안에 사람의 뼈를 추려서 매장하는 **독무덤**[1](옹관묘), 구덩이를 파고 시체를 나무로 만든 관(널)에 넣어 매장하는 **널무덤**(목관묘) 등이 유행하였다.

▼ 독무덤(옹관묘, 甕棺墓)

▼ 널무덤(토광묘, 목관묘, 木棺墓)

6. 초기 철기 시대의 유적지

대표적인 유적지로는 위원 용연동(명도전), 사천 늑도(반량전), 창원 다호리(오수전, 붓), 제주 삼양동(철기 시대 대규모의 집터 발견) 등이 있다.

▼ 덧띠 토기
토기의 입구에 덧띠를 말아 붙인 토기로, 청동기 시대부터 만들어졌다.

▼ 검은 간 토기
표면에 흑연을 발라 검은색의 광택을 내었다.

❶ 독무덤
최근에는 신석기 시대의 유적에 독무덤이 출토되는 경우도 있다.

---

06 청동기·초기 철기 시대의 생활

1. 경제 생활

(1) **농기구의 발전**: 농기구로는 바퀴날 도끼, 홈자귀, **반달 돌칼**(추수용) 등 다양한 종류의 간석기[2]가 사용되었다. 또한 청동 도끼와 연장을 이용하여 목제 농기구를 더욱 정교하게 만들었다.

(2) **벼농사의 시작**: 조, 보리, 콩 등 밭농사 중심이었지만, 일부 저습지에서는 **벼농사**를 지었다(탄화미 발견).

(3) **생산력의 증대**: 농업 생산력이 증가했기 때문에 사냥·어로·조개 채집의 비중이 점차 줄어들었다. 그리고 돼지, 소, 말 등 가축의 사육은 이전보다 늘어났다.

2. 주거 생활[3]

(1) **위치**: 앞에는 하천이 흐르고, 뒤에는 북서풍을 막아 주는 나지막한 산이 있는 곳에 자리잡고 살았다. 이것은 우리나라의 전통적인 취락 형태가 되었다[배산임수(背山臨水)].

(2) **움집**
　① **크기와 형태**: 부부를 중심으로 하는 4~8명 정도의 가족이 거주할 수 있었다. 그리고 대체로 원형이나 **직사각형** 모양이었다.

❷ 간석기 제작 기술의 발달
기존에는 날 부분만 갈아서 만들었으나, 청동기 시대에 들어와 석기 전체를 갈아서 더욱 정교하게 마무리했다.

▼ 반달 돌칼

❸ 청동기 시대의 주거 형태
주로 강을 끼고 있는 나지막한 산이나 구릉 지대에 주거지가 형성되었다.

▼ 청동기 시대의 집터(대구)

철기 시대의 집터 복원(제주)

② 구조: 점차 지상 가옥으로 바뀌었으며, 중앙에 있던 화덕은 벽 쪽으로 이동하였다. 저장 구덩은 한쪽 벽면을 밖으로 돌출시키거나 집 밖에 따로 만들었다. 움집을 세우는 데에 주춧돌을 이용하기도 하였다. 철기 시대에는 부뚜막❶이 등장하였다.

(3) 취락 형성: 농경 발달과 인구 증가에 따라 마을이 점차 확대되었다. 이에 따라 외부의 침입이나 접근으로부터 마을을 지키기 위해 도랑을 파고 목책을 둘렀다. 또한 주거용 이외에 창고, 공동 작업장, 집회소, 공공 의식 장소 등이 나타났다.

3. 사회 구조의 변화,❷ 계급 발생

(1) 군장의 등장: 생산 경제가 이전보다 발달하여 사유 재산 제도와 계급이 발생하였다. 점차 계급 분화가 뚜렷해지면서 권력과 경제력을 가진 지배자인 군장이 등장하였다.

(2) 선민사상의 등장: 특정한 민족이나 집단만이 신(神)에게 특별히 선택되었다는 사상이다. 주변의 약한 부족을 통합하고 정복하는 데 활용되었다.

(3) 남성 중심 사회의 형성: 여성은 주로 집 안에서 집안일을 담당하고, 남성은 농경·전쟁과 같은 바깥일에 종사하였다. 이로 인해 부계 중심의 사회 구조가 형성되었다.

4. 청동기·초기 철기 시대의 예술

청동기 시대의 예술은 정치적 요구와 종교와 밀착되어 있었다. 청동제 거울·방울·검 등은 제사장이나 군장이 자신의 권위를 과시하는 의식용 도구로 사용되었다. 또한, 바위그림 등에는 당시 사람들의 소망을 반영했으며, 무덤에서 발견되는 껴묻거리들은 사후 세계에 대한 믿음을 보여 주고 있다.

(1) 울주 반구대 바위그림: 여러 종류의 고래·그물에 걸린 동물 등이 새겨진 바위그림으로, 사냥과 고기잡이의 성공 등 풍요와 다산에 대한 기원으로 보인다.

(2) 고령 양전동(장기리) 바위그림❸: 동심원(태양 상징), 십자형, 삼각형, 사각형, 방패 모양 등의 기하학 무늬가 새겨져 있다.

반구대 바위그림 탁본(울산 울주 대곡리)

고령 양전동(장기리) 바위그림

반구대 바위그림 탁본 (울산 울주 대곡리)	• 현존하는 청동기 암각화 중 세계에서 가장 오래된 것으로 추정됨. • 고래잡이 모습, 그물로 사냥하는 모습 등 청동기 시대의 생활 모습 잘 묘사함. • 1960년대 사연 댐 건설로 인해 침수와 노출이 반복되는 과정에서 훼손 심각 ⇒ 암각화의 보존 문제가 사회 문제로 대두되고 있는 상황
고령 양전동(장기리) 바위그림	• 동심원, 십자형, 삼각형 등 기하학 무늬가 새겨져 있음. • 신의 모습을 묘사하였는데, 이런 암각화는 시베리아 지역에서도 발견 ⇒ 청동기 시대의 교류

5. 청동기·초기 철기 시대의 교류

부여 송국리 유적의 원형 움집이 일본에서 발견되고 있다. 이를 통해 송국리의 주거 집단이 일본으로 이주했음을 알 수 있다. 또한, 일본에서 한반도와 매우 유사한 형태의 민무늬 토기가 발견되고 있으며, 한반도에서도 일본의 야요이 토기가 출토되고 있다.

대표 기출문제

다음 유물이 사용된 시대에 대한 설명으로 옳은 것은?   2023. 국가직 9급

> 미송리식 토기, 팽이형 토기, 붉은 간 토기

① 비파형 동검이 사용되었다.
② 오수전 등의 화폐가 사용되었다.
③ 아슐리안형 주먹 도끼가 사용되었다.
④ 철이 많이 생산되어 낙랑과 왜에 수출되었다.

해설
제시된 자료는 청동기 시대의 토기들이다. ① 청동기 시대에는 칼날 모양이 비파라는 악기를 닮은 비파형 동검이 사용되었다.
② 초기 철기 시대의 일이다. ③ 구석기 시대에 대한 설명이다. ④ 변한에 대한 설명이다.

정답 ①

解法 도움닫기 중국사 총정리

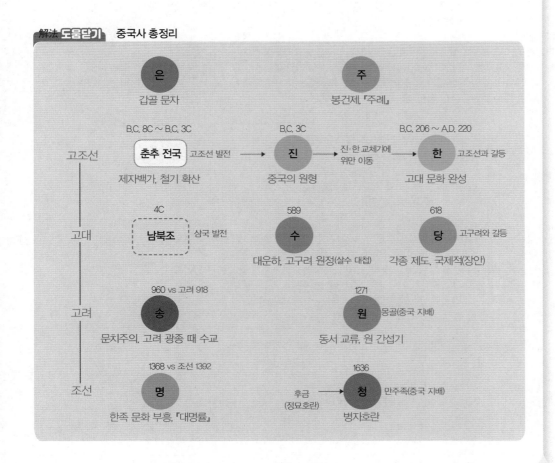

03강 고조선의 건국과 발전

解/法 기출분석

구분		2008~2017	2018	2019	2020	2021	2022	2023	2024
9급	국가직	고조선(3)							
	지방직	고조선(8조법)							고조선
	법원직	고조선(2)				고조선	고조선	고조선	

解法
요람

고조선의 건국과 발전

※ 『관자』: 가장 오래된 기록

고조선의 세력 범위

건국
- 성립: 단군왕검, 기원전 2333년(『삼국유사』, 『동국통감』)
- 영역: 요령~한반도
  비파형 동검, 고인돌(탁자식·북방식), **미송리식 토기**의 출토 분포와 거의 일치
- 단군 이야기: 청동기 문화를 바탕으로 고조선이 성립된 역사적 사실 반영
- 수록 문헌: 『삼국유사』(일연), 『제왕운기』(이승휴), 『세종실록지리지』(춘추관), 『응제시주』
  (권람), 『동국여지승람』(노사신) 등

발전

단군 조선
- 세력 범위: 요령~한반도(대동강 유역 중심)
- 정치 조직 확립: 왕위 세습(B.C. 3C, 부왕·준왕),
  관직 정비(상·대부·장군·박사)
- 대외 관계: 연나라와 대립(연과 대등할 만큼 강성)
- 연나라 장수 진개의 공격으로 요동 지역을 상실하고 대동강으로 이동(B.C. 3C 초)

위만 조선
- 유이민의 이동(2차): 진·한 교체기 위만이 고조선으로 이동, 세력 확대
  d) 1차 유이민 이동: B.C. 5C 전국 시대 혼란기
- 위만 왕조 성립(B.C. 194): 유이민 세력과 토착 세력의 연합 정권, 단군 조선 계승
- 철기의 본격적 수용, 중계 무역으로 번성
- 대외 관계: 흉노와 연결, 한과 대립(⇒ 한 무제의 침입)

멸망
한 무제의 침입, 지배층의 내분으로 멸망(B.C. 108) ⇒ 한 군현 설치 ⇔ 토착민의 저항

사회

8조법
- 기록: 『한서』 지리지(반고)
- 내용: 살인죄, 상해죄, 절도죄 ⇒ 생명 존중, 농경 사회, 사유 재산제와 계급 사회

01 단군과 고조선

1. 고조선의 성립

청동기 문화를 바탕으로 우리나라 역사상 최초의 국가인 고조선이 성립하였다. 『삼국유사[1]』
와 『동국통감』의 기록에 따르면 기원전 2333년에 단군왕검이 고조선을 건국했다고 전하고
있다. 또한, 『삼국유사』와 『제왕운기』는 고조선을 우리나라 최초의 국가로 기록하였다.

2. 고조선의 세력 범위

(1) 세력 범위: 고조선은 요녕성 일대인 만주 지역을 중심으로 존재(중국의 『관자[2]』, 『산해경』 등)
했으며, 평양을 중심으로 한반도 중부까지 점차 세력을 확장하였다.

(2) 근거: 비파형 동검, 거친무늬 거울, (북방식) 고인돌, 미송리식 토기가 출토되는 지역과 거의 일치한다.

3. 단군 신화

(1) 단군의 건국 이야기: 단군의 건국 이야기가 수록된 문헌으로는 『삼국유사』, 『제왕운기』, 『세종실록
지리지』, 『응세시주』, 『동국여지승람』 등이 있다.

(2) 정치적 의미: 건국 과정에서 환인-환웅족과 곰(웅녀)을 토템으로 하는 부족이 결합했음을 보여
준다. 이때 호랑이를 섬기는 부족은 배제되었다.

(3) 천손 사상·선민 사상: 환웅 부족은 하늘의 자손이라고 주장하면서 자기 부족의 우월성을 과시하
였다.

(4) 홍익인간: '널리 인간을 이롭게 한다'는 민본주의 통치 이념을 내세웠다.

(5) 제정일치: 단군왕검[3]은 당시 지배자의 칭호로, 제정일치 사회였음을 알 수 있다.

(6) 농경 사회: 바람, 구름, 비를 주관하는 풍백, 운사, 우사가 있었다. 이를 통해 고조선은 농경 사회를
배경으로 성립했으며, 생산 활동에서 농경이 큰 비중을 차지했다는 것을 알 수 있다.

고조선의 중심지 이동

❶ 고조선 건국
『삼국유사』에 따르면 중국의 요(堯)
임금이 재위하던 시기에 단군이 고
조선을 건국했다고 전해진다.

❷ 『관자』
춘추 시대 제나라 때 책으로, 고조선
에 대한 기록이 보이는 가장 오래된
역사서이다.

❸ 단군왕검
단군은 제사장을, 왕검은 정치적 지
배자를 의미한다(祭政一致).

고등사료 百出

2021. 법원직 9급, 2018. 지방직 7급

단군 신화

옛날 하늘신 환인의 아들 환웅이 천하를 다스리고 인간 세상을 구원하고자 하는 생각이 있었다.
환인이 그 뜻을 알고 천하를 두루 살펴보니 태백산이 널리 인간을 이롭게 할 만한 곳이므로 천부
인(칼, 거울, 방울) 3개를 가지고 내려가 다스리게 하였다. 환웅은 3천의 무리를 이끌고 태백산 꼭대
기 신단수 밑에 내려 그곳을 신시라 하였다. 환웅은 풍백, 우사, 운사 등을 거느리고 곡식, 생명,
질병, 형벌 등 인간의 360여 가지 일을 주관하며 세상에 살면서 인간을 다스리고 교화하였다. ……
곰과 범이 이것을 받아서 먹고 근신하기 삼칠일 만에 곰은 여자의 몸이 되고, 범은 삼가지 못하여
사람이 되지 못하였다. …… 환웅이 잠깐 변하여 결혼해서 아들을 낳으니 이를 단군왕검이라 하였
다. 단군왕검은 평양성에 나라를 세우고 나라 이름을 조선이라고 하였다.   – 일연, 『삼국유사』

단군의 초상화

고구려 각저총 씨름도의 곰과 범
큰 나무 아래 곰과 범이 앉아 있다.

✎ 고조선의 중심지 이동설
고조선의 초기 중심지는 요동에 있었으나, 기원전 3~4세기경에 대동강 유역으로 중심지가 이동했다는 견해이다. 최근 남한에서는 이 설을 채택하고 있다. 요동 지방의 청동기 문화가 한반도보다 더 앞선다는 점과 평양 일대에서 이 시대의 유물이 대량 발견된 점이 중심지 이동설의 근거가 되고 있다.

❶ 단군 조선의 발전
고조선은 기원전 7세기~5세기 무렵, 중국의 산둥반도에 있던 제나라와 교역하면서 선진 문물을 수용하였다.

02 단군 조선의 발전과 위만 조선 ☆

1. 단군 조선의 발전

고조선은 요령 지방과 대동강 유역을 중심으로 독자적인 문화를 이룩하면서 발전❶하였다.

(1) 정치 체제 정비

기원전 3세기경에는 **부왕, 준왕** 같은 강력한 왕이 등장하여 **왕위를 세습**하였다. 왕 밑에 **상, 대부, 장군, 박사** 등의 관직이 있었다.

(2) 중국 연나라와 대립

① **기원전 4세기**: '왕'이라고 칭하며, 요서 지방을 경계로 하여 **연나라와 대립**할 만큼 성장하였다.

② **기원전 3세기**: 기원전 3세기 초 연나라 장수 진개의 침략을 받아 서쪽의 넓은 영토(요동)를 상실하였다. 이에 따라 고조선의 중심이 **평양 일대로 이동**하였다.

고름사료 百出   2018. 국가직 7급

고조선의 성장

조선후(朝鮮侯)는 주(周)나라가 쇠약해지자 연(燕)나라가 스스로 높여 왕이 되어 동쪽을 침략하여 땅을 빼앗으려는 것을 보고, **조선후 역시 스스로 왕이라 칭하고** 군사를 일으켜 도리어 연나라를 공격하여 주나라 왕실을 받들고자 하였다. 조선의 대부(大夫) 예(禮)가 간언하자 곧 그만두었다.   – 삼국지 위지 동이전

2. 위만 조선의 성립

❷ 유이민의 이동
기원전 5세기 전국 시대와 기원전 3~2세기인 진·한 교체기에 유이민 집단이 중국에서 대거 넘어왔다.

(1) 유이민의 이동❷

기원전 3~2세기인 **진·한 교체기**에 유이민 집단이 이주해 왔다. 이때 위만은 1,000여 명의 무리를 이끌고 고조선으로 들어왔다.

❸ 준왕
왕위를 빼앗긴 준왕은 무리를 이끌고 남쪽으로 와서 왕이 되었다고 한다.

(2) 위만 세력의 성장과 위만 왕조의 성립(B.C. 194)

준왕은 위만을 박사로 임명하고, 서쪽 변경을 수비하는 임무를 맡겼다. 이후 세력을 키운 **위만은 수도인 왕검성에 쳐들어가 준왕**❸**을 몰아내고 스스로 왕이 되었다.**

심화사료 百出

위만의 망명과 집권❹

연나라 사람 위만(衛滿)도 망명하여 호복(胡服)을 하고 동쪽의 패수를 건너 준왕에게 나아가 투항하였다. …… 준왕은 그를 믿고 총애하여 벼슬을 내려 박사(博士)로 삼고 규[圭: 제후를 봉할 때 사용하던 신인(信印)]를 내려주어 백 리의 땅을 봉해 주면서 서방 변경을 지키도록 하였다. 위만은 망명자의 무리를 꾀어내어 무리가 점차 많아지자, 이에 사람을 보내 준왕에게 거짓으로 알리기를 '한나라의 군대가 10곳의 방향에서 쳐들어오니, 들어가 숙위(宿衛)하기를 청합니다.'라고 하고, 마침내 돌아와 준왕을 공격하였다. 준왕은 위만과 싸웠지만 상대가 되지 못하였다라고 전한다.   – 「삼국지」 권 30, 「위서」 30, 오환선비동이전

❹ 위만의 고조선 계승
위만이 조선인의 옷(호복)을 입고 들어왔다는 것과 국호를 그대로 조선이라 했다는 것 등을 통해 위만 조선은 단군의 고조선을 계승한 것으로 보고 있다.

3. 위만 조선[5]의 발전

(1) 경제적 발전

철기 문화를 본격적으로 수용하였다. 따라서 철로 만든 농기구·무기 생산을 중심으로 한 수공업이 발달하였다. 그리고 한반도 남부의 진과 중국의 한나라 사이에서 **중계 무역**을 하면서 경제적 이익을 보았다.

(2) 정복 사업의 전개

경제적·군사적 발전을 바탕으로 정복 사업을 활발히 전개하였다. 이에 따라 진번(한강 이북·황해도), 임둔(함경남도) 등 주변의 여러 나라들을 정복하여 넓은 영토를 차지하였다.

(3) 한(漢)과의 대립

고조선은 지리적인 이점을 이용해 동방의 예나 남방의 진이 직접 중국의 한과 교역하는 것을 막고 **중계 무역**의 이득을 독점하려 하였다. 또한 흉노와의 연결을 통해 한나라를 견제하였다.

한과 고조선의 대립

· **창해군 설치[한(漢)의 조선 견제]**

B.C. 128년 고조선에 복속해 있던 예국(穢國)의 왕 남려(南閭)가 28만여 명의 주민을 이끌고 한에 투항하자 한은 이곳에 창해군(滄海郡)을 설치하여 고조선을 압박하려 했는데 토착인의 저항으로 실패로 끝났다.

· **섭하 사건**

한의 무제는 섭하(涉河)를 사신으로 파견하여 위만에게 신하로서의 위치를 지킬 것을 요구하였으나 위만 조선은 이를 거부하였다. 그러자 섭하는 귀국 중에 고조선의 장수를 살해하였는데, 이에 위만 조선은 군대를 보내 섭하를 살해하였다. 이 사건은 한나라가 고조선을 공격하는 계기가 되었다.

4. 고조선의 멸망

(1) 한 무제의 공격

B.C. 109년 한 무제는 수륙 양면으로 고조선을 공격했다. 고조선은 패수에서 대승을 거두는 등 한나라의 침략에 맞서 1년여간 항전하였다.

(2) 고조선의 멸망[6](B.C. 108)

장기간의 전쟁으로 지배층의 내분이 일어났다. 결국 B.C. 108년 수도 왕검성이 함락되어 멸망하였다.

(3) 한 군현[7]의 설치

한나라는 고조선 영토에 4개의 군현을 설치하고 토착민을 통제하고자 하였다. 이에 따라 8조에 불과하던 법 조항도 60여 조로 증가했으며 풍속도 각박해져 갔다.

심화사료 頻出

고조선의 멸망

원봉 3년(B.C. 108) 여름, 니계상 삼이 사람을 시켜 조선왕 우거를 죽이고 항복해 왔지만, 왕검성은 함락되지 않았다. 죽은 우거왕의 대신(大臣) 성기(成己)가 또한 한나라에 반란을 일으키고 다시 군리(軍吏)를 공격하였다. 좌장군은 …… 성기를 주살하도록 하니, 이로써 마침내 조선을 평정하고 4군(郡)을 세웠다.   - 「사기」 권 115, 「조선열전」 55

❺ 위만 왕조

유이민 세력과 토착 세력을 함께 포용하여 정치적 안정을 추구하였다. 또한 중국의 우수한 철기 문화를 받아들였다.

❻ 고조선의 멸망 과정

한 무제는 5만여 명의 육군과 7천여 명의 수군을 보냈지만, 험한 지세를 이용한 고조선의 작전에 말려들어 크게 패하였다. 전쟁이 길어지자, 한은 고조선의 지배층을 회유하고 매수하는 데 주력하였다. 고조선 내부에서도 분열이 일어나 화친을 주장하던 세력이 우거왕을 살해하고 한에 투항하였다. 이후에도 고조선은 계속 항전하였으나 결국 왕검성이 함락되어 멸망하였다.

❼ 한 군현(한사군)

한나라가 설치한 낙랑, 임둔, 진번, 현도 4개의 군현을 말한다. 진번, 임둔, 현도군은 토착민의 저항으로 쫓겨가거나 폐지되었다. 대동강 유역에 설치된 낙랑군은 장기간 존속하면서 중국의 선진 문물을 한반도 일대에 전해주는 창구 역할을 하였다.

강상무덤(중국 랴오닝 성 다롄)
고조선 귀족의 무덤으로 추정된다. 순장의 사례로 언급되기도 하나, 가족 공동 묘로 보는 견해도 있다.

❶ 노비
주로 전쟁 포로나 범죄자 등이 노비가 되었다.

❷ 상(相)
왕 밑에서 국무를 관장하며 왕과 함께 국가의 중대사를 논의하였다. 또한 이들은 수천 호로 이루어진 지역 집단의 우두머리로서, 직접 별도의 영역과 주민을 다스리기도 하였다. 대표적으로 우거왕 때의 역계경 등이 있다.

✎ 기자 조선
중국의 사서에는 은나라가 멸망하자 은나라의 기자(箕子)가 고조선으로 와서 기자 조선을 세웠다는 견해가 있다. 그는 시서예악(詩書禮樂)을 발전시키고, 정전제와 8조교를 실시했다고 한다. 이를 근거로 조선 시대 유학자들 사이에는 기자를 성현으로 숭배하고, 조선이 문화국임을 자랑으로 여기는 인식이 퍼졌다.

[해설]
㉠ 고조선에는 상(相)·경(卿)·대부(大夫)·대신(大臣)·장군(將軍)·박사(博士) 등의 관직이 있었다. ㉢ 위만 왕조의 고조선은 철기 문화를 본격적으로 수용하였다. 그리고 한강 이남의 진국(辰國)이 고조선을 통해 한(漢)과 무역하도록 하여 중계 무역의 이득을 취하였다. ㉡ (나) 시기에 해당한다. ㉣ 위만 집권 이전인 (가) 시기이다.

[정답] ①

03 고조선의 사회

1. 8조법

(1) **내용**: 8조의 법 중에서 3개 조목의 내용만 전해진다.
① **살인죄**: 살인자는 즉시 사형에 처한다. ⇨ **생명 존중**
② **상해죄**: 남의 신체를 다치게 한 자는 곡물로써 보상한다. ⇨ **농경 사회**
③ **절도죄**: 남의 물건을 도둑질한 자는 노비가 되는 것이 원칙이나, 용서를 받으려면 50만 전을 내놓아야 한다. ⇨ **사유 재산 존재, 계급 사회**

(2) **의미**
고조선은 개인의 생명과 **노동력·사유 재산**을 중요하게 여겨 이를 보호하고자 하였다. 또한 형벌과 노비❶가 존재한 **계급 사회**이고, 남성 중심의 가부장적 가족 제도가 성립했음을 짐작할 수 있다.

심화사료 百出   24. 지방직 9급, 23. 법원직 9급, 20. 법원직 9급, 20. 경찰 2차, 17. 국가직 7급(하), 15. 지방직 9급, 15. 경찰 2차, 12. 지방직 9급

8조법
(고조선에서는) 백성들에게는 금하는 법 8조를 만들었다. 그것은 대개 사람을 죽인 자는 즉시 죽이고, 남에게 상처를 입힌 자는 곡식으로 갚는다. 도둑질을 한 자는 노비로 삼는다. 용서받고자 하는 자는 한 사람마다 50만 전을 내야 한다. 비록 용서를 받아 보통 백성이 되어도 풍속에 역시 그들은 부끄러움을 씻지 못하여 결혼을 하고자 해도 짝을 구할 수 없다. 이러해서 백성들은 도둑질을 하지 않아 대문을 닫고 사는 일이 없었다. 여자들은 모두 정조를 지키고 신용이 있어 음란하고 편벽된 짓을 하지 않았다.
– 「한서」

2. 고조선의 사회상

(1) **지배층**
관직명으로는 왕 밑에 상·경·대부·장군·박사 등이 있었다. 이 중에서 상❷의 세력은 상당하였다.

(2) **피지배층**
『한서』 지리지에 따르면 농민은 대나무 그릇에 음식을 담아 먹고, 도시에서는 술잔 같은 그릇에 음식을 담아 먹었다고 한다.

대표 기출문제

(가)와 (나) 시기 고조선에 대한 〈보기〉의 설명으로 옳은 것만을 고른 것은?   2016. 국가직 9급

	(가)	(나)	
기원전 2333년 단군의 등장	기원전 194년 위만의 집권		기원전 108년 왕검성 함락

[보기]
㉠ (가)-왕 아래 대부, 박사 등의 직책이 있었다.
㉡ (가)-고조선 지역에 한(漢)의 창해군이 설치되었다.
㉢ (나)-철기 문화를 본격적으로 수용하며, 중계 무역의 이득을 취하였다.
㉣ (나)-비파형 동검과 고인돌의 분포를 통하여 통치 지역을 알 수 있다.

① ㉠, ㉢   ② ㉠, ㉣   ③ ㉡, ㉢   ④ ㉡, ㉣

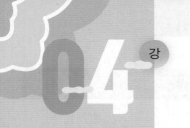

여러 나라의 성장

 解/法 기출분석

구 분		2008~2017	2018	2019	2020	2021	2022	2023	2024
9급	국가직	• 부여 • 고구려(3) • 동예와 옥저 • 동예 • 삼한		부여와 동예			옥저		
	지방직	• 여러 나라 성장 • 부여와 삼한 • 부여와 고구려 • 고구려 • 동예 • 동예와 옥저		옥저와 부여	옥저	부여			
	법원직	• 부여 • 부여와 삼한(2) • 고구려 • 동예(2) • 옥저				동예	고구려		삼한

 解法 요람

여러 나라의 성장

	부 여	고구려	옥 저	동 예	삼 한
위 치	만주 송화강	압록강 졸본	함흥평야	강원도 (원산만)	한강 이남 (진의 성장)
국 가	연맹 왕국(5부족) 왕 : 지배자 X ⇒ 대표자 O	연맹 왕국	군장 국가 : 왕 없음.		마한 54, 변한 12, 진한 12
정 치	가(加) : 사출도 대사자, 사자	대가(상가, 고추가) 사자, 조의, 선인	읍군 · 삼로 · 후		목지국왕 = 삼한왕
경 제	반농반목, 말, 주옥, 모피	졸본 : 산악 지방 약탈 경제(부경)	토지 비옥 소금, 해산물	방직 기술 발달 단궁, 과하마, 반어피	1. 벼농사 발달 ① 저수지 多 ② 두레 ③ 제천 행사 x 2회 2. 철 - 변한 - 가야
제천 행사	영고(12월) ⇒ 수렵 사회의 전통	동맹(10월) 국동대혈	×	무천(10월)	수릿날(5월) 계절제(10월)
풍 습	순장, 흰옷, 형사취수제 4조목의 법 : 1책 12법	서옥제, 형사취수제	민며느리제 가족 공동묘	족외혼, 책화 ⇩ 씨족 사회의 풍습 ∵ 폐쇄적 지형	1. 소도(별읍) : 천군, 제정 분리 2. 군장 : 신지, 읍차

여러 나라의 성장

❶ 사출도(四出道)
중앙(수도)을 중심으로 지방을 동·서·남·북의 4개 구역으로 나눈 것이다.

❷ 대외 관계
중국의 한나라와는 우호적인 관계를 유지하였다.

01 부여 ⭐⭐

1. 위치
부여는 만주 길림시 일대 송화(쏭화)강 유역의 평야 지대를 중심으로 성장하였다.

2. 정치적 발전
(1) **왕의 존재**: 이미 1세기 초에 왕호를 사용하였다. 왕위 계승은 부자 상속이 원칙이었으나, 제가들이 합의하여 국왕을 추대하는 경우도 있었다.

(2) **왕권**: 수해나 가뭄으로 흉년이 들면 왕에게 그 책임을 묻기도 하였다. 한편, 왕을 배출한 부족의 세력은 매우 강해서 궁궐, 성책, 감옥, 창고 등의 시설을 갖추고 있었다.

(3) **정치 조직**: 왕 아래에 마가·우가·저가·구가와 대사자·사자 등의 관리가 있었다. 왕은 마가·우가·저가·구가 등 부족장들과 협의하여 국가의 중요한 일을 결정하였다.

(4) **사출도❶**: 가축의 이름을 딴 마가·우가·저가·구가는 각자 행정 구역인 사출도를 다스렸다. 사출도는 왕이 직접 통치하는 중앙과 함께 5부를 이루었다. 그리고 이들은 각자 대사자, 사자 등의 관리를 거느렸다.

(5) **대외 관계❷**: 일찍부터 중국과 외교 관계를 맺는 등 발전된 국가의 모습을 보였다. 그러나 3세기 말에 선비족의 침략을 받아 한때 수도가 함락되었으며, 4세기에는 전연의 침략으로 왕이 포로가 되는 위기를 맞았다.

(6) **멸망**: 5세기 문자왕 때 고구려에 편입되어, 연맹 왕국 단계에서 멸망하였다.

심화사료 百出

19 국가직 9급, 19 지방직 9급, 19 서울시 9급(상), 18 경찰 2차, 17 국가직 7급, 17 지방직 9급, 16 지방직 7급
15 사복직 9급, 14 지방직 9급, 14 법원직 9급, 13 서울시 9급, 13 지방직 7급, 12 경찰 1차, 10 서울시 9급, 09 법원직 9급

부여의 위치
남쪽으로 고구려, 동쪽으로 읍루, 서쪽으로 선비와 접해 있고 북쪽에는 흑룡강이 있다. 국토의 면적은 사방 2천 리가 되며, 호수는 8만 호이다. 그 백성은 토착 생활을 하고, 궁실과 창고, 감옥이 있다. — 『삼국지』 위서 동이전

부여의 정치 체제
나라에는 군왕이 있으며 **가축의 이름을 따서 벼슬 이름을 부르고 있다.** 마가, 우가, 저가, 구가, 태사자, 사자 등이 있다. 읍락에는 호민이 있으며, 민(民)인 하호는 모두 노복과 같이 여겼다. **제가는 사출도를 나누어 맡아본다.** 장마가 계속되어 오곡이 영글지 않으면 그 허물을 왕에게 돌린다. — 『삼국지』 위서 동이전

3. 경제
송화강 유역의 넓은 평야를 차지하여 농업과 목축이 발달하였다. 특산물로는 말·주옥·모피 등이 유명했고, 이를 중국에 수출하였다. 그리고 중국에서 청동 거울과 옥갑(장례 용구) 등을 수입하였다.

4. 사회
(1) **계급**: 귀족 계급인 가(加)가 있었고, 그 밑에 호민(부유층)과 하호(평민), 노비가 있었다. 전쟁이 일어나면 가(加)와 호민이 무장하고 싸웠다. 하호는 전투에 참여하지 못하고 식량을 공급하는 일을 맡았다.

(2) **법❸**: 살인자는 사형에 처하고 그 가족은 노비로 삼으며, 남의 물건을 훔쳤을 때에는 **물건값의 12배**를 배상하게 하였다. 또한, 간음한 자와 투기가 심한 부인은 사형에 처하였다.

❸ 4조목
1. 살인자는 사형에 처하고 그 가족은 노비로 삼는다.
2. 간음을 한 부인은 사형에 처한다.
3. 질투한 부인은 사형에 처한다.
4. 물건을 훔친 자는 12배로 배상한다.

심화사료 百出

부여의 경제

산릉과 넓은 연못이 많아서 **동이 지역에서 가장 넓고 평탄하다.** 토질은 오곡이 자라기에는 적당하지만 오과는 나지 않는다. 사람들은 체격이 크고 성질은 굳세고 용감하며 근엄 후덕하여 다른 나라를 침범하거나 노략질하지 않는다. — 『삼국지』 위서 동이전

부여의 법률

형벌은 엄격하고 각박하여 사람을 죽인 자는 사형에 처하고, 그 가족은 적몰(籍沒)하여 노비로 삼았다. **도둑질을 하면 도둑질한 물건의 12배를 배상하게 하였다.** 남녀 간에 음란한 짓을 하거나 부인이 투기하면 모두 죽였다. 투기하는 것을 더욱 미워하여 죽이고 나서 그 시체를 나라의 남산에 버려서 썩게 하였다. 친정집에서 그 부인의 시체를 가져가려면 소와 말을 바쳐야 내어준다. **형이 죽으면 형수를 아내로 삼는데, 이는 흉노의 풍습과 같다.** — 『삼국지』 위서 동이전

(3) 풍속

① **제천 행사**[4] : 원시 수렵 사회의 전통을 계승한 **영고**[5]라는 제천 행사가 있었는데, 매년 **12월**에 열렸다. 이 행사에서 국가의 중요한 문제들을 논의했으며, 죄인을 재판하여 처형하거나 풀어주기도 했다.

② **우제점복**[6] : 소를 죽여 그 굽으로 길흉을 점치기도 했다.

③ **장례**[7] : 왕이나 지배층이 죽으면 많은 사람을 껴묻거리와 함께 묻는 순장의 풍습이 있었고 영혼 불멸을 믿었다. 여름에는 얼음을 써서 시체의 부패를 방지하고자 하였다.

④ **역법** : 달력은 은력을 사용하였다.

⑤ **형사취수제**[8] : 형이 죽은 뒤에 동생이 형수와 결혼하여 함께 사는 혼인 제도이다.

⑥ **의생활** : 부여인들은 흰색을 숭상해 **흰옷**을 즐겨 입었다. 상복도 남녀 모두 흰옷이었다. 지배층은 모자를 금과 은으로 장식하였다.

심화사료 百出

부여의 제천 행사

은력(殷曆) 정월 보름에 하늘에 제사 지낸다. 온 나라가 대회를 열고, 연일 마시고 노래하고 춤추니 **영고**라 한다. 이때 감옥을 열고 죄인을 풀어 준다. — 『삼국지』 위서 동이전

부여의 우제점복

전쟁을 하게 되면 그때도 하늘에 제사를 지내고, 소를 잡아서 그 발굽을 보아 길흉을 점치는데, 발굽이 갈라지면 흉하고 발굽이 붙으면 길하다고 생각한다. — 『삼국지』 위서 동이전

부여의 장례 풍습

여름에 사람이 죽으면 모두 얼음을 넣어 장사지내며, 사람을 죽여서 순장을 하는데 많을 때는 백명 가량이나 된다. 장사를 후하게 지내는데, 곽(槨)은 사용하나 관은 쓰지 않는다. — 『삼국지』 위서 동이전

부여의 의생활

나라 안에서는 옷을 입을 때 흰 빛을 숭상하여 흰 베로 만든 소매 넓은 도포와 바지를 입고 가죽신을 신는다. 외국에 나갈 때에는 수를 놓은 비단옷과 모직 옷을 즐겨 입고 대인들은 여우, 너구리, 원숭이, 또는 희거나 검은 담비의 가죽옷을 더하고 모자에 금은으로 장식을 한다. — 『삼국지』 위서 동이전

5. 역사적 의의

고구려나 백제의 건국 세력[9]은 부여의 한 계통임을 자처하였다.

---

❹ 제천 행사

전쟁 등 군대를 동원할 일이 있으면 하늘에 제사를 지냈다고 한다.

❺ 영고(迎鼓: 맞이굿)

'북을 울리면서 신을 맞이한다.'라는 의미를 지니고 있다.

❻ 우제점복(牛蹄占卜)

전쟁이 일어나면 먼저 하늘에 제사를 지내고 그 길흉을 판단하기 위해 소를 잡아 굽의 모양으로 점을 보았다. 『위략』에 따르면 고구려에서도 우제점복에 대한 기록이 있었다고 전해진다.

❼ 옥갑

수백 개의 옥을 꿰매어 만든 장례 용구로, 부여는 중국에서 이를 수입하여 국왕의 장례에 사용하였다.

❽ 형사취수제(兄死娶嫂制)

형사취수제는 흉노와 같은 유목 민족에게서 많이 보이는 풍습으로, 우리나라에서는 고구려와 부여에 존재하였다.

❾ 백제의 부여 계승 의식

1. 백제 왕족의 성씨는 부여씨
2. 백제 개로왕은 북위에 사신을 보내 "우리나라는 고구려와 더불어 근원이 부여에서 나왔다."라고 함.
3. 백제 성왕은 사비 천도(538) 후 국호를 '남부여'로 개칭

1. 정치적 발전

(1) 건국❶ : 『삼국사기』에 따르면 고구려는 주몽이 건국하였다(기원전 37). 주몽은 부여 지배층의 박해를 피해 남쪽으로 내려와 **압록강 유역의 졸본(환인)** 지방에 자리잡았다.

고등사료 百出

고구려의 건국 이야기

시조 동명성왕은 성이 고씨이며, 이름은 주몽이다. …… 하백의 딸 유화라 하는지라. …… 그녀는 잉태하였고, 마침내 알 하나를 낳았다. …… 한 사내아이가 껍데기를 깨고 나왔다. …… **스스로 활을 만들어 쓰는데 백발백중**이었다. 부여의 속어에 활 잘 쏘는 것을 **주몽**이라 하니, 이로써 이름을 삼았다.

― 『삼국사기』

(2) **수도 천도** : 건국 초부터 주변의 소국들을 정복하고 평야 지대로 진출하고자 하였다. 이러한 과정에서 압록강 가의 **국내성**으로 수도를 옮겼다(유리왕).

(3) **세력의 확장** : 한 군현인 현도군을 공략하여 요동 지방으로 진출하였다. 동쪽으로는 부전고원을 넘어 옥저와 동예를 복속시키고 공물을 받았다.

(4) **정치 체제** : 고구려는 1세기에 이미 왕호를 사용했으며, 5부족 연맹을 토대로 발전하였다. 왕 아래 상가·고추가 등 대가들이 있었으며, 각기 **사자·조의·선인** 등 관리를 거느렸다.

2. 경제

(1) **약탈 경제** : 고구려는 산이 많고 평야가 적어 부족한 식량을 다른 나라로부터 약탈하였다. 이때 빼앗아 온 식량을 보관하는 작은 창고를 집집마다 만들었는데, 이를 **부경**이라 한다.

(2) **특산물** : 유명한 특산물로는 맥궁❷이 있었다.

심화사료 百出

21 경찰 1차, 20 지방직 7급, 18 경찰 2차, 17 지방직 9급(하), 17 지방직 9급
14 국가직 9급, 14 서울시 7급, 13 서울시 9급 12 국가직 9급, 12 국가직 7급, 10 서울시 9급, 08 국가직 9급

고구려의 정치 체제

• 부여의 별종(別種)이라 하는데, 말이나 풍속 따위는 부여와 같은 점이 많으나, 기질이나 옷차림이 다르다.
• 나라에는 왕이 있고, 벼슬로는 **상가·대로·패자·고추가·사자·조의·선인이 있다**. 신분이 높고 낮음에 따라 각각 등급을 나눈다. 왕의 종족으로 대가는 모두 **고추가**로 불린다. **모든 대가들은 사자, 조의, 선인을 둔다.**
• 모임에서는 모두 비단에 수놓은 의복을 입고 금과 은으로 장식한다. 대가와 주부는 머리에 책(幘)을 쓰는데, 중국 것과 흡사하지만 뒤로 늘어뜨리는 부분이 없다. 소가는 절풍(折風)을 쓰는데, 그 모양이 고깔과 같다. ― 『삼국지』 위서 동이전

고구려의 경제

• **큰 산이 많고 골이 깊으며 평야가 없다.** 사람들은 산골짜기에 살며 산골 물을 마신다. **좋은 농토가 없어 애써서 경작하나 식구들의 식생활에 부족**하다. 그 나라 사람들은 성미가 사납고 성급하여 노략질하기를 좋아한다.
• 나라에는 큰 창고를 설치하지 않고 대신에 **집집마다 작은 창고를 만들도록 하였다.** 이 창고를 이름하여 **부경**이라고 불렀다. ― 『삼국지』 위서 동이전

❶ **고구려의 성립 과정**
한나라가 설치했던 현도군을 몰아내면서 세력을 크게 늘렸다. 이후 부여의 유이민 집단과 함께 고구려를 건국하였다.

▼ **오녀산성**
고구려의 첫 도읍지인 졸본성의 방어용 산성으로 추정된다. 온돌을 갖춘 주거지를 비롯하여 고구려의 유적이 많이 발견된다.

▼ **고구려 부경(桴京)(덕흥리 고분)**

❷ **맥궁**
고구려, 만주 일대에서 널리 사용된 활로, 쇠붙이나 동물의 뿔로 만들었다.

3. 사회

(1) 계층

① 지배층: 가(加)는 세력의 크기에 따라 대가(大加)·소가(小加)로 나뉘는데, 이들은 수천에서 수백에 이르는 가호(家戶)를 지배하였다.

② 피지배층: 하호[3]는 빈농·소작농 등으로 추정된다. 이들은 전쟁 시에는 무기를 갖고 싸우는 전사가 될 수 없었고 보급품만 운반하였다.

(2) 법률

① 형벌: 중대한 범죄자가 있으면 제가 회의를 통하여 사형에 처하고, 그 가족을 노비로 삼았다. 법률이 엄격하고 감옥(뇌옥)이 없었다.

② 절도죄: 도둑질한 자는 12배로 배상하게 하였다(1책 12법). 배상하지 못할 경우에는 자녀를 노비로 삼았다.

③ 우마(牛馬)를 죽인 죄: 남의 소나 말을 죽인 자는 노비로 삼았다.

(3) 풍속[4]

① 제천 행사: 주몽과 그 어머니 유화 부인을 조상신으로 섬겨 제사를 지냈다. 10월에는 동맹이라는 제천 행사를 성대하게 치르고, 아울러 왕과 신하들이 국동대혈(국내성 동쪽에 있는 동굴)에 모여 함께 제사를 지냈다.[5]

② 혼인

㉠ 서옥제[6]: 신랑은 혼인이 결정되면 신부 집 뒤꼍에 조그만 집(서옥)을 짓고 산다. 자식을 낳아 장성하면 아내를 데리고 신랑 집으로 돌아간다.

㉡ 형사취수제[7](취수혼): 형이 죽으면 동생은 형수를 아내로 맞이하였다.

③ 장례: 결혼할 때 수의(죽은 사람이 입는 옷)를 미리 마련하였다. 그리고 장례[8]를 치를 때 금·은, 돈, 폐백 같은 것을 후하게 쓰고 껴묻거리를 많이 묻었다(후장, 厚葬).

심화사료 百出

22 소방, 21 경찰 1차, 20 지방 7급, 18 경찰 2차, 17 지방직 9급(하), 17 지방직 9급, 14 국가직 9급, 14 서울시 7급, 13 서울시 9급, 12 국가직 9급, 12 국가직 7급, 10 서울시 9급, 08 국가직 9급

고구려의 사회 모습

- 감옥이 없고 범죄자가 있으면 제가들이 모여서 논의하여 사형에 처하고 처자는 노비로 삼는다. **물건을 도둑질한 자는 그 물건의 12배를 물어주게 하고**, 소나 말을 죽인 자는 노비로 삼는다. 대체로 법을 엄격하게 적용하므로 범하는 자가 적으며, 심지어는 길가에 떨어진 물건도 줍지 않는다.

- 10월에 하늘에 제사 지낸다. 온 나라가 대회를 가지므로 **동맹이라 한다.** 그 나라의 동쪽에 큰 굴이 있는데 그것을 **수혈(隧穴)**이라 부른다. 10월에 온 나라에서 크게 모여 수신(隧神)을 맞이하여 나라의 동쪽 위에 모시고 가 제사를 지내는데, **나무로 만든 수신**을 신의 좌석에 모신다.

- 남녀가 결혼하면 곧 죽어서 입고 갈 수의(壽衣)를 미리 조금씩 만들어 둔다. 장례를 성대하게 지내니, **금·은의 재물을 모두 장례에 소비**하며, 돌을 쌓아서 봉분을 만들고 소나무·잣나무를 그 주위에 벌려 심는다. — 「삼국지」 위서 동이전

서옥제(壻屋制)

혼인할 때 말로 미리 정하고, 여자 집에서 본채 뒤편에 작은 별채를 짓는데 그 집을 서옥(壻屋)이라고 부른다. 해가 저물 무렵에 신랑이 신부의 집 문 밖에 도착하여 자기 이름을 밝히고 무릎을 꿇어 절하면서 신부와 더불어 잘 수 있도록 해 달라고 청한다. 이렇게 두세 번 거듭하면 신부 부모는 그제야 허락하고 돈과 폐백은 곁에 쌓아 둔다. 자식을 낳아서 장성하면 아내를 데리고 집으로 돌아간다. — 「삼국지」 위서 동이전

---

❸ 하호(下戶)

농업에 종사하는 대다수의 평민으로, 부여·초기 고구려·삼한에는 하호라는 계층이 존재했던 것으로 보인다.

❹ 풍속

고구려의 언어와 풍속은 부여와 매우 유사했다고 한다.

❺ 고구려의 제사

왕궁 왼편에 큰 집을 세우고 농업의 신과 토지신에게 제사를 지냈다고 전해진다. 또한 제천 행사인 동맹 때 여러 토착신과 기자신에게 제사지냈다고 한다.

국동대혈

❻ 서옥제(壻屋制)

남자는 자식이 성장할 때까지 처가에 살면서 노동력을 제공하였다.

❼ 형사취수제(兄死娶嫂制)

가족 구성원을 보호하고 재산이나 인력이 다른 집안으로 유출되는 것을 막고자 한 것이다.

❽ 장례 풍습

금·은 재화를 무덤에 넣고 돌로 봉분을 만들고 주위에 소나무와 잣나무를 심었다.

03 옥저와 동예 ☆

1. 위치와 정치 체제

(1) 위치

옥저와 동예는 각각 **함경남도**와 **강원도 북부**에 위치하고 있었다. 이 두 나라는 백두대간이 가로막고 있어서 외부와의 접촉이 적었고, 선진 문화의 수용도 상대적으로 늦었다.

(2) 정치 체제

왕은 없고 **읍군·삼로·후·거수**라는 군장이 각자 자신의 읍락을 다스렸다. 한 군현의 통제를 받다가 고구려에게 복속되면서 군장 국가 단계에서 소멸하였다.

2. 옥저

(1) 경제

옥저는 토지가 비옥했으며, 어물과 소금 등 해산물이 풍부하였다. 한편, 각종 특산물을 고구려에 공물로 바쳤다.

(2) 사회와 풍습: 옥저는 고구려와 같이 부여족의 한 갈래였으나, 풍속은 달랐다.

① **민며느리제❶**: 신랑이 될 집안이 혼인을 약속한 여자아이를 데려와 키운다. 이후 아이가 성장하면 남자는 여자 집에 예물을 주고 혼인을 청하는 제도이다. 일종의 매매혼적 성격을 보여 준다.

② **가족 공동묘**: 사람이 죽으면 가매장했다가 나중에 **뼈만 추려서** 장례를 치르고, **가족 공동 무덤인 큰 목곽**에 넣어 놓았다. 목곽 입구에는 죽은 자의 양식으로 쌀을 담은 항아리를 매달아 놓았다.

③ **보전(步戰)에 능함**: 『위서 동이전』에 따르면 옥저인들은 창을 잘 다루며, 보전을 잘했다고 한다.

---

❶ 민며느리제와 서옥제

혼인으로 인해 신부 집안에서 발생한 노동력 손실을 신랑 측에서 보상해 준 것이다.

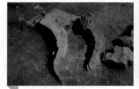

옥저의 집터 유적

원시적인 온돌을 사용하였다.

심화사료 百出

22 국가직 9급, 20 지방직 9급, 19 지방직 9급, 18 국가직 7급, 18 경찰 1차, 16 지방직 7급, 16 사회복지직 9급, 13 지방직 9급, 12 법원직 9급, 10 국가직 7급

옥저의 위치와 사회 모습

고구려 개마대산의 동쪽에 있는데, 큰 바닷가에 접해 산다. 그 지형은 동북 방향은 좁고 서남 방향은 길어서 천 리 정도나 된다. 북쪽은 읍루·부여, 남쪽은 예맥과 맞닿아 있다. **대군왕이 없으며, 읍락에는 각각 대를 잇는 장수(長帥)가 있다.** 그들의 말은 고구려와 대체로 같지만 경우에 따라 좀 다른 것도 있다. …… 나라가 작고 큰 나라의 틈바구니에서 핍박을 받다가 **결국 고구려에게 신속케 되었다.** …… 토질은 비옥하며, 산을 등지고 바다를 향해 있어 오곡이 잘 자라며 농사짓기에 적합하다. 사람들의 성질은 질박하고, 정직하며 굳세고 용감하다. 소나 말이 적고, 창을 잘 다루며 보전(步戰)을 잘한다. **음식, 주거, 의복, 예절은 고구려와 흡사하다.** 여자의 나이가 10살이 되기 전에 혼인을 약속하고, 신랑 집에서는 그 여자를 맞이하여 장성하도록 길러 아내로 삼는다. 장사를 지낼 적에는 큰 나무 곽(槨)을 만드는데 길이가 십여 장(丈)이나 되며 한쪽 머리를 열어 놓아 문을 만든다.

– 『삼국지』 위서 동이전

옥저의 가족 공동묘 (골장제)

장사 지낼 때는 큰 나무로 곽을 만드는데, …… 가매장을 하여 겨우 시체가 덮일 만큼만 묻었다가 가죽과 살이 썩으면 이내 **뼈를 취하여 곽 속에 넣는다. 집안 모두가 하나의 곽에 함께 들어간다.** 죽은 사람의 숫자대로 살아 있을 때와 같은 모습으로 나무로 모양을 새긴다. 또한 기와 모양의 솥이 있는데, 그 가운데에 쌀을 넣고 곽의 출입구 한쪽에 메어 둔다.

– 『삼국지』 위서 동이전

3. 동예

(1) 경제

동예는 토지가 비옥하고, 해산물이 풍부하였다. 단궁❷·과하마❸·반어피❹ 등 특산물이 유명했으며, 명주와 삼베를 짜는 방직 기술이 발달하였다.

(2) 사회

① **족외혼**: 씨족 사회의 전통이 남아 있어 같은 씨족끼리는 결혼하지 않았다(족외혼).

② **책화**: 각 부족마다 생활권이 구분되어 있어서 사냥·농사 등의 경제 활동이 자기 구역 안에서만 행해졌다. 만약 다른 부족의 영역을 침범하면 책화라고 하여 노비, 소, 말 등으로 변상했다. 이는 씨족 사회의 풍습이었다.

③ **제천 행사**: 동예는 매년 10월에 무천❺이라는 제천 행사를 열었다.

④ **보전에 능함**: 동예 역시 옥저와 마찬가지로 보전에 능하였다.

⑤ **주거 형태**: 바닥은 땅 밑으로 약간 들어가 있는 반지하식이었으며, 바닥면은 여(呂) 자형·철(凸) 자형의 형태❻를 띠고 있기도 하였다.

22 서울 9급, 21 법원 9급, 19 국가 9·7급, 19 경찰 2차, 18 경찰 1차, 17 국가 9급, 13 지방 9급, 12 지방 9급, 12 법원 9급, 11 법원 9급
10 국가 7급, 07 법원 9급

심화사료 百出

동예

- 남쪽으로는 진한과 북쪽으로는 고구려·옥저와 맞닿아 있고 동쪽으로는 큰 바다에 닿았다.
- 대군장은 없고 후, 읍군, 삼로의 관직이 있어서 하호를 통치하였다. 그 나라의 노인들은 옛날부터 스스로 "고구려와 같은 종족이다."라고 한다.
- 예의 풍속은 산천을 중요시하여 산과 내마다 각기 구분이 있어 함부로 들어가지 않는다. …… 부락을 함부로 침범하면 벌로 생구(노비)와 소, 말을 부과하는데, 이를 책화라 한다. 동성끼리는 결혼하지 않는다.
- 해마다 10월이면 하늘에 제사 지내는데, 주야로 술 마시며 노래 부르고 춤추니 이를 무천이라 한다.
- 호랑이를 신(神)으로 여겨 제사지낸다.
- 삼베가 나며 누에를 쳐서 옷감을 만든다. 단궁이 이 땅에서 나오고, 바다에서는 반어피가 나오며, 얼룩 표범이 있고 또한 과하마가 나온다.
- 꺼리는 것이 많아서 병을 앓거나 사람이 죽으면 옛 집을 버리고 곧 다시 새 집을 지어 산다. 삼베가 산출되며 누에를 쳐서 옷감을 만든다. 새벽에 별자리의 움직임을 관찰하여 그 해의 풍흉을 미리 안다. 주옥(珠玉)은 보물로 여기지 않는다.

― 「삼국지」 위서 동이전

❷ **단궁(丹弓)**

박달나무로 만든 활이다.

❸ **과하마(果下馬)**

말을 타고 과일나무 아래를 지날 수 있다는 데에서 유래한 것으로 키가 작은 말을 뜻한다.

❹ **반어피(斑魚皮)**

바다표범의 가죽을 가리킨다.

❺ **무천**

하늘을 향해 춤춘다는 의미이다. 풍어제의 기능도 하고, 부족 내부의 결속을 다지는 역할도 하였다.

❻ **여(呂) 자형·철(凸) 자형 집터**

여(呂) 자형 집터

철(凸) 자형 집터

주로 동해안 주변에서 나타나고 있어 동예의 독특한 주거 양식으로 파악된다. 방과 출입구의 경계에 폭이 좁아져 문을 만든 것으로 추정하기도 한다.

04 삼한

1. 삼한의 형성

남쪽 지역에는 청동기 문화를 바탕으로 진(辰)❶이 성장하고 있었다. 이후 고조선 지역에서 남하한 유이민들이 가져온 철기 문화와 토착 문화가 결합하여 삼한이 성립되었다. 삼한은 여러 개의 소국으로 구성된 연맹체였다.

2. 마한

마한은 경기·충청·전라도 지방에서 발전하였다. 마한은 54개의 소국으로 이루어졌고, 모두 10여만 호였다. 그중에서 큰 나라는 1만여 호, 작은 나라는 수천 호였다.

3. 변한과 진한

변한은 김해·마산 지역을 중심으로, 진한은 대구·경주 지역을 중심으로 발전하였다. 변한과 진한은 각기 12개의 소국으로 구성되었고, 모두 4만~5만 호였다.

심화사료 百出　2024. 법원직 9급, 2017. 지방직 7급, 2017. 국가직 9급(하), 2014. 지방직 9급, 2014. 법원직 9급, 2013. 지방직 7급, 2009. 법원직 9급

삼한의 위치

한(韓)은 대방(帶方)의 남쪽에 있는데, 동쪽과 서쪽은 바다로 한계를 삼고, 남쪽은 왜(倭)와 접경하니, 면적이 사방 4천리 쯤 된다. (한에는) 세 종족이 있으니, 하나는 마한(馬韓), 둘째는 진한(辰韓), 셋째는 변한(弁韓)인데, 진한(辰韓)은 옛 진국(辰國)이다.
– 『삼국지』 위서 동이전

마한

마한은 (삼한 중에서) 서쪽에 위치하였다. 그 백성은 토저 생활(土著生活)을 하고 곡식을 심으며 누에치기와 뽕나무 가꿀 줄을 알고 면포(綿布)를 만들었다. (나라마다) 각각 장수(長帥)가 있어서, **세력이 강대한 사람은 스스로 신지(臣智)라 하고, 그 다음은 읍차(邑借)라 하였다.** (그 나라 사람들은) 산과 바다 사이에 흩어져 살았으며 성곽이 없었다.
– 『삼국지』 위서 동이전

변한과 진한

변진(弁辰)도 12국으로 되어 있다. 또 여러 작은 별읍(別邑)이 있어서 제각기 거수(渠帥)가 있다. (그중에서) 세력이 큰 사람은 신지(臣智)라 하고, 그 다음에는 험측(險側)이 있고, 다음에는 번예(樊濊)가 있고, 다음에는 살해(殺奚)가 있고, 다음에는 읍차(邑借)가 있다. …… 변한과 진한의 합계가 24국이나 된다. …… 그중에서 12국은 진왕(辰王)에게 신속(臣屬)되어 있다. **진왕(辰王)은 항상 마한 사람으로 왕을 삼아** 대대로 세습하였으며, 진왕이 자립하여 왕이 되지는 못하였다.
– 『삼국지』 위서 동이전

4. 정치

(1) 목지국❷

마한의 소국들 가운데 세력이 가장 큰 **목지국**의 지배자가 **마한왕** 또는 **진왕(辰王)**으로 추대되어 삼한 전체를 대표하였다.

(2) 제정 분리

① 정치: 삼한의 지배자 중에서 세력이 큰 자를 **신지**, 작은 자를 **읍차** 등으로 불렀다.

---

❶ 진국

중국의 역사서인 『사기』 조선 열전에 나오는 나라 이름이다. 고조선 말, 한반도 중남부에 여러 나라가 있었던 것으로 추정된다.

❷ 목지국(目支國)

목지국의 위치에 대해서는 충청남도 설, 전라도 설 등 여러 가지가 제기되고 있다. 현재는 충청남도 아산만 또는 천안 일대로 보는 설이 가장 유력하다.

② 제사: 제사장인 **천군**이 있어 농경과 종교를 주관하였다. 천군이 주관하는 **신성 지역**인 소도는 군장의 세력이 미치지 않는 곳으로, 죄인이라도 이곳에 숨으면 잡아가지 못했다. 이를 통해 삼한이 제정 분리 사회였음을 알 수 있다.

심화사료 百出
2017. 지방직 7급, 2017. 국가직 9급(하), 2014. 지방직 9급, 2014. 법원직 9급, 2013. 지방직 7급, 2009. 법원직 9급

천군과 소도

귀신을 믿으며 국읍마다 한 사람을 뽑아 **천신에게 제사 지내는 일**을 맡아보게 하였는데 그를 **천군**이라 불렀다. 또 이들 여러 고을에는 각각 **특정한 별읍**이 있었으며, 그곳을 **소도**라고 불렀다. 큰 나무를 세우고 방울과 북을 매달아 놓고 귀신을 섬겼다. **도망꾼들이 그곳으로 도망을 가면 그를 붙잡지 않았다.**

— 『삼국지』 위서 동이전

솟대

소도에 큰 나무를 세우고 방울·북을 매달아 신성 지역임을 표시하였다.

5. 경제

(1) 철기 문화를 기반으로 한 농경 사회

삼한[3]은 비옥한 평야 지대에 위치하여 일찍부터 농업이 발달하였다. 각종 **철제 농기구**들을 사용했으며 **벼농사**를 많이 지었다. 벼농사의 발달로 여러 개의 저수지가 만들어졌다.

(2) 두레

벼농사에는 많은 노동력이 필요했기 때문에 두레가 조직되었다. 이는 여러 사람이 힘을 모아 공동 작업을 하는 것으로, 공동체적 전통을 보여 준다.

(3) 철의 수출

변한에서는 철[4]이 많이 생산되어 낙랑, 왜 등에 수출하였다. 철은 교역에서 **화폐**처럼 사용되기도 하였다.

❸ 삼한

삼한에서는 토기, 철기 등을 전문적으로 제작하는 장인이 있었다. 이들은 비교적 높은 수준의 철기 제작 기술을 습득하고 있었다.

심화사료 百出
2017. 지방직 7급, 2017. 국가직 9급(하), 2014. 지방직 9급, 2014. 법원직 9급, 2013. 지방직 7급, 2009. 법원직 9급

철의 수출

(변한) 나라에서 철이 생산되는데 한, 예, 왜인들이 와서 사 간다. 시장에서의 매매는 철로 이루어져 마치 중국에서 돈을 사용하는 것과 같으며, 낙랑과 대방의 두 군에도 공급하였다.

— 『삼국지』 위서 동이전

❹ 덩이쇠

변한은 덩이쇠(각종 철제품을 만들던 재료)를 만들어 화폐처럼 사용하였다.

❺ 귀틀집

큰 통나무로 정(井)자 모양으로 귀를 맞추어 층층이 얹고 틈을 흙으로 발라 지은 집이다.

6. 사회 풍속

(1) 제천 행사

해마다 씨를 뿌리고 난 뒤인 **5월**과 가을 곡식을 거두어들이는 **10월**에 **계절제**를 열어 하늘에 제사를 지냈다.

(2) 주거 형태

소국의 일반 사람들은 초가지붕의 반움집이나 귀틀집[5]에서 살았다. 특히 『삼국지』 위서 동이전에 등장하는 반움집 형태인 토실은 마한의 특징적인 집 형태로 알려져 있다.

마한의 토실(土室)
(충남 공주 장선리)

마한의 무덤(주구묘, 周溝墓)
(전남 나주 용호리)

❶ 고대 사회의 새에 대한 인식
고대 사회에서 새는 하늘과 사람을 이어주는 존재로 여겨졌다. 이에 삼한 지역에서는 새의 형상을 올려놓은 솟대가 발견되고, 고분이나 제사 유적에 오리 모양 토기와 새 모양 목기, 새 무늬 청동기 등이 출토되기도 하였다.

▲ 오리 모양 토기(울산 중산동)

(3) 장례·무덤

① **마한**: 후장(厚葬)의 형태로 소와 말을 순장하는 풍습이 있었다. 특징적인 무덤 형태로는 시체를 매장한 목관 주변에 도랑을 둘러 묻은 곳을 표시한 주구묘가 있었다.

② **진한과 변한**: 큰 새❶의 깃털을 장례에 사용하여 사망자의 승천을 빌었다.

(4) 기타 풍습

삼을 재배하여 베를 짜고 뽕나무와 누에를 쳐서 비단을 생산하였다. 구슬을 보배로 여겼지만, 금·은은 귀하게 생각하지 않았다. 삼한 사람들은 소나 말이 끄는 수레를 타고 다녔으며, 주호(제주도)에서는 소와 돼지를 잘 길렀다. 그리고 진한과 변한에서는 돌을 가지고 머리의 모양을 일정한 형태로 만드는 편두의 풍속이 있었다.

심화사료 百出   2017. 지방직 7급, 2017. 국가직 9급(하), 2014. 지방직 9급, 2014. 법원직 9급, 2013. 지방직 7급, 2009. 법원직 9급

삼한의 제천 행사
5월에 파종하고 난 후 귀신에 제사를 올린다. 이때 많은 사람들이 모여 노래 부르고 춤을 추고 술을 마시며 밤낮 쉬지 않고 놀았다. 10월에 농사가 끝나면 다시 제사지낸다. — 「삼국지」 위서 동이전

삼한의 주거 형태
그 풍속은 기강이 흐려서 …… 무릎 꿇고 절하는 예절 또한 없다. 초가지붕에 토실(土室)을 만들어 사는데, 그 모양은 마치 무덤과 같았으며, 그 문은 윗부분에 있다. 온 집안 식구가 그 속에 함께 살며, 나이와 남녀의 분별이 없다. — 「삼국지」 위서 동이전

삼한의 장례
그들의 장례에는 관(棺)은 있으나 곽(槨)은 사용하지 않는다. 소나 말을 탈 줄 모르기 때문에 소나 말은 모두 장례용으로 써버린다. …… 큰 새의 깃털을 사용하여 장사를 지내는데, 그것은 죽은 사람이 새처럼 날아다니라는 뜻이다. — 「삼국지」 위서 동이전

편두와 문신
어린아이가 출생하면 곧 돌로 그 머리를 눌러서 납작하게 만들려 하기 때문에 지금 진한 사람의 머리는 모두 납작하다. 왜(倭)와 가까운 지역이므로 남녀가 문신을 하기도 한다. — 「삼국지」 위서 동이전

7. 삼한 사회의 변동

한강 유역에서는 백제국이 성장하여 점차 마한 지역을 통합하였다. 낙동강 유역의 변한 지역에서는 구야국이, 동쪽의 진한 지역에서는 사로국이 성장하였다.

대표 기출문제

다음 풍습이 있었던 나라에 대한 설명으로 옳은 것은?   2022. 국가직 9급

가족이 죽으면 시체를 가매장하였다가 나중에 그 뼈를 추려서 가족 공동 무덤인 커다란 목곽에 안치하였다. 목곽 입구에는 죽은 자가 먹을 양식으로 쌀을 담은 항아리를 매달아 놓기도 하였다. — 「삼국지」 위서 동이전

① 민며느리제라는 혼인 풍습이 있었다.
② 제가가 별도로 사출도를 다스렸다.
③ 소도라는 신성 구역이 존재하였다.
④ 무천이라는 제천 행사를 열었다.

해설
제시된 자료는 옥저의 장례 풍습에 대한 내용이다. ① 민며느리제는 옥저의 혼인 풍습이다.
② 부여, ③ 삼한, ④ 동예에 대한 설명이다.

정답 ①

PART

2

고대 사회의
발전

CHAPTER 1

고대의 정치적 발전

01강 _삼국의 정치적 발전
- ❶ 고대 국가의 성립
- ❷ 고구려의 발전
- ❸ 백제의 발전
- ❹ 신라의 발전
- ❺ 가야 연맹

02강 _삼국의 대외 관계와 삼국 통일
- ❶ 삼국의 대외 관계
- ❷ 고구려와 수·당 전쟁
- ❸ 나·당 연합군의 결성과 백제, 고구려의 멸망
- ❹ 나·당 전쟁과 신라의 통일

03강 _남북국 시대의 정치 변화
- ❶ 통일 신라의 발전과 쇠락
- ❷ 발해의 건국과 발전

04강 _고대의 통치 조직과 정비
- ❶ 고대 삼국의 통치 조직 정비
- ❷ 남북국의 통치 체제

解·法·기·출·진·맥

9급 국가직

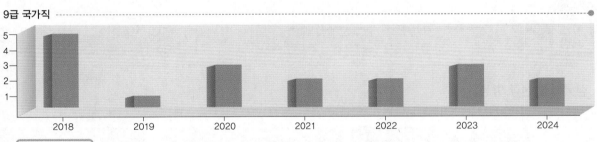

출제 경향 오버뷰 출제 빈도가 굉장히 높은 단원으로, 매년 2~3문제 이상 출제됨. 삼국의 발전 과정, 신문왕, 발해 무왕, 신라의 지방 제도

9급 지방직

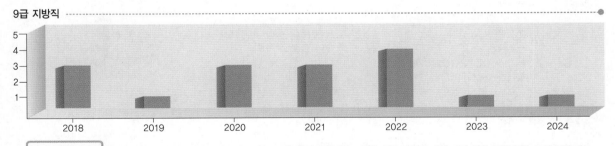

출제 경향 오버뷰 출제 비중이 굉장히 높은 단원으로, 매년 1~3문제 이상 출제되고 있음. 삼국의 발전 과정, 가야 연맹, 발해 무왕, 고대 통치 제도

9급 법원직

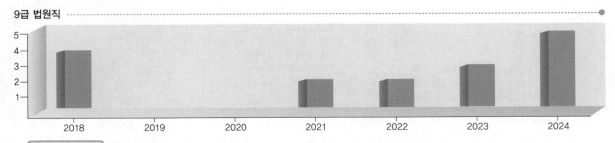

출제 경향 오버뷰 2019년·2020년을 제외하고 매년 2~5문제 이상 출제되고 있음. 삼국의 발전 과정, 신문왕, 발해 국왕, 고대 통치 제도

01강 삼국의 정치적 발전

 解/法 기출분석

구 분		2008~2017	2018	2019	2020	2021	2022	2023	2024
9급	국가직	• 삼국의 발전(6) • 고구려의 발전(2) • 소수림왕 • 광개토 대왕 • 지증왕 • 법흥왕 • 금석문(2)	광개토 대왕		삼국의 발전	• 신라의 발전 • 유리왕	장수왕	• 삼국의 발전 • 고국천왕	대가야
	지방직	• 삼국의 발전(5) • 무령왕 • 성왕(2) • 지증왕 • 금석문(2)		삼국의 발전	• 대가야 • 진흥왕	금관가야	• 삼국의 발전 • 지증왕	삼국의 발전	
	법원직	• 삼국의 발전(6) • 광개토 대왕(2)	삼국의 발전(2)			• 삼국의 발전 • 근초고왕	• 삼국의 발전 • 법흥왕	삼국의 발전	• 삼국의 발전 • 광개토 대왕 • 가야

 解法 요람

삼국의 발전과 항쟁

고구려	백 제	신 라

2세기

고구려
- 태조왕(1세기 후반)
  왕위 세습(계루부), 5부 체제
  옥저 정복
- 고국천왕
  부자 상속제, 행정적 5부 개편
  진대법(국상 을파소)

백제
* 도읍의 변천
1. 한성: 온조~개로왕
2. 웅진: 문주~성왕
3. 부여: 성왕~의자왕

신라
* 왕호의 변천
1. 거서간: 박혁거세
2. 차차웅: 남해
3. 이사금: 유리~흘해
4. 마립간: 내물~소지
5. 왕: 지증왕 이후

3세기

고구려
- 동천왕
  서안평 공격 ⇒ 실패
  관구검(위) 공격 ⇒ 국왕 피난

백제
- 고이왕
  6좌평제, 관등·관복 제정
  한강 유역 통합

4세기

고구려
- 미천왕
  서안평 점령, 낙랑군 축출
- 고국원왕
  전연의 침입(선비족 모용황)
  백제(근초고왕) 침공으로 전사
- 소수림왕
  불교 수용, 태학 설립, 율령 반포

백제
- 근초고왕
  부자 상속제, 고흥 『서기』
  고구려 공격(평양성 전투)
  영토 확장(전라도 해안)
  가야에 영향력 행사
  요서·산동·규슈 진출
- 침류왕
  불교 수용(마라난타)
- 아신왕
  광개토 대왕에 굴복, 한강 이북 상실

신라
- 내물왕
  김씨 왕위 세습, 마립간(왕호)
  낙동강 동쪽의 진한 지역 장악
  고구려 도움으로 왜구 격퇴
  (호우명 그릇)

고구려	백제	신라

5세기

고구려
- 광개토 대왕
  거란 · 후연 · 동부여 · 숙신 격파
  한강 이북 진출(백제 공격)
  왜구 격퇴, 신라 구원
  최초 연호: 영락
- 장수왕
  평양 천도(427), 남북조와 각각 교류
  한성 점령(475), 남한강 진출
  흥안령 일대 점령
- 문자왕
  최대 영토 확보(부여 복속)

백제
- 비유왕
  나 · 제 동맹(433~554)
- 개로왕
  한성 함락, 한강 유역 상실
- 문주왕
  웅진(공주) 천도, 왕권 약화
- 동성왕
  신라와 결혼 동맹(493), 탐라국 복속
  대중국 외교 재개

신라
- 눌지왕
  나 · 제 동맹, 부자 상속제
  불교 전래: 묵호자(고)
- 소지왕
  결혼 동맹(나 · 제 동맹 강화)
  중앙 6부 · 관도 정비(우역 설치)
  시장 개설

6세기

고구려
귀족 간의 권력 싸움
⇨ 왕권 약화(안장왕, 안원왕 암살),
   나 · 제 동맹에 한강 유역 빼앗김.

* 대대로(토졸): 귀족 연합 정권

백제
- 무령왕
  22담로 설치(지방 통제)
  중국 남조(양)와 교류(무령왕릉)
- 성왕
  사비 천도(538), 국호: 남부여
  중앙 관청 22부, 수도 5부, 지방 5방
  일본에 불교 전파(노리사치계, 552)
  한강 유역 일시 회복(551)
  관산성 전투에서 전사(554)

신라
- 지증왕
  신라(국호), 왕(왕호), 우경 실시
  지방 주군 제도(군주 파견), 우산국 복속
  동시전 설치
- 법흥왕
  병부 설치(517), 율령 반포(울진 봉평비)
  불교 공인, 상대등 설치, 금관가야 병합
  연호: 건원(536)
- 진흥왕
  화랑도 개편, 불교 교단 정비(혜량)
  황룡사 건립, 전륜성왕, 거칠부 『국사』
  한강 유역 장악(나 · 제 동맹 파기)
  낙동강 유역 장악(대가야 점령)
  단양 적성비, 4개의 순수비
  연호(개국, 대창, 홍제)

7세기

고구려
- 영양왕
  요서 선제 공격, 살수 대첩(612)
- 영류왕
  천리장성 축조, 친당 정책
  연개소문에 의해 축출
- 보장왕
  연개소문(막리지)의 대당 강경책
  안시성 싸움(645)

멸망(668): 지배층의 내분
⇨ 안동 도호부 설치,
   부흥 운동(오골성, 한성)

백제
- 무왕
  미륵사 창건, 익산 천도 추진
- 의자왕
  '해동증자', 귀족 세력 숙청
  신라의 대야성 등 40여 성 공략

멸망(660): 정치 문란 · 지배층의 향락 ⇨
나 · 당 연합군 공격 ⇨ 사비성 함락 ⇨ 웅
진 도독부 설치 ⇨ 부흥 운동(임존성, 주류
성) 실패

신라
- 진평왕
  원광(세속5계, 걸사표)
  온달 격퇴, 진종설
- 선덕 여왕
  첨성대, 황룡사 9층 목탑(자장), 분황사
- 진덕 여왕
  집사부와 창부 설치, 나 · 당 동맹
- 태종 무열왕
  백제 멸망, 집사부 시중 세력 강화
- 문무왕
  고구려 멸망, 나 · 당 전쟁, 삼국 통일
  완성(676, 대동강~원산만)

Now Event ▶▶
• B.C. 57 신라 건국
• B.C. 37 고구려 건국
• B.C. 18 백제 건국
• A.D. 3 고구려, 국내성 천도
• 42 김수로, 금관가야 건국
• 53 고구려 태조왕 즉위
• 56 고구려, 동옥저 통합
• 260 백제, 관등제와 공복 제정
• 313 고구려, 낙랑군 축출
• 372 고구려, 불교 전래
태학 설치
• 427 고구려, 평양 천도
• 433 나·제 동맹 성립

01 고대 국가의 성립

1. 고대 국가의 등장

철기 문화를 바탕으로 성장한 여러 나라들은 연맹 왕국을 형성하고, 우세한 집단의 부족장을 왕으로 삼았다. 왕은 다른 집단에 대한 지배력을 강화하는 한편, 주변 소국들을 정복하면서 영토를 넓혔다. 이 같은 과정을 거치면서 연맹 왕국은 고구려·백제·신라로 통합되었다.

2. 고대 국가 성립❶의 조건

(1) **중앙 집권화**: 부족장들은 중앙 귀족으로 편입되어 왕을 정점으로 한 중앙 집권 체제를 형성하였다.

(2) **율령❷ 반포**: 율령을 반포하여 통치 체제를 정비하였다.

(3) **불교 수용**: 부족별로 달랐던 토착 신앙 대신 불교를 국가 종교로 삼아 통합을 강화하였다.

(4) **영토 확장**: 주변 지역을 활발하게 정복하여 영역을 확대하였고, 정복 과정에서 성장한 경제력과 군사력을 바탕으로 왕권을 더욱 강화하였다.

02 고구려의 발전

1. 초기 고구려❸

(1) **건국**: 고주몽[동명성왕(東明聖王), 재위 B.C. 37~B.C. 19]은 B.C. 37년 고구려를 세웠다.

(2) **유리왕**: 졸본 지방을 벗어나 수도를 압록강 근처의 **국내성으로 천도**하였다.

(3) **태조왕**(1세기 후반~2세기 전반, 53~146)
① **영토 확장**: 옥저를 복속하고 현도군, 서안평, 낙랑군을 공격하여 영토를 넓혔다.
② **왕위 세습**: 왕권이 크게 강화되어 **계루부의 고씨❹**가 왕위를 독점적으로 세습하였다.

심화사료 百出

2021. 국가직 9급

유리왕의 황조가

펄펄 나는 저 꾀꼬리 / 암수 서로 정답구나
외로울사 이 내 몸은 / 뉘와 더불어 돌아가랴

고구려 태조왕(太祖王)의 정복 활동

동옥저를 정복하여 그 땅을 취하고 성읍을 만들며 국경을 개척하였는데, 동으로는 창해(동해)에 이르고 남으로는 살수에 이르렀다. …… 왕이 군사를 일으켜 요동 서안평을 습격하고, 대방령을 죽이고 낙랑 태수의 처자를 잡아 왔다. — 「삼국사기」

❶ 고대 국가의 성립
「삼국사기」에 따르면 신라-고구려-백제 순서대로 건국되었다고 하였다. 그러나 중앙 집권 국가의 형성은 일찍부터 중국 문화와 접촉한 고구려가 제일 빨랐다.

❷ 율령(律令)
'율'은 사회 질서를 유지하기 위한 형법에 해당하고, '령'은 행정법의 성격을 가지고 있다.

❸ 고구려의 건국
B.C. 1세기경에 압록강의 지류 동가강 유역에는 소노부·계루부 등 5부족이 세력을 형성하고 있었는데 주몽은 이들을 토대로 고구려를 세웠다.

국내성(國内城) 서쪽 벽(길림성 집안)

❹ 5부와 왕위 세습
소노부, 계루부, 절노부, 관노부, 순노부이다. 초기에는 소노부에서 왕위를 계승하였다. 그러나 나중에는 계루부가 왕위를 차지했으며, 절노부가 왕비족이 되었다.

2. 고구려의 발전(2~4세기 후반)

(1) 고국천왕(9대, 179~197)

① **행정적 5부**❺ 개편: 부족적인 전통을 가진 5부를 수도의 행정 구역인 5부(동·서·남·북·중부)로 바꾸었다.

② **부자 상속제의 확립**: 왕위 계승을 부자 상속제로 확립하였다.

③ **진대법 시행(194)**: 한미한 가문 출신의 을파소를 국상❻으로 채용하여 **진대법**❼을 실시하였다.

> **심화사료** 頻出   2023. 국가직 9급
>
> ### 진대법 시행
>
> 16년 겨울 10월, 왕이 질양(質陽)으로 사냥을 갔다가 길에 앉아 우는 자를 보았다. 왕이 말하기를 "아! 내가 백성의 부모가 되어 백성들이 이 지경에 이르게 하였으니 나의 죄로다." …… 그리고 관리들에게 명하여 **매년 봄 3월부터 가을 7월까지 관청의 곡식을 내어 백성들의 식구 수에 따라 차등 있게 빌려주었다가, 10월에 이르러 상환**하게 하는 것을 법규로 정하였다.
>   – 『삼국사기』

(2) 동천왕(11대, 227~248)

서안평을 공격했는데 오히려 위나라 관구검의 반격으로 환도성❽(국내성)이 함락되었고, 동천왕은 동쪽으로 피난하였다.

(3) 미천왕(15대, 300~331)

① **서안평 점령(311)**: 전략적 요충지인 요동의 서안평을 점령하였다.

② **낙랑군 축출(313)**: 낙랑군과 대방군을 점령하여 한 군현 세력을 몰아내고 대동강 유역을 확보하였다.

(4) 고국원왕(16대, 331~371, 사유): 전연(선비족)과 백제의 공격으로 큰 위기에 처했다.

① **전연(선비족)의 침입(342)**: 전연 모용황의 공격을 받아 수도인 국내성이 함락되어 궁궐이 불타고 남녀 5만여 명이 포로로 잡혀가는 등 국가적 위기를 맞았다.

② **평양성 전투(371)**: 백제 **근초고왕**의 공격으로 고국원왕이 평양성에서 전사하였다.

> **심화사료** 頻出   2019. 지방직 7급
>
> ### 고국원왕의 전사
>
> 왕 41년 겨울 10월에 백제 근초고왕이 군사 3만 명을 이끌고 평양성을 공격해 왔다. 왕이 군대를 내어 막다가 화살에 맞아 돌아가셨다.
>   – 『삼국사기』

(5) 소수림왕(17대, 371~384) ☆

① 대내 정책

    ㉠ **불교 수용(372)**: 중국 전진으로부터 불교를 수용하였다.

    ㉡ **율령 반포(373)**: 율령을 반포하여 중앙 집권 체제를 강화하였다.

    ㉢ **태학 설립(372)**: 유학 교육 강화를 위해 태학을 설립하였다.

② 대외 정책: 백제를 견제하기 위해 전진과 수교하였다.

---

❺ **5부의 개편**

계루부, 절노부(연나부), 순노부, 관노부, 소노부(연노부)가 각각 내부, 북부, 동부, 남부, 서부로 바뀌었다.

❻ **국상(國相)**

건국 초기 최고 관직은 대보(大輔)였는데, 이후 좌보(左補)·우보(右補)로 분리되었다. 신대왕 때 좌·우보를 국상이라 개칭(166)하면서 국상이 최고 관직이 되었다(최초의 국상은 명림답부).

❼ **진대법**

봄에 곡식을 빌려주었다가 가을에 추수하여 갚게 하였다. 이를 통해 소농들을 보호하고자 하였다.

❽ **환도성**

국내성의 방어용 산성으로, 동천왕과 고국원왕 때 이민족의 공격으로 함락된 적이 있다.

❶ 광개토 대왕의 정복 사업

북쪽의 거란과 서북쪽의 후연을 격파하고, 동북쪽의 부여와 동쪽의 말갈을 굴복시켰다. 또한 남으로는 백제를 공격하여 임진강 유역까지 점령하였다. 광개토 대왕은 일생 동안 정복 활동을 펼쳐 64개의 성, 1,400여 촌락을 차지하였다.

❷ 백제 공격

백제를 공격하여 임진강 일대를 차지하였다. 이후 한강을 건너 백제의 수도 근처까지 진격하였다.

❸ 고구려의 천하관

고구려인은 스스로를 하늘의 자손으로 여겼다. 이를 바탕으로 스스로를 '천하 사방의 중심'이라 자부하는 천하관을 확립하였다. 따라서 중국과 다른 독자의 연호를 사용하고, 왕의 칭호도 중국 황제와 동등한 의미를 담은 '태왕'·'대왕'이라고 하였다.

오회분 4호 묘 황룡도

고구려는 무덤 천장에 황룡을 그려 넣어 중국 황제와 대등한 위상을 표현하고 있다.

광개토 대왕릉비

3. 고구려의 전성기(4세기 후반~5세기)

(1) 광개토 대왕(19대, 391~412, 담덕) ☆☆

① 대외 정책

　㉠ 만주 진출❶: 거란족 비려의 3개 부락을 격파하였다. 이후 선비족이 세운 **후연**을 공격하여 요동을 포함한 만주 일대를 장악하였다. 그리고 **동부여**를 복속시키고 숙신을 정복하였다.

　㉡ 백제 공격❷: 백제 아신왕을 굴복시켜 한강 이북의 땅을 차지하기도 하였다.

　㉢ 신라 구원과 왜 격퇴(400): 내물왕의 요청에 따라 신라에 침입한 왜를 격퇴하고, 한반도 남부에까지 영향력을 행사하였다.

② 대내 정책: 영락(永樂)이라는 연호를 최초로 사용❸하였다.

24. 법원직 9급, 20. 경찰 1차, 19. 지방직 9급, 18. 국가직 9급, 17. 경찰 2차, 14. 지방직 7급, 13. 법원직 9급
12. 지방직 7급, 10. 국가직 9급, 08. 국가직 9급

고등사료 百出

광개토 대왕릉비

• 영락 6년(396) 왕은 몸소 군대를 이끌고 백제국을 토벌하였다. …… 군대가 그 국성에 이르렀는데도 감히 복종하지 않고 맞서 싸우는지라, 왕이 크게 노하여 아리수(한강)를 건너 군사를 보내 성을 압박하였다. …… 백제국의 우두머리는 남녀 포로 천 명과 세포(細布) 천 필을 바치고, 왕께 무릎을 꿇고 "지금부터 영원히 노객이 되겠습니다."라고 서약하였다.

– 광개토 대왕릉 비문, 병신년조 기사

• 영락 9년(399) 기해에 백제가 서약을 어기고 왜와 화통하므로, 왕은 평양으로 순수해 내려갔다. 신라가 사신을 보내 왕에게 말하기를, "왜인이 그 국경에 가득 차 성을 부수었으니, 노객(신라 왕)은 백성된 자로서 왕에게 귀의하여 분부를 청한다."고 하였다. …… 영락 10년(400) 경자에 보병과 기병 5만을 보내, 신라를 구원하게 하였다. …… 관군이 이르자 왜적이 물러가므로, 뒤를 급히 추격하여 임나가라의 종발성에 이르렀다. …… 왜구는 위축되어 궤멸되었다.

– 광개토 대왕릉 비문, 기해년조·경자년조 기사

9급 위 한국사

광개토 대왕릉비 신묘년조 기사(광개토 대왕 6년 백제 원정 기사)와 임나일본부설

1. 원문: 百殘新羅 舊是屬民 由來朝貢 而倭以辛卯年 來渡海破 百殘□□□羅以爲臣民
　(백잔신라 구시속민 유래조공 이왜이신묘년 내도해파 백잔□□□나이위신민)

2. 쟁점: 신묘년조 기사는 한·일 고대 사학계의 최대 쟁점이 되어온 구절로, 일본은 '백제와 신라가 예부터 속민이었기 때문에 조공을 바쳐 왔는데 신묘년에 왜가 바다를 건너와서 백제와 가야와 신라를 격파하고 이들을 신민으로 삼았다.'로 해석하여 4세기 한반도 남부에 일본이 식민지를 건설하였고, 『일본서기』에 나오는 임나일본부(任那日本府)가 그것이라는 논리를 전개하였다.

　정인보 등 국내의 역사학자들은 비문의 주어를 고구려와 광개토 대왕으로 상정하고 고구려 입장에서 해석하여 반론을 제시하였다. 한편, 비석을 발견했을 때 일본군이 기사 일부를 조작했을 것이라는 주장도 있었다.

　최근에는 한·일 양국의 해석이 모두 민족주의적 관점에서 자국에 유리한 해석을 시도한 것이라는 점을 반성하고, 비문의 전체적인 논리 구조 속에서 이를 이해하여야 한다는 데 공감대가 형성되고 있다.

(2) 장수왕(20대, 412~491) ☆☆

① 외교 활동[4]: 중국의 남조·북조와 각각 우호 관계를 맺어 외교적 안정을 꾀하였다. 한편, 유연 등 북방 유목 민족과 외교 관계를 맺고 흥안령 일대의 초원 지대[5]를 장악하였다.

② 평양 천도(427)[6]: 평양으로 도읍을 옮기고 적극적으로 남하 정책을 추진하였다.

③ 백제 공격(475): 백제의 수도 한성을 함락[7]시키고, 개로왕(부여경)을 살해하였다. 뒤이어 한강 전 지역을 포함한 죽령 일대로부터 남양만을 연결하는 선까지 영토를 넓혔다. 이러한 사실은 광개토 대왕릉비와 중원(충주) 고구려비에 잘 나타나 있다.

고구려의 전성기(5세기)

2018. 법원직 9급, 2011. 지방직 7급, 2007. 국가직 7급

심화사료 百出

고구려의 한강 유역 진출

5월에 고구려대왕 상왕공(相王公)은 동쪽 오랑캐 신라 매금(寐錦)을 만나 영원토록 우호를 맺기 위해 이곳에 왔으나, 신라 매금이 오지 않아 실행하지 못하였다. 이에 고구려대왕은 태자공과 전부 대사자 다우환노에게 명하여 이곳에 머물러 신라 매금을 만나게 하였다. …… 상하(上下)에게 의복을 내리라는 교를 내리셨다. …… 12월 23일에 신라 매금이 고구려 당주인 발위사자 금노에게 신라 국내의 사람들을 내지로 옮기게 하였다. — 중원 고구려비

---

(3) **문자왕(21대, 491~519)**: 부여 국왕의 투항으로 부여를 복속(494)하고 **최대 영토를 확보**하였다.

4. 귀족 연합 정권 시대(6세기)

(1) 배경

① 대내적: 귀족 간의 권력 다툼이 일어나면서 왕이 시해되는 등 왕권이 약화되었다.

② 대외적[8]: 북으로는 북제와 돌궐이 공격해 왔으며, 남으로는 신라와 백제의 연합군에게 한강 유역을 상실하였다.

(2) **귀족 연립 정권**: 고구려 귀족들은 서로 타협하여 내부 분쟁을 수습하고, 정국을 함께 운영하였다. 이 무렵 대대로가 국정을 총괄했는데, 귀족들이 3년마다 선출하였다.

심화사료 百出

6세기경 고구려의 정치 상황

나라의 첫 번째 관등은 토졸이며, 옛 이름이 대대로이다. 국사를 총괄하며, 임기가 3년이다. 그 직을 잘 수행한 자는 연한에 구애를 받지 않는다. 교체하는 날에 혹 서로 승복하지 않으면 각기 무력을 동원하여 공격해서 이긴 자가 취임한다. **왕은 단지 궁궐의 문을 닫아걸고 스스로를 지킬 뿐, 그 싸움을 제어하지 못한다.** 두 번째 관등은 태대형이고, 다음은 울절, 다음은 대부사자, 다음은 조의두대형이다. 이 다섯 관등이 국가의 기밀을 관장하고 정사를 도모하며 군사를 징발하고 사람을 뽑아 관작을 수여한다. — 「한원」

---

❹ 장수왕의 외교 활동

북위의 군대에 쫓긴 북연의 왕 풍홍이 고구려 망명을 요구하자 이를 받아들여 북위를 견제하고자 하였다. 이후 풍홍이 다시 남조의 송나라로 망명하려고 하자, 장수왕은 그를 죽여 북연과 송나라와의 연결을 차단하였다.

❺ 지두우 지역 점령

흥안령 산맥 일대 지두우족의 분할 점령을 꾀하고 거란을 압박하였다.

❻ 평양 천도(427)의 목적
1. 체제 정비(귀족 견제)
2. 남하 정책
3. 서해로의 적극 진출

❼ 한강 장악

서해의 해상권을 장악해 백제 및 왜가 중국에 접근하는 것을 차단하였다.

중원(충주) 고구려비

장수왕 때 고구려가 남한강 유역까지 진출한 사실을 보여 준다.

❽ 북위 멸망

고구려에게 우호적이던 북위의 멸망으로 중국이나 유목 민족과의 충돌이 많아졌다.

(가)~(다)는 고구려의 발전 과정을 시기순으로 나열한 것이다. (나)에 들어갈 내용으로 옳은 것만을 〈보기〉에서 모두 고른 것은?

2017. 국가직 9급

(가) 낙랑군을 차지하여 한반도로 진출하는 발판을 마련하였다.
(나) _____
(다) 평양으로 도읍을 옮기고, 백제의 수도인 한성을 함락하였다.

보기
㉠ 태학을 설립하였다.
㉡ 진대법을 도입하였다.
㉢ 천리장성을 축조하였다.
㉣ 신라를 도와 왜를 격퇴하였다.

① ㉠, ㉡   ② ㉠, ㉣   ③ ㉡, ㉢   ④ ㉢, ㉣

03 백제의 발전

1. 백제의 건국❶

기원전 18년, 온조가 하남 위례성❷(송파구 일대)에서 십제라는 이름으로 건국하였다. 우수한 철기 문화를 소유한 고구려계 유이민 세력과 한강 유역의 토착 세력이 결합하여 나라를 세운 것이다.

2. 백제의 발전 과정

(1) 고이왕(8대, 234~286)
 ① 영토 확장 : 목지국을 제압하여 한강 유역을 완전히 장악하였다.
 ② 국가 체제 정비 : 중앙에 6개의 좌평을 두어 업무를 분담시켰으며, 관등제를 정비하고 관리의 복색을 제정하였다.

(2) 근초고왕(13대, 346~375) ⭐⭐
 ① 대내 정책
  ㉠ 부자 상속제 확립 : 왕위의 부자 상속제를 확립하고 왕비족을 진씨로 고정하였다.
  ㉡ 역사서 편찬 : 왕명에 따라 박사 고흥이 『서기』를 편찬하였다.
 ② 대외 정책❸
  ㉠ 마한 정벌 : 마한의 잔여 세력을 정복하여 전라도 해안까지 영토를 확보하였다.
  ㉡ 평양성 전투 : 고구려를 공격하여 평양성에서 고국원왕을 전사시켰다.
  ㉢ 가야 : 낙동강 유역의 가야에 영향력을 행사하여 왜로 가는 교통로를 확보하였다.
  ㉣ 해외 진출 : 동진과 외교 관계를 맺고, 요서 지방에 진출하여 요서군을 설치하였다. 또한 산둥 지방과 일본의 규슈 지방에도 진출하여 동진 – 백제 – 가야 – 왜로 이어지는 해상 교역로를 장악하였다.

ⓒ 일본과 교류: 일본 왕에게 칠지도[4]를 하사하고 아직기를 보내 한자를 가르쳤다.

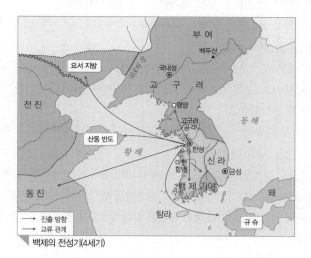

백제의 전성기(4세기)

2016. 지방직 7급, 2014. 경찰간부

고등사료 百出

백제의 해외 진출

- 백제국은 본래 고려(고구려)와 함께 요동의 동쪽 1,000여 리에 있었다. 그 후에 고려가 요동을 차지하니, **백제는 요서를 차지**하였다. 백제가 통치한 곳을 진평군(진평현)이라 한다. ─「송서」
- 백제는 본래 고구려와 더불어 요동 동쪽에 있었다. 진(晉)나라 때 이르러 고구려가 이미 요동을 경략하자 **백제 역시 요서·진평 2군의 땅을 점거**하여 백제군을 설치하였다. ─「양서」

(3) **침류왕**(15대, 384~385): 동진의 마라난타를 통해 **불교를 수용**하였다.

(4) **아신왕**(17대, 392~405): 고구려 광개토 대왕과의 전투에서 패배하여 항복하였다.

(5) **비유왕**[5](20대, 427~455): 장수왕의 남하 정책에 대응하여 신라 눌지 마립간과 나·제 동맹을 맺었다.

3. 백제의 쇠락과 중흥

(1) **개로왕**[6](21대, 455~475): 장수왕의 공격을 받아 475년 한성이 함락되었다. 이 과정에서 왕이 전사하였고 한강 유역을 상실하였다.

심화사료 百出

2023. 법원직 9급, 2022. 국가직 9급, 2022. 소방, 2019. 경찰 2차

개로왕의 실정(失政)

개로왕이 도림의 말을 듣고 나라 사람을 징발하여 흙을 쪄서 성(城)을 쌓고 그 안에는 궁실, 누각, 정자를 지으니 모두가 웅장하고 화려하였다. 이로 말미암아 창고가 비고 백성이 곤궁하니 …… 도림이 도망을 쳐 와서 그 실정을 고하니 장수왕이 기뻐하여 백제를 치려고 장수에게 군사를 나누어 주었다. ─「삼국사기」

개로왕의 전사

[개로왕(蓋鹵王)] 21년(475) 가을 9월에 고구려 왕 거련(巨璉)이 군사 3만 명을 이끌고 왕도(王都) 한성(漢城)을 포위하였다. …… 왕이 (성을) 나가 도망치자 고구려의 장수 걸루 등은 왕을 보고는 말에서 내려 절한 다음 왕의 얼굴을 향하여 세 번 침을 뱉었다. 이어 그 죄를 책망하고, (개로왕을) 포박하여 아차성(阿且城) 아래로 보내 죽였다. ─「삼국사기」 권 25, '백제본기' 3, 개로왕 21년

❹ 칠지도

칠지도는 창 모양의 칼로, 62자의 금으로 새겨진 문자가 있다. 그 내용을 보면 백제왕이 '왜왕(倭王)'을 '후왕(侯王, 제후국의 왕)'으로 대우하고 있음을 알 수 있다. 무기라기보다는 의식용 도구로 사용되었을 것으로 보인다. 정확한 제작 시기는 논란이 있으나, 대체로 근초고왕 때 만들어진 것으로 추정된다. 이를 통해 당시 양국의 밀접한 관계를 알 수 있다(일본에서는 백제가 왜에 헌상한 것으로 보고 있음). 현재는 일본의 이소노카미 신궁에 보관되어 있다.

❺ 비유왕의 외교 전략

비유왕은 중국의 남조, 한반도 남부, 왜를 연결하는 동맹을 구성하여 고구려에 대항하고자 하였다. 이를 위해 중국 남조의 송과 신라에 여러 차례 사신을 파견하였다.

❻ 개로왕(부여 경)

북위에 국서를 보내 고구려 정벌을 요청하였다.

❶ 공주 공산성

백제가 웅진 천도 후 웅진을 방어하기 위해 쌓은 산성이다. 당시에는 웅진성으로 불리다가 고려 이후 공산성으로 불리게 되었다. 2015년 유네스코는 이곳을 포함해 백제 역사 유적 지구로 지정하였다.

❷ 22담로

'담로'란 읍성(邑城)을 의미한다. 일종의 특수 행정 구역으로, 지방 지배의 거점이었다.

❸ 무령왕 때의 외교

521년 양나라로부터 '사지절도독 백제제군사 영동대장군'의 작호를 받았다. 고구려와의 전쟁에서도 여러 차례 승리하였고, 양나라에 사신을 보내 이러한 사실을 전해주었다.

❹ 중앙의 22부

왕궁과 왕실 관련 업무를 수행하는 내관 12부와 일반 행정 업무를 담당하는 외관 10부로 구성되었다.

❺ 관등제의 재정비

1품 좌평에서 16품 극우에 이르는 16관등제로 재정비하였다.

❻ 관산성 전투

성왕은 신라에게 한강 유역에서 철수할 것을 요구했으나, 신라는 이를 묵살하였다. 이에 성왕은 신라 공격을 결정하고 태자를 총사령관으로 임명하였다. 백제는 신라의 주요 거점인 관산성을 공격하고 유리한 고지를 차지했으나, 성왕이 신라 복병의 기습 공격을 받아 전사하였다.

❼ 무왕

당나라에 사신을 파견했으며, 당으로부터 대방군왕 백제왕(帶方郡王 百濟王)이라는 칭호를 받았다.

❽ 미륵사

무왕은 왕비의 발원에 따라 익산에 미륵사를 지었으며, 그 자리에는 미륵사지 석탑과 금제 사리 봉안기 등이 발견되었다.

---

(2) **문주왕(22대, 475~477)**

① **웅진 천도**: 개로왕의 전사 직후 **웅진❶(공주)으로 천도(475)**하였다.

② **정치적 혼란**: 귀족간 갈등으로 왕권이 약화되었고 중국과의 외교도 한때 단절되었다.

(3) **동성왕(24대, 479~501, 모대·여태)**

① **중국과의 외교 재개**: 중국 남제에 사신을 파견하였다.

② **신라와 혼인 동맹(493)**: 동성왕은 신라 **이벌찬 비지의 딸을 왕비**로 맞이하였다. 이에 따라 **신라(소지왕)와의 동맹을 강화**하였다.

③ **탐라국 복속**: 탐라국(제주)이 공납을 바치지 않자 군대를 보내 압박하여 복속시켰다.

(4) **무령왕(25대, 501~523, 사마·여륭)** ☆

① **지방 통제**: 22담로❷를 지방에 설치하고 왕족을 파견하였다. 지방에 대한 통제를 강화한 것이다.

② **영토 확장**: 금강 이북의 영토를 회복하였고, 대가야를 압박하여 섬진강 유역을 차지하였다.

③ **대외 정책❸**: 중국 남조의 양(梁)과 외교 관계를 강화하였으며, 일본에 5경 박사인 단양이와 고안무를 파견하였다.

(5) **성왕(26대, 523~554)** ☆☆

① **대내 정책**

㉠ **사비 천도(538)**: 대외 진출에 유리한 **사비(부여)로 도읍을 옮기고, 국호를 남부여로 고쳤다.**

㉡ **통치 체제의 재정비**: 22부❹의 중앙 관청을 두고, 관등제를 재정비❺하였다. 수도는 5부, 지방은 5방제로 편제하였다.

㉢ **불교의 진흥**: 인도에서 불교를 공부하고 돌아온 겸익을 우대하였다.

② **대외 정책**: 중국 남조의 양나라와 교류를 강화했으며, 신라·일본과의 친선 관계를 추진하였다.

㉠ **일본에 불교 전파**: 달솔 노리사치계 등을 일본에 파견해 불경을 전하였다(552).

㉡ **한강 유역 탈환**: 신라, 가야와 연합하여 고구려를 공격하였다. **백제는 한강 하류의 6군을 회복**했고, 신라는 한강 상류의 10군을 차지하였다(551).

㉢ **한강 유역 상실**: 553년 진흥왕의 기습 공격을 받아 한강 하류 유역을 신라에게 빼앗겼다.

㉣ **관산성 전투❻(554)**: 가야와 연합하여 신라를 공격했지만, 성왕은 이 전투에서 전사하였다.

심화사료 百出   2022. 소방, 2013. 지방직 9급

관산성(충북 옥천) 전투

7월 왕이 신라를 습격하기 위하여 친히 보병과 기병 50명을 거느리고 밤에 구천(狗川)에 이르렀는데, 신라의 복병이 나타나 그들과 싸우다가 난병들에게 살해되었다. 시호를 성(聖)이라 하였다.

– 「삼국사기」

(6) **위덕왕(27대, 554~598)**: 관산성 전투 때 태자로서 참전했고, 성왕 전사 이후 위기를 수습하였다.

(7) **무왕(30대, 600~641)❼**

① **백제의 부흥 노력**: 호국적 성격의 사찰인 **미륵사❽**를 건립하고 익산(금마저) 천도를 추진하였다.

② **일본에 문화 전파**: 일본에 관륵을 보내어 천문·지리·역법 등을 전파하였다.

(8) 의자왕[9](31대, 641~660)

① 체제 정비: 귀족 세력을 숙청하고, 유교 사상을 강조하는 등 개혁 정치를 펼쳤다.

② 신라 공격[10]: 신라의 40여 성을 함락하였다(642). 같은 해에 윤충으로 하여금 신라의 대야성을 공격하여 성주 김품석과 그의 부인인 김춘추의 딸을 살해하였다.

③ 백제의 멸망: 의자왕의 실정,[11] 잦은 전쟁으로 정치가 혼란해졌다. 660년 나·당 연합군의 공격으로 황산벌에서 계백의 결사대가 패배하고 수도 사비성이 함락되었다. 곧이어 의자왕이 항복하면서 백제는 멸망하였다.

대표 기출문제

밑줄 친 '이 왕'에 대한 설명으로 옳은 것은?

2022. 국가직 9급

백제 개로왕은 장기와 바둑을 좋아하였는데, 도림이 고하기를 "제가 젊어서부터 바둑을 배워 꽤 묘한 수를 알게 되었으니 개로왕께 알려드리기를 원합니다."라고 하였다. …(중략)… 개로왕이 (도림의 말을 듣고) 나라 사람을 징발하여 흙을 쪄서 성(城)을 쌓고 그 안에는 궁실, 누각, 정자를 지으니 모두가 웅장하고 화려하였다. 이로 말미암아 창고가 비고 백성이 곤궁하니, 나라의 위태로움이 알을 쌓아 놓은 것보다 더 심하게 되었다. 그제야 도림이 도망을 쳐 와서 그 실정을 고하니 이 왕이 기뻐하여 백제를 치려고 장수에게 군사를 나누어 주었다.

– 「삼국사기」

① 평양으로 도읍을 천도하였다.
② 진대법을 처음으로 시행하였다.
③ 낙랑군을 점령하고 한 군현 세력을 몰아내었다.
④ 신라에 침입한 왜군을 낙동강 유역에서 물리쳤다.

---

04 신라의 발전

1. 초기 신라[12]

(1) 지배층의 형성[13]

건국 이후 동해안으로 들어온 석탈해 집단(우수한 제철 기술 보유)이 등장하면서 박, 석, 김의 3성이 교대로 왕위를 차지하였다(이사금).

(2) 내물 마립간(4세기, 356~402) ☆

① 정치 체제의 정비: 김씨에 의한 왕위 세습을 확립하였다. 또한 이사금 대신에 마립간이라는 왕호를 사용하였다.

② 영토 확장: 낙동강 동쪽의 진한 지역을 거의 차지하였다.

③ 대외 관계

  ㉠ 왜구 격퇴: 왜를 물리치는 과정에서 고구려 광개토 대왕의 도움을 받았다.

  ㉡ 고구려 간섭: 왜구 격퇴 이후 고구려 군대가 신라에 주둔하여 신라의 내정을 간섭하였다. 호우명 그릇(청동 호우)[14], 광개토 대왕릉 비문을 통해 이를 확인할 수 있다.

  ㉢ 전진[15]에 사신 파견: 고구려를 통해서 중국의 문물을 받아들였다.

거서간(군장)
∨
차차웅(제사장)
∨
이사금(연장자)
∨
마립간(대군장)
∨
왕

≫ 신라의 왕호 변천

---

❾ 의자왕(義慈王)
부모에게 효도하고 형제 간에 우애가 있어 '해동증자(海東曾子)'라고 불렸다.

❿ 의자왕의 신라 공격
의자왕은 고구려와 화친을 도모했으며, 고구려와 함께 신라 대당 외교의 전초 기지인 당항성을 공격하였다.

⓫ 의자왕의 실정
의자왕은 말기에 사치와 향락에 빠져 성충·흥수 등 신하들의 충고를 듣지 않고 국정을 돌보지 않았다.

해설
밑줄 친 '이 왕'은 장수왕이다. ① 장수왕은 평양으로 도읍을 옮기고 적극적으로 남진 정책을 추진하였다. ② 고국천왕의 업적이다. ③ 미천왕 때 낙랑군을 점령하여 한 군현 세력을 한반도에서 몰아냈다. ④ 광개토 대왕의 업적이다.

정답 ①

⓬ 초기 신라
신라는 진한 소국의 하나인 사로국에서 출발하였는데, 경주 지역의 토착민 집단과 유이민 집단이 결합해 건국되었다(기원전 57).

⓭ 강력한 토착 세력
· 중앙 집권화 늦어짐.
· 불교 공인 늦어짐.
· 화백 회의(6부 회의) 강함.

⓮ 호우명 그릇(청동 호우)

경주의 호우총에서 발견되었다. "을묘년국강상광개토지호태왕호우십(乙卯年國岡上廣開土地好太王壺十)"이라는 글자가 그릇 바닥에 새겨져 있다. 장수왕 3년에 만든 것으로, 광개토 대왕의 제사에 참석한 신라 사신이 가져온 것으로 추정하고 있다.

⓯ 전진
5호 16국 중의 하나로, 고구려는 전진을 통해 불교를 수용하였다.

심화사료 百出

신라의 왕호 변천

논하여 말한다. 신라의 왕으로서 **거서간(居西干)**이라고 칭한 이가 한 사람, **차차웅(次次雄)**이 한 사람, **이사금(尼師今)**이 열여섯 사람, **마립간(麻立干)**이 네 사람이었다. 신라 말의 이름난 유학자인 최치원이 지은 『제왕연대력』에는 모두 아무 왕이라고 칭하고 거서간 등은 쓰지 않았는데, 혹시 그 말이 촌스러워서 칭할 만한 것이 못된다고 여겨서일까? …… 지금 신라의 사실을 기록하는데 그 방언(方言)을 그대로 보존하는 것이 또한 마땅하다. — 『삼국사기』

2. 신라의 발전

❶ 눌지 마립간
고구려 묵호자에 의해 불교가 전래되었다.

(1) 눌지 마립간❶(19대, 417~458)
  ① 나·제 동맹(433): 백제와 동맹을 체결하고, 신라 영토 안의 고구려군을 축출하였다.
  ② 부자 상속제 확립: 왕위 계승의 부자 상속제를 확립시켰다.

❷ 비지
신라 측 기록에는 이벌찬, 백제의 기록에는 이찬이라고 쓰여있다.

(2) 소지 마립간(21대, 479~500)
  ① 결혼 동맹: 493년 이벌찬 비지❷의 딸을 백제 동성왕에게 시집보내 백제와의 동맹을 강화하였다.
  ② 대내 정책: 6촌(6부)❸을 6부의 행정 구역으로 개편❹했으며, 각 지방의 관도를 정비하고 우역❺을 설치하였다. 한편, 경주(동경)에 시장을 개설하였다.

❸ 6부
각 부는 일정한 지역을 독자적으로 통치하였다. 그러나 이후 수도의 행정 구역 명칭으로 바뀌었다.

3. 신라의 전성기

❹ 6부의 행정 구역 정비
자비 마립간 시기로 보기도 하며, 국정교과서는 5세기 말로 서술하고 있다.

(1) 지증왕(22대, 500~514) ☆
  ① 대내 정책
    ㉠ 우경 보급과 순장 금지: 우경을 실시했으며, 노동력 확보를 위해 순장을 금지하였다.
    ㉡ 국호와 왕호 제정: 국호를 신라로 정하고, 왕호를 마립간에서 중국식인 '왕'으로 고쳤다.
    ㉢ 지방 제도의 정비: 주군 제도❻를 마련하여 이사부를 실직주의 군주로 파견하였다(최초). 또한 아시촌에 소경을 설치하였다(514).
    ㉣ 동시전 설치: 동시전이라는 시장 감독 관청을 두고, 동시를 설치하였다.
  ② 대외 정책: 512년 이사부를 보내 우산국(울릉도)을 복속하였다.

❺ 우역(郵驛)
일종의 우편 역마 제도이다. 신라·고려·조선 시대에 걸쳐 운영되었다.

❻ 주군제(州郡制)
지방 행정 구역을 주·군으로 나누어 관리를 파견하였다. 이 시기의 주는 군사상의 필요에 의해 위치 이동이 가능했다.

심화사료 百出

신라의 국호 제정

"신들의 생각으로는 신(新)은 '덕업이 날로 새로워진다.'는 뜻이고 나(羅)는 '사방을 망라한다.'는 뜻이므로, 이를 국호로 삼는 것이 마땅하다고 여겨집니다. …… 이제 여러 신하들이 한마음으로 삼가 신라국 왕이라는 칭호를 올립니다."라고 하니, 왕이 이에 따랐다. — 『삼국사기』

신라의 우산국 정복

이찬(伊飡) 이사부(異斯夫)가 하슬라주 군주(軍主)가 되어 이르기를, "우산국 사람들은 어리석고 사나워 힘으로 복속시키기는 어렵지만 꾀로서 복속시킬 수 있다."라고 하였다. 이에 나무 사자를 많이 만들어 전선(戰船)에 나누어 싣고 그 나라의 해안에 이르러 거짓으로 말하기를, "너희가 만약 항복하지 않으면 이 사나운 짐승을 풀어 밟아 죽이겠다."라고 하니, (그) 나라 사람들이 두려워하며 곧 항복하였다. — 『삼국사기』

(2) 법흥왕**❼**(23대, 514~540) ⭐⭐

① 대내 정책

- ㉠ 통치 체제 정비 : 517년 병부를 설치하여 왕이 군권을 장악하였다. 율령을 반포하고 관리의 복색과 17관등제를 완성하였다. 이후 상대등을 설치**❽**하여 재상과 같은 지위를 주었다.
- ㉡ 불교 공인(527) : 이차돈의 순교를 계기로 불교를 공인하였다.
- ㉢ 연호 제정(536) : 독자적인 연호를 세워 건원이라 하였다.

② 대외 정책

- ㉠ 대가야와 결혼 동맹(522) : 이찬 비조부의 누이를 보내 대가야(이뇌왕)와 결혼 동맹을 맺었다.
- ㉡ 울진 봉평비**❾** 건립(524) : 울진 봉평비를 통해 신라의 영역이 동북 방면으로 확대된 것과 법흥왕 때 율령을 반포했다는 것을 알 수 있다.
- ㉢ 금관가야 정복(532)**❿** : 금관가야를 정복하여 낙동강으로 진출하였다.

심화사료 百出

2019. 서울시 9급(상)

법흥왕의 체제 정비와 금관가야 정복

7년(520) 봄 정월 **율령(律令)을 반포**하고 처음으로 **모든 관리의 공복(公服)을 만들어** 붉은색과 자주색으로 위계를 정하였다.

9년(522) 봄 3월 가야국(加耶國) 왕이 사신을 보내 혼인을 청하였으므로, 왕이 이찬 비조부의 누이를 그에게 보냈다.

18년(531) 여름 4월에 이찬 철부(哲夫)를 상대등(上大等)으로 삼아 나라의 일을 총괄하게 하였다. 상대등의 관직은 이때 처음 생겼으니, 지금의 재상(宰相)과 같다.

19년(532) **금관국(金官國)의 왕 김구해(金仇亥)**가 왕비와 세 아들, 즉 큰 아들은 노종(奴宗)이라 하고, 둘째 아들은 무덕(武德)이라 하고, 막내 아들은 무력(武力)이라 하였는데, (이들과) 함께 **나라의 재산과 보물을 가지고 와 항복하였다.** 왕이 예로써 그들을 대우하고 높은 관등을 주었으며 본국을 식읍으로 삼도록 하였다. 아들 무력은 벼슬이 각간(角干)에 이르렀다.

23년(536) 처음으로 **연호를 칭하여 건원(建元) 원년**이라 하였다.

ㅡ 『삼국사기』

(3) 진흥왕(24대, 540~576) ⭐

① 대내 정책

- ㉠ 화랑도 조직 : 화랑도라는 청소년 집단을 국가적인 조직으로 개편하였다.
- ㉡ 역사서 편찬(545) : 거칠부로 하여금 『국사』**⓫**를 편찬하게 하였다.
- ㉢ 왕권 강화 : 강력한 왕권을 과시하기 위해 스스로를 전륜성왕(불교의 이상적인 군주)이라고 하였다.
- ㉣ 불교 진흥 : 황룡사 등의 사찰을 건립하였다. 또한 고구려에서 귀화한 승려 혜량을 승통으로 삼아 교단을 정비하고 팔관회 등을 주관하게 하였다.
- ㉤ 연호 제정 : 개국, 대창, 홍제 등의 연호를 제정하였다.
- ㉥ 품주 설치 : 처음에는 국가의 재정에 관한 일을 맡았으나, 점차 **최고 관청**으로 발전하였다.

❼ 법흥왕

왕호를 성법흥태왕(대왕)이라고 쓰기도 하였다.

❽ 상대등

상대등은 귀족 회의의 대표자였다. 531년에 이찬 철부가 최초로 상대등에 임명되었다.

❾ 울진 봉평비(524)

신라 영토로 새롭게 편입된 울진 지방 백성이 반발하자, 신라는 6부 회의(신라 육부가 새겨져 있음)를 열어 주민들에게 벌을 주었다. 520년에 반포한 율령에 근거하여 이들을 처벌했을 것이라고 짐작하고 있다.

❿ 금관가야 정복

금관가야의 왕 김구해가 왕비와 세 명의 아들(노종·무덕·무력)을 데리고 와서 항복하였다.

⓫ 『국사』

이사부가 『국사』 편찬을 건의하였다.

북한산비

❶ 신라의 한강 유역 차지
신라는 한강 유역을 다스리기 위해 신주(김무력을 군주로 파견, 후에 북한산주)를 설치하고, 충주에는 국원소경을 두었다. 또한 진흥왕이 한강 유역 일대를 순행한 것을 기념삼아 북한산 순수비를 건립하였다.

❷ 관산성 전투
신라가 한강 유역을 확고하게 차지하는 계기가 되었다. 이 전투에서 활약한 김무력은 금관가야의 왕족 출신으로, 김유신의 할아버지라고 전해진다.

❸ 신라의 동북 방면 진출
진흥왕은 고구려 내부의 혼란을 틈타 동해안 방면으로 진출하였다.

❹ 진평왕
건복(建福)이라는 독자적인 연호를 사용하였다.

❺ 진종설 유포
왕이 곧 부처라는 왕즉불 사상을 강화하고 다른 왕족과 자신의 직계 가족을 차별화하였다.

② 대외 정책: 한강 유역을 차지하고, 가야를 완전히 정복하였다. 단양 적성비와 4개의 순수비는 이같은 영토 확장을 잘 보여 준다.
  ㉠ 한강 유역 차지❶: 성왕과 연합하여 551년에 한강 유역을 탈환하였다. 한강 하류 6군은 백제가, 상류 10군은 신라가 차지하였다. 그러나 진흥왕은 553년 백제가 회복한 하류 6군을 빼앗아 한강 유역 전체를 차지하였다.
  ㉡ 관산성 전투❷(554): 백제 성왕의 공격으로 관산성 전투가 벌어졌으나 성왕은 이 전투에서 전사하고 신라가 승리하였다.
  ㉢ 당항성 설치: 당항성을 쌓아서 **중국과 직접 교역할 수 있는 교통로**를 확보하였다.
  ㉣ 가야 점령: 창녕의 비화가야를 합병하고, 561년 창녕비를 세웠다. 그리고 **562년 이사부를 앞세워 대가야를 정복**하였다. 가야를 흡수한 신라는 고급 제철 기술과 철 산지를 확보하였다.
  ㉤ 동북 방면 진출❸: 동해안을 따라 북상하여 함흥평야까지 진출하였다. 이 과정에서 비열홀주를 설치(556)하고, 568년 황초령비와 마운령비를 세웠다.

신라의 전성기(6세기)

심화사료 百出 2023. 법원직 9급, 2020. 지방직 9급, 2020 경찰 1차, 2020. 법원직 9급, 2018. 경찰 3차, 2017. 지방직 7급, 2017. 경찰 2차, 2014. 경찰간부

진흥왕의 영토 확장
14년(553) 가을 7월 **백제의 동북쪽 변방을 빼앗아 신주(新州)를 설치**하고 아찬 김무력을 군주(軍主)로 삼았다.
15년(554) **백제의 왕인 명농(明襛)이 …… 관산성(管山城)을 공격**하였다. …… 신주의 군주인 김무력이 주(州)의 군사를 이끌고 나아가 교전하였는데, 비장(裨將)인 삼년산군(三年山郡)의 고간 도도가 급히 쳐서 백제 왕을 죽였다.
16년(555) 겨울 10월에 왕이 북한산에 순행하여 강역을 확장하고 국경을 정하였다.
23년(562) 가을 9월 **가야가 반란을 일으키자 왕이 이사부**에 명하여 그들을 **토벌**하게 하였는데, (이때) 사다함이 그를 보좌하였다. …… 이사부가 군사를 이끌고 그곳에 이르자 일시에 모두 항복하였다. ─ 『삼국사기』

『국사』의 편찬
이찬 **이사부**가 왕에게 "나라의 역사라는 것은 임금과 신하들의 선악을 기록하여, 좋고 나쁜 것을 만대 후손들에게 보여 주는 것입니다. 이를 책으로 편찬해놓지 않는다면 후손들이 무엇을 보겠습니까?"라고 말하였다. 왕이 깊이 동감하고 **대아찬 거칠부** 등에게 명하여 선비들을 널리 모아 그들로 하여금 역사를 편찬하게 하였다. ─ 『삼국사기』

(4) 진평왕(26대, 579~632)❹
  ① 대내 정책
    ㉠ 중앙 관서 정비: 위화부, 조부, 예부 등이 새로 설치되었다.
    ㉡ 세속5계와 진종설: 원광에게 세속5계를 만들게 하고, 왕족은 석가모니 종족의 환생이라는 진종설을 유포❺하여 왕권의 안정화를 도모하였다.
  ② 대외 정책: 고구려·백제로부터 계속 공격을 받았다. 이에 원광에게 '걸사표'를 짓게 하여 수나라에 보내 고구려 정벌을 요청하였다.

심화사료 百出

원광의 걸사표

30년(608) 왕이 고구려가 자주 국경을 침략하는 것을 걱정하여 **수나라에 군사를 요청**해 고구려를 치고자 **원광(圓光)**에게 명하여 **걸사표(乞師表)**를 짓도록 하였다. 원광이 말하기를, "…… 제가 대왕의 땅에서 살고 대왕의 물과 풀을 먹고 있으니 감히 명을 따르지 않겠습니까."라고 하면서, 이에 (글을) 지어 아뢰었다. …… (611) 왕이 사신을 수나라에 보내 표(表)를 올려 군사를 청하였는데, 수나라의 양제(煬帝)가 이를 허락하였다.

― 『삼국사기』

(5) **선덕 여왕(27대, 632~647)⁶** ☆
  ① **불교 진흥**: 분황사와 분황사 모전 석탑 등을 세웠다. 자장의 건의로 황룡사에 **황룡사 9층 목탑⁷**을 건립하여 국가와 왕실의 권위를 높이려 하였다.
  ② **과학 기술 발달**: 천체 관측을 위해 **첨성대**를 세웠다.
  ③ **대외 위기**: 신라는 백제에 **대야성** 등 여러 성을 빼앗겨 위기에 빠졌다. 이에 **김춘추**를 고구려에 보내 도움을 요청하였으나 실패하였다.⁸
  ④ **대내 위기**: 상대등 비담과 염종 등이 반란을 일으켰으나 **김춘추와 김유신이 이를 진압**하였다.

(6) **진덕 여왕(28대, 647~654)⁹**
  ① **나·당 동맹 체결(648)**: 김춘추의 활약으로 나·당 동맹이 체결되었다.
  ② **중국식 제도 도입**: 의관을 중국식으로 고치고 **당나라의 연호⑩**를 사용하였다.
  ③ **관제 정비**: 종래의 품주를 개편하여 국왕 직속의 최고 관부로서 **집사부**를 설치하고, 품주의 본래 기능은 신설된 창부로 이관하였다. 또한 좌이방부도 신설하였다.

심화사료 百出

김춘추의 외교 활동

(진덕 여왕 2년) 당 태종이 김춘추에게 (나에게) 할 말이 있는가 하기에 김춘추가 말하였다. "신의 나라는 바다 모퉁이에 치우쳐 있으면서도 천자의 조정을 섬긴 지 여러 해가 되었습니다. 그런데 백제는 **강하고 교활하여 여러 번 침략을 해왔는데**, 더구나 왕년에는 대대적으로 군사를 거느리고 깊이 쳐들어와 수십 성을 함락했습니다. …… 만약 폐하께서 당나라 군사를 빌려 주어 흉악한 것을 잘라 없애지 않는다면 우리나라 인민은 모두 포로가 될 것이며, 산 넘고 바다 건너 행하는 조회도 다시는 바랄 수 없을 것입니다."라고 하였다. **태종이 매우 옳다고 여겨서 군사 출동을 허락하였다.**

― 『삼국사기』

解法 도움닫기 신라사의 시대 구분

구분	1. 22. 박혁거세 – 지증왕	23. 28. 법흥왕 – 진덕 여왕	29. 36. 무열왕 – 혜공왕	37. 56. 선덕왕 – 경순왕
『삼국사기』 (혈통 기준)	성골		무열계 진골	내물계 진골
	상대(上代)		중대(中代)	하대(下代)
『삼국유사』 (왕명 기준)	상고(上古)	중고(中古)	하고(下古)	
	신라 고유 왕명	불교식 왕명	중국식 시호	

---

⑥ **선덕 여왕**

인평(仁平)이라는 독자적인 연호를 사용하였다.

⑦ **신라 3보(新羅 三寶)**

신라를 지키는 세 가지 보물로 진흥왕 때 황룡사에 주조한 장륙존상, 진평왕 때 하늘로부터 받은 천사옥대, 선덕 여왕 때 자장의 건의로 건립한 황룡사 9층 목탑을 말한다.

⑧ **김춘추의 외교 활동**

대야성 전투의 패배 직후 김춘추는 고구려에 가서 보장왕에게 군사를 청하였으나 고구려의 무리한 요구(죽령 서북, 즉 한강 유역의 땅 반환)로 무산되었다.

⑨ **진덕 여왕의 친당 정책**

진덕 여왕은 당나라 고종을 칭송하는 내용의 『오언태평송(五言太平頌)』을 지어 당에 보냈다.

⑩ **당 연호 사용**

진덕 여왕은 650년 즉위 초부터 사용한 독자적인 연호인 태화(太和)를 버리고 당나라 고종의 연호를 사용하였다.

부(部) 체제 : 삼국 초기에 존재한 정치 체제(과도기), 고구려 5부·백제 5부·신라 6부

- 부는 비교적 상당한 독자성을 지님.
  - 전통적인 고유 명칭 사용
  - 독자적인 관등, 군사력, 제사 체계(예 소노부의 종묘와 사직)를 지님.
  - 대외 교섭권은 중앙 정부에 의해 박탈
- 왕은 초월적 권력자가 아닌 유력 부의 장
  - 회의체 주재자, 결정권은 없음.
  - 이름 앞에 소속부 밝힘(예 영일 냉수리비, 울진 봉평비).
- 국가 중대사는 각 부의 수장들로 구성된 회의체에서 결정(제가 회의·정사암 회의·화백 회의)

解法 도움닫기 | 주요 금석문

광개토 대왕릉비 (장수 414)	• 추모왕의 신이한 출생(고구려 건국 이야기), 대무신왕~광개토 대왕까지의 연혁 • 광개토 대왕의 정복 활동 등을 기록, 고구려의 독자적 천하관 등이 보임. • 광개토 대왕릉을 지키는 묘지기 연호와 묘지 관리 지침
중원 고구려비 (충주 고구려비, 한강 점령 후)	• 충주에 건립(고구려의 남한강 유역 진출), 고구려의 신라 압박 사실을 보여줌. • 고구려가 스스로를 천하의 중심에 놓고 신라를 '동이'라고 낮추어 종속 관계로 파악하는 천하관을 엿볼 수 있음.
영일 냉수리비 (지증 503)	• 지증왕을 사훼부 지도로 갈문왕으로 표현, '사라'라는 명칭이 최초로 보임. • 재산 관련 분쟁 판결 기록(절거리의 소유로 결정)
울진 봉평리 신라비 (법흥 524)	• 신라의 영역이 동북 방면으로 확대, 울진 지방의 주민들이 반발하자 이를 진압 • 법흥왕 때 율령 반포 확인(장육십, 장백 등 형을 부과한 내용 기록) • 법흥왕을 훼부 모즉지 매금왕으로 표현
단양 적성비(진흥 551) 단양 신라 적성비	• 고구려 영토였던 단양 적성을 정복하고 세운 비석 • 이사부 활약, 한강 상류 진출
북한산비(진흥 555) 서울 북한산 진흥왕 순수비	한강 하류 진출(김정희 고증)
창녕비(진흥 561) 창녕 신라 진흥왕 척경비	• 가야 지역(비화가야) 점령 후 세운 비석 • 갈문왕·대등·군주·촌주 등 당시 지배 체제 확인
황초령비, 마운령비(진흥 568) 황초령 순수비, 마운령 순수비	고구려 지역인 함경도 진출

울진 봉평 신라비

단양 적성비

[해설]

(나) 4세기 미천왕 때인 311년 고구려는 전략적 요충지인 서안평을 점령하였다. (가) 6세기 지증왕 때인 512년 신라 장군 이사부가 우산국(울릉도)을 복속하였다. (라) 6세기 법흥왕 때인 532년 신라는 금관가야를 정복하여 낙동강 유역으로 진출하였다. (다) 7세기 의자왕 때인 642년 백제는 신라의 대야성을 점령하였다.

[정답] ③

대표 기출문제

다음 사건을 시기순으로 바르게 나열한 것은?

2023. 국가직 9급

(가) 신라의 우산국 복속   (나) 고구려의 서안평 점령
(다) 백제의 대야성 점령   (라) 신라의 금관가야 병합

① (가) ⇨ (나) ⇨ (다) ⇨ (라)   ② (가) ⇨ (라) ⇨ (나) ⇨ (다)
③ (나) ⇨ (가) ⇨ (라) ⇨ (다)   ④ (나) ⇨ (다) ⇨ (가) ⇨ (라)

05 가야 연맹

❖ 가야의 발전 과정

시기	발전 과정
2세기	철기 문화 토대, 농업 생산력 증대 ⇨ 낙동강 하류 변한 지역에서 성장
3세기	김해의 **금관가야**(김수로 건국) 중심으로 **전기 가야 연맹** 성립: 농경 문화 발달, 중계 무역(철)
4세기 초	한 군현 소멸로 중계 무역 타격 ⇨ 전기 가야 연맹 약화 시작
4세기 중엽	백제와 신라의 공격으로 약화. **백제(근초고왕)의 영향권**에 편입
4세기 말~5세기 초	고구려 군대의 공격으로 거의 몰락
5세기 초	전기 가야 연맹 해체, 북부(고령, 합천, 거창, 함양) 세력 유지
5세기 말	고령의 **대가야**(이진아시왕 건국) 중심으로 **후기 가야 연맹** 성립
6세기 초	백제 · 신라와 대등, **신라와의 결혼 동맹**(국제적 고립 탈피 목적)
멸망	**금관가야 멸망(법흥왕)** ⇨ 백제와 연합(관산성 전투에서 성왕 지원) ⇨ **대가야 멸망(진흥왕)**, 신라 · 백제에 의해 분할 점령

1. 전기 가야 연맹(맹주: 금관가야)

김수로❶가 건국한 김해의 금관가야가 중심이 되어 3세기 무렵 전기 가야 연맹을 이루었다.

(1) **경제적 발전**: 금관가야는 철이 많이 생산되었고 **낙동강 하류**에 위치하여 해상 활동에 유리하였다. 따라서 낙랑과 왜의 규슈 지방을 연결하는 중계 무역이 발달할 수 있었다.

(2) **쇠퇴**

① **4세기 초**: 고구려 미천왕에 의해 한 군현이 소멸되자 대외 중계 무역에 큰 타격을 입었다. 게다가 백제와 신라의 팽창에 밀려 전기 가야 연맹은 약화되기 시작하였다.

② **4세기 중엽**: 백제(근초고왕)의 영향권에 편입되었다. 백제와 왜를 연결하는 역할을 담당하였다.

③ **4세기 말~5세기 초**: 신라를 후원하는 **고구려군의 공격**을 받아 전기 가야 연맹은 거의 몰락하였다. 이에 가야 지역은 낙동강 서쪽 연안으로 축소되었다.

2. 후기 가야 연맹(맹주: 대가야)

(1) **5세기 초**: 전기 가야 연맹이 해체되면서 남동부 지역의 세력이 약화되었다.

(2) **5세기 후반**: 고령의 대가야를 중심으로 **후기 가야 연맹**❷이 성립되었다.

(3) **대가야**: 낙동강 유역의 지리적 이점을 활용하여 후기 가야 연맹의 맹주가 되었다. 대가야는 전쟁의 피해를 입지 않았기 때문에 세력을 유지할 수 있었다.

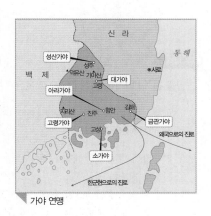

▽ 가야 연맹

❶ **김수로**

『삼국유사』에 따르면 아유타국에서 온 공주 허황옥과 혼인을 하였다고 전한다.

🔖 **임나일본부설**

왜왕이 한반도의 임나(가야) 지역에 통치 기관인 임나일본부를 설치하여 4~6세기까지 한반도 남부를 경영했다는 이론이다. 이 이론은 일제 강점기 때 식민 통치의 합리화에 이용되었으나 현재는 폐기되었다.

❷ **후기 가야 연맹**

전성기에는 소백산맥 넘어 전라북도 일부 지역(호남 동부)까지 영역을 확장하였다. 중국 남제와 통교했으며, 신라를 공격한 고구려 군대를 물리치는데 도움을 주기도 하였다.

(4) 6세기: 대가야는 백제 무령왕의 공격으로 전라북도 일부 지역을 상실하였다. 이에 이뇌왕은 **신라와 결혼 동맹**(522, 법흥왕)❶을 맺었다. 그러나 금관가야가 멸망한 후에는 백제와 동맹을 맺었다(관산성 전투, 554).

3. 멸망

532년 김해의 금관가야가 신라 법흥왕에 의해 정복당하고, 대가야가 562년 신라의 진흥왕에게 멸망하면서 가야 연맹은 완전히 해체되었다.

4. 가야의 문화

(1) **특징**: 철기 문화가 발달했는데 철제 무기와 갑옷, 수레형 토기, 가야금, 금동관 등을 통해 고급 제철 기술의 수준을 알 수 있다.

(2) **유적**: 김해 대성동 고분에서 다량의 덩이쇠·판갑옷 등이, 고령 **지산동 고분군**❷에서 금동관 등이 출토되었다. 그 외 유적지로는 부산 복천동 고분 등이 있다.

(3) **영향**: 가야의 토기는 일본의 스에키 토기에, 철기 문화는 일본의 철기 문물에 영향을 주었다.

심화사료 百出   2021. 지방직 9급, 2020. 지방직 9급, 2019. 서울시 9급, 2017. 국가직 7급

금관가야 건국 설화(김수로)

천지가 개벽한 뒤로 이곳에는 아직 나라가 없고 또한 왕과 신하도 없었다. 단지 아홉 추장이 각기 백성을 거느리고 농사를 지으며 살았다. …… 너희들은 '거북아 거북아, 머리를 내밀어라. 만일 내밀지 않으면 구워 먹으리.'라고 노래를 부르면서 발을 구르고 춤추어라. 그러면 대왕을 맞이하게 되어 기뻐서 춤추게 될 것이다.'라고 하였다. …… 얼마 지나지 않아 하늘에서 금으로 된 상자가 나타났다. 열어 보니 황금알 6개가 있었는데 …… 6알이 변하여 동자가 되어 있었는데 용모가 매우 훤칠하였다. …… 그 달 보름에 즉위하였으며, 처음 나타났다고 해서 이름을 **수로(首露)**라고 하였는데 …… 나라는 대가락이라 부르고 또한 가야국으로도 불렀으니 곧 6가야 중 하나다. 나머지 다섯 사람은 각기 돌아가 5가야의 임금이 되었으니 ……   ─「삼국유사」

대가야의 건국

시조는 이진아시왕이다. 그로부터 도설지왕까지 대략 16대 520년이다. …… 가야산신 정견모주(正見母主)는 곧 천신인 이비가지(夷毗訶之)에게 감응되어 대가야의 왕 뇌질주일(惱窒朱日)과 금관국의 왕 뇌질청예(惱窒靑裔) 두 사람을 낳았다고 되어 있으니, 즉, 뇌질주일은 이진아시왕의 별칭이고 뇌질청예는 수로왕의 별칭이 된다.   ─「신증동국여지승람」

대가야와 중국 남조(남제)와의 교류

가라국은 삼한의 종족이다. 건원 원년(479) 국왕 하지의 사신이 와서 공물을 바쳤다. 조서를 내려 "…… 가라왕 하지가 먼 동쪽의 바다 밖에서 관문에 이르러 폐백을 받드니 가히 보국장군 본국왕을 제수한다."라고 하였다.   ─「남제서」

대표 기출문제

밑줄 친 '이 나라'에 대한 설명으로 옳은 것은?   2024. 국가직 9급

5세기 후반 가야의 주도 세력으로 성장한 <u>이 나라</u>는 낙동강 유역이라는 지리적 이점과 풍부한 철을 활용하여 후기 가야 연맹의 맹주가 되었다.

① 진흥왕에 의해 멸망하였다.
② 사비로 천도하고 국호를 남부여로 하였다.
③ 지방 행정 구역을 5경 15부 62주로 나누었다.
④ 평양으로 수도를 옮기고 남진 정책을 추진하였다.

02강 삼국의 대외 관계와 삼국 통일

 解/法 기출분석

구 분		2008~2017	2018	2019	2020	2021	2022	2023	2024
9급	국가직				김유신			삼국 통일	
	지방직		삼국 통일			연개소문	김유신		
	법원직	• 고구려와 수 · 당 전쟁 • 삼국 통일						7세기 정치 상황	

解法 요람

신라의 삼국 통일

수 589 중국 통일   당 618 건국

612	살수 대첩	수 양제의 100만 대군 침입 때 을지문덕이 적을 살수에서 대파

천리장성 축조(당의 침략에 대비) vs 영류왕의 친당 정책(도교 전래)

642	연개소문 정변	연개소문: 반대파 숙청, 독재 정치, 당에 대하여 강경책, 백제 의자왕이 대야성 공격 · 함락(김품석 살해)
645	안시성 싸움	당 태종 침입, 60여 일간 저항 ⇒ 고구려의 대대적인 반격으로 당군 격퇴
648	나 · 당 연합군 결성	신라의 대중국 외교 성공(김춘추)
660	백제의 멸망	멸망 : 의자왕의 향락 정치로 인한 국가 일체감 상실, 무리한 전쟁 ⇒ 웅진 도독부 부흥 운동 : 복신과 도침(주류성), 흑치상지(임존성) 등은 왕자 풍을 왕으로 추대하고 200여 성을 회복 ⇒ 나 · 당 연합군에 의하여 진압
668	고구려의 멸망	멸망 : 계속된 전쟁, 연개소문 사후 지배층의 권력 쟁탈전 ⇒ 안동 도호부(평양) 부흥 운동 : 보장왕의 서자 안승을 받든 검모잠(한성)과 고연무(오골성) ⇒ 신라의 도움을 받기도 하였으나 실패
675	매소성 전투	이근행이 이끄는 당의 20만 대군 격파
676	기벌포 전투	금강 하구의 기벌포에서 당의 수군 섬멸, 평양에 있던 안동 도호부를 요동성으로 축출 ⇒ 삼국 통일 완성(676)

삼국 통일의 의의와 한계

의 의	• 당의 세력을 무력으로 축출 ⇒ 자주적 성격 • 고구려와 백제 문화의 전통을 수용하고 경제력 확충 ⇒ 민족 문화 발전의 토대 마련
한 계	외세 이용, 영토상 불완전한 통일(**대동강~원산만** 이남)

1. 시기별 삼국의 대외 관계

(1) 4세기❶

백제는 한강을 중심으로 영토를 크게 넓히면서 전성기를 맞이하였다.

(2) 5세기

고구려가 남진 정책을 추진하자, 백제와 신라는 동맹을 맺고 이에 저항하였다.

(3) 6세기

6세기 진흥왕 때 신라가 한강 유역을 차지하면서 삼국 통일의 발판을 마련하였다.

❶ **4세기**
삼국은 주변 소국을 정복하며 영토를 넓혔다. 이에 따라 삼국의 영토가 서로 맞닿게 되면서 본격적인 항쟁이 전개되었다.

4세기

5세기

6세기

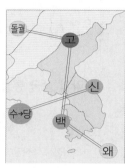
7세기

2. 7세기 전후 대외 관계의 변화

(1) 중국: 위진 남북조 분열의 시대가 끝나고 통일 왕조인 수·당❷이 등장하였다.

(2) 십자 외교

6세기 말부터 고구려❸와 백제는 한강 수복을 위해 신라를 공격하였다. 이후 북쪽의 돌궐·고구려와 남쪽의 백제·왜를 연결하는 남북 연합이 이루어졌다. 이에 대항하여 신라와 수·당의 동서 연합 세력이 형성되었다.

❷ **수·당**
동아시아의 패권을 장악하기 위해 고구려를 압박하였다.

❸ **고구려의 한강 수복 의지**
영양왕이 즉위한 해인 590년 온달은 한강 수복을 위해 신라를 공격하였다. 그러나 온달은 아차산성 근방의 전투에서 전사하였다.

02 고구려와 수·당 전쟁

1. 고구려와 수나라의 전쟁(살수 대첩)

(1) 배경

고구려는 남쪽으로 한강 유역을 신라에 빼앗기고, 북쪽에서는 수나라❹의 압박을 받았다.

(2) 전개

① **고구려의 요서 공격(598):** 영양왕은 1만 명의 말갈 병사를 보내 요서 지방을 선제 공격하였다. 이에 대한 반격으로 수나라 문제는 30만 대군을 보내 고구려를 침략했으나, 성과 없이 물러갔다.

❹ **수나라**
중국을 통일한 수나라는 돌궐을 복속시킨 후 점차 동북쪽으로 세력을 확대하면서 고구려를 압박하였다.

② **살수 대첩(612)**: 영양왕 때 수나라 양제는 113만 대군으로 고구려를 공격하였다. 수나라는 요동성을 공격했으나 고구려군의 완강한 저항(청야 작전❺)에 막혀 실패하였다. 이에 수 양제는 우중문에게 30만 별동 부대를 이끌고 평양을 직접 공격하게 하였다. 그러나 **을지문덕**의 유도 작전에 말려들어 **살수(청천강)**에서 대패하였다.

(3) 결과
수나라는 4차례에 걸쳐 침략해왔으나 계속된 실패와 국력 소모로 결국 **멸망**하였다.

심화사료 百出
2019. 서울시 7급(상), 2018. 경찰 2차, 2014. 경찰간부

을지문덕이 우중문에게 보낸 5언시[여수장우중문시(與隋將于仲文詩)]

| 神策究天文 | 귀신같은 전술은 천문을 꿰뚫었고 | / | 妙算窮地理 | 묘한 전략은 지리를 통달했구나 |
| 戰勝功旣高 | 전쟁에서 이겨 공이 이미 높아졌으니 | / | 知足願云止 | 만족함을 알거든 그만함이 어떤가 |

2. 고구려와 당나라의 전쟁(안시성 전투)

(1) 천리장성 축조
수의 뒤를 이은 당은 유화책을 펴다가 점차 고구려를 압박하였다. 고구려는 국경에 **천리장성**❻을 쌓고, 방어 체제를 강화하는 등 당의 **침략**에 대비하였다.

(2) 연개소문의 집권
① **권력 장악**: 천리장성 축조를 지휘하면서 세력을 키운 연개소문은 정변을 일으켜 영류왕을 제거하고 보장왕을 왕으로 세웠다(642). 이후 그는 스스로 (대)막리지에 올라 정권을 장악하였다.
② **대외 정책**❼: 연개소문은 대당 강경책을 펼치며 신라를 압박하였다.

(3) 안시성 전투(645)
당 태종은 직접 수십만 대군을 이끌고 고구려를 침략하였다. 고구려는 요동성·비사성 등 국경의 여러 성이 함락되는 위기에 처했다. 그러나 **안시성(성주 양만춘)**에서 군·민이 협력하여 당군을 물리쳤다. 이후에도 고구려는 계속된 당의 침략을 막아냈다.

(4) 의의
수·당의 한반도 침략을 저지하여 **민족의 방파제 역할**❽을 하였다.

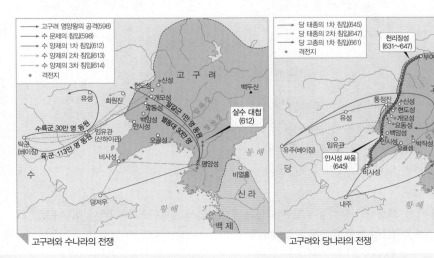

고구려와 수나라의 전쟁

고구려와 당나라의 전쟁

---

❺ **청야 작전**
외적이 쳐들어오면 들판이나 집안에 있는 곡식들을 전부 불태워 버리고 성에 들어가 끈질기게 버티는 작전이다.

❻ **천리장성**
당의 침략에 대비하여 16년의 공사 끝에 647년(보장왕 6) 완성한 성으로, 북쪽의 부여성(농안)에서 남쪽의 비사성(대련)에 이른다. 연개소문은 이 성곽 축조를 감독하면서 요동 지방의 군사력을 장악하여 정권을 잡을 수 있었다.

❼ **연개소문의 대당 강경책**
신라가 당에 구원을 요청하자 당은 고구려에 사신을 보내 자제를 요청하였다. 이에 연개소문은 오히려 당의 사신을 감금하였다. 이를 계기로 당 태종이 수십만 대군을 이끌고 고구려를 공격하였다.

❽ **고구려의 수·당 침입 격퇴**
고구려는 성곽을 이용한 방어 기술이 뛰어났으며, 요동 지역의 풍부한 철을 이용하여 우수한 철제 무기를 가질 수 있었다.

제1장 고대의 정치적 발전 / 63

나·당 연합군의 결성과 백제, 고구려의 멸망

1. 나·당 연합군의 결성

(1) 신라의 위기

신라는 대야성❶을 비롯한 40여 성을 빼앗겼으며, 당항성까지도 공격받았다. 이에 신라는 고구려에게 군사적 도움을 요청했으나 실패하였다.

(2) 나·당 동맹❷의 결성(648)

신라는 대당 외교를 적극적으로 추진하였다. 고구려 원정에 실패했던 당나라는 신라의 제안을 받아들여 나·당 동맹이 성사되었다.

2. 백제의 멸망(660)

(1) 전개

나·당 연합군은 백제를 기습적으로 공격하였다. 백제군은 기벌포(백강) 전투에서 소정방이 이끄는 당나라 군대에게 패배하였다. 한편, 계백의 결사대가 황산벌에서 저항했으나 김유신이 지휘한 신라군에게 패배하였다.

(2) 결과

나·당 연합군이 사비성을 함락하자, 웅진으로 피신하였던 의자왕은 항복하였다.

심화사료 百出   2022. 지방직 9급, 2018. 서울시 7급, 2014. 경찰간부

> **황산벌 전투**
> 가을 7월 9일에 **김유신 등이 황산(黃山)의 벌판으로 진군하자** 백제의 장군 계백이 군사를 거느리고 와서 먼저 험한 곳을 차지하여 세 군데에 진영을 설치하고 기다리고 있었다. 김유신 등은 군사를 세 길로 나누어 네 번을 싸웠으나 (전세가) 불리하고 사졸(士卒)들은 힘이 다 빠지게 되었다. 장군 흠순이 아들 반굴에게 말하기를 "…… (이런) 위급함을 보고 목숨을 바치면 충과 효 두 가지 모두를 갖추게 된다."라고 하였다. 반굴이 적진으로 뛰어들어 힘껏 싸우다가 죽었다. ― 「삼국사기」
>
> **백제 멸망 당시 나·당 갈등**
> **소정방이 부총관 김인문 등과 함께 기벌포에 도착**하여 백제 군사와 마주쳤다. …… 소정방은 신라군이 늦게 왔다는 이유로 군문에서 신라 독군 김문영의 목을 베고자 하니, 김유신이 군사들 앞에 나아가 "황산 전투를 보지도 않고 늦게 온 것을 이유로 우리를 죄주려 하는구나. 죄도 없이 치욕을 당할 수는 없으니, 결단코 먼저 당나라 군사와 결전을 한 후에 백제를 쳐야겠다." 라고 말하였다. ― 「삼국사기」

3. 백제의 부흥 운동

(1) 전개: 부흥 운동의 중심이 된 곳은 **주류성❸**과 **임존성❹**이었다.

　① 복신과 도침: 주류성에서는 복신과 승려 도침이 **부여풍❺**을 왕으로 추대하였다.

　② 흑치상지: 임존성에서 흑치상지가 군사를 일으켰다.

　③ 백강 전투(663): 왜의 수군이 백제 부흥군을 돕기 위해 백강 입구까지 왔으나 나·당 연합군에게 패하였다.

(2) 결과: 200여 성을 회복하고 사비성에 있던 당군을 공격하면서 저항하였다. 그러나 **내부 분열❻**과 나·당 연합군의 공격으로 부흥 운동은 좌절되었다.

---

❶ 대야성(大耶城)
경상남도 합천 지역이다.

❷ 나·당 동맹
642년 백제의 대야성 공격 직후 신라는 당과 고구려 연개소문에게 각각 군사 지원을 요청하였으나 거절당했다. 이후 신라 김춘추는 다시 당나라로 가서, 함께 백제를 정벌한 다음 고구려를 남북으로 협공하자고 제안하였다. 이에 나·당 연합이 성사되어 패강(대동강)을 경계로 영토를 나눌 것을 약속하였다.

❸ 주류성
위치에 대해서는 여러 가지 설이 있다.

❹ 임존성
현재 충남 예산군 대흥면에 있다.

❺ 부여풍
의자왕의 아들로, 무왕 때부터 일본에 있었다. 백제 멸망 후 복신·도침에 의해 왕으로 추대되어 주류성에 머물렀다. 뒤에 고구려로 도망갔고, 고구려가 망한 뒤에는 당으로 유배되었다.

❻ 백제 부흥군의 내부 분열
백제 장수 복신이 도침을 죽이고 왕자 풍을 살해하려다 오히려 왕자 풍에게 제거되었다. 이러한 내부 분열에 실망한 흑치상지는 당나라에 투항하였으며, 지수신은 마지막까지 임존성에서 저항하다가 고구려로 망명하였다.

4. 고구려의 멸망(668)

(1) 배경

665년 연개소문이 죽고 연개소문의 맏아들 남생이 막리지를 계승하였다. 동생 남건·남산이 반발하여 정변을 일으키자, 남생은 국내성으로 도망간 후 당나라에 투항했다. 이와 같이 지배층 내부에서 권력 다툼**❼**이 일어나 정치적으로 혼란한 상황이었다.

(2) 멸망(668)

나·당 연합군의 공격으로 **평양성이 함락**되고 **보장왕이 항복**하면서 고구려는 멸망하였다.

5. 고구려의 부흥 운동

(1) 전개 과정

검모잠과 고연무 등은 보장왕의 서자인 안승을 내세워 한성(황해도 재령)과 오골성을 근거지로 고구려 부흥 운동을 전개하였다. 이들은 한때 평양성을 탈환했으나, 안승이 검모잠을 죽이고 신라로 망명하면서 부흥 운동은 실패하였다.

(2) 안승의 신라 투항

문무왕은 670년 안승**❽**을 고구려왕으로 봉하였다. 이후 안승이 이끄는 고구려 유민이 신라에 투항하였다. 문무왕은 이들을 금마저(전북 익산)에 살게 하고 674년 안승을 보덕국왕으로 봉하였다.

심화사료 百出

2018. 서울시 7급(상), 2016. 경찰간부

연정토의 신라 투항

겨울에 당나라는 이적(李勣)을 요동도행군대총관(遼東道行軍大摠管)으로 삼고 …… 고구려를 쳤다. 고구려의 높은 신하인 연정토가 12성 763호 3,543명을 이끌고 와서 항복하였다. 연정토와 부하 24명에게 의복과 식량, 집 등을 주고 서울 및 주(州), 부(府)에 두었으며, 여덟 개의 성은 상태가 완전하였으므로 모두 군사를 보내 지키게 하였다. － 「삼국사기」

보덕국의 멸망(통일 신라 신문왕)

안승의 조카뻘 되는 장군 대문이 금마저에서 반역을 도모하다가 일이 발각되어 죽임을 당하였다. 남은 무리들이 관리들을 죽이고 읍을 차지하여 반란을 일으켰다. 왕이 군사들에게 명하여 토벌하였다. 마침내 그 성을 함락하여 그곳 사람들을 나라 남쪽의 주와 군으로 옮기고, 그 땅을 금마군으로 삼았다. － 「삼국사기」

❼ 고구려의 내분

국내성으로 달아난 남생은 당나라에 항복하였다. 그리고 666년 연개소문의 동생인 연정토가 신라에 투항하였다.

❽ 안승

680년에 문무왕의 조카딸을 아내로 맞이하였고, 신문왕은 소판의 관등과 김씨 성을 주어 왕경에 거주하도록 하였다. 이러한 조치에 반발한 안승의 조카 대문은 이듬해 금마저에서 반란을 일으켰다. 그러나 바로 진압되었고, 보덕국은 없어졌다.

백제와 고구려의 멸망

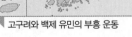
고구려와 백제 유민의 부흥 운동

나·당 전쟁과 삼국 통일 완수

04 나·당 전쟁과 신라의 통일

1. 나·당 전쟁

(1) 당의 한반도 지배 야욕
  ① 웅진 도독부(660): 백제 멸망 후 백제의 옛 영토에 웅진 도독부를 설치하였다.
  ② 계림 도독부(663): 당은 신라에 계림 도독부를 설치하고 문무왕을 계림주 대도독으로 임명하였다. 이는 신라의 영토마저 차지하려는 당의 야심을 드러낸 것이었다.
  ③ 취리산 회맹(665)❶: 당나라는 664년 부여융을 웅진 도독으로 임명하였다. 이후 당나라는 취리산 회맹을 주도하여 부여융과 문무왕에게 서로 다투지 않을 것을 약속하게 하였다.
  ④ 안동 도호부(668)❷: 고구려 멸망 후 당은 고구려의 영토에 9개의 도독부 및 안동 도호부(평양)를 설치하고 고구려의 옛 땅을 직접 지배하려 하였다.

(2) 신라의 통일 과정
  ① 고구려 부흥 운동 지원❸: 신라는 고구려 유민을 이끌고 남하한 안승을 금마저(익산)에 자리 잡게 하고, 674년 보덕국왕으로 봉하였다. 고구려 유민을 포섭하고자 한 것이다.
  ② 소부리주 설치(671): 신라는 당나라로부터 사비성을 무력으로 탈환하고 여기에 소부리주를 설치했는데, 이는 실질적인 나·당 전쟁의 시작이었다.
  ③ 매소성 전투(675): 마전·적성에서 당나라 군대를 격파하는 한편, 매소성에 주둔한 당나라 이근행의 20만 대군을 격파하였다.
  ④ 기벌포 전투(676): 금강 하구의 기벌포에서 상륙을 시도하는 당의 수군을 섬멸하여 당의 세력을 완전히 몰아냈다. 이어 평양에 있던 안동 도호부도 요동성으로 밀어내는 데 성공❹하였다.

2. 삼국 통일의 의의와 한계

(1) 의의: 당의 세력을 몰아낸 사실에서 자주성을 확인할 수 있다. 또, 고구려·백제 문화의 전통을 수용하여 민족 문화 발전의 토대를 마련하였다.
(2) 한계: 신라의 삼국 통일은 외세를 이용했으며, 대동강에서 원산만까지를 경계로 한 이남의 땅을 차지하는 데 그쳤다는 한계성을 가지고 있다.

심화사료 百出
2018. 국가직 9급

신라 문무왕의 유언
여러 신하들이 유언으로 동해 입구의 큰 바위 위에서 장례를 치르었다. …… 남긴 조서는 다음과 같다. "과인은 나라의 운(運)이 어지럽고 전란의 시기를 맞이하여, 서쪽을 정벌하고 북쪽을 토벌하여 능히 영토를 안정시켰고 배반하는 자들을 치고 협조하는 자들을 불러 마침내 멀고 가까운 곳을 평안하게 하였다. ……."
– 「삼국사기」

대표 기출문제

삼국 통일 과정에서 나타난 사건을 순서대로 바르게 나열한 것은?
2017. 서울시 9급

  ㉠ 나·당 연합군이 평양성을 함락시켰다.
  ㉡ 신라가 매소성에서 당군을 크게 물리쳤다.
  ㉢ 계백의 저항에도 불구하고 사비성이 함락되었다.
  ㉣ 백제·왜 연합군이 나·당 연합군과 백강에서 전투를 벌였다.

  ① ㉡ ⇒ ㉠ ⇒ ㉢ ⇒ ㉣
  ② ㉡ ⇒ ㉢ ⇒ ㉠ ⇒ ㉣
  ③ ㉢ ⇒ ㉣ ⇒ ㉠ ⇒ ㉡
  ④ ㉣ ⇒ ㉢ ⇒ ㉠ ⇒ ㉡

---

❶ 취리산 회맹
백제의 부흥 운동에 대응하여 유민을 달래고자 했으며, 동시에 백제 옛 땅에 대한 당의 영향력을 강화하려는 의도에서 나온 것이었다.

❷ 안동 도호부
당은 안동 도호부를 통해 고구려와 백제 및 신라 땅에 설치된 모든 도독부를 관리하며 한반도 전체에 대한 지배권을 확보하고자 하였다.

❸ 백제와 고구려의 유민들 포섭
신라는 백제와 고구려의 지배층들에게 신라의 관직과 관등을 주었다.

❹ 당의 고구려 왕족 회유
평양의 안동 도호부가 요동으로 밀려난 후, 당은 회유책의 일환으로 고구려 보장왕을 요동 도독에 임명하였다. 그러나 보장왕은 고구려 유민과 연결되어 부흥 운동에 가담하였다.

✎ 발해 건국
기벌포 전투 이후에도 고구려 유민은 요동을 중심으로 부흥 운동을 끊임없이 일으켰다. 때마침 당의 강압적인 지배에 맞서 거란인이 봉기하자, 이를 틈타 고구려 장군 출신인 대조영이 고구려 유민과 말갈인을 이끌고 동쪽으로 탈출하였다. 대조영은 당의 추격을 천문령에서 물리치고 동모산에서 발해를 건국하였다(698).

해설
㉢ 660년의 일이다. ㉣ 663년의 일이다(백강 전투). ㉠ 668년의 일이다. ㉡ 675년의 일이다.

정답 ③

O3강 남북국 시대의 정치 변화

解/法 기출분석

구 분		2008~2017	2018	2019	2020	2021	2022	2023	2024
9급	국가직	• 신라 중대(2) • 신문왕 • 발해(2)	• 문무왕 • 신문왕 • 발해	발해 무왕	진성 여왕	발해 수도	발해(무왕)	신문왕	김헌창의 난
	지방직	• 신라 하대 • 발해(2) • 발해(무왕) • 발해(무·선왕)			발해 문왕 때의 신라 상황	신문왕			
	법원직	• 신문왕(4) • 신라 하대(2) • 발해(3)	• 발해 무왕 • 통일 신라					고대 정치	• 신라 하대 • 발해

解法 **요람**

통일 신라의 정치 상황

	중대(전제 왕권 강화)		하대(왕위 쟁탈전)
	• 상대등 약화 → 집사부 시중 강화(왕권↑) • 6두품 세력: 전제 왕권 뒷받침 • 9주 5소경, 9서당 10정, 국학		• 왕권 약화와 지방 통제 약화 • 6두품 세력 배제 → 반(反) 신라적 경향 • 농민 봉기 → 호족 세력 성장

	왕	주요 업적
중대	신문왕	① 김흠돌의 모역 사건 계기로 귀족 세력 숙청 ② 중앙 14부 완성, 지방 9주 5소경 체제 완비 ③ 관료전 지급(687), 녹읍 폐지(689) ④ 9서당 10정 편제, 국학 설립
	성덕왕	정전 지급, 당과의 국교 재개
	경덕왕	① 중시의 명칭을 시중으로 격상, 지명을 중국식으로 변경 ② 불국사, 석굴암 축조, 국학을 태학(감)으로 개칭 ③ 녹읍 부활
하대	원성왕	독서삼품과 실시
	헌덕왕	김헌창의 난 진압
	흥덕왕	사치금지령, 청해진 설치(장보고)
	진성 여왕	① 향가집 『삼대목』 편찬 ② 원종과 애노의 난을 시작으로 농민 항쟁의 전국적 확산, 호족의 성장 ③ 최치원의 『시무 10조』

발해의 발전

1. 고구려 계승 의식
  (1) 정치
    ① 건국 주체 세력과 지배층: 고구려계(고씨, 대씨)
    ② 일본에 보낸 국서
      ㉠ 무왕: "고구려 옛 땅을 수복하고 부여의 유속을 이어받았다."
      ㉡ 문왕: '고려국왕'으로 지칭, 스스로를 천손이라 칭함.
    ③ 발해가 멸망한 뒤 발해 유민이 고려에 대거 망명
  (2) 문화: 고구려 문화 계승 – 정혜 공주 묘(굴식 돌방무덤, 모줄임 구조), 온돌 장치, 기와, 불상

2. 주요 국왕의 업적

1. **고왕(대조영)** **(698~719)**	• 발해 건국(698): 길림성 돈화시 동모산 • 국호: 진, 연호: 천통 • 당이 발해군왕에 임명
2. **무왕(대무예)** **(719~737)**	• 일본과 수교, 흑수말갈 공격 • 동북방 여러 세력 복속, 북만주 일대 장악 • 당의 등주 공격(장문휴) • 연호: 인안
3. **문왕(대흠무)** **(737~793)**	• 상경, 동경 천도, 중앙 통치 체제 정비 • 당과 친선 관계, 당이 발해국왕에 봉함. • 신라와 관계 개선: 상설 교통로 개설 • 연호: 대흥
5. **성왕(대화여)** **(793~794)**	상경 천도
10. **선왕(대인수)** **(818~830)**	• 행정 구역 개편: 5경 15부 62주 • 대부분의 말갈족 복속, 요동 진출 • 남쪽으로 신라와 접함. • 발해의 전성기: 해동성국 • 연호: 건흥

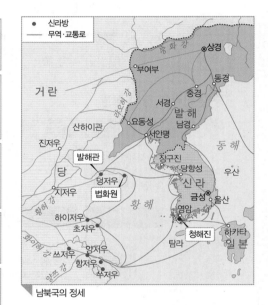

남북국의 정세

01 통일 신라의 발전과 쇠락

1. 전제 왕권 강화

(1) **왕권 강화**: 통일 전쟁 과정에서 왕권이 강화되었다. 또한 진골 출신인 김춘추(무열왕)가 처음으로 왕위에 올랐으며, 이후 무열왕의 직계 자손이 왕위를 독점적으로 계승❶하였다.

(2) **통치 체제 개편**: 왕의 직속 기관인 집사부의 영향력이 커졌으며, 그 장관인 중시❷(시중)의 권한이 강화되었다.

(3) **6두품의 성장**: 6두품 세력은 왕권과 결탁하여 학문적 식견을 바탕으로 왕의 정치적 조언자로 활동하면서 정치적 진출을 활발히 하였다.

2. 신라 중대 왕의 업적

(1) **태종 무열왕❸(29대, 654~661)**

① **최초의 진골 출신 왕**: 김춘추는 김유신의 도움을 받아 상대등 알천과의 경쟁에서 이긴 후 최초의 진골 출신 왕이 되었다.

② **백제 멸망**: 660년 당나라와 연합하여 오랜 숙적인 백제를 멸망시켰다.

③ **왕권 강화**: 집사부 장관인 중시(시중)의 기능을 강화하였다. 귀족 세력을 대표하는 상대등의 권한을 약화시켰으며, 갈문왕 제도❹를 폐지하였다.

심화사료 百出

2012. 사회복지직 9급, 2011. 지방직(사회복지직 특채) 9급

무열왕의 즉위

진덕왕이 죽자, 여러 신하들이 이찬 알천에게 섭정하기를 청하였다. 알천이 한결같이 사양하며 말하기를, "신은 늙고 이렇다 할 만한 덕행도 없습니다. 지금 덕망이 높은 이는 춘추공 만한 자가 없습니다. 실로 가히 빈곤하고 어려운 세상을 도울 영웅호걸입니다." 마침내 (김춘추를) 봉하여 왕으로 삼았다. 김춘추는 세 번 사양하다가 부득이하게 왕위에 올랐다. — 「삼국사기」

(2) **문무왕(30대, 661~681)**

① **삼국 통일 완성❺(676)**: 고구려를 멸망(668)시키고 나·당 전쟁에서 승리함으로써 통일을 완성하였다. 대동강에서 원산만 이남에 이르는 영토를 차지하였다.

② **지방 행정**: 지방관 감찰을 위해 외사정을 설치하였고, 북원소경과 금관소경을 두었다.

③ **부석사 창건**: 의상을 지원하여 부석사를 창건하게 하고 화엄종을 개창하게 하였다.

(3) **신문왕(31대, 681~692)❻ ☆☆**

① **왕권의 강화**

㉠ **귀족 세력 숙청(김흠돌의 난, 681)**: 신문왕은 왕비의 아버지인 소판 김흠돌이 일으킨 반란을 진압하였다. 그리고 이 사건과 관련이 있는 귀족들(파진찬 흥원, 대아찬 진공 등)도 처단하였다.

㉡ **천도 시도(689)**: 수도를 달구벌(대구)로 옮기려고 했으나, 진골의 반대로 무산되었다.

㉢ **만파식적 설화**: '만파식적(피리)'을 불면 적들이 물러가고 평화가 온다.'라는 설화를 통해 이 시기 정치적 안정과 왕권 강화를 보여 주고 있다.

② **제도의 정비**: 통일 후 늘어난 영토와 인구를 통치하기 위해 각종 제도를 정비하였다.

㉠ **중앙 행정**: 예작부의 설치로 14부의 중앙 통치 조직이 완성되었다.

---

❶ 무열왕계의 왕위 독점

무열왕부터 혜공왕 때까지 무열왕의 직계 후손들이 왕위를 계승하였다. 「삼국사기」에서는 이 기간을 신라 중대(中代)라 하고, 이전(상대)·이후(하대)의 시기와 구분하였다.

❷ 중시

경덕왕 때부터 시중이라고 하였다.

❸ 중국식 시호 사용

무열왕은 불교식 왕명 대신 중국식 시호(무열)를 사용했다. 또한 우리나라 역사에서 처음으로 묘호(태종)를 사용한 왕이다. 시호는 죽은 후에 그의 공덕을 찬양하여 붙인 이름이고, 묘호는 왕이 세상을 떠난 뒤 그 이름을 높여 부르는 호칭이다.

❹ 갈문왕(葛文王) 제도

왕의 혈족 등에게 특권적 지위를 누리게 했던 제도이다. 왕권의 지지 기반을 확대하고, 왕권의 안정을 도모하였다.

❺ 문무왕의 통일 과업

660년 태자로서 참전하여, 김유신 등과 함께 군사를 이끌고 백제를 멸망시켰다. 또한 즉위 이후인 663년 백제 부흥 운동의 본거지인 주류성을 비롯한 여러 성을 함락시켰다.

❻ 신문왕의 권력 독점

신문왕은 김흠돌의 난을 진압한 후 왕비인 김흠돌의 딸을 출궁시키고 무열왕의 사위이자 김흠돌의 이복동생인 김흠운의 딸과 혼인을 하였다. 신문왕이 이와 같은 족내혼을 한 이유는 왕족 김씨가 다른 진골 귀족 세력을 누르고 권력을 배타적으로 독점하기 위함이었다.

통일 신라의 지방 제도

❶ 국학
국학의 교육 내용과 관련된 관리 선발 제도가 제대로 갖추어지지 않았다. 때문에 신라 중대 이후 전제 왕권이 무너지면서 국학의 기능이 약화되었다.

ⓒ **지방 행정**: 9주 5소경 체제로 정비하였다. 주 밑에 군과 현을 두고 지방관을 파견하였다.

ⓒ **군사 조직**: 중앙군인 9서당과 지방군인 10정을 설치하였다.

ⓔ **국학❶ 설립**: 국학을 설치하여 유학을 교육하였다.

③ **경제 정책**

ⓐ **관료전 지급(687)**: 문무 관리들에게 차등을 두어 관료전을 지급하였다.

ⓒ **녹읍 폐지(689)**: 조세와 노동력을 함께 수취하던 녹읍을 폐지하였다.

심화사료 百出

2017. 서울시 7급, 2017. 법원직 9급, 2016. 법원직 9급, 2008. 지방직 7급

신문왕 즉위 교서

공이 있는 자를 상주는 것은 옛 성인의 좋은 규정이요, 죄있는 자를 벌주는 것은 선왕의 아름다운 법이다. …… 과인이 위로는 하늘과 땅의 도움을 받고 아래로는 조상의 신령스러운 돌보심을 입어 **흠돌** 등의 악이 쌓이고 죄가 가득 차자 그 음모가 탄로 나고 말았다. …… 지금은 **이미 요망한 무리들이 숙청**되어 멀고 가까운 곳에 우려할 것이 없으니, 소집하였던 병마(兵馬)들을 빨리 돌려보내고 사방에 포고하여 이 뜻을 알게 하라! – 「삼국사기」

만파식적(萬波息笛) 이야기

왕이 배를 타고 그 산에 들어가니, 용이 검은 옥대(玉帶)를 가져다 바쳤다. 왕이 영접하여 함께 앉아서 묻기를, "이 산과 대나무가 혹은 갈라지기도 하고 혹은 합해지기도 하는 것은 무엇 때문인가?"라고 하였다. 용이 대답하기를 "이것은 비유하자면, 한 손으로 치면 소리가 나지 않고 두 손으로 치면 소리가 나는 것과 같아서, 이 대나무라는 물건은 합한 후에야 소리가 납니다. 성왕(聖王)께서는 소리로 천하를 다스릴 좋은 징조입니다. 대왕께서 이 대나무를 가지고 피리를 만들어 불면 천하가 화평할 것입니다. …… 왕이 행차에서 돌아와 그 대나무로 피리를 만들어 월성(月城)의 천존고(天尊庫)에 간직하였다. **이 피리를 불면 적병이 물러가고 병이 나으며, 가뭄에는 비가 오고 장마에는 개며, 바람이 잦아지고 물결이 평온해졌다. 이를 만파식적(萬波息笛)으로 부르고 나라의 보물이라고 칭하였다.** – 「삼국유사」 권 2, '기이' 2, 만파식적

---

❷ 정전(丁田)의 지급
국가는 농민이 원래부터 소유하고 경작하고 있던 토지의 권리를 법적으로 인정하는 대신 조세를 납부하게 하였다.

❸ 견당사(遣唐使)
신라에서 당나라에 보낸 사신이다. 이를 통해 당의 선진 문물을 도입하였다.

(4) 성덕왕(33대, 702~737)

① **정전 지급(722)**: 정전을 지급❷하였다. 백성들의 사유지였던 민전을 공식적으로 인정한 것이다.

② **당과의 관계 회복**: 발해 무왕이 당나라의 등주를 공격하자, 당나라는 신라에 지원을 요청하였고 신라는 이에 응하였다. 이를 계기로 당과의 관계를 회복하여 **대동강 이남의 영토에 대한 지배권을 당으로부터 정식으로 인정받았다.** 또한, 당나라에 견당사❸와 유학생을 파견하였다.

(5) 경덕왕(35대, 742~765) ☆

① **전제 왕권의 동요**: 진골 귀족이 다시 세력을 키웠으며, 전제 왕권은 약화되기 시작하였다.

② **왕권 강화**: 집사부 장관의 명칭을 중시에서 **시중**으로 바꾸어 그 권위를 높였다.

③ **유교 교육 강화**: 국학의 명칭을 태학으로 바꾸었다. 또한 박사와 조교 등을 두고, 『논어』와 『효경』 등을 교육하였다.

④ **한화 정책**: 중앙 관부와 관직의 이름을 중국식으로 바꾸고, **지방 행정 지역의 명칭(9주·군현)도** 중국식으로 고쳤다.

⑤ **녹읍 부활(757)**: 신문왕 때 폐지된 녹읍이 부활하였다.

⑥ **문화재**: 불국사(혜공왕 때 완공)를 중창하고 석굴암을 건립하였다.

2019. 지방직 7급

심화사료 百出

경덕왕의 한화 정책

왕은 사벌주를 상주로 바꾸는 등 9주의 명칭을 개정하고, **군현의 이름도 한자식으로 고쳤다.** 또한, **중앙 관서의 관직명도 중국의 예에 맞추어 한자식으로 바꾸었다.**

– 『삼국사기』

(6) 혜공왕(36대, 765~780)[4]: 대공의 난(767),[5] 96 각간의 난(768),[6] 김지정의 난(780)[7] 등 진골 귀족의 반란이 빈번하게 일어났다. 김지정의 난을 진압하는 과정에서 혜공왕이 살해되었고 상대등 김양상이 선덕왕으로 즉위하였다.

3. 신라 하대의 정치 상황

(1) 배경: 8세기 후반, 중앙 귀족들 사이에 왕위 쟁탈전이 치열해졌다. 이에 따라 왕권이 약화되고 지방 통제력도 무너졌다.

(2) 선덕왕(37대, 780~785, 김양상): 김양상이 선덕왕으로 즉위하면서 **내물계에서 왕이 배출**되었다.

(3) 원성왕(38대, 785~798, 김경신): 선덕왕이 자식없이 죽자 내물왕계인 김경신과 무열왕계인 김주원이 왕위를 놓고 다투었다. 김경신이 이겨 원성왕이 되었고, 이후 그의 후손들이 왕위를 계승하였다.

　① 지방 제도 개편: 지방 9주의 장관 명칭을 총관에서 행정 기능이 강화된 **도독**으로 바꾸었다.

　② 독서삼품과[8]의 실시(788): 유교 경전의 이해 수준을 시험하여 관리를 채용하고자 하였다. 이 제도는 골품제 때문에 제 기능을 발휘하지 못했지만 유학을 널리 보급하는 데 기여하였다.

(4) 헌덕왕(41대, 809~826)

　웅천주 도독 김헌창[9]은 아버지인 김주원이 왕위 다툼에서 패한 것에 불만을 품고 반란을 일으켰다(김헌창의 난, 822). 웅주(웅천주, 공주)에 나라를 세우고 국호를 장안, 연호를 경운이라고 하였다. 결국 진압되어 김헌창은 자살하였다.[10]

심화사료 百出

2024. 국가직 9급, 2017. 지방직 9급(하)

왕위 쟁탈에서 패배한 무열왕계 - 김주원

얼마 지나지 않아 **선덕왕이 세상을 떠나매, 나라 사람들이 김주원을 왕으로 받들어** 장차 궁중으로 맞아들이려 했다. 그의 집은 북천 북쪽에 있었는데 홀연히 냇물이 불어나 건널 수가 없었다. 이에 왕이 먼저 궁궐로 들어가 왕위에 올랐다. …… 새로 즉위한 왕께 경배하고 축하하니 이가 **원성대왕**이다. 왕의 이름은 경신이요 성은 김씨이니 대개 길몽이 맞았던 것이다. 주원은 명주로 물러가 살았다.

– 『삼국유사』

김헌창의 난

헌덕왕 14년(822) 3월 **웅천주 도독(熊川州都督) 헌창이 그의 아버지 주원이 왕이 되지 못한 것을 이유로 반란을 일으켜** 나라 이름을 장안(長安)이라 하고 연호를 세워 경운(慶雲) 원년이라고 하였다. 무진(武珍)·완산·청주·사벌의 네 주 도독과 국원경·서원경·금관경의 사신(仕臣)과 여러 군현 수령을 위협하여 자기 소속으로 삼으려 하였다. …… 성이 장차 함락되려 하자 헌창은 화(禍)를 면할 수 없음을 알고 스스로 죽으니, 그를 따르던 사람이 머리를 베어 몸과 각각 따로 묻어 두었다.

– 『삼국사기』

❹ 혜공왕의 5묘제(廟制) 정비

미추왕을 김씨의 시조로 삼고, 삼국 통일에 공이 있는 태종 무열왕과 문무왕, 조부 성덕왕과 부친 경덕왕을 합하여 5묘를 정하였다.

❺ 대공의 난(767)

일길찬 대공이 그의 아우와 일으킨 반란이다.

❻ 96 각간의 난(768)

각간(角干)은 1관등인 이벌찬을 일컫는다. 96 각간이란 당시 반란을 일으킨 귀족과 이를 진압한 귀족 둘다 아우르는 표현이다.

❼ 김지정의 난(780)

김양상 일파와 대립하고 있던 이찬 김지정이 반란을 일으켜 무리를 모아 궁궐을 에워싸고 침범했다.

❽ 독서삼품과

독서 성적의 결과를 3등급으로 나누어 관료를 채용하는 제도로, 국학의 교육 과정과 연계하여 운영되었다.

❾ 김헌창

애장왕 때 시중이 되어 중앙에서 활동하였다. 그러나 김언승이 애장왕을 죽이고 헌덕왕이 된 이후 중앙 정계에서 밀려나 웅천주 도독이 되었다.

❿ 김범문의 난(825)

김헌창의 아들인 김범문도 고달산(경기도 여주)에서 반란을 일으켰으나 실패하였다(김범문의 난, 825).

❶ 장보고의 난

흥덕왕 사후 희강왕, 민애왕이 즉위하는 과정에서 왕위 계승 쟁탈전이 일어났다. 이때 패배한 김우징은 장보고의 도움으로 민애왕을 죽이고 왕위에 올라 신무왕이 되었다(839). 신무왕의 아들 문성왕이 즉위하자 장보고는 자신의 딸을 왕비로 맞아 줄 것을 요구하였으나 왕은 이를 거절하였다. 이에 장보고가 반란을 일으키자, 왕은 자객 염장을 보내 그를 암살하였다.

❷ 초적(草賊)

경제적인 이유로 도적이 된 백성을 일컫는 말이다. 백성을 풀에 비유하여 초적이라고 하였다.

❸ 호족의 출신 성분

호족은 권력 투쟁에서 밀려나 지방에서 세력을 키운 몰락한 중앙 귀족, 무역에 종사하면서 재력과 무력을 축적한 세력, 군진 세력, 지방의 토착 세력인 촌주 출신 등으로 구분된다.

❹ 설계두

신라에서 태어나 당나라에서 활약한 장군이다. 645년 당나라 태종이 고구려를 공격할 때 참전하였다. 안시성 부근에서 고구려 군대와 격전을 벌이다 전사하였다.

❺ 최치원

6두품 출신의 유학자로, 불교·도교에도 조예가 깊었다. 당 유학을 마치고 귀국한 후, 진성 여왕에게 정치 개혁을 요구했으나 이루어지지 않았다. 이후 전국 각지를 유람하다가 해인사에서 일생을 마쳤다.

❻ 적고적의 난

붉은색 바지를 입은 도적이라는 의미이다. 이들은 서남 지역에서 일어나 경주 인근까지 쳐들어가기도 하였다.

(5) 흥덕왕(42대, 826~836)

① 사치 금지령: 왕실·귀족들의 사치와 향락이 심해지자 **사치 금지령**을 내렸다.

② 청해진 설치: 완도에 **청해진**을 설치하고, **장보고를 청해진 대사로 임명**하였다. 장보고는 청해진을 근거로 해적을 소탕하고, 해상 무역권을 장악하였다.

③ 제도 정비: 집사부를 집사성으로 승격시켜 왕권을 강화하고자 하였다.

(6) 왕위 계승 쟁탈전의 심화

흥덕왕 사후 왕위 계승 쟁탈전이 다시 격렬해져 해상 군진 세력인 장보고가 왕위 다툼에 개입하였다. 이 과정에서 불만을 품은 장보고가 문성왕 때 반란❶을 일으켰다.

4. 신라 하대의 사회적 혼란

(1) 민심의 동요: 왕위 쟁탈전에 따라 **중앙 정치는 극도로 문란**해졌고 사치와 향락이 더해져 국가 재정은 바닥이 났다. 정부는 **부족한 재정을 보충**하기 위해 농민에게 무거운 세금을 부과하였다.

(2) 농민 봉기: 신라 하대에는 자연재해도 많이 일어나 농민의 생활은 더욱 어려워졌다. 이에 농민은 토지를 잃고 노비가 되거나 초적❷이 되었다.

(3) 새로운 세력의 등장

① 호족의 등장❸: 지방에서는 호족이라 불리는 새로운 세력이 성장했다. 이들은 중앙 정부의 통제에서 벗어난 반독립적인 세력이었다.

② 6두품 세력의 변화: 6두품 출신의 일부 도당 유학생 등은 신라 골품제 사회를 비판하면서 새로운 정치 이념을 제시하였다. 이들 중 일부는 지방의 호족 세력과 손잡고 사회 개혁을 추구하며 **반신라적인 경향**을 강하게 드러냈다.

고등사료 百出

골품제의 모순

설계두❹는 신라의 귀족 자손이다. 일찍이 친구 네 사람과 술을 마시며 각기 그 뜻을 말할 때, **"신라는 사람을 쓰는 데 골품을 따져서 그 족속이 아니면 비록 뛰어난 재주와 큰 공이 있어도 한도를 넘지 못한다.** 나는 멀리 중국에 가서 출중한 지략을 발휘하고 비상한 공을 세워 영화를 누리며, 높은 관직에 어울리는 칼을 차고 천자 곁에 출입하기를 원한다."라고 하였다. 그는 621년 몰래 배를 타고 당으로 갔다.

– 『삼국사기』

5. 신라의 쇠락과 후삼국의 성립

(1) 진성 여왕(51대, 887~897) ☆

① 『삼대목』: 각간 위홍과 승려 대구는 왕명에 따라 향가 모음집인 『삼대목』을 편찬하였다(888).

② 정치적 혼란: 정치적 혼란이 더욱 심해졌으며, 국가 재정은 궁핍해졌다. 당나라에서 귀국한 **최치원❺**은 이러한 사회 폐단을 바로잡기 위해 시무 10조를 건의하였으나, 받아들여지지 않았다.

③ 원종과 애노의 난: 정부는 각지에 관리를 보내 세금을 독촉했고, 이를 계기로 사방에서 농민들이 봉기하였다. 889년 사벌주에서 원종과 애노가 난을 일으킨 것을 시작으로 농민 항쟁이 전국적으로 확산되었다. 이후 점차 조직화되어 적고적의 난(896)❻ 등이 일어났다.

④ **호족의 세력 확대**: 자기 근거지에 성을 쌓고 군대를 보유하여 스스로 **성주** 또는 **장군**이라고 칭하면서 그 지방의 행정권과 군사권을 장악하였다. 죽주의 기훤, 원주의 양길, 전주의 견훤❼ 등이 대표적이다.

(2) 후삼국의 성립

① **견훤(?~936)**: 서남 해안을 지키던 군인 출신이었다. 전라도 지방의 군사력과 호족의 지원을 바탕으로 세력을 키워, 나주와 무진주(광주)를 차례로 점령하였다. 이후 **완산주(전주)**에 도읍을 정하고 **후백제**를 세웠다(효공왕, 900).

② **궁예(?~918)**: 궁예는 신라 왕족의 후예로서, 처음에는 북원(원주) 지방의 도적 집단인 양길 아래에 들어가 세력을 키웠다. 이후 강원도, 경기도 일대를 점령하였다. 황해도 지역까지 세력을 넓힌 후 **송악(개성)**에 도읍을 정하고 **후고구려**를 세웠다(효공왕, 901).

---

❼ **진성 여왕 때의 반란**

강원도 원주 지역에서 농민 반란을 이끌던 양길이 부하를 보내 명주 관할 군현을 공격하였다. 또한 견훤이 무진주(광주)에서 군사를 일으켰다.

후삼국의 분화

고등사료 百出

2022. 서울시 9급, 2018. 서울시 7급(상), 2014. 경찰간부

최치원의 개혁 요구

진성 여왕 8년(894) 봄 2월에 최치원이 시무 10여 조를 올리자, 왕이 이를 좋게 여겨 받아들이고 아찬으로 삼았다. — 『삼국사기』

적고적의 난

진성 여왕 10년(896), 도적들이 나라의 수도 서남쪽 방면에서 일어나 붉은색 바지를 입어 스스로 달리 하매, 사람들이 적고적이라 불렀다. 그들은 신라의 주와 현을 무찌르고 서울(경주)의 서쪽 모량리에 이르러 민가를 약탈하였다. — 『삼국사기』

견훤과 궁예

• 견훤은 상주 가은현(경북 문경 가은) 사람으로, 본래의 성은 이씨였는데, 후에 견으로 성씨를 삼았다. 아버지는 아자개이니, 농사를 짓고 살다가 후에 가업을 일으켜 장군이 되었다. …… 드디어 **후백제 왕이라 스스로 칭하고** 관부를 설치하여 직책을 나누었다. — 『삼국사기』

• **궁예는 신라 사람이다.** 성은 김씨이고, 아버지는 제47대 헌안왕 의정이며 …… **머리를 깎고 중이 되어** 스스로 선종(善宗)이라고 이름하였다. 신라가 쇠약해진 말기에 정치가 잘못되고 백성이 흩어져 …… 선종은 이런 혼란기를 타서 무리를 모으면 자신의 뜻을 이룰 수 있다고 생각하여 진성왕 즉위 5년에 죽주(竹州)의 도적 괴수 기훤(箕萱)에게 의탁하였다. …… 기훤이 얕보고 거만하게 대하자, **북원(北原)의 도적 양길(梁吉)에게 의탁하니,** 양길이 잘 대우하며 일을 맡기고 드디어 군사를 나누어 주어 동쪽으로 땅을 점령하도록 하였다. …… 선종은 스스로 왕이라 칭하고 사람들에게 말하기를 "지난날 신라가 당나라에 군사를 청하여 고구려를 멸하였으므로 평양(平壤)의 옛 도읍이 잡초로 무성하니 내가 반드시 그 원수를 갚겠다."라고 하였다. — 『삼국사기』

대표 기출문제

다음 왕의 재위 기간에 있었던 사실로 옳은 것은? 2018. 국가직 9급

• 왕 원년: 소판 김흠돌, 파진찬 흥원, 대아찬 진공 등이 반역을 도모하다가 사형을 당하였다.
• 왕 9년: 달구벌로 서울을 옮기려다 실현하지 못하였다.
— 『삼국사기』

① 관료에게 지급하는 녹읍을 부활하였다.
② 국학을 설치하여 유학을 교육하였다.
③ 수도에 서시와 남시를 설치하였다.
④ 사방에 우역을 설치하였다.

해설

제시된 자료는 신라 신문왕 때의 정치 상황이다. ② 신문왕은 국학을 설치하여 유학 교육을 강화했다. ① 경덕왕, ③ 효소왕, ④ 소지왕에 대한 설명이다.

정답 ②

1. 발해의 건국

(1) **건국(698)**: 당의 지방 통제력이 약화되자, 고구려 장군 출신인 대조영이 고구려 유민과 말갈인들을 이끌고 길림성의 돈화시 동모산에서 발해를 세웠다.

(2) **특징**

발해의 영역

① **남북국 시대❶**: 발해의 건국으로 남쪽의 신라와 북쪽의 발해가 공존하게 되었다.

② **고구려 계승**

㉠ **고구려 영역 확보**: 발해는 영역을 확대하여 옛 고구려의 영토를 대부분 차지하였다.

㉡ **정치적**

주도 세력	건국 주체 세력과 지배층은 고구려계인 고씨와 대씨 중심
일본에 보낸 국서	• 무왕: "고구려 옛 땅을 수복하고 부여의 유속을 이어받았다." • 문왕: 스스로 '고려국왕'이라 칭함, 일본도 답서에서 문왕을 '고려왕'으로 표현
유민의 고려 망명	멸망 이후 태자 대광현이 유민을 이끌고 고려에 망명

㉢ **문화적**: 정혜 공주 묘의 무덤 양식(굴식 돌방무덤, 모줄임 구조), 온돌 장치, 기와, 불상 등을 통해 고구려 문화의 계승을 확인할 수 있다.

③ **황제국 표방**: 당의 책봉을 받았지만, 내부적으로는 **황제국을 표방**하였다. 독자적인 연호를 사용했으며, 정효 공주 묘지에는 문왕을 '황상'이라고 표현하였다.

2. 주요 국왕들의 업적

(1) **1대 고왕(698~719, 대조영, 천통)**

① **국호와 연호 제정**: 동모산에서 나라를 건국하고 **국호를 진(震)**, 연호를 **천통(天統)**이라 하였다.

② **당의 인정**: 진이 세력을 넓히자, 당은 대조영을 **발해군왕**으로 봉하였다. 발해라는 국호는 여기서 비롯된 것이다.

(2) **2대 무왕(719~737, 대무예, 인안)** ☆

① **영토 확장**: 영토 확장에 힘써 동북방의 여러 세력을 복속하고 북만주 일대를 장악하였다.

② **당과의 충돌**

㉠ **배경❷**: 당이 흑수말갈에 관리를 파견하여 발해를 견제하였다.

㉡ **일본에 사신 파견(727)**: 무왕은 당과의 전쟁에 앞서 **일본에 국서를 보내** 발해가 고구려를 계승했음을 밝히고 우호 관계를 맺자고 제의하였다.

㉢ **산둥 지방 공격(732)**: 무왕은 흑수말갈을 치는 한편, 중국 산둥 지방의 **등주에 장문휴가** 이끄는 수군을 보내 공격하였다. 또한 요서 지역에서 당나라 군대와 격돌하기도 하였다. 이때 신라(성덕왕)도 당과 함께 양면으로 발해를 공격하였다.

㉣ **외교 관계**: 발해 무왕은 **돌궐**, 일본 등과 연결하면서 당과 신라를 견제하였다.

❶ 남북국 시대

조선 후기의 학자 유득공이 『발해고』에서 처음으로 신라와 발해를 '남북국'이라고 칭하였다. 그러나 발해를 우리 역사로 처음 기록한 책은 고려 충렬왕 때 이승휴의 『제왕운기』이다.

❷ 무왕의 산둥 공격의 배경

북만주 일대의 흑수말갈(黑水靺鞨)은 발해의 영향력 하에 있었다. 당나라는 무왕 때인 722년부터 흑수말갈을 후원하여 발해를 견제하였다. 이에 무왕은 흑수말갈을 토벌하는 한편, 일본에 국서를 보내 친선 관계를 맺고자 하였다.

2024. 법원직 9급, 2022. 국가직 9급, 2019. 국가직 9급, 2019. 국가직 7급, 2019. 서울시 7급, 2016. 국가직 7급, 2015. 경찰 2차
2013. 지방직 9급, 2013. 경찰 1차, 2012. 국가직 9급

발해의 고구려 계승

- 옛날 당 고종이 고구려를 쳐 없앴는데, 고구려는 지금 발해가 되었다. ─ 「계원필경」
- 발해는 고구려의 옛 땅에 세운 나라이다. 백성에는 말갈이 많고 토인(고구려인)이 적다. ─ 「유취국사」
- 고구려의 남은 자손들이 동류를 끌어모아 북으로 태백산 아래에 발을 붙이고 국호를 발해라고 하였다. ─ 「삼국사기」

발해의 건국

발해말갈의 대조영은 본래 고구려의 별종(別種)이다. 고구려가 멸망하자 대조영은 가속(家屬)을 이끌고 영주(營州)로 옮겨와 살았다. …… 대조영은 마침내 그 무리를 거느리고 동쪽으로 가서 계루부의 옛 땅을 차지하고, **동모산에 웅거하여 성을 쌓고 살았다.** …… 스스로 진국왕(振國王)에 올라 돌궐에 사신을 보내어 통교하였다. …… 풍속은 고구려와 거란과 같고, 문자와 전적(典籍)도 상당히 있다. ─ 「구당서」

발해 무왕이 일본에 보낸 국서

[신구(神龜) 5년(무왕 10, 728) 봄 정월] …… 고제덕 등이 왕의 교서(敎書)와 방물(方物)을 바쳤다. 그 교서에서 말하기를, "무예(武藝)가 아룁니다. 무예는 황송스럽게도 대국(大國)을 맡아 외람되게 여러 번(蕃)을 함부로 총괄하며, **고려의 옛 땅을 회복하고 부여의 습속(習俗)을 가지고 있습니다.** 그러나 다만 너무 멀어 길이 막히고 끊어졌습니다. 어진 이와 가까이하며 우호를 맺고 옛날의 예에 맞추어 사신을 보내어 이웃을 찾는 것이 오늘에야 비롯하게 되었습니다." ─ 「속일본기」

무왕의 등주 공격

무예가 신하들을 불러 "흑수말갈이 처음에는 우리에게 길을 빌려서 당나라와 통하였다. …… 그런데 지금 당나라에 관직을 요청하면서 우리나라에 알리지 않았으니, 이는 분명히 당나라와 공모하여 우리나라를 앞뒤에서 치려는 것이다."라고 하였다. 이리하여 동생 대문예와 외숙 임아상으로 하여금 군사를 동원하여 흑수말갈을 치려고 하였다. …… 개원 20년 **무예가 장수 장문휴를 보내 해적을 이끌고 등주자사(登州刺史) 위준을 공격하자,** 당이 문예를 보내 병사를 징발하여 토벌하게 하였다. 이어 김사란을 신라로 보내 병사를 일으켜 발해 남쪽 국경을 공격하게 하였다. ─ 「신당서」

무왕의 정복 활동

당 현종 개원 7년에 대조영이 죽으니, 그 나라에서 사사로이 시호를 올려 고왕(高王)이라 하였다. 아들 **대무예(무왕)**가 뒤이어 왕위에 올라 영토를 크게 개척하니, 동북의 모든 오랑캐가 겁을 먹고 그를 섬겼으며, 또 연호를 **인안(仁安)**으로 고쳤다. ─ 「신당서」

문왕에게 보낸 일본의 답서[3]

을묘 발해왕에게 서를 내려 말하기를, "천황이 삼가 고려국왕에게 묻는다. 지금 온 문서를 살펴보니, 문득 부왕 때의 도를 고쳐, 날짜 아래 관품 성명을 대지 않아 문서 말미를 빈 공간으로 늘어놓곤, **천손이라 참람되이 불렸다.** 또 고씨 시절엔 병란이 끊이지 않아 조선의 위급한 시기로 인해 저가 형제라 칭했는데, 지금 대씨는 일찍이 무사한 고로 망령되이 **장인을 칭하니** 예를 잃은 것이다." ─ 「속일본기」, 광인천황

영광탑

중국 길림성에 위치한 발해의 벽돌탑(전탑)이다. 탑 아래에 무덤칸을 만들고, 여기에 시신을 안치하였다. 당나라의 건축 기법과 유사한 탑으로, 당나라 때 발해와 중국의 관계가 밀접하였음을 보여 준다.

❸ **발해 문왕**

문왕은 자신을 고려 왕으로 표현하고, 자신은 고구려 역대 임금이 그러했던 것처럼 천손(天孫)이라고 했다. 따라서 문왕은 771년 일본에 보낸 국서에서 자신을 천손으로 표시하고, 일본과의 관계를 장인과 사위라고 하였다. 이에 일본은 답서를 보내 항의하였다.

❹ **유신의 단행**

발해 문왕 때 '유신을 단행했다.'라는 기록이 있다. 강화된 왕권을 바탕으로 새로운 제도 개혁을 추진한 것으로 보인다.

❺ **발해의 자주성**

발해 문왕 대에 만들어진 정혜 공주 묘지와 정효 공주 묘지에는 아버지인 문왕을 대왕(大王), 성인(聖人)이라 일컫고 '황상(皇上)'이라는 표현까지 쓰고 있다.

(3) 3대 문왕(737~793, 대흠무, 대흥·보력) ☆

① 연호 제정: 대흥, 보력 등의 독자적인 연호를 사용하였다.

② 왕권 강화: 불교의 전륜성왕 이념을 받아들였으며, 강화된 왕권을 바탕으로 고려국을 표방하고 유신을 단행❹하였다. 또한 **황상❺**이라는 칭호를 사용하여 황제 국가의 면모를 과시하였다.

③ 영토 확장: 당에서 안사의 난이 일어나 국력이 약화되었다. 이를 계기로 요하까지 영토를 넓혔으며, 북쪽으로는 흑수말갈에까지 이르렀다. 이에 당은 762년 문왕을 발해군왕에서 **발해국왕**으로 봉하여 친선 관계를 강화하였다.

❶ 문왕의 잦은 천도
문왕은 잦은 천도를 통해 발해 수도와 지방과의 연계를 강화하였다. 지방을 고르게 발전시키고, 지방에 대한 통제력을 강화하기 위함이었다.

❷ 중경 현덕부(中京顯德府)
동모산에서 중경으로의 천도 시기는 무왕 때로 보기도 하고 문왕 때로 보기도 하는 등 명확치 않다.

❸ 일본에 보낸 국서
발해에서 일본에 국서를 보낼 때 고려 국왕의 이름으로 보냈고, 일본에서 발해에 답서를 보낼 때도 고려 국왕이라 칭하였다.

❹ 왕위 계승의 변화
발해가 멸망할 때까지 대조영의 동생 대야발의 후손이 왕위를 계승하였다.

❺ 신라의 대응
826년 헌덕왕은 선왕의 영토 팽창에 대응하여 300리나 되는 장성을 대동강에 쌓았다.

④ 천도❶: 755년 수도를 중경 현덕부❷에서 북쪽 상경 용천부로 옮겼다. 이후 785년(신라 선덕왕) 동경 용원부로 다시 천도하였다.

⑤ 외교 관계
  ㉠ 당·신라: 당과 친선 관계를 맺어 당의 문물을 받아들였다. 또 신라와의 관계를 개선하여 상설 교통로(신라도)를 개설하였다.
  ㉡ 일본: 일본에 보낸 국서❸에서 천손(天孫)임을 자랑하였고, 일본과의 관계를 장인과 사위로 비유하여 일본과 외교 마찰을 일으키기도 하였다.

(4) 5대 성왕(793~794, 대화여, 중흥)
수도를 동경 용원부에서 상경 용천부로 옮겼다. 상경은 이후 발해가 멸망할 때까지 수도였다.

(5) 9세기 발해의 내분
4대 대원의(793년 폐위)부터 9대 간왕(817~818)까지 왕위 계승을 둘러싼 심각한 내분에 빠졌다.

(6) 10대 선왕(818~830, 대인수, 건흥) ☆
① 왕의 계보 변화❹: 선왕은 대조영의 동생 대야발의 후손이었다.
② 영토 확장: 대부분의 말갈족을 복속시키고, 서쪽으로는 요동으로 진출하였다. 또, 남쪽으로는 신라❺와 국경을 접하였다. 이리하여 고구려와 부여 등의 옛 영토를 대부분 회복하였다.
③ 지방 제도 정비: 확장된 영토를 바탕으로 5경 15부 62주의 지방 행정 제도가 완비되었다.
④ 해동성국: 선왕 때 발해는 전성기를 맞이하였다. 이때 당나라는 발해를 '해동성국'이라고 불렀다.

심화사료 百出   2017. 국가직 7급

발해의 전성기
처음에 그 나라의 왕이 자주 학생들을 경사(京師)의 태학(太學)에 보내어 고금(古今)의 제도를 배우고 익혀 가더니, 이때에 이르러 드디어 **해동성국(海東盛國)**이 되었다. 국토는 **5경(京)·15부(府)·62주(州)**이다.   — 「신당서」

3. 발해의 멸망

(1) 멸망(926)
9세기 후반에 들어와 귀족들의 권력 투쟁으로 국력이 크게 쇠퇴하였다. 결국 발해는 15대 애왕(대인선) 때인 926년에 거란 **야율아보기의 침략을 받아 멸망❻**하였다.

❻ 발해 멸망에 대한 일설
일설에는 백두산 화산이 폭발하여 발해의 멸망을 촉진시켰다는 설도 있다.

(2) 멸망 이후
발해 유민은 후발해, 정안국, 대발해국 등을 세우며 부흥 운동을 전개하였다. 한편, 발해 왕자 대광현은 유민을 이끌고 고려(태조)로 망명하였다.

4. 발해의 대외 관계

(1) 당나라
① 대립: 8세기 전반 무왕 때 장문휴를 보내 중국 산둥 지방을 공격하였다.
② 교류: 8세기 후반 문왕 때 당과 수교를 맺고 활발히 교류하였다. 당나라 빈공과에 발해 지식인들이 응시·합격했으며, 산둥성 등주에는 발해 사신을 접대하는 발해관이 설치되었다.

(2) 신라

① 친선[7]: 대조영은 건국 직후에 신라에 사신을 보냈고, 신라는 대조영에게 관등을 주었다. 이후 문왕 때 상설 교통로인 **신라도**가 개설되었는데, 신라의 국경 도시인 천정군(원산)에서 발해의 동경까지 39개의 역이 있었다.

② 대립: 732년 당과 발해의 전쟁 당시, 신라는 당의 요청으로 발해를 공격하였다. 이후에도 **쟁장 사건[8]**과 **등제 서열 사건[9]** 등이 일어났는데 이는 양국의 대립 의식을 나타낸 것이다.

(3) 돌궐

당을 견제할 목적으로 북으로 돌궐과 친선 관계를 맺었다.

(4) 일본

당과 신라를 견제하기 위해 일본과 우호 관계를 맺었다. 동경 용원부를 통해 교류가 이루어졌으며, 무왕과 문왕은 사신을 여러 번 보냈다.

심화사료 頻出

2020. 국가직 9급

유득공의 『발해고』 서문

고려가 발해사를 편찬하지 않은 것을 보면 고려가 국세를 떨치지 못했음을 알 수 있다. 옛날에는 고씨가 북에서 고구려를, 부여씨가 서남에서 백제를, 박·석·김씨가 동남에서 신라를 각각 세웠으니, 이것이 삼국이다. 여기에는 반드시 삼국사가 있어야 할 것인데, 고려가 편찬한 것은 잘한 일이다. 그러나 **부여씨와 고씨가 망한 다음에 김씨의 신라가 남에 있고, 대씨의 발해가 북에 있으니 이것이 남북국이다.** 여기에는 마땅히 남북사가 있어야 할 터인데, 고려가 편찬하지 않은 것은 잘못이다.

중국의 역사 왜곡, 동북공정

중국은 '통일적 다민족국가론'을 내세워 한족(漢族)과 55개 소수 민족 모두가 중화 민족이고, 이들의 모든 역사도 중국의 역사라는 논리를 펼치고 있다. 이에 따라 중국 정부가 직접 나서서 동북공정이라는 역사 왜곡을 주도하고 있다. '동북공정'이란 '동북 변경 지역의 역사와 현상에 관한 체계적인 연구 과제'를 줄인 말로, 부여·고구려·발해를 중국사의 일부로 편입하는 작업이다. 중국의 전략 지역인 동북 지역, 특히 한반도와 관련된 역사를 중국의 역사(고대 중국의 동북 지방에 속한 지방 정권)로 만들어 한반도가 통일되었을 때 일어날 가능성이 있는 영토 분쟁을 미리 방지하는 데 그 목적이 있다. 이에 따라 한국에서도 중국의 역사 왜곡에 체계적으로 대처하기 위해 2006년 동북아 역사 재단을 출범하였다.

대표 기출문제

(가) 왕 대의 사실에 대한 설명으로 옳은 것은?

2019. 국가직 9급

> (가) 은/는 흑수말갈이 당과 통하려고 하자 군사를 동원하여 흑수말갈을 치게 하였다. 또한 일본에 사신 고제덕 등을 보내 "여러 나라를 관장하고 여러 번(蕃)을 거느리며, 고구려의 옛 땅을 회복하고 부여의 옛 습속을 지니고 있다."라고 하여 강국임을 자부하였다.

① 국호를 진국에서 발해로 바꾸었다.
② 신라는 급찬 숭정을 발해에 사신으로 보냈다.
③ 대흥이라는 독자적인 연호를 사용하였다.
④ 장문휴가 당의 등주를 공격하였다.

오른쪽 여백

❼ 신라의 사신 파견

8세기 후반 원성왕 때 일길찬 백어를 사신으로 파견하였고, 9세기 급찬 숭정을 발해에 사신으로 보냈다.

❽ 쟁장 사건

당에 간 발해의 사신이 신라 사신보다 윗자리에 앉을 것을 요청했다가 거절당한 사건을 말한다.

❾ 등제 서열 사건

신라의 최언위가 발해의 오광찬보다 당의 빈공과의 등제 석차가 앞서자 때마침 당에 사신으로 온 오광찬의 아버지인 오소도가 아들의 석차를 올려달라고 청하였다가 거절한 사건을 말한다.

✎ **발해사에 대한 중국과 러시아의 입장**
• 중국: 당나라에 예속된 지방 민족이 세운 정권으로 본다.
• 러시아: 중국보다는 중앙아시아나 남부 시베리아의 영향을 강조하여 러시아의 역사에 편입시키려고 한다.

해설
제시된 자료의 (가) 왕은 발해의 무왕이다. ④ 발해 무왕 때 중국 산둥 지방의 등주에 장문휴를 필두로 하는 수군을 보내 공격하였다. ① 발해 고왕(대조영) 때의 일이다. ② 이 시기는 9세기 발해의 내분기로, 신라 헌덕왕이 급찬 숭정을 발해에 사신으로 파견하였다. ③ 대흥은 발해 문왕 때 사용된 연호이다.

정답 ④

04강 고대의 통치 조직과 정비

 解/法 기출분석

구 분		2008~2017	2018	2019	2020	2021	2022	2023	2024
9급	국가직	통일 신라의 통치 제도	신라의 지방 행정 제도						
	지방직	• 통치 제도 • 백제의 통치 제도 • 발해의 통치 제도(2)	• 삼국의 정치 제도 • 통치 제도				발해의 통치 제도		
	법원직	통치 제도(2)							

解法 요람

경관직 총정리

구 분	주 례	백 제	신 라	발 해		고 려	원 간섭기	조 선
합의 기구		정사암	화백 회의		정당성	도병마사 식목도감	도평의사사	의정부 비변사
내무 · 문관 인사 · 왕실 사무 · 훈봉	천	내신	위화부	좌	충부	이부	전리사	이조
호구 · 조세 · 어염 · 광산 · 조운	지	내두	조부, 창부	사	인부	호부	판도사	호조
제사 · 의식 · 학교 · 과거 · 외교	춘	내법	예부, 영객부	정	의부	예부	전리사	예조
무관 인사 · 국방 · 우역 · 봉수	하	병관, 위사	병부	우	지부	병부	군부사	병조
법률 · 소송 · 노비	추	조정	좌 · 우 이방부	사	예부	형부	전법사	형조
토목 · 산림 · 도량형 · 파발	동		예작부, 공장부	정	신부	공부	폐지	공조
감 찰			사정부		중정대	어사대	감찰사	사헌부

삼국과 남북국의 지방 제도

구 분	고구려	백 제	신 라	통일 신라	발 해
수 도	5부	5부	6부	6부	
지 방	5부(욕살), 성(처려근지, 도사)	5방(방령), 군(군장), 성(도사)	5주(군주) 군(당주), 성(도사)	9주(총관 ⇒ 도독)	• 5경(상경, 동경, 서경, 남경, 중경) • 15부(도독) • 62주(자사) • 현(현승)
특수 지역	3경[평양, 국내성, 한성(황해 도 재령)]	22담로(왕족 파견)	2소경(사신, 중원경, 동 원경)	5소경(사신, 북원경, 중원경, 서원경, 남원경, 금관경)	
군사 제도	지방의 성에 군단 편성 (지방관이 지휘)	방령, 군장	서당, 6정	9서당(중앙군) 10정(지방군)	10위(중앙군)

01 고대 삼국의 통치 조직 정비

1. 지배 집단의 형성과 특징

(1) 독자적 세력의 성립

삼국은 **고구려 5부, 백제 5부, 신라 6부**가 중앙의 지배 집단이 되어 성장하였다. 각 부는 별도의 관리를 두었고, 각자의 영역을 독자적으로 지배하였다.

(2) 관료제와 중앙 정치 기구의 정비

삼국의 관등제와 관직 체계의 운영은 신분제에 의하여 제약을 받았다.

① 고구려

　ⓐ 관등: 상가(相加)를 비롯한 10여 개의 관등**❶**이 있었다. **형계의 관등❷**과 **사자계의 관등❸**으로 나누어 졌다.

　ⓑ 관직: 귀족들에 의해 선출된 **대대로❹**가 국사를 총괄했다. 또한, **조의두대형(5관등)** 이상의 관등을 가진 사람만이 장군이 될 수 있었으며, 제가 회의에 참여할 수 있었다.

② 백제

　ⓐ 관등: 16관등이 있었는데, 좌평 및 솔 계열·덕 계열·무명(武名) 계열의 세 단계로 구성되었다. 관등의 등급에 따라 각기 **자(紫)색, 비(緋)색, 청(靑)색**의 공복을 입었다.**❺**

　ⓑ 정치 조직: 6개의 부서(내신·내두·내법·위사·조정·병관)가 업무를 분담했으며, 장관으로는 제1관품인 **좌평**이 있었다. **좌평의 우두머리인 상좌평은 수상이 되었다.** 한편, 내신좌평은 왕명 출납 업무를, 내두좌평은 재정에 관한 일을 담당하였다. 이후 **성왕** 때 중앙 관청을 **22부** (내관 12부, 외관 10부)로 확대·정비하였다.

③ 신라

　ⓐ 관등: 관등제는 **골품제**와 결합하여 운영되었는데 골품에 따라 개인이 승진할 수 있는 관등의 **상한선❻**이 있었다. **법흥왕** 때 **17관등**으로 완성되었다.

　ⓑ 관서의 설치·정비

　　ⓐ **법흥왕**: 국사를 총괄하고 화백 회의를 주관하는 **상대등**을 설치하였다. 또한 **병부**를 두어 군사 업무를 담당하였다.

　　ⓑ **진흥왕**: 재정 업무와 국가의 기밀 사무를 담당하는 **품주❼**를 설치하였다.

　　ⓒ **진평왕**: 위화부(인사 업무), 조부(조세 업무), 예부(의례 업무) 등을 설치하였다.

　　ⓓ **진덕 여왕**: 기존의 품주가 **집사부**(국가 기밀)와 창부(재정)로 분화되었다.

(3) 합좌 제도의 발달

① 고구려: 제5관등인 조의두대형 이상 귀족들이 **제가 회의**에서 주요 국사를 처리하였다. 또한, 제가 회의의 대표인 대대로는 귀족들이 선출했으며, 국왕은 대표 선출에 간섭할 수 없었다.

② 백제: 사비(부여) 부근의 호암사라는 절에 있는 **정사암**이라는 바위 앞에서 귀족들이 회의를 하였다. 여기서 재상의 선출 등 **국가 중대사**를 논의하였다.

③ 신라: **화백 회의❽**에서 귀족들이 모여 국가의 중요한 일을 **만장일치**로 결정했는데 **상대등**이 의장 역할을 하였다. 화백 회의는 신라 6부의 전통을 계승한 것으로, 여기서 국왕을 폐위시키거나 새로운 국왕을 추대하기도 하였다.

---

❶ 고구려의 관등

고구려의 관등은 『위지동이전』에는 10관등, 『주서』에는 13관등, 『수서』에는 12관등, 『한원』에는 14관등으로 기록되어 있다.

❷ 형(兄)계

종래의 족장들이 그들의 세력 기반의 차이에 따라 왕권 아래 통합·편제된 것이다.

❸ 사자(使者)계

행정적인 관리 출신이 지위에 따라 여러 관등으로 분화된 것이다.

❹ 고구려의 재상

국상(國相), 대대로(大對盧), 막리지는 고구려에서 재상의 지위를 지칭한다.

❺ 백제의 공복

나솔 이상은 자줏빛 옷을 입고 은꽃[銀花]으로 관(冠)을 장식하게 하고, 대덕 이상은 붉은 옷을 입으며, 극우 이상은 푸른 옷을 입도록 하였다.

❻ 관직 승진의 제한

진골은 제1관등인 이벌찬까지 승진할 수 있었지만, 6두품은 제6관등인 아찬까지, 5두품은 제10관등인 대나마까지밖에 올라갈 수 없었다.

❼ 품주(稟主)

565년(진흥왕 26)에 설치되어 651년(진덕 여왕 5)까지 존속하였다.

❽ 화백 회의 개최

남당과 4개의 영지(청송산·피전·우지산·금강산)에서 회의가 열렸다.

고등사료 百出

백제의 정사암 회의

호암사에는 정사암이라는 바위가 있다. 나라에서 장차 재상을 뽑을 때에 후보 3~4명의 이름을 써서 상자에 넣고 봉해 바위 위에 두었다가 얼마 후에 가지고 와서 열어 보고 그 이름 위에 도장이 찍혀 있는 사람을 재상으로 삼았다. 이런 이유로 정사암 (政事巖)이라 하였다.

– 「삼국유사」

화백 회의(和白會議)

큰 일이 있을 때에는 반드시 중의를 따른다. 이를 화백(和白)이라 부른다. **한 사람이라도 반대하면 통과하지 못하였다.** – 「신당서」

❶ 경위와 외위

신라의 관등제는 경위와 외위 두 종류가 있었다. 수도인 경주에 거주하는 중앙 귀족을 대상으로는 17등급의 경위를 주었다. 반면 신라 지방민에게는 11관등의 외위를 주었다. 통일 이후, 외위가 폐지되어 경위에 통합되었다.

❖ 고구려, 백제, 신라의 관등 조직

고구려		백제			신라				
관등		관등		관복	경위		관복	외위❶	
1	대대로	1	좌평	자색	1	이벌찬	자색		
2	태대형	2	달솔		2	이찬			
3	울절(주부)	3	은솔		3	잡찬			
4	태대사자	4	덕솔		4	파진찬			
5	조의두대형	5	한솔		5	대아찬			
		6	나솔		6	아찬	비색		
		7	장덕	비색	7	일길찬		1	약간
6	대사자	8	시덕		8	사찬		2	술간
7	대형	9	고덕		9	급벌찬		3	고간
8	발위사자	10	계덕		10	대나마	청색	4	귀간
9	상위사자	11	대덕		11	나마		5	선간
10	소형	12	문독	청색	12	대사	황색	6	상간
11	제형	13	무독		13	사지		7	간
12	과절	14	좌군		14	길사		8	일벌
13	부절	15	진무		15	대오지		9	일척
14	선인	16	극우		16	소오지		10	피일
					17	조위		11	아척

2. 지방 제도❷

(1) 고구려

① **중앙**: 고국천왕 때 부족적인 5부를 행정적 성격의 5부로 개편하였다.

② **지방**: 전국을 5부(=대성, 大成)로 나누고 각 부마다 제성, 성과 같은 여러 성(城)들을 두었다. 5부에는 **지방 장관인 욕살을 파견하고** 그 아래 성들에는 처려근지와 도사를 파견하였다.

③ **특수 행정 구역**: 평양성, 국내성, 한성에 3경을 두었다. 지방을 통제할 목적에서 설치한 것이다.

(2) 백제

① **중앙**: 성왕 때 수도를 5부로 편제하였다.

② **지방**: 방군제❸를 시행하여 전국을 5방으로 나누고 그 밑에 군·성을 두었다. 5방에는 방령을, 군에는 군장을, 성에는 도사를 파견하였다.

③ **특수 행정 구역**: 무령왕 때 지방에 22담로를 두고 국왕의 자제 및 왕족을 파견하였다.

❷ 삼국의 지방 통치

삼국은 외형상 중국의 군현 제도와 유사한 지방 조직을 설치했다. 실제로는 주요 거점만을 지배하는 데 그쳤고, 나머지 지역은 토착 세력이 실무를 담당하였다.

❸ 방군제

백제 성왕 때 정비되었다.

(3) 신라

① **중앙**: 중앙 집권 체제가 강화되면서, 6부는 6개의 부족명에서 중앙의 행정 구역명으로 그 성격이 변화하였다.

② **지방**: 전국을 5주[4]로 나누었고, 그 아래에 군과 성을 두었다. 5주에는 군주[5]를, 군에는 당주를, 성에는 도사를 파견하였다.

③ **특수 행정 구역**: 2소경(중원경, 동원경)을 설치하고, 장관인 **사신**을 파견하였다.

3. 군사 조직: 삼국의 지방 행정 조직은 군사 조직[6]이기도 하였다(주민 통치가 군사적 지배).

(1) **고구려**: 욕살이나 처려근지 등 지방 장관은 모두 중앙에서 파견되었다. 또한 각 지방의 성을 중심으로 군단이 편성되어 있었고 대모달, 말객과 같은 무관을 두었다.

(2) **백제**: 중앙의 각 부에는 500명의 군대를 두었다. 5방에 파견된 방령은 행정과 군사의 책임자로 700~1,200명의 군대를 통솔하였다.

(3) **신라**: 6정의 군단이 편성되어 있었는데, 중앙과 지방의 5주에 배치된 6개의 부대였다. 그 밖에 직업 군대인 **서당**이 있었다.

---

02 남북국의 통치 체제

1. 통일 신라의 통치 체제

(1) **중앙 관제의 정비**: 집사부와 그 장관인 시중의 역할이 강화되었다. 최고 관청인 집사부를 포함한 14개의 관청[7]을 두어 행정 업무를 분담하였다.

❖ **통일 신라의 중앙 정치 기구**

당의 관부		기능	신라의 관부
		정책 시행	**집사부**: 국가 기밀 관리, 왕명 출납
6부	이부	문관 인사	**위화부**: 관리 선발 등 인사 업무
	호부	조세, 재정	• 창부: 재정 관리 • 조부: 조세 수취, 부역 관리
	예부	교육, 외교	예부, 영객부: 외국 사신 접대
	병부	무관, 군사	**병부**
	형부	사법, 형벌	좌·우 이방부: 법률 관련 업무
	공부	수공업, 토목	• 공장부: 공장(수공업자) 관리 • 예작부: 토목·건축 • 승부: 수레와 말 관리 • 선부: 선박 건조와 수리
어사대		관리 감찰	사정부

❹ 5주(州)

• 실직주: 지증왕 때 설치. 이사부가 군주로 임명
• 사벌주: 법흥왕 때 설치. 통일 이후 상주로 개칭
• 신주: 진흥왕이 백제로부터 한강 유역을 빼앗아 얻은 지역, 통일 이후 한산주가 되었다가 경덕왕 이후 한주(漢州)로 개칭
• 비사벌주: 창녕 지역(옛 가야)
• 비열홀주: 진흥왕이 북진하면서 안변 지역에 설치

❺ 군주

군주는 주 단위로 설치한 부대인 정(停)을 거느렸다.

❻ 삼국의 군사 조직

삼국의 군사 조직은 지방 행정 조직과 분화되지 않았다. 따라서 각 지방관은 군대의 지휘관을 겸하였다.

❼ 통일 신라 중앙 관부의 특징

통일 신라는 집사부를 제외한 13개의 관청들은 비교적 수평적인 관계였다. 그리고 주요 관청의 장관은 여러 명인 경우가 많았다(단, 사정부와 예작부의 장관은 1명씩).

(2) 지방 행정

① 9주 5소경

㉠ 9주: 통일 신라는 **지방을 9주로 편성**하였다. 주의 장관은 군주에서 총관, 총관에서 행정 기능이 강화된 도독으로 바뀌었다.❶

㉡ 5소경: 군사·행정상의 요지에는 5소경을 설치하였다. 수도인 금성(경주)이 **지역적으로 치우쳐 있는 것을 보완**하고, 각 지방의 균형 있는 발전을 꾀한 것이다.

② 하부 행정: 주 아래에는 군이나 현을 두어 지방관(군태수, 현령)을 파견하였다. 그 아래의 **촌은 토착 세력인 촌주**가 지방관의 통제를 받으면서 다스렸다. 향·부곡이라 불리는 특수 행정 구역도 존재하였다.

③ 지방 세력 견제책: 외사정을 파견하여 지방관을 감찰하였다. 또한 **상수리 제도**❷를 실시하여 지방 세력을 통제하였다.

▼ 통일 신라의 지방 제도(9주 5소경)

(3) 군사 조직

① 중앙군: 중앙군은 9서당❸으로 편성했는데, 고구려·백제·말갈인까지 포함하였다.

② 지방군: 지방군으로는 10정을 편성하여 9주에 1정씩 배치했는데, 북쪽 국경 지대인 **한주(한산주)**에는 2정을 두었다.

2. 발해의 통치 체제

(1) 중앙 행정 조직: 3성과 6부를 비롯한 당의 제도를 수용했으나, 그 명칭과 운영 방식은 독자적으로 하였다.

① 3성 6부: 왕 아래에 정당성, 선조성, 중대성을 두었다. 이 중 **정당성**은 최상위 정치 기구로, 왕명을 집행하였다. **정당성의 장관인 대내상이 수상의 역할**을 하였다. 그리고 정당성 아래에 좌사정과 우사정을 두어 각각 3부씩 나누어 관할하게 하였다(이원적인 운영).

② 중정대: 관리들을 감찰하였다.

③ 주자감: 최고 교육 기관으로, 귀족 자제들에게 유학을 가르쳤다.

④ 문적원: 궁궐 안의 책들을 관리하고, 외교 문서 등 각종 문서를 작성하였다.

⑤ 기타❹: 전중시, 태상시, 사선시, 사빈시 등이 있었다.

```
        ┌─ 정당성(상서성) ─┬─ 좌사정 ─┬─ 충부(이부)
        │                │         ├─ 인부(호부)
왕 ─────┼─ 선조성(문하성)  │         └─ 의부(예부)
        │                └─ 우사정 ─┬─ 지부(병부)
        ├─ 중대성(중서성)            ├─ 예부(형부)
        │                          └─ 신부(공부)
        │                              유교의 덕목 반영
        ├─ 중정대(어사대)
        │
        ├─ 문적원(비서성)
        │
        └─ 주자감(국자감)
```

▼ 발해의 중앙 정치 조직

(2) 지방 행정 제도

① 조직: 5경 15부 62주로 조직되었다. 전략적 요충지에 5경을 설치했으며, 지방 행정은 15부로 편성하고 그 아래에 주와 현을 두었다. 부·주·현이라는 행정 구역에 각각 도독·자사·현승이라는 지방관을 파견하였다. 이들은 관할 지역의 행정·재판·군사권을 담당하였다.

② 촌락: 지방 행정의 말단에는 촌락이 있었다. 촌락은 **수령⑤**이라고 불리는 **토착 세력**이 다스렸다.

(3) 군사 조직

① 중앙군: 중앙군으로 10위를 두어 왕궁과 수도의 경비를 맡겼다.

② 지방군: 지방 행정 조직에 따라 지방군을 편성하여 해당 지방관이 지휘하게 하였다.

심화사료 百出

발해의 지방 조직

그 나라는 사방 2천 리에 이른다. 주와 현 및 객사에 역참이 없고 곳곳에 촌락이 있는데 모두 말갈 부락이다. 그 백성은 말갈이 많고 **토인⑥**이 적다. **모두 토인으로 촌장을 삼았는데, 큰 촌은 도독이라 하고, 그 다음 촌은 자사라고 하며, 그 아래는 백성들이 모두 수령이라 한다.**

― 『유취국사』

대표 **기출문제**

다음 (가)에서 이루어진 합의 제도를 시행한 국가의 통치 체제로 옳은 것은?

2017. 지방직 9급

호암사에는 ⌜(가)⌟(이)라는 바위가 있다. 나라에서 장차 재상을 뽑을 때에 후보 3, 4명의 이름을 써서 상자에 넣고 봉해 바위 위에 두었다가 얼마 후에 가지고 와서 열어 보고 그 이름 위에 도장이 찍혀 있는 사람을 재상으로 삼았다.

― 『삼국유사』

보기

㉠ 중앙 정치는 대대로를 비롯하여 10여 등급의 관리들이 나누어 맡았다.
㉡ 중앙 관청을 22개로 확대하고 수도는 5부, 지방은 5방으로 정비하였다.
㉢ 16품의 관등제를 시행하고, 품계에 따라 옷의 색을 구별하여 입도록 하였다.
㉣ 지방 행정 조직을 9주 5소경 체제로 정비하였다.
㉤ 중앙에 3성 6부를 두고, 정당성을 관장하는 대내상이 국정을 총괄하도록 하였다.

① ㉠, ㉡   ② ㉡, ㉢   ③ ㉢, ㉣   ④ ㉣, ㉤

---

⑤ **수령**

수령은 지방 행정을 담당했으며, 대외사절의 일원으로 등장하는 경우도 있었다.

⑥ **토인(土人)**

발해에서는 고구려인들을 토인이라고 하였다. 토인은 도독, 자사, 수령과 같은 지방 행정직의 대부분을 차지하였으며, 말갈 부락에서도 촌장이 되어 마을을 직접 지배하였다. 한편, 일부 말갈족 토착 지배자를 토인으로 포함하여 이해하는 경우도 있다.

해설

제시된 자료의 (가)는 정사암이다. 백제의 귀족들은 호암사에 있는 정사암이라는 바위 앞에 모여 국가 중대사를 논의하였다. ㉡ 백제는 점차 국무가 복잡해짐에 따라 성왕 때 내관 12부, 외관 10부의 22부가 마련되었다. 그리고 수도는 5부로 나누고, 지방 행정 단위로 5방을 두었다. ㉢ 백제는 1품 좌평~16품 극우까지 16품의 관등제를 실시하고, 관등에 따라 각기 자색·비색·청색의 공복을 입도록 하였다.
㉠ 대대로는 고구려의 재상이다. ㉣ 통일 신라의 지방 제도에 대한 설명이다. ㉤ 발해의 중앙 행정 조직에 대한 설명이다.

정답 ②

CHAPTER 2 고대의 경제·사회·문화

解·法·기·출·진·맥

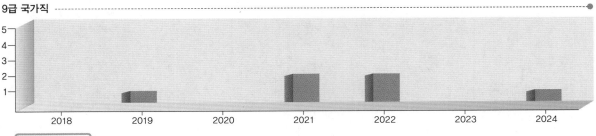

9급 국가직

출제 경향 오버뷰) 최근 5년간 경제·사회 파트는 출제되지 않고 있음. 골품 제도, 승려, 문화재

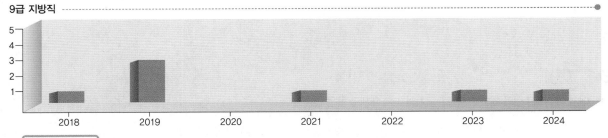

9급 지방직

출제 경향 오버뷰) 최근 4년간 경제·사회 파트는 출제되지 않고 있음. 민정 문서, 골품제, 통일 신라의 경제, 승려

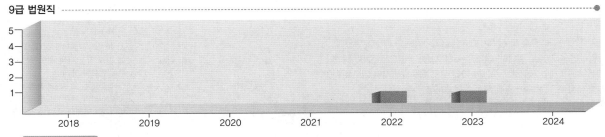

9급 법원직

출제 경향 오버뷰) 최근 5년간 경제·사회 파트는 출제되지 않고 있음. 승려, 고분, 문화재, 삼국 문화의 일본 전파

고대의 경제 정책과 경제 생활

제2장 고대의 경제·사회·문화

 解/法 기출분석

구분		2008~2017	2018	2019	2020	2021	2022	2023	2024
9급	국가직	• 신라(토지 제도) • 민정 문서 • 순장 금지		통일 신라의 경제					
	지방직	• 신라(토지 제도)(2) • 민정 문서(2) • 농업 정책 • 통일 신라의 경제 • 대외 무역		통일 신라의 경제					
	법원직	신라의 토지 제도							

조세 제도

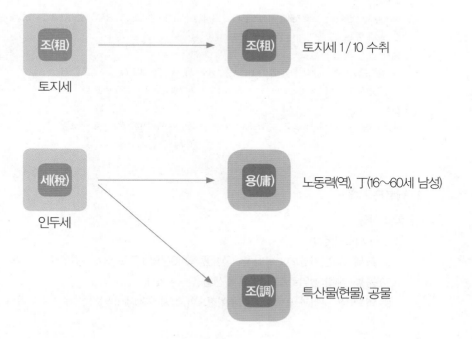

조(租) → 조(租) 토지세 1/10 수취

토지세

세(稅) → 용(庸) 노동력(역), 丁(16~60세 남성)

인두세

→ 조(調) 특산물(현물), 공물

사사건건 1날 B.C. 57~A.D. 935

~B.C. 57 전일 ▶▶
• 구석기 수렵, 채집
• 신석기 농경 시작(조, 피, 수수)

Now Event ▶▶
• A.D. 194 고구려 진대법 실시   • 490 신라 경시 개설   • 509 신라 동시전 설치   • 687 관료전 지급
                                                                                              • 689 녹읍 폐지

01 수취 제도

1. 삼국 시대

(1) 종류

① 조세: 대체로 재산의 정도에 따라 호를 나누어 곡물과 포를 거두었다.

② 공물: 각 지역에서 생산되는 특산물을 현물로 거두었다.

③ 역: 국가에서 노동력이 필요한 경우에는 15세 이상의 남자를 동원하였다.

(2) 삼국의 수취 제도

① 고구려: 인두세[1]는 포 5필, 곡물 5섬씩을 부과하였다. 조(租)는 호를 3등급으로 나누어 1섬에서 5말까지 차등 징수하였다.

② 백제: 고구려의 수취 제도와 비슷하였다. 조세는 매년의 풍흉에 따라 차등 있게 납부하게 하였다.

③ 신라: 조(조세)·용(노동력)·조(특산물) 체제를 바탕으로 수취 제도를 운영하였다.

❶ 인두세
성별·신분·소득 등에 관계없이 성인에게 부과된 조세(租稅)를 말한다. 토지 생산력의 수준이 낮았던 고대 사회에서는 수취의 중심이 토지보다 사람(인두세)이었다.

심화사료 百出   2014. 지방직 7급, 2008. 지방직 7급

고구려, 백제, 신라의 수취 제도

1. **고구려**

세[인두세(人頭稅)]는 **포목 5필**에 **곡식 5섬**이다. 조(租)는 상호가 **1섬**이고, 그 다음이 **7말**이며 하호는 **5말**을 낸다. 유인(遊人)은 3년에 한 번 10인이 가는 베 1필을 함께 낸다. ─ 『수서』

2. **백제**
• 세는 포목, 비단 실과 삼, 쌀을 내었는데, 풍흉에 따라 차등을 두어 받았다. ─ 『주서』
• 2월 한수 북부 사람 가운데 15세 이상된 자를 징발하여 위례성을 수리하였다. ─ 『삼국사기』

3. **신라**
9월에 하슬라 사람 15세 이상을 징발하여 이하(泥阿:일명 泥川이라고도 함)에 성을 쌓았다. ─ 『삼국사기』

2. 남북국 시대

(1) 통일 신라

① 수취 제도의 정비

㉠ 조세: 통일 이전보다 완화하여 생산량의 10분의 1 정도를 수취하였다.

㉡ 공물: 촌락 단위로 그 지역의 특산물을 거두었다.

㉢ 역: 역은 군역과 요역으로 이루어졌으며, 16세~60세의 남자를 대상으로 하였다.

② 민정(촌락) 문서❷: 신라는 촌락의 토지, 인구 수, 소와 말의 수, 토산물 등을 파악하는 문서를 만들어 촌을 단위로 조세·부역·공물을 거두었다. 통일 신라 시기, 촌락의 경제 상황과 국가의 세무 행정을 파악할 수 있다.

③ 민정 문서의 주요 내용

    ㉠ 발견: 1933년 일본 도다이 사[東大寺] 쇼소인[正倉院]에서 발견되었다. 서원경(청주) 부근 4개 촌락의 상황이 기록되어 있다.

    ㉡ 기록: 촌주가 변동 사항을 조사하여 3년마다 작성했으며, 촌을 단위로 기록하였다. 각 촌락의 둘레, 호구의 수, 토지의 종류와 면적, 말과 소의 수, 뽕나무·잣나무 수까지 기재되어 있다.

    ㉢ 호(가구)와 인구: 호(戶)❸는 사람의 많고 적음에 따라 상상호에서 하하호까지 9등급으로 나누었다. 인구는 남녀별로 나누어서 나이에 따라 6등급으로 구분하였다. 인구와 가호, 노비의 수는 물론 사람들의 사망·이동 등 변동 내용까지 기록하였다.

    ㉣ 토지: 논, 밭, 촌주위답 등 토지의 종류와 면적을 기록하였다.

        ⓐ 연수유답: '각 가호가 국가로부터 나누어 받은 땅'을 의미(왕토사상 반영)한다. 실제로는 농민들이 소유한 토지이다.

        ⓑ 촌주위답: 촌주에게 직역의 대가로 지급된 토지로, 연수유답에 포함되었다.

        ⓒ 그 외: 관모답(관청의 경비 충당), 내시령답(내시령에게 지급) 등이 있다.

    ㉤ 특징❹: 호(戶)와 인구를 자세히 기록했는데, 이에 반해 **전답 면적의 증감에 대한 기록은 없었다.** 이를 통해 국가의 주된 관심이 토지보다는 주민들에게 있었음을 알 수 있다.

심화사료 百出   2015. 경찰 1차, 2012. 경찰 3차

민정(촌락) 문서

사해점촌(沙害漸村)은 11호인데, 중하 4호, 하상 2호, 하하 5호이다. 인구는 147명인데, 남자는 정(丁)이 29명(노비 1명 포함), 조자 7명(노비 1명 포함), 추자 12명, 소자 10명, 3년간 태어난 소자가 5명, 제공 1명이다. 여자는 정녀 42명(노비 5명 포함), 조여자 11명, 추여자 9명, 소여자 8명, 3년간 태어난 소여자 8명(노비 1명 포함), 제모 2명, 노모 1명, 다른 마을에서 이사 온 추자 1명, 소자 1명 등이다. 논은 전부 102결 2부 4속인데, 관모전이 4결, 내시령답이 4결, 연수유답이 94결 2부 4속이며 그중 촌주위답이 19결 70부이다. 밭은 62결, 마전은 1결 정도이다. 뽕나무는 914그루가 있었고, 3년간 90그루를 새로 심었다. 잣나무는 86그루가 있었고, 3년간 34그루를 새로 심었다.

(2) 발해

① 조세: 조, 콩, 보리 등 곡물을 거두었다.

② 공물: 베, 명주, 가죽 등의 특산물을 거두었다.

③ 역: 궁궐, 관청 등의 건축에 농민들을 동원하였다.

---

❷ **작성 시기**

을미년에 작성되었다는 기록을 통해 작성 시기를 695년(효소왕 4), 755년(경덕왕 14), 815년(헌덕왕 7) 등으로 추정하고 있다.

❸ **호(戶) 구분의 기준**

토지의 소유량이나 인구 숫자에 따라 호를 구분한 것으로 보이지만, 구체적으로 어떤 사항들을 기준으로 나누었는지는 명확하지 않다.

❹ **신라 민정 문서의 특징**

• 기록되어 있는 것: 촌 이름·지형과 넓이, 호(煙), 인구(소아까지 구분), 노비, 소와 말, 토지, 수목(유실수) 등

• 기록되어 있지 않은 것: 주민들의 이름과 구체적 나이, 전답 면적 증감 등

1. 삼국 시대의 토지 측량 기준

(1) **고구려의 경무법**: 경작하는 토지의 실제 면적을 파악하였다.

(2) **백제의 두락제**: 파종량을 기준으로 하였다.

(3) **신라의 결부법**: 중국의 영향을 받아 **수확량**을 기준으로 하였다.

2. 통일 신라

(1) **신문왕 이전**: 신라의 귀족들은 식읍과 녹읍을 국가로부터 받았다. 식읍[1]은 전공(戰功)을 세우는 등 특별한 경우에 받았으며, 녹읍[2]은 관직 복무의 대가로 받았다. 귀족들은 해당 지역에서 **조세와 공물**을 거두었고, **노동력**까지 동원할 수 있었다.

(2) **신문왕**: 687년(신문왕 7), '관료전'을 차등 있게 지급하였다. 그리고 2년 뒤부터는 **녹읍을 폐지**하고 대신에 **세조(歲租)**를 차등 있게 지급하였다.

(3) **성덕왕**: 백성들에게 정전을 지급하였다. 농민이 소유한 토지를 법적으로 인정해 주는 대신 조세를 납부하도록 하였다. 이는 토지와 백성에 대한 지배력을 강화하려 한 것이다.

(4) **경덕왕**: 757년(경덕왕 16), 왕권의 약화와 귀족들의 반발로 **녹읍이 부활**[3]하였다.

❶ 식읍(食邑)

국가에서 왕족, 공신 등에게 준 토지와 가호다. 우리나라에서는 삼국 시대부터 조선 초기까지 존재하였다.

❷ 녹읍(祿邑)

국가에서 귀족 관료에게 지역 단위로 지급한 토지로서, 해당 지역의 백성들을 동원하여 일을 시킬 수 있었다. 노동력은 곧 군사력으로 전환될 수 있었기 때문에 녹읍이 존재하는 상황에서 왕권은 제약받을 수밖에 없었다. 녹읍은 신라의 토지 제도에서 비롯된 것으로, 고려 초기 무렵에 폐지된 것으로 보고 있다.

❸ 녹읍 부활에 대한 다른 의견

8세기 중반, 자연재해가 증가함에 따라 세금이 줄어들었다. 이에 따라 관리들에게 세조를 제대로 지급하지 못하자 다시 녹읍을 주었다는 견해가 있다.

22 서울 9급, 19 국가직 9급, 17 국가직 9급(하), 16 국가직 7급, 14 사복직 9급, 13 국가직 9급, 12 지방직 9급, 10 서울시 9급
10 법원직 9급, 10 지방직 7급, 07 국가직 9급

고급사료 百出

통일 신라의 토지 제도

- **신문왕** 7년(687) 5월 문무 **관료전을 지급**하되 차등을 주었다.
- **신문왕** 9년(689) 1월 내외 관료의 **녹읍을 혁파하고 매년 조(租)를** 차등 있게 하사하는 것을 영원한 법식으로 삼았다.
- **성덕왕** 21년(722) 8월 처음으로 백성에게 **정전을 지급**하였다.
- **경덕왕** 16년(757) 3월 여러 내외관의 월봉을 없애고 **다시 녹읍을 나누어 주었다.**
- 소성왕 원년(799) 3월 청주 거로현(현 경남 거제 일대)을 국학생의 녹읍으로 삼았다. — 『삼국사기』

심화사료 百出

2012. 지방직 9급

식읍

문무왕 8년, 김유신에게 태대각간의 관등을 내리고 식읍 5백 호를 주었으며, 이어서 수레와 지팡이를 내려주고 궁궐로 올라갈 때에 허리를 굽히고 빨리 걷지 않아도 되도록 하였다. 그의 여러 부하들에게도 각각 직위를 1등급씩 올려주었다. — 『삼국사기』

03 경제 정책과 대외 무역

1. 삼국 시대

(1) 농업

① **깊이갈이(심경)의 보급**: 철제 농기구가 점차 보급되었다. 6세기에 이르러 쟁기, 호미, 괭이 등 철제 농기구가 널리 사용되었다. 또한, 소를 이용한 우경이 점차 확대되면서 깊이갈이가 가능해졌다.

② **휴경 농법**: 거름을 주는 시비법이 발달하지 못하였다. 따라서 한 해 농사를 마치고 나면 대부분의 농지는 바로 농사를 짓지 못하고 일정 기간 묵혀 두었다.

③ **고구려**: 조·보리·콩 등 잡곡을 주로 생산했으나, 벼농사도 지었다.

④ **백제**: 수리 시설을 만드는 기술이 발달했는데, 벽골제[4]를 통해 이를 알 수 있다.

⑤ **신라**[5]: 지증왕 때의 기록(『삼국사기』)에 우경이 처음으로 등장하였다.

심화사료 頻出

2018. 경찰 2차

신라 지증왕의 순장 금지[6]

지증왕 3년(502) 봄 2월에 명령하여 순장(殉葬)을 금하였다. 전에는 국왕이 죽으면 남녀 각 5명씩 순장하였는데, 이때 이르러 금한 것이다. …… 3월에 주주(州主)와 군주(郡主)에게 각각 명하여 농사를 권장케 하였고, 처음으로 소를 부려 논밭갈이를 하였다.

– 『삼국사기』

---

(2) 축산업

삼국과 가야에서는 가축을 사육하였다. 고구려에서는 돼지와 말이 널리 사육되어 중국 남조의 송에 말 800필을 보내기도 하였다.

(3) 수공업

기술이 뛰어난 노비들에게 국가에서 필요한 무기, 장신구 등을 생산하게 하였다. 수공업 제품을 생산하는 관청을 따로 설치하기도 하였다.

(4) 상업

신라는 5세기 말 소지 마립간 때 경주에 시장을 열어 물품을 사고 팔았다. 6세기 초 지증왕 때 경주에 **동시**와 이를 감독하는 관청인 **동시전**을 설치하였다.

(5) 대외 무역[7]

① **고구려**: 남북조 및 북방 민족과 무역을 하였다.[8]

② **백제**: 남중국 및 왜와 무역을 활발하게 전개하였다.

③ **신라**: 고구려와 백제를 통하여 중국과 무역을 하였다. 한강 유역으로 진출한 이후에는 **당항성**을 통하여 중국과 직접 교역하였다.

삼국의 경제 활동

2017. 지방직 7급

---

[4] 벽골제

가장 규모가 크고 제일 오래된 저수지이다.

[5] 신라의 수리 시설 정비

눌지왕 때 국가 차원에서 시제라는 저수지를 만들고, 전국의 제방을 수리하였다.

[6] 지증왕의 순장 금지

4~6세기 농업 생산력의 발전으로 노동력이 중시되었다. 또한 불교의 전래에 따라 살생 금지의 영향을 받았다. 이에 따라 6세기 지증왕 때 순장을 금지하였다. 이후 사람이 죽으면 흙이나 나무로 만든 인형을 같이 매장하였다.

[7] 대외 무역

외국과의 무역은 4세기 이후에 크게 발달하였는데, 주로 공무역이었다.

[8] 고구려의 침묵 교역

중국 측 기록에 따르면, 고구려 모피 상인이 만주의 읍루족들과 침묵 교역을 했음을 알 수 있다. 침묵 교역은 상대방과 직접 접촉하지 않고 물물을 교환하는 것으로, 주로 다른 인종이나 적대적인 민족 사이에서 이루어진 교역 방식이었다.

2. 남북국 시대

(1) 통일 신라

① 상업

　㉠ 배경: 통일 후 인구의 증가에 따라 상품 수요가 증가하여 상품 생산의 규모도 확대되었다.

　㉡ 시장의 증가: 효소왕 때 경주에 서시와 남시를 추가로 설치하였다.

② 수공업: 왕실과 귀족의 생활 용품을 생산하기 위한 관청을 운영하였다. 기술자와 노비를 이곳에 소속시켜 금은 세공품·비단류·그릇·가구·철물 등을 생산하도록 하였다.

③ 대외 무역

　㉠ 당과의 무역: 8세기 이후 당과의 관계가 개선되면서 **공무역**뿐만 아니라 **사무역**도 발달하였다. 이에 따라 신라인들이 자주 드나들던 산둥반도와 양쯔 강 하류에는 신라인의 거주지인 **신라방**과 **신라촌**, 관청인 **신라소**, 여관인 **신라관**, 절인 **신라원**이 만들어졌다.

　　ⓐ **무역로**: 당항성·울산에서 산둥반도나 남중국으로 가는 바닷길이 주로 이용되었다. 이에 당항성(남양만), 울산항, 청해진 등이 무역항으로 번성하였다.

　　ⓑ **교역품**: 명주, 베, 삼, 금·은 세공품 등을 수출하였다. 그리고 비단**❶**·서적 등 사치품들을 수입하였다.

❶ 비단

통일 신라 성덕왕 때 어아주·조하주 등 고급 비단을 생산하여 당나라에 보낸 사실이 기록되어 있다.

❷ 신라역어소

일본이 설치한 신라어 통역관 양성 기관이다.

❸ 『입당구법순례행기』(엔닌)

9세기 일본 승려인 엔닌이 당나라를 여행하면서 쓴 견문록이다. 엔닌은 법화원에서 잠시 머문 적이 있었는데, 장보고가 일본으로 돌아갈 배를 구해 줬다. 이때의 고마운 마음을 전하는 엔닌의 편지를 통해서 장보고의 명성이 국제적으로 높았음을 알 수 있다.

❹ 장보고의 활동

장보고는 당나라에 가서 군인(서주 무령군 소장)이 되어 출세하였다.

❺ 청해진

청해진은 당나라와 일본을 연결하는 국제 무역의 중간 거점이었다. 장보고는 이곳을 통해 서해안 일대의 해상권을 장악함으로써 당-신라-일본을 연결하는 국제 무역을 주도하였다.

남북국 시대의 무역로

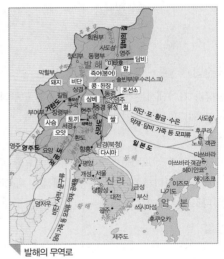

발해의 무역로

　㉡ 이슬람과의 무역: 이슬람 상인이 울산항까지 와서 무역을 하였다.

　㉢ 일본과의 무역: 8세기 이후 일본과 무역이 활발해져 일본은 대마도에 신라역어소**❷**를 설치하였다. 이 무렵 당·신라·일본 간의 교류는 엔닌의 『입당구법순례행기』**❸**를 통해 알 수 있다.

④ 장보고의 활약**❹**

흥덕왕 때 청해진**❺**을 설치하여 해적을 소탕하고, 서남해 해상 무역권을 장악하였다. 일본에 회역사, 당나라에 견당매물사 등의 교역 사절을 파견하였다. 중국 산둥반도에 법화원이라는 절을 지었다.

고등사료 百出

2017. 지방직 9급

장보고⑥의 활동

장보고가 당에서 귀국하여 대왕(흥덕왕)을 뵙고 말하였다. "중국을 두루 돌아보니 우리 사람들을 노비로 삼고 있습니다. **청해에 진영을 설치**하고 해적들이 사람들을 약탈하지 못하도록 하기를 원하나이다." **청해는 신라 해로의 요지로 지금의 완도라 하는 곳이다.** 대왕이 장보고에게 군사 만 명을 주어 청해에 진을 두고 지키게 하니, 그 후로는 해상에서 나라 사람들을 파는 자가 없었다.

– 「삼국사기」

엔닌의 『입당구법순례행기』

이 엔닌은 대사(장보고)의 어진 덕을 입었기에 삼가 우러러 뵙지 않을 수 없습니다. 저는 이미 뜻한 바를 이루기 위해 당나라에 머물러 왔습니다. 부족한 이 사람은 다행히도 대사께서 발원하신 적산원(赤山院)에 머물 수 있었던 것에 대해 감경(感慶)한 마음을 달리 비교해 말씀드리기가 어렵습니다.

(2) 발해

① 농업: 콩·보리·조 등을 재배하는 **밭농사가 중심**이었다. 일부 지역에서는 벼농사도 지었다.

② 목축: 목축이 발달하여 돼지, 말, 소, 양 등을 길렀다. **솔빈부의 말은 주요한 수출품**이었다.

③ 수렵: 동물 사냥이 활발하였다. 이에 따라 모피, 녹용, 사향 등이 많이 생산되어 수출되었다.

④ 수공업: 철·구리·금 등 금속 가공업과 삼베·명주 등의 직물업, 도자기업 등 다양한 분야에서 발달하였다.

⑤ 상업: 수도인 **상경 용천부** 등 도시와 교통 요충지에서는 상업이 발달하였다. 상품을 사고 팔 때 현물 화폐를 주로 사용하였다.

⑥ 대외 무역

　㉠ 당: 모피·인삼·구리·말 등 토산물과 자기 등 수공업품을 수출하고, 비단·책 등을 수입하였다. 산동반도의 덩저우에 설치된 발해 사신들의 숙소인 **발해관**은 이후 무역의 중심지가 되었다.

　㉡ **일본❼**: 동해의 해로를 개척하여 일본과 교류하였다. 한 번에 수백 명이 오갈 정도로 무역이 활발하게 이루어졌다.

　㉢ **신라**: 신라와의 관계는 대체로 소극적인 편이었다. 문왕 이후 **신라도**라는 상설 교통로를 통해 교류하였다.

심화사료 百出

2022. 지방직 9급

발해의 특산물

귀하게 여기는 것에는 태백산의 토끼, 남해부의 곤포(다시마), 책성부의 된장, 부여부의 사슴, 막힐부의 돼지, **솔빈부의 말❽**, 현주의 포(베), 옥주의 면(누에솜), 용주의 주(명주), 위성의 철, 노성의 쌀, 미타호의 붕어가 있고, 과일에는 환도의 오얏, 낙유의 배가 있다.

– 「신당서」

❻ **장보고의 몰락**

장보고는 왕위 계승 다툼에 간여하여 신무왕이 왕위에 오르는데 영향력을 행사하였다. 이후 문성왕(신무왕의 아들)에게 딸을 왕비로 보내려고 하다가 진골 귀족들이 보낸 자객에게 암살당하였다.

▼ **발해 삼채**
당나라의 삼채 도자기의 영향을 받아 만든 도자기이다.

❼ **일본과의 무역**

담비 가죽, 곰 가죽, 호랑이 가죽 등과 같은 모피와 인삼, 약재, 각종 해산물, 꿀 등을 수출하였으며, 명주, 거친 비단, 명주실, 무명, 비단과 미농지, 황금과 수은 등을 수입하였다.

❽ **솔빈부의 말**

발해의 여러 특산품 중 최고는 '솔빈부의 말'이었다. 솔빈부에는 넓은 초원이 펼쳐져 있어 튼튼한 말이 잘 자랐다. 이곳의 말은 바닷길을 통해 당나라로 수출되었다. 산동반도에서 세력을 떨치던 고구려 유민 출신의 장군 이정기는 발해의 말을 매년 1만 마리 이상 구입하였다.

04 귀족의 경제 생활

1. 삼국과 통일 신라

(1) 귀족의 경제 기반
귀족은 본래 소유하고 있던 토지, 노비 외에 국가에서 **녹읍, 식읍** 등을 받았다.

(2) 경제 기반의 확대
귀족은 노비와 농민을 동원하여 자기 소유의 토지를 경작시키고, 대부분의 수확물을 가져갔다. 또한 전쟁에 참여하여 전쟁 포로 등 전리품을 획득할 수 있었다. 고리대를 이용하여 농민의 토지 등을 빼앗아 대규모의 토지를 소유하기도 하였다.

(3) 의식주 생활
귀족은 기와집, 창고, 마구간, 우물, 주방 등을 갖춘 집에 살면서 풍족하고 화려한 생활을 하였다. 이들은 중국에서 수입된 비단으로 옷을 만들어 입고 보석과 금, 은으로 치장하였다.

(4) 통일 신라 왕실과 귀족의 생활
① 왕실: 삼국 통일 과정에서 새로 획득한 땅과 국가의 수입 중 일부를 왕실의 수입으로 삼았다.
② 진골 귀족의 경제적 기반: 귀족은 국가에서 준 토지와 곡물 이외에 대규모 사유지, 노비, 목장, 섬 등을 소유하였다. 또한 **식읍과 녹읍**을 통하여 그 지역의 농민들에게 조세와 공물을 거두고 노동력을 동원할 수 있었다.
③ 귀족들의 호화로운 생활❶: 귀족은 당이나 아라비아에서 수입한 비단, 양탄자, 유리 그릇, 귀금속 등 사치품을 사용하였다. 그리고 경주 근처에 호화로운 별장을 짓고 살았다.

2. 발해
발해의 귀족은 대토지를 소유하고 당나라에서 비단, 서적 등을 수입하여 화려한 생활을 할 수 있었다.

고구려 귀족 생활
(중국 길림성 집안 각저총)

고구려 귀족 저택의 주방
(황해 안악 3호분)

❶ 귀족들의 사치
신라 말 귀족의 사치가 절정을 이루었는데, 경주에는 금입택 등 호화 주택이 있었다.

고급사료 百出

2018. 지방직 7급, 2016. 국가직 9급

삼국 시대 귀족의 생활
• 대가들은 경작하지 않고 먹는 자가 1만 명이나 되며, 하호(평민)는 먼 곳에서 쌀, 낟알, 물고기, 소금 등을 져서 날라다 대가에게 공급하였다.   – 「삼국지」
• 「위략」에 이르기를 대가들은 경작하지 않고, 하호들은 세금을 바치며 노비와 같다.   – 「태평어람」

통일 신라 귀족의 생활
재상의 집에는 녹(祿)이 끊이지 않았다. 노비(노동, 奴僮)가 3천 명이고 비슷한 수의 갑옷 입은 병사와 소, 말, 돼지가 있었다. 가축은 바다 가운데 있는 섬에 풀어놓고 기르다가, 필요할 때 활을 쏘아 잡아먹었다. 곡식을 남에게 빌려 주고 이자를 받아 재산을 늘렸는데, 기간 안에 갚지 못하면 노비로 삼아 일을 시켰다.   – 「신당서」

05 농민의 경제 생활

1. 삼국 시대

(1) 농민의 부담

① **과도한 수취**: 농민은 국가와 귀족의 수취 대상으로 곡물, 삼베, 과실 등을 내야 했다.

② **요역 동원**: 성이나 저수지를 쌓는 일, 뽕나무를 기르는 일 등에 동원되었다.

③ **전쟁 동원**: 잡역에 동원되었으며, 전쟁에 군사로 참여하기도 하였다.

(2) 농민 생활: 농민은 자기 소유의 토지를 경작하거나, 다른 사람의 토지를 빌려 경작하였다. 그러나 자연재해, 과도한 수취, 고리대 등이 원인이 되어 몰락하여 노비, 유랑민, 도적이 되었다.

2. 남북국 시대

(1) 통일 신라

① **농업 생산력의 한계**: 삼국 시대와 마찬가지로 **휴경 농법**이 일반적이었다.

② **경제 부담**: 남의 토지를 빌려 경작하는 농민들은 수확량의 반 이상을 토지 소유자에게 지대로 바쳐야 했다. 또한 잦은 부역과 군역으로 농사에 지장을 초래할 정도였다.

③ **향·부곡의 주민**: 농민보다 더 많은 공물 부담을 져야 했기 때문에 형편이 어려웠다.

④ **노비**: 왕실, 관청, 귀족, 절 등에 소속되어 음식, 옷 등을 만들거나 각종 잡일을 하였다. 또한, 주인의 땅을 경작하기도 하였다.

(2) 발해: 조세와 공물, 부역을 부담하였고, 농업·어업·수렵·목축 등에 종사하였다.

▼ 초가집 모양 토기(대구 달성)

▼ 철제 보습과 호미, 따비

대표 기출문제

다음과 같은 문서가 작성되었던 시대에 대한 설명으로 옳지 않은 것은? 2016. 지방직 9급

> 토지는 논, 밭, 촌주위답, 내시령답 등의 토지의 종류와 면적을 기록하고, 사람들은 인구, 가호, 노비의 수와 3년 동안의 사망, 이동 등 변동 내용을 기록하였다. 그 밖에 소와 말의 수, 뽕나무, 잣나무, 호두나무의 수까지 기록하였다.

① 관료에게는 관료전을, 백성에게는 정전을 지급하였다.

② 인구는 남녀 모두 연령에 따라 6등급으로 나누어 파악하였다.

③ 전국을 9주로 나누고, 주 아래에는 군이나 현을 두어 지방관을 파견하였다.

④ 국가에 봉사하는 대가로 관료에게 토지를 나누어 주는 전시과 제도를 운영하였다.

해설

제시된 자료는 통일 신라 때 작성된 것으로 추정되는 민정 문서이다. ④ 전시과 제도를 운영한 것은 통일 신라가 아니라 고려이다.
① 신문왕 때 문무 관료들에게 관료전이 지급되었고, 성덕왕 때 농민들에게 정전이 지급되었다. ② 민정 문서에 따르면 인구는 남녀별로 구분하고, 16세~60세 남자의 연령을 기준으로 나이에 따라 6등급으로 구분하였다. ③ 통일 신라는 지방을 9주로 편성하고, 주 아래에 군이나 현을 두어 지방관을 파견하였다.

정답 ④

02 강

고대의 사회

解/法 기출분석

구 분		2008~2017	2018	2019	2020	2021	2022	2023	2024
9급	국가직	• 고구려 사회상 • 골품제(3)							
	지방직	• 호족 • 신라 하대 사회 • 6두품 • 진골							
	법원직	6두품							

01 사회 계층의 발생과 신분 제도

1. 사회 계층의 발생(삼국 이전의 신분 제도)

❶ 가(加)

중앙 집권 국가가 성립하는 과정에서 차츰 귀족으로 편제되어 갔다.

(1) 가(加)**❶**: 부여와 초기 고구려에는 가, 대가로 불린 **권력자들**이 있었다. 이들은 **자신의 관리와 군사력을 지니고 정치에 참여하였다.**

(2) 호민: 읍락 사회의 유력자로, 많은 재산을 가진 평민으로 인식되고 있다. 삼국 시대가 되면서 일부는 귀족으로, 일부는 평민으로 분화되었다.

(3) 하호: 일반 백성을 일컫는 말로, **주로 농업에 종사**하였다. 하호는 전쟁 시 무기를 갖고 싸우는 전사가 될 수 없었다.

(4) 노비: 읍락의 최하층에는 노비가 있었는데, 이들은 주인에게 예속되어 생활하는 천민층이었다.

고구려 벽화에 나타난 신분 차이

신분의 높고 낮음에 따라 인물 크기가 다르게 그려졌다.

❷ 귀족의 경제적 특권

삼국 시대의 귀족들은 국가로부터 식읍 혹은 녹읍이라는 이름으로 군현 전체를 하사받기도 하였다.

2. 고대의 신분 제도

개인의 신분은 능력보다는 그가 속한 **친족 집단의 사회적 위치**에 따라 결정되었다.

(1) 귀족: 왕족을 비롯한 옛 부족장 세력이 중앙의 귀족으로 편성되어 **정치·사회·경제적 특권❷**을 누렸다.

(2) 평민: 대부분 농민으로 자유민이었으나, 정치·사회적으로 많은 제약을 받았다. 이들은 국가에 조세와 특산물을 바치고, 수시로 노동력을 징발당하였기 때문에 대부분 생활이 어려웠다.

(3) 노비: 대개 전쟁 포로가 되거나 귀족에게 진 빚을 갚지 못할 경우 노비가 되었다. 천민의 대부분인 노비는 왕실과 귀족 및 관청에 예속되어 신분이 자유롭지 못하였다.

02 고대 국가의 신분과 사회 모습

1. 고구려의 신분 제도

(1) 귀족: 왕족인 고씨를 비롯한 5부 출신의 귀족❸들은 고위 관직을 맡아 제가 회의 등 국정 운영에 참여하고 전쟁이 나면 스스로 무장하여 앞장서서 적과 싸웠다.

(2) 평민: 백성은 대부분 자영 농민이다.

① 의무: 국가에 조세를 바치고 병역 의무를 지며 토목 공사에도 동원되었다.

② 진대법: 고국천왕 때 진대법을 처음 실시하였다. 가난한 농민이 노비로 전락하는 것을 막으려 하였다.

(3) 천민: 대부분 노비로, 피정복민이거나 몰락한 평민이었다.

2. 고구려의 사회 모습

(1) 사회 기풍

압록강 중류 지역은 산간 지역으로 식량 생산이 충분하지 못하였다. 따라서 일찍부터 정복 활동을 활발히 전개했으며, 사회 기풍도 씩씩하였다.

(2) 형법

① 특징: 형법 적용을 엄격하게 하였다. 또한 감옥(뇌옥)이 없는 것이 특징이었다.

② 형벌: 반역자는 화형에 처한 뒤에 다시 목을 베었고, 그 가족을 노비로 삼았다. 적에게 항복한 자나 전쟁에서 패한 자는 사형에 처하였다. 부여와 마찬가지로 도둑질한 자는 12배를 물게 하였다. 또한 여자의 투기는 사형에 해당되는 죄로 여겼다.

(3) 풍습

① 혼인 풍습: 고구려 지배층의 혼인 풍습으로는 형사취수제❹와 함께 서옥제가 있었다.

② 평민의 혼인: 평민은 남녀 간의 자유로운 교제를 통하여 혼인했는데, 남자 집에서 돼지고기와 술을 보낼 뿐 다른 예물은 주지 않았다. 신부 집에서 재물을 받았을 때에는 딸을 팔았다고 여겨 부끄럽게 생각하였다.

심화사료 百出

2019. 경찰 1차

고구려의 형사취수제

산상왕(山上王)의 휘(諱)는 연우(延優)로 고국천왕(故國川王)의 동생이다. …… 처음 고국천왕이 죽었을 때 왕후가 말하기를, "대왕이 돌아가셨으나 아들이 없으므로, 발기가 큰 동생으로서 마땅히 뒤를 이어야 하겠으나 첩에게 다른 마음이 있다고 하면서 난폭하고 거만하며 무례하여 이 때문에 당신을 보러 왔습니다."라고 하였다. 이에 연우가 더욱 예의를 차리며 친히 칼을 잡고 고기를 썰어 주었는데, 잘못하여 손가락을 다쳤으니, (왕후가) 치마끈을 풀어 다친 손가락을 싸 주었다. …… 연우가 그 말에 따랐으니, 왕후가 손을 잡고 궁으로 들어갔다. 다음 날 새벽 선왕의 왕명이라 속이고, 여러 신하들에게 명령하여 연우를 왕으로 삼았다. …… **왕은 본래 우씨의 도움으로 즉위하였으므로 다시 장가가지 않고 우씨를 세워 왕후로 삼았다.**

— 「삼국사기」

❸ 고구려의 귀족

왕과 고추가 외에 고구려의 귀족은 그 세력의 크기에 따라 대가(大加) 혹은 소가(小加)라 불렸다.

❹ 형사취수제

형이 죽은 뒤에 동생이 형수와 같이 사는 혼인 제도이다. 대표적으로 고국천왕 사후, 왕비인 우씨와 왕의 동생인 산상왕과의 결합을 들 수 있다.

❶ 8성

8성의 귀족 가문은 진씨·해씨·국
씨·목씨·사씨·연씨·백씨·협씨였다.
초기에는 왕비족인 진씨와 해씨가
힘을 키웠으나 후기로 가면서 사(택)
씨와 연씨가 세력을 키워 정치를 주
도했다.

❷ 횡령죄

고이왕 때 관리의 부패와 횡령을 방
지하기 위해 범장지법을 제정하였다.

양직공도의 백제 사신도
(중국 난징 박물관 소장)

3. 백제의 신분 제도

(1) 귀족: 백제의 지배층은 왕족인 부여씨와 8성❶의 귀족으로 이루어졌다. 이들은 정사암 회의를 통해 주요 정책을 논의했으며 중앙 고위 관직과 22담로의 지방 장관을 독점하였다.

(2) 평민과 천민: 대부분의 백성은 평민으로 농민이었고, 노비 등 천민이 존재하였다.

4. 백제의 사회 모습

(1) 사회 기풍

백제의 언어, 풍속, 의복은 고구려와 큰 차이가 없었다. 백제는 일찍부터 중국과 교류하며 선진 문화를 수용하였다. 백제 사람은 키가 크고 의복이 깔끔하다는 중국의 기록은 그 세련된 모습을 알려준다.

(2) 형법

상무적인 기풍이 있어서 말타기와 활쏘기를 좋아하고, 엄격한 형법의 적용은 고구려와 비슷하였다.

① 반역자: 반역한 자나 전쟁터에서 퇴각한 군사 및 살인자는 목을 베었다.

② 형벌: 도둑질한 자는 귀양 보냄과 동시에 2배를 물게 하였다. 그리고 관리가 뇌물을 받거나 국가의 재물을 횡령❷했을 때는 3배를 배상하고, 종신금고형에 처했다.

(3) 풍습

중국 고전과 역사책을 즐겨 읽었고, 한문을 능숙하게 구사하였으며 관청 실무에도 밝았다. 투호와 바둑 및 장기는 고구려와 마찬가지로 백제 지배층이 즐기던 오락이었다.

심화사료 百出   2015. 교육행정직 9급

6세기 백제의 대외 관계와 풍속

백제는 예로부터 왔던 오랑캐로 마한의 족속이다. …… 양나라 초에 여태(餘太, 동성왕)를 정동장군(征東將軍)에 제수하였으나 자주 고구려에게 격파되었다. 보통(普通) 2년(521) **여륭(餘隆, 무령왕)**이 사신을 보내 표문을 올려 말하기를, "여러 차례 고구려를 물리쳤습니다."라고 하였다. 도성(都城)을 고마(固麻)라 하였고, 읍(邑)을 이르러 **담로(檐魯)**라 하였는데, 중국의 군현에 해당한다. **22개의 담로가 있어 왕족을 보내 그곳에 두었다.** …… **언어와 의복은 고구려와 거의 같지만, 걸을 때 두 팔을 벌리지 않는 것과 절할 때 한쪽 다리를 펴지 않는다.** 모자를 관이라 부르고, 저고리를 복삼, 바지를 곤이라 한다.

– 「양직공도」 백제국사조

5. 신라의 신분 제도

(1) 골품제 ☆

① 성립: 처음에는 왕족을 대상으로 한 골제와 중앙의 귀족을 대상으로 한 두품제가 각각 별개로 존재하였다. 이후 진평왕 때 왕족 내부에서 성골과 진골이 분리되었다. 이에 따라 성골·진골과 6두품~1두품으로 신분 제도가 편성되었다.

② 특징: 골품은 신라 사회에서 개인의 사회 활동과 정치 활동의 범위까지 엄격히 제한하였다. 관등 승진의 상한선이 골품에 따라 정해져 있었고 가옥의 규모와 장식물은 물론, 복색이나 수레 등 신라인의 일상생활까지 규제하였다.

③ 구성

- ㉠ **성골**: 신라의 최고층 왕족이다. 그러나 진덕 여왕을 마지막으로 성골은 단절되었다.
- ㉡ **진골[3]**: 성골이 없어진 뒤로는 진골에서 왕이 배출되었는데, **최초의 진골 출신 왕은 태종 무열왕(김춘추)**이었다. 진골은 최고 관등인 **이벌찬**까지 승진할 수 있었다. 또한 각부의 장관인 영(令)에 독점적으로 임명될 수 있었고, 갈문왕[4]에 봉해질 수 있었다.
- ㉢ **6두품**: 6두품은 두품 가운데서 가장 높은 계급으로, 득난이라 불리었다. 지배 집단에 속했지만 제6관등인 **아찬**까지만 승진할 수 있어 골품제에 불만이 가장 많았다.[5]
- ㉣ **5~1두품**: 5두품은 제10관등인 대나마까지, 4두품은 제12관등인 대사까지 승진의 제약이 있었다. 3두품 이하는 통일 이후 평민화되었다.

관등	골품				복색	중앙 관직					지방 관직			
	진골	6두품	5두품	4두품		중시령	시랑경	대사	사지	사	도독	사신	태수	현령
1. 이벌찬					자색									
2. 이찬														
3. 잡찬														
4. 파진찬														
5. 대아찬														
6. 아찬					비색									
7. 일길찬														
8. 사찬														
9. 급벌찬														
10. 대나마					청색									
11. 나마														
12. 대사					황색									
13. 사지														
14. 길사														
15. 대오														
16. 소오														
17. 조위														

고등사료 頻出

2019. 서울시 9급(상), 2019. 서울시 7급(상), 2017. 지방직 7급

골품제의 생활 규제

4두품에서 백성에 이르기까지는 방의 길이와 너비가 15척을 넘지 못한다. 느릅나무를 쓰지 못하고, 우물 천장을 만들지 못하며, 당기와를 덮지 못하고, 짐승 머리 모양의 지붕 장식이나 높은 처마 …… 섬돌로는 산의 돌을 쓰지 못한다. 담장은 6척을 넘지 못하고, 또 보를 가설하지 않으며 석회를 칠하지 못한다. 대문과 사방문을 만들지 못하고, 마구간에는 말 2마리를 둘 수 있다.

– 『삼국사기』

골품제의 정치 활동 제약[6]

설계두가 이르기를, "신라에서는 사람을 등용하는데 골품을 따진다. (그러므로) 진실로 그 족속이 아니면 비록 큰 재주와 뛰어난 공이 있더라도 넘을 수가 없다. 나는 원컨대, 서쪽 중국(中華國)으로 가서 세상에서 보기 드문 지략을 떨쳐서 특별한 공을 세워 스스로 영광스러운 관직에 올라 고관대작의 옷을 갖추어 입고 칼을 차고서 천자의 곁에 출입하면 만족하겠다"라고 하였다. – 『삼국사기』

골품제의 변동

할아버지는 주천(周川)으로 골품(骨品)은 진골이고 한찬(韓粲)을 지냈으며, 고조부와 증조부는 모두 조정에서는 재상, 나가서는 장수를 지내 집집에 널리 알려졌다. 아버지는 범청(範淸)으로 골품이 **진골에서 한 등급 떨어져서 득난(得難)이 되었다.**

– 성주사 낭혜화상 백월보광탑 비문

각주

[3] 진골(眞骨)

진골 귀족은 중앙 관부의 장관과 지방 행정 조직의 장관직(주의 도독), 군대의 장군 등에 오를 수 있었으며, 식읍과 전장 등을 경제적 기반으로 하였다.

[4] 갈문왕(葛文王)

왕과 일정한 혈연 관계가 있는 인물들에게 특권적 지위를 누리게 한 제도이다.

[5] 중위제

6두품과 5두품은 관등 승진에서 중위제를 적용받아, 제한된 관등 범위 안에서나마 승진할 수 있었다. 신라 정부는 중위제를 통해 두품들의 불만을 해소하려 한 것이다.

[6] 골품제의 정치 활동 제한

장관은 대아찬 이상의 관등을 갖고 있어야 했다. 따라서 6두품은 장관이 될 수 없었다.

(2) 평민과 천민

- ① **평민**: 양인으로, 국가에 조세, 공납, 요역 등을 바쳤으며 군역도 지고 있었다.
- ② **천민(노비)**: 전쟁 포로나 살인자, 채무자 등 범죄인이 노비가 되었다. 이들은 귀족에게 예속되어 토지를 경작하기도 하고 귀족의 집안일을 돌보기도 하였다.

(3) 부곡민

- ① **생성 과정**: 부곡은 정복 전쟁 과정에서 복속된 주민들 혹은 어업, 목축 등 천한 일에 종사하는 주민들로 구성되었다.
- ② **특징**: 일반 평민들보다 무거운 부담을 지고 있어 천민 취급을 받기도 하였으나, 신분적으로는 평민이었다. 이후 고려 시대까지 존속했는데 각종 사회 진출에 차별을 받았다.

사사건건 그날 B.C. 108~A.D. 935

B.C. 2333~B.C. 108 전일 ▶▶
• B.C. 70만 년 전 구석기 문화
• B.C. 8000년 전 신석기 문화
• B.C. 2000년 전 청동기 문화
• B.C. 5세기 철기 문화 유입

Now Event ▶▶
• A.D. 194 진대법 실시
• 520 신라 율령 반포

6. 신라의 사회 모습

(1) 화랑도❶

① **발전 과정**: 씨족 사회의 청소년 집단에서 유래하였다. 이후 **진흥왕 때 국가적인 조직으로 개편하여** 인재를 양성하였다.

② **활동**: 원광은 세속5계를 만들어 행동 규범을 제시하였다. 이들은 명산대천을 찾아다니며 제천 의식을 행하였다. 사냥과 전쟁에 관한 교육을 받아 심신을 연마하였다.

③ **역할**: 진골 귀족 출신인 **화랑❷**을 지도자로 삼고, **6두품 이하의 평민까지 포함된 낭도**가 그를 따랐다. 이를 통해 **계층 간의 대립과 갈등을 조절·완화**하였다. 또한 불교의 미륵 신앙과 결부되어 화랑을 환생한 미륵으로 여겼다.

(2) 화백 회의

① **구성**: 사로 6촌의 부족 회의인 **6부 회의에서 유래**한 것으로, 법흥왕 때 국가적 기구로 개편되었다. 진골 출신인 대등으로 구성되었고 **상대등을 의장**으로 하였다.

② **운영**: 만장일치 제도를 채택했고 회의 장소는 주로 4영지였다.

③ **기능**: 화백 회의❸는 귀족의 단결을 강화하고 국왕과 귀족 간의 권력을 조절하였다.

심화사료 百出

원광의 세속5계❹
원광이 귀산 등에게 말하기를 "세속에도 5계가 있으니, 첫째는 충성으로써 임금을 섬기는 것, 둘째는 효도로써 어버이를 섬기는 것, 셋째는 신의로써 벗을 사귀는 것, 넷째는 싸움에 임하여 물러서지 않는 것, 다섯째는 생명 있는 것을 죽이되 가려서 한다는 것이다. 그대들은 이를 실행함에 소홀히 말라."라고 하였다.
— 「삼국사기」

최치원의 난랑비 서문(신라 화랑인 난랑을 위해 만들어진 비석)
이 나라에 현묘한 도가 있어 이를 풍류라 하였다. 이 교의 기원은 선사(仙史)에 자세히 실려 있거니와 실로 이는 **3교(유·불·선)를 포함한 것으로 모든 민중을 교화하였다.** 즉, 집안에서는 효도하고 밖에서는 나라에 충성을 다하니 이것은 노나라 사구의 취지이다. 모든 일을 거리낌 없이 처리하고, 말하지 않고 실행하는 것은 주나라 주사(노자)의 종지였으며, 모든 악한 일을 하지 않고 선만 행하는 것은 축건태자(석가모니)의 교화 그대로이다.
— 「삼국사기」

7. 발해의 사회 구조

(1) 발해의 지배층
지배층의 다수는 왕족인 대씨와 귀족인 고씨 등 **고구려계 사람들**이었다. 이들은 중앙과 지방의 중요한 관직을 차지하였다. 또한 발해의 지식인은 당에 유학하여 빈공과❺에 응시하고, 때로는 신라인과 수석을 다투기도 하였다.❻

(2) 주민의 구성(이원적)
발해의 **지배층**은 대부분 고구려인이었으며 그 밑의 **피지배층**은 말갈인들이었다. 말갈인 중에는 지배층으로 상승한 부류도 있었지만 주로 평민의 지위에 있었다.

(3) 사회 모습
법률과 풍속은 고구려와 비슷하였다. 고구려와 마찬가지로 사회 기풍이 씩씩했으며, 활쏘기, 말타기, 격구 등을 즐겼다. 상층 사회를 중심으로 당의 문화가 널리 수용되었지만, 피지배층들에게는 고구려나 말갈 사회의 전통적인 생활 모습이 많이 남아 있었다.

---

❶ **화랑도(花郎徒)의 전신**
화랑의 전신은 원화(源花)이다. 무리가 300~400명이 되었으며 이들을 이끄는 원화에는 아름답고 용모가 단정한 여성을 임명하였다. 대표적 인물로는 남모(南毛)와 준정(俊貞)이 있었으나 두 사람 간의 질투 사건이 벌어지면서 원화는 폐지되었다.

❷ **화랑**
전쟁과 사냥에 대한 교육을 받았던 화랑은 직접 전투에 참여하였다.

❸ **화백 회의의 영향력**
나라의 중요한 일을 귀족들이 협의하여 결정하였다. 화백 회의에 의해 진지왕이 폐위되었다는 기록은 그만큼 영향력이 강력했음을 잘 보여준다.

❹ **세속5계**
사군이충(事君以忠)·사친이효(事親以孝)·교우이신(交友以信)·임전무퇴(臨戰無退)·살생유택(殺生有擇)

❺ **빈공과**
당에서 외국인을 대상으로 시행한 과거 시험이다.

❻ **발해와 신라의 경쟁 의식**
9세기 후반, 신라와 발해의 유학생이 여러 차례 빈공과의 수석을 다투었다. 906년에는 신라의 최언위가 발해의 오광찬보다 빈공과의 석차에서 앞서자 발해의 재상 오소도가 아들의 석차를 올려달라고 청하였다가 거절당하는 사건도 있었다.

解法 도움닫기   발해 여성의 지위

발해 여성은 사회적 지위가 비교적 높은 편이었으며, '여사'라는 여성 교사의 가르침을 받기도 하였다. 또한 발해 여성은 여러 명이 의자매를 맺어 번갈아 서로 남편들을 감시했고, 남편이 첩을 들이려 하면 다 같이 이를 꾸짖었다고 한다. 부인의 등쌀 때문에 발해 남자는 첩을 두기 어려웠을 뿐 아니라 밖에 나가서 한눈을 팔 수 없었다. 이런 분위기를 반영하여 일부일처제가 일찍부터 확립되었고 무덤은 부부 합장묘가 많았다고 한다.

03 통일 전후의 사회 변화

1. 민족의 통합

삼국은 동질성[7]을 많이 간직하고 있어 언어와 풍습 등에서 비슷한 점이 많았다.

(1) **문화적 공통성 확립**: 혈연적 동질성과 문화적 공통성을 바탕으로 하여 우리 민족 문화가 하나의 국가 아래 발전하는 계기가 되었다.

(2) **신라의 민족적 통합 노력**: 통일 전쟁 과정에서 백제와 고구려의 옛 지배층에게 신라 관등을 주어 포용[8]하였다. 통일 직후에는 백제와 고구려의 유민을 9서당에 편성함으로써 민족 통합에 노력하였다.

2. 통일 직후의 사회

(1) **진골 귀족[9]**: 중앙 관부의 장관과 주의 도독, 군대의 장군 등 권력의 핵심을 독점하였다.

(2) **6두품**: 학문적 식견과 실무 능력을 바탕으로 **국왕을 보좌**하면서 정치적 진출을 활발히 하였다. 하지만 신분의 제약으로 인하여 **중앙 관청의 우두머리나 지방의 장관 자리에는 오를 수 없었다.**

3. 신라 말 사회 혼란과 농민 생활의 동요

(1) **중앙 정부의 통치력 약화**: 왕위 쟁탈전으로 인한 중앙 정부의 혼란은 통치력 약화로 이어졌다. 귀족들은 대규모 농장을 소유하고 수많은 농민을 예속시켰다. 이로 인해 국가 재정은 갈수록 궁핍해졌다.

(2) **귀족들의 사치**: 경주에 금입택[10]이 있었다는 기록을 통해 귀족들의 사치가 절정에 이르렀음을 알 수 있다. 흥덕왕 때 사치 금지령을 발표하기도 했으나 큰 효과를 거두지 못했다.

(3) **농민 생활의 동요**: 토지를 상실한 농민은 소작농이 되거나 고향을 버리고 떠돌게 되었다. 산간에서 화전을 일구거나 노비로 전락하였다.

심화사료 百出

2019. 경찰 1차

흥덕왕의 사치 금지령

흥덕왕 즉위 9년, 태화(太和) 8년(834)에 교서를 내려 말하였다. "사람은 상하가 있고 지위는 존비가 있어서, 그에 따라 호칭이 같지 않고 의복도 다른 것이다. 그런데 풍속이 점차 경박해지고 백성들이 사치와 호화를 다투게 되어, 오직 외래 물건의 진기함을 숭상하고 도리어 토산품의 비야함을 혐오하니, 신분에 따른 예의가 거의 무시되는 지경에 빠지고 풍속이 쇠퇴하여 없어지는 데까지 이르렀다. 이에 감히 옛법에 따라 밝은 명령을 펴는 바이니, 혹시 고의로 범하는 자가 있으면 진실로 일정한 형벌이 있을 것이다."

— 「삼국사기」

[7] 삼국의 동질성

「양서」에 따르면 '신라와 중국의 언어는 백제인의 통역을 거친 뒤에야 통하였다.', '백제의 언어와 복장은 대략 고구려와 같다.'라고 기록되어 있다.

[8] 백제, 고구려 지배층 포용

신라는 옛 백제와 고구려의 지배층에게 신라의 관등을 부여하였다.

[9] 진골 귀족

통일 이후 진골 귀족 가문 중에서는 6두품으로 신분이 떨어지는 경우도 있었다.

[10] 금입택(金入宅)

금입택은 금을 입힌 집이라는 뜻으로, 신라 왕경(王京)에 거주하던 진골 귀족들의 호화스런 생활을 짐작케 해준다.

4. 신라 말 농민 봉기와 호족의 등장

(1) 배경: 9세기 말 진성 여왕 때 사회 모순이 크게 증폭되고, 정부의 재정도 바닥이 드러났다.

(2) 농민 봉기의 발생

신라 하대의 대표적인 농민 봉기로는 상주(사벌주)에서 일어난 **원종과 애노의 난**이 있다. 이 시기 정치 문란과 자연재해로 삶의 터전을 잃은 농민들은 '**초적**'으로 변하여 도적질을 하였다.

(3) 호족의 등장

지방에서는 호족❶이라 불리는 새로운 세력이 등장하였다. 점차 중앙 정부의 통제에서 벗어나 스스로 성주, 장군이라 부르며 반독립적인 세력으로 성장하였다.

❶ 호족의 출신 성분
중앙의 권력 투쟁에서 밀려나 지방에서 세력을 쌓은 귀족, 해상 활동으로 재력과 무력을 쌓은 군진 세력, 지방의 토착 세력으로 성장한 촌주 등이 있다. 호족 세력들은 반신라적 경향을 보이는 일부 6두품과 결탁하기도 하였다.

고득사료 百出   24. 지방직 9급, 24. 법원직 9급, 18. 서울시 9급(상), 18. 법원직 9급, 17. 경찰 1차, 16. 지방직 9급, 14. 국가직 7급, 12. 서울시 9급

원종과 애노의 난

[**진성왕(眞聖王)**] 3년(889)에 나라 안의 여러 주(州)·군(郡)에서 공물과 조세를 보내지 않아 나라의 창고가 텅 비어 나라의 씀씀이가 궁핍하게 되었으므로 왕이 사자를 보내 독촉하였다. 이로 말미암아 도적들이 곳곳에서 벌떼처럼 일어났다. 이에 **원종(元宗)**과 **애노(哀奴)** 등이 **사벌주(沙伐州)**를 근거지로 반란을 일으키자 왕이 나마(奈麻) 영기(令奇)에게 명하여 (이들을) 붙잡아 오도록 하였다. 영기가 적의 보루를 멀리서 바라보고는 두려워 앞으로 나아가지 못하였으나 촌주(村主) 우련(祐連)은 힘껏 싸우다가 죽었다. 왕이 칙명을 내려 영기를 목 베고 나이 10여 세 된 우련의 아들로 촌주의 직을 잇게 하였다.   ─「삼국사기」

진성 여왕 때의 사회 상황

당나라 소종 황제가 중흥을 이룰 때, 전쟁과 흉년이라는 두 가지 재앙이 서쪽에서 그치고 동쪽으로 오니 굶어서 죽고 전쟁으로 죽은 시체가 들판에 별처럼 늘어 있었다.   ─ 해인사 묘길상탑기

[해설]
제시된 자료의 ㉠은 설총, ㉡은 최치원이다. 설총과 최치원은 6두품 출신의 인물이다. ① 6두품이 진출할 수 있었던 관등인 아찬, 대나마, 나마에는 중위가 설정되어 있어 제한된 관등을 넘지 않고도 승진을 계속 할 수 있도록 하였다.
② 진골에 대한 설명이다. ③ 자색 공복은 진골이 입을 수 있었다. ④ 성골과 진골에 대한 설명이다.

[정답] ①

대표 **기출문제**

㉠과 ㉡ 두 인물의 공통된 신분상의 특징으로 옳은 것은?   2017. 국가직 9급

- ㉠ 은(는) 신문왕에게 화왕계를 통하여 조언하였다.
- ㉡ 은(는) 진성 여왕에게 시무책 10여 조를 올렸다.

① 관등 승진에서 중위제(重位制)를 적용받았다.
② 중앙 관부의 최고 책임자를 독점하였다.
③ 자색(紫色)의 공복을 착용하였다.
④ 왕이 될 수 있는 신분이었다.

03 ^강 고대 불교와 학문의 발달

 解/法 기출분석

구 분		2008~2017	2018	2019	2020	2021	2022	2023	2024
	국가직	• 의상 • 선종 • 원효와 의상					의상과 자장		
9급	지방직	• 불교 전반(3) • 의상(3) • 신라의 주요 지식인 • 역사서 • 신라의 교육 • 풍수지리 사상	선종	자장		원광		문화재	혜초
	법원직	• 불교(2) • 독서삼품과					도교	의상	

 解法 요람

원효와 의상

 원효   VS   의상

1. 불교 이해의 기준 마련
『금강삼매경론』, 『대승기신론소』

2. 일심 사상
일심 ⇨ 화쟁 사상
일체유심조 『십문화쟁론』
(一切唯心造)

3. 불교의 대중화
아미타 신앙(정토종) 보급

1. 화엄 사상 정립(전제 왕권 뒷받침)
『화엄일승법계도』, 일즉다 다즉일(一卽多 多卽一)

2. 부석사 건립
(많은 제자 양성)

3. 아미타 신앙 + 관음 신앙
    (내세)   (현세)

1. 삼국의 불교

(1) 배경
삼국은 중앙 집권 체제를 강화하고, 지방 세력을 통합하는 과정에서 불교를 수용하였다.

(2) 고구려의 불교
① **수용**: 소수림왕 2년(372) 전진의 승려 순도를 통해 불교를 수용하였다.
② **발전**: 중국 북조 불교의 영향을 받았다. 승려 승랑은 중국 삼론종**❶** 발전에 크게 기여하였다.

(3) 백제의 불교
① **수용**: 침류왕 때 동진에서 온 인도 승려 마라난타가 불교를 전해주었다.
② **발전**
　　㉠ **율종❷**: 성왕 때 겸익**❸**이 인도에 가서 『율장』을 가지고 돌아왔다. 이후 율종이 **성행**하였다.
　　㉡ **호국 불교**: 무왕 때 호국적 성격의 사찰인 **미륵사** 등을 건축하였다.

(4) 신라의 불교
① **수용**: 눌지왕 때 고구려에서 온 승려 묵호자(아도)가 불교를 전해주었다는 기록이 있다.
② **공인**: 불교 수용 과정에서 귀족들의 반발이 심하였다. 그러나 **법흥왕**은 이차돈의 순교를 통해 **불교를 공인**(527)하였으며 이때부터 불교식 왕명을 사용하였다(법흥왕~진덕 여왕).
③ **발전**: 왕권 강화를 이념적으로 뒷받침했으며, 호국 불교로써 크게 발전하였다. 신라 국왕들은 왕호를 불교식으로 바꾸고 **왕즉불(王卽佛, 왕이 곧 부처) 사상**을 내세웠다.
　　㉠ **진흥왕**: 스스로 불교의 진리를 퍼뜨린 **전륜성왕**임을 자처하였다. 황룡사를 건립했으며, 고구려 승려 혜량을 맞이하여 불교 교단을 정비하였다(국통·주통·군통).
　　㉡ **원광**: 섭론종 연구의 대가로 수나라에서 명성을 떨쳤다. 귀국 후 진평왕의 요청으로 「걸사표」를 지어 수나라 황제에게 보냈으며, 점찰법회를 처음으로 개최하였다.
　　㉢ **화랑도**: **미륵 신앙❹**을 받아들여 화랑을 미륵불의 화신으로 여겼다.
　　㉣ **자장❺**: 진골 귀족 출신으로 계율종을 개창하고, 통도사를 창건하였다. 선덕 여왕 때 **대국통**에 임명되었다. 또한 선덕 여왕은 그의 건의를 받아들여 **황룡사에 9층 목탑**을 건립하였다.
　　㉤ **원측❻**: 7세기에 당나라로 가서 현장의 제자가 되어 유식론(법상종)을 배웠다.
④ **밀교**: 민간 사회에서는 현실구복적인 밀교가 유행했는데, 질병 치료 등 소원을 빌었다.

심화사료 百出

왕즉불 사상
진평왕이 왕위에 올랐다. 이름은 백정(白淨)이고 진흥왕의 태자 동륜(銅輪)의 아들이다. …… 왕비는 김씨 마야부인(摩耶夫人)이다.

※ 백정, 마야부인 = 석가모니 부처의 부모 이름

— 『삼국사기』

---

❶ 삼론종(三論宗)
공(空)에 대해 깊이 이해하려는 불교 종파로, 고구려에서 크게 발달하였다.

❷ 율종(律宗)
엄격한 금욕 생활과 계율을 통해 개인의 해탈을 강조하였다.

❸ 겸익(謙益)
겸익은 최초의 구법승(중국·인도 등에서 공부한 승려)이다. 혜초보다 200년 앞서 인도를 다녀왔다.

이차돈 순교비(백률사 석당)
백률사 석당은 이차돈의 명복을 빌기 위해 세워졌다.

❹ 미륵 신앙
삼국 시대에는 미륵 신앙이 널리 수용되었다. 미륵불이 나타나 백성을 구제하고 이상적인 불국토를 건설한다고 하였다. 이는 백제의 미륵사 창건과 신라의 화랑도에 영향을 주었다.

❺ 자장(慈藏)
당에서 유학하다가 선덕 여왕 때 귀국하였다. 계율을 중시·강조했으며, 신라가 부처의 나라(불국토, 佛國土)라는 관념을 널리 퍼뜨렸다.

❻ 원측의 저서
『유식이십론소』, 『해심밀경소』 등 다수의 주석서를 저술하였다.

2. 통일 신라의 불교 발전

(1) 원효(617~686) ☆☆

의상과 함께 당나라에 가던 도중 해골에 고인 물을 마신 후 깨달음을 얻고, 의상과 헤어져서 돌아왔다. 진리는 마음속에 있다는 것[일체유심론(一體唯心論)]을 깨우친 것이다.

① **일심 사상**: 원효는 모든 것이 한마음에서 나온다는 **일심 사상**을 바탕으로 화쟁의 논리를 폈다. 또한 대승 불교의 두 흐름인 중관파의 부정론과 유식파의 긍정론을 함께 비판하여(공유 논쟁 해결), 종파 간 사상적 대립을 극복하려고 노력하였다.

② **불교의 대중화❼**: 극락에 가고자 하는 **아미타 신앙❽**(정토종)을 자신이 직접 전도하며 불교 대중화의 길을 열었다. 또한 스스로 승복을 벗고 '소성거사'라 칭하며 광대 옷차림으로 '무애가'를 지어 부르면서 대중들을 교화하였다.

③ **대표 저서**: 『대승기신론소』, 『금강삼매경론』 등을 저술하여 불교 이해의 기준을 확립하였다. 또한 일심 사상을 바탕으로 한 『십문화쟁론』과 분황사에서 저술한 『화엄경소』 등이 있다.

원효(元曉)

원효가 입적 한 후 100여 년이 지난 애장왕 대(800~809)에 후손 중업과 각간 김언승 등이 중심이 되어 그를 추모하는 비(고선사 서당화상비)를 세웠으며, 이후 1101년 8월 고려 숙종이 화정(화쟁, 和諍) 국사라는 시호를 추증하였다.

심화사료 [빈出]

2017. 법원직 9급, 2014. 법원직 9급, 2014. 지방직 7급, 2013. 국가직 7급

원효의 『대승기신론소(大乘起信論疏)』

부처님의 넓고, 크고, 깊은 가르침의 끝이 없는 의미를 종합하고자 이 논(대승기신론)을 풀어 설명하고자 한다. …… 이 논의 뜻이 이미 이와 같으니 벌리면 한량없고 가이없는 부처님의 가르침은 결국 **일심(一心)**의 법을 중심으로 삼는다. …… ─ 『대승기신론소』

원효의 불교 대중화

원효가 이미 계율을 잃어버려 설총을 낳은 이후 속인의 옷으로 바꾸어 입고 스스로 소성거사(小姓居士)라고 하였다. 우연히 광대들이 놀리는 큰 박을 얻었는데 그 모양이 괴이하였다. 그 모양대로 도구를 만들어 『화엄경』의 **"일체 무애인(無㝵人)은 한 길로 생사를 벗어난다."**라는 문구에서 그 이름을 따와서 '무애'라고 하며 이내 노래를 지어 세상에 퍼뜨렸다. 일찍이 이것을 가지고 많은 촌락에서 노래하고 춤추며 교화하고 음영하여 돌아오니 가난하고 무지몽매한 무리까지도 모두 부처의 호를 알게 되었고, 모두 **나무아미타불**을 부르게 되었으니, 원효의 법화가 컸던 것이다. ─ 『삼국유사』

원효의 일심(一心) 사상

열면 헬 수 없고 가없는 뜻이 대종(大宗)이 되고, 합하면 이문(二門) 일심(一心)의 법이 그 요차가 되어 있다. 그 이문 속에 만 가지 뜻이 다 포용되어 조금도 혼란됨이 없으며 가없는 뜻이 일심과 하나가 되어 혼용된다. ─ 『대승기신론소』

원효 대사

❼ 원효의 불교 대중화

원효는 '나무아미타불(南無阿彌陀佛)'만 외우면 누구나 극락에 이를 수 있다고 가르쳤다. 이를 통해 일반 백성들도 쉽게 불교를 접할 수 있었다.

❽ 아미타 신앙

아미타 신앙은 내세에 아미타불이 관장하는 서방정토에 다시 태어나기를 바라는 신앙이다.

✎ 교종 5교

5교	개창자	중심 사찰
열반종	보덕	경복사(전주)
계율종	자장	통도사❾(양산)
화엄종	의상	부석사(영주)
법성종	원효	분황사(경주)
법상종	원측 진표	금산사(김제)

❾ 통도사

금강계단 불사리탑(부처의 사리 보관)이 있어 불보 사찰이라고 불린다.

✎ 삼보 사찰

- 통도사: 부처 사리(불)
- 해인사: 대장경(법)
- 송광사: 고승 배출(승)

사사건건 그날 B.C. 108~A.D.935

B.C. 2333~B.C. 108 전일 ▶▶
• B.C. 70만 년 전 구석기 문화
• B.C. 8000년 전 신석기 문화
• B.C. 2000년 전 청동기 문화
• B.C. 300년 전 철기 문화 유입

Now Event ▶▶
• 372 고구려, 불교 전래 태학 설립
• 384 백제, 불교 전래
• 405 백제, 일본에 한문학 전파
• 527 신라, 불교 공인
• 545 신라, 『국사』 편찬
• 552 백제, 일본에 불교 전파

(2) 의상(625~702) ☆☆

당나라에 유학을 가서, 화엄종의 교조인 지엄❶에게 화엄학을 배우고 귀국하였다.

① 부석사 창건: 경북 영주에 부석사를 창건(문무왕)하고, 해동 화엄종을 개창하였다. 그 후 화엄 사상을 널리 보급하고자 많은 사찰을 건립하였다.

② 화엄 사상: 의상은 「화엄일승법계도」를 저술하여 화엄 사상의 요체를 제시하였다. 원융 사상❷을 통해 하나 속에 우주 만물을 아우르고자 했으며, 모든 존재가 서로 의존하고 조화를 이루고 있다고 주장하였다[일즉다 다즉일(一卽多多卽一)].

③ 아미타 신앙과 관음 신앙: 의상❸은 아미타 신앙과 함께 현세에서 고난을 구제받고자 하는 관음 신앙을 이끌었다. 이는 원효의 불교 대중화와 그 맥을 같이 하고 있다.

④ 영향: 화엄 사상을 통해 전제 왕권을 뒷받침했다. 또한 교단을 형성❹하여 많은 제자를 양성하였다.

심화사료 百出　　2019. 지방직 7급, 2018. 국가직 7급, 2015. 지방직 9급, 2013. 지방직 9급, 2012. 지방직 9급, 2009. 지방직 7급

의상(義湘)의 화엄일승법계도(華嚴一乘法界圖)

하나 안에 일체요, 많음 안에 하나이며 / 하나가 곧 일체요, 많음이 곧 하나이다. (一中一切多中一 / 一卽一切多卽一)
한 티끌 속에 시방을 머금고 / 일체의 티끌 속 또한 이와 같다. (一微塵中含十方 / 一切塵中亦如是)　　– 화엄일승법계도

의상과 문무왕

문무왕이 도성을 새롭게 짓고자 하니, 의상이 말하기를 "비록 궁벽한 시골(草野) 띳집(茅屋)에 있다고 해도 바른 도를 행하면 복된 일이 오래 갈 것이고, 만일 그렇지 못하면 사람을 수고롭게 하여 성을 쌓을 지라도 아무 이익이 없을 것입니다."하니, 왕이 곧 그 성을 쌓는 것을 그만두었다.　　–「삼국사기」

의상의 학업

성은 김씨이다. 29세에 황복사에서 머리를 깎고 승려가 되었다. 얼마 후 중국으로 가서 부처의 교화를 보고자 하여 원효(元曉)와 함께 구도의 길을 떠났다. …… 처음 양주에 머무를 때 주장(州將) 유지인이 초청하여 그를 관아에 머물게 하고 성대하게 대접하였다. 얼마 후 종남산 지상사에 가서 지엄을 뵈었다.　　–「삼국유사」

(3) 진표: 백제 유민 출신으로, 김제 금산사를 중심으로 활동하였다. 점찰법회를 개최하여 불교 대중화에 기여했으며, 법상종을 크게 유행시켰다. 또한 그는 미륵불이 지상에 와서 이상 사회를 실현한다는 미륵 신앙을 널리 확산시켰다.

(4) 혜초(704~?): 혜초는 당에서 바닷길로 중앙아시아와 인도를 순례하고 돌아왔다. 중앙아시아·인도 각국의 지리, 풍속, 산물을 기록한 『왕오천축국전』❺을 남겼다.

---

❶ 화엄종의 분화

지엄(智儼)에게는 의상과 법장이라는 두 명의 뛰어난 제자가 있었다. 의상은 신라로 귀국하여 해동 화엄종을 창시하였으며, 법장은 지엄의 뒤를 이어 중국 화엄종의 명맥을 이었다. 이후 전자는 화엄종 북악파, 후자는 화엄종 남악파라 불렸다. 주로 중국에 유학을 다녀온 지식인들은 남악파를 선호하는 경향이 컸는데, 최치원은 남악파의 시조 법장의 일대기인 『법장화상전』을 저술하기도 하였다.

❷ 원융 사상

의상의 원융 사상은 지배층끼리의 갈등을 지양하고 지배층과 피지배층의 대립을 극복하는데 영향을 미쳤다. 이는 통일 이후 신라 사회를 통합하는데 크게 기여하였다.

「화엄일승법계도」
의상이 화엄 사상의 중요 내용을 간결한 시(詩)로 축약한 글이다.

❸ 의상

의상은 문무왕이 경주에 성곽을 쌓으려고 하자 백성을 위해 이를 만류하였다고 한다.

❹ 의상의 교단 형성

의상은 노비였던 지통과 빈민 출신인 진정을 제자로 받아들였다. 또한 국왕에게 지원받는 대신 백성의 도움으로 교단을 유지했고 교단과 백성 사이를 좀 더 가깝게 하고자 애썼다.

❺ 『왕오천축국전』

중국의 둔황 막고굴(불교 유적 석굴 사원)에서 발견되었으며, 현재 프랑스 국립 도서관에 있다.

| • 600 | 고구려, 『신집』 편찬 | • 647 | 첨성대 건립 | • 751 | 불국사와 석굴암 건립 | • 788 | 독서삼품과 설치 |
| • 624 | 고구려, 당에서 도교 전래 | • 682 | 신라, 국학 설립 | | | | |

▶▶ 후일 935~1392
- 992 국자감 정비
- 1086 의천 교장도감을 두고 『속장경』 조판
- 1145 『삼국사기』 편찬
- 1234 『상정고금예문』 간행

3. 발해의 불교

발해의 불교는 고구려 불교를 계승했으며 **왕실과 귀족을 중심으로 널리 유행**하였다. 문왕은 스스로를 불교의 이상적 군주인 전륜성왕이라고 하였다. 수도였던 상경에서 발굴된 10여 개의 웅장한 절터와 불상은 발해의 불교가 융성했음을 보여 준다.

4. 선종의 발달

(1) **특징**: 선종은 경전의 이해를 통하여 깨달음을 추구하는 교종과는 달리, 문자 교육을 배격[불립문자(不立文字)]하고 **실천 수행**을 통하여 마음속에 내재된 깨달음(견성오도)을 얻고자 하였다.

(2) **확산**: 선종❻은 통일 전후에 전래되었으나, 교종의 위세에 눌려있었다. 신라 **하대**에 교종의 권위에 대항하면서 **크게 유행**하였다. 선종의 각 파들은 지방의 호족 세력과 관계를 가지면서 각 지방에 본거지를 두고 여러 종파를 이루었다(선종 9산).

(3) **영향**: 선종은 지방을 근거로 성장하여 지방 문화의 역량을 향상시켰다. 선종 승려❼는 사회 변혁을 희망하던 6두품·호족들과 함께 **고려 왕조 개창에 사상적 바탕**을 마련해 주었다.

5교 9산

심화사료 百出

도의

820년대 초에 승려 도의가 서쪽으로 바다를 건너가 당나라 서당대사의 깊은 뜻을 보고 지혜의 빛이 스승과 비슷해져서 돌아왔으니, 그가 그윽한 이치를 처음 전한 사람이다. …… 그러나 메추라기의 작은 날개를 자랑하는 무리들이 큰 봉새가 남쪽으로 가려는 높은 뜻을 헐뜯고, 기왕에 공부했던 경전 외우는 데만 마음에 쏠려 선종을 마귀 같다고 다투어 비웃었다. 그래서 도의는 빛을 숨기고 자취를 감추어 서울에 갈 생각을 버리고 마침내 북산에 은둔하였다.   – 봉암사 지증대사 적조탑비 비문

02 도교와 풍수지리설

1. 고대의 도교❽

(1) **전파**: 삼국 시대에 전래된 도교는 산천 숭배·신선 사상과 결합되어 불로장생·현세구복을 추구하였다.

(2) **각국의 도교**

  ① 고구려

    ㉠ 을지문덕의 오언시: 수나라 장수 우중문에게 보낸 오언시에서 '지족(知足)'이라는 표현을 통해 노장 사상(도교)이 반영되었음을 알 수 있다.

---

❻ **선종**

선종은 중국에서 달마를 개조로 하여 창시된 종파이다. 누구나 불성을 갖고 있으므로 스스로 참선을 통해 깨달음을 얻을 수 있다고 하였다. 이는 호족·6두품이 진골과 대등한 존재라는 사실을 자각하는 기반이 되어, 이들로부터 큰 호응을 받았다.

✎ **9산 선문**

9산	개창자	중심 사찰
가지산	도의(최초)	보림사(장흥)
실상산	홍척	실상사(남원)
동리산	혜철	태안사(곡성)
봉림산	현욱	봉림사(창원)
사자산	도윤	흥녕사(영월)
사굴산	범일	굴산사(강릉)
성주산	무염	성주사(보령)
희양산	도헌	봉암사(문경)
수미산	이엄	광조사(해주)

❼ **선종 승려의 포섭**

선종 승려인 절중과 심희는 신라 조정의 부름을 거절하였고, 경보는 견훤과의 제휴를 거부하였다. 궁예는 자신에게 비판적인 승려 석총과 형미를 살해하여 민심을 잃었다. 이에 반해 왕건은 이엄 등 선종 승려들을 포용하여 지방 호족들의 마음을 얻을 수 있었다.

❽ **삼국 도교의 특징**

삼국의 도교는 중국의 도교와는 달리 수련 도교의 성격이 강하였다. 금욕을 중시했으며, 기(氣)를 몸 안에 축적하여 오래 살고자 하였다.

<table>
<tr><td width="25%">

❶ 도교 전래

『삼국유사』에 따르면 7세기 고구려인들은 도교의 일파인 오두미도를 신봉하였다고 전해진다. 이 무렵 당으로부터 도교를 받아들였다.

❷ 연개소문의 도교 장려

연개소문은 도교 진흥 정책으로 불교 사찰을 빼앗아 도관(道觀)을 만들기도 하였다. 이는 불교계의 반발을 야기했고 승려 보덕은 백제로 망명하였다. 이후 보덕은 도교의 불로장생 사상에 대항하기 위해 열반종을 개창하였다.

산수무늬 벽돌

❸ 월지와 경주 동궁

문무왕 때 조성된 신라 왕실의 별궁 터로, 이곳에서 연회를 열거나 귀빈을 접대하였다.

</td><td>

   ⓛ **도교 전래❶**: 영류왕 때에 도사(道士)와 『도덕경』이 공식적으로 전래되었다.

   ⓒ **연개소문의 도교 장려❷**: 보장왕 때 연개소문은 귀족과 연결된 불교 세력을 억누르기 위해 **도교를 장려**하였다.

   ⓔ **사신도**: 고구려 고분 벽화에는 동서남북을 관장하는 도교의 신이 그려져 있다(사신도). 이는 죽은 자의 사후 세계를 지켜 준다는 의미이다.

사신도(현무도)

② **백제**

   ㉠ **금동 대향로**: 부여의 능산리 절터 부근에서 발견되었다. 불교를 상징하는 연꽃 위에 도교의 이상 세계를 표현하였다. 불로장생하는 신선과 용, 봉황 등 상상의 동물이 조화롭게 표현되어 있다.

   ⓛ **사택지적비**: 의자왕 때 상좌평을 역임한 사택지적이 말년에 늙어가는 것을 탄식하며 인생의 무상함을 이야기하고(도교적 요소), 불교에 귀의해 불당과 탑을 건립하였다는 내용의 비문이다. 부여에서 발견됐으며, 백제 한학의 높은 수준을 보여 주고 있다(4·6 변려체).

백제 금동 대향로

   ⓒ **산수무늬 벽돌**: 도교의 이상적 세계를 형상화하여 새겨 넣었다.

   ⓔ **무령왕릉**: 무령왕릉에서는 도교 사상과 관련된 지석, 즉 **매지권**이 발견되었다. 매지권에는 무령왕(사마왕) 부부의 사후에 토지를 매입하여 장사를 지냈다는 내용이 기록되어 있다.

③ **신라**

   ㉠ **화랑도**: 화랑들이 산천을 순례하며 수련한 것에서 도교의 영향을 알 수 있다.

   ⓛ **월지(안압지)❸**: 월지의 세 섬은 신선들이 노닐었다는 삼신산을 나타낸 것(신선 사상)이다.

   ⓒ **최치원**: 정치에 뜻을 잃고 은둔 생활을 하면서 도교에 관심을 두었다.

</td></tr>
</table>

심화사료 百出   2021. 지방직 9급

연개소문의 도교 수용

[보장왕(寶藏王) 2년(643)] 3월에 연개소문(淵蓋蘇文)이 왕에게 아뢰어 말하기를, "삼교(三敎)는 비유하자면 솥의 발과 같아서 하나라도 없어서는 안 됩니다. 지금 유교와 불교는 모두 흥하는데 도교는 아직 성하지 않으니, 이른바 천하의 도술(道術)을 갖추었다고 할 수 없습니다. 엎드려 청하오니 당(唐)나라에 사신을 보내 도교를 구하여 와서 나라 사람들을 가르치게 하소서."라고 하였다. 대왕이 깊이 그러하다고 여기고 표(表)를 올려서 (도교를) 요청하였다. 태종(太宗)이 도사(道士) 숙달(叔達) 등 8명을 보내고, 이와 함께 노자(老子)의 『도덕경(道德經)』을 보내주었다. 왕이 기뻐하여 불교 사찰을 빼앗아 이들을 머물도록 하였다.

    – 『삼국사기』

무령왕릉 지석에 나타난 도교 사상

돈 1만 매, 이상 1건

을사년(乙巳年) 8월 12일 **영동대장군(寧東大將軍)** 백제 사마왕(斯麻王)은 상기의 금액으로 매주(買主)인 토왕(土王), 토백(土伯), 토부모(土父母), 상하 2,000석 이상의 여러 관리에게 문의하여 **남서 방향의 토지를 매입해서 능묘(陵墓)를 만들었기에** 문서를 작성하여 명확한 증험으로 삼으며 모든 율령(律令)에 구애받지 않는다.

    – 무령왕릉 지석

2. 풍수지리설

(1) 유입: 신라 말기에 도선❹과 같은 선종 승려들은 중국에서 유행한 풍수지리설을 들여왔다.

(2) 특징: 풍수지리설은 산세와 수세를 살펴 도읍, 주택, 묘지 등을 선정하는 인문지리적 학설이다. 국토를 배(船) 또는 저울에 비유함으로써 **국토의 효율적인 이용**을 주장하기도 하였다.

(3) 영향❺: 경주 중심의 지리 개념에서 벗어나 **다른 지방의 중요성을 자각하는 계기를 마련하였다.** 이후 예언적 성격의 도참설이 더해져 고려 시대에 크게 유행하였다.

---

03 한자의 보급과 교육

1. 한자의 수용

철기 시대부터 우리나라에 한자가 보급되었는데 우리의 언어 구조와 달라 사용하는 데 불편한 점이 있었다. 이에 따라 삼국은 이두와 향찰❻ 등 다양한 표기법을 만들었다.

2. 고대의 교육과 유학

(1) 고구려

① 교육 기관: 4세기 소수림왕 때 수도에 **태학❼**을 설립(372)하여 유교 경전과 역사서를 가르쳤고, **평양 천도 이후** 지방에 경당이라는 사립 교육 기관을 설치하여 한학과 무술을 가르쳤다.

② 박사 제도: 5경❽을 가르치는 5경 박사가 태학에 있었다.

> **심화사료** 百出
>
> **고구려의 경당(局堂)**
>
> (고구려의) 사람들은 학문을 좋아하여 …… 거리 모서리마다 큰 집을 짓고 **경당(局堂)**이라고 부르는데, 자제로 미혼(未婚)인 자를 무리 지어 살도록 하고, **경전을 읽으며 활쏘기를 연습한다.**
>
> — 『신당서』

(2) 백제

① 교육 기관: 백제의 교육 기관에 대한 기록은 없고 **5경 박사와 의박사, 역박사** 등을 두어 유교 경전과 기술학 등을 가르쳤다.

② 한학의 발달: 개로왕이 북위에 보낸 국서의 세련된 문장과, 4·6 변려체의 **사택지적비문**, 흑치상지의 묘지명 등을 통해 백제 한학의 높은 수준을 알 수 있다.

(3) 신라

① 통일 이전: 원광법사가 지은 **세속 오계**를 통해 충, 효, 신을 강조하였다. 또한 **임신서기석❾**을 보면 신라에서도 유교 경전을 공부하였던 사실을 알 수 있다.

② 국학: 통일 이후 **신문왕 때** 국학을 설립하여 유학을 교육하였다.

　ⓐ 입학 자격: 12등급 대사 이하의 하급 귀족에게 입학 자격을 주었다.

　ⓑ 교육 과정: 박사와 조교가 『논어』 등 유교 경전들을 가르쳤다.

　ⓒ 변천: 성덕왕 때 당에서 공자의 초상화를 가져와 국학에 두었으며, 경덕왕은 국학의 명칭을 태학감(태학)으로 바꾸었다.

❹ 도선

도선은 선종 승려(동리산문)이자 음양풍수설의 대가이다. 신라 하대에 풍수도참설을 체계적으로 정리하였다. 또한 개성·평양·한양이 국가의 중심지가 될 것을 예언하여 고려 왕들의 추앙을 받았다.

❺ 풍수지리설의 영향

풍수지리설은 각 지방에 선종 사찰을 세우거나 호족 세력의 근거지를 마련하는 데 이용되었다. 특히 호족은 풍수지리설을 통해 수도인 금성(경주)의 운이 다했다고 주장하며 세력을 키웠다.

❻ 이두와 향찰

한자 수용 이후, 한자의 뜻과 소리를 빌려 우리말을 표현하기 위해 만든 표기법이다. 임신서기석은 이두를 활용했으며, 『삼국유사』와 『균여전』에 실린 향가는 향찰로 쓰여졌다.

❼ 태학(太學)

태학은 상류 계급의 자제들만이 입학할 수 있는 귀족 학교였다. 소형(小兄) 이상의 관등을 가진 사람이 태학 박사가 되어 교육을 담당하였다.

❽ 5경

『시(詩)』, 『서(書)』, 『역(易)』, 『춘추(春秋)』, 『예기(禮記)』를 가리킨다.

❾ 임신서기석

화랑으로 보이는 두 청년이 『시(詩)』, 『서(書)』, 『예기(禮記)』 등 유교 경전을 공부했다는 사실이 나타나 있다.

❶ 김운경
9세기 초 당의 빈공과에 합격한 최초의 신라인이다. 당에서 벼슬을 했으며, 문성왕 3년(841)에 사신으로 귀국했다.

❷ 강수
6두품 출신이다. 불교를 세외교(일반 사회를 벗어난 가르침)라고 비판하면서 유교를 강조하였다.

❸ 설총
6두품 출신이다. 고려 현종 때 홍유후라는 작호를 받았다.

❹ 「화왕계(花王戒)」
조선 성종 때 편찬된 「동문선」에서는 「풍왕서(諷王書)」라는 제목으로 수록되어 있다.

❺ 최치원
유학자이면서 도교와 불교에 대한 이해도 높았다. 4산 비명을 저술하여 진감선사·낭혜화상·지증대사의 행적과 업적을 다루고 숭복사의 창건 내력을 기록하였다. 고려 시대에는 문창후라는 작호를 받았다.

❻ 「토황소격문」
당나라에서 황소의 난이 일어나자, 최치원은 황소를 격퇴하는 글을 지었다.

❼ 최승우
견훤을 대신하여 고려 태조에게 보내는 외교 문서를 지었다.

❽ 최언위
글씨체가 아름다워 강원도 강릉 보현사의 「낭원대사오진탑비」와 같은 비문을 쓰기도 하였다.

③ **독서삼품과(788, 원성왕 4)**: 원성왕 때 유교 경전의 이해 수준을 평가하여 관리를 등용하기 위해 독서삼품과를 실시하였다. 골품제 때문에 제 기능을 발휘하지 못했지만 유학 보급에 기여하였다.

④ **도당 유학생**: 대부분 6두품 출신으로 당에서 유학하고 돌아온 이들인데, 김운경❶·최치원 등이 있었다.

⑤ **주요 학자**

㉠ **강수❷**: 외교 문서를 잘 지어 신라의 통일 사업을 도왔다. 「답설인귀서」, 「청방인문표」가 유명하다.

㉡ **설총❸**: 원효의 아들로 신문왕에게 「화왕계」❹를 올려 유교적인 도덕 정치를 강조하였다. 더불어 이두를 집대성하여 한문 교육 대중화에 기여하였다.

㉢ **최치원❺**: 당에 건너가 빈공과에 급제하고 문장가로 이름을 떨친 후 귀국하였다. 진성 여왕에게 개혁안인 시무 10여조를 건의하였으나 받아들여지지 않았다. 그 후 은둔 생활을 하면서 뛰어난 문장과 저술을 남겼는데, 그 중 「토황소격문」❻이 실려 있는 「계원필경」은 현존하는 가장 오래된 문집이다.

㉣ **기타**: 6두품 출신의 도당 유학생으로 최승우와 최언위 등이 있다. **최승우❼**는 후백제의 신하가 되었고, **최언위❽**는 왕건을 도와 고려에서 높은 관직에 올랐다.

심화사료 百出

2022. 소방, 2016. 국가직 7급, 2013. 법원직 9급

국학의 설립과 독서삼품과(讀書三品科) 실시

국학은 예부(禮部)에 속하였는데, **신문왕 2년(682)에 설치하였다.** 경덕왕이 대학감(大學監)으로 고쳤으나 혜공왕이 옛 이름대로 하였다. …… 여러 학생은 글을 읽어 세 등급으로 벼슬길에 나아갔는데, 「춘추좌씨전」이나 또는 「예기」, 또는 「문선」을 읽어 능히 그 뜻을 통달하고 아울러 「논어」와 「효경」에도 밝은 자를 상(上)으로 하였고, 「곡례(曲禮)」·「논어」·「효경」을 읽은 자를 중(中)으로 하였고, 「곡례」·「효경」을 읽은 자를 하(下)로 하였으며, ……
– 「삼국사기」

설총의 「화왕계」

어떤 이가 화왕(모란)에게 말하였다. "두 명(장미와 할미꽃)이 왔는데 어느 쪽을 취하고 어느 쪽을 버리시겠습니까?" 화왕이 말하였다. "장부(할미꽃)의 말도 일리가 있지만 어여쁜 여자(장미)는 얻기가 어려운 것이니 이 일을 어떻게 할까?" 장부가 다가서서 말하였다. "저는 대왕이 총명하여 사리를 잘 알 줄 알고 왔더니 지금 보니 그렇지 않군요. ……" 화왕이 대답하였다. "내가 잘못했노라."
– 「삼국사기」

최치원

(최)치원은 …… 나이 12세가 되어 장차 배를 타고 당에 들어가 공부를 하려 할 때 그 아버지가 말하기를 "십 년 안에 과거에 급제하지 못하면 내 아들이 아니니 힘써 공부하라!"라고 하였다. …… 건부 원년 갑오(874)에 예부시랑 배찬 아래에서 한 번 시험을 보아 합격하여 선주(宣州) 율수현위(溧水縣尉)에 임명되었다.
– 「삼국사기」

(4) **발해**

① **주자감**: 발해의 최고 학부로 각종 유교 경전과 한문학을 교육했다.

② **유학 중시**: 유교 덕목인 충, 인, 의, 지, 예, 신을 6부의 명칭으로 삼았다.

③ **문적원**: 국립 도서관으로 도서와 문서를 관장하는 기관이었다.

④ **유학생 파견**: 당나라에 유학생을 파견하였다. 이들은 빈공과에 응시하여 신라인들과 경쟁을 벌였다.

3. 역사서의 편찬

(1) **고구려**: 영양왕 때 이문진이 이전의 『유기』를 간추려 『신집』 5권을 편찬하였는데 전하지 않는다.

(2) **백제**: 4세기 후반 근초고왕 때 박사 고흥을 시켜 『서기』를 편찬했는데 지금은 남아있지 않다.

(3) **신라**: 진흥왕 때 **거칠부**를 시켜 『국사』를 편찬(545)하였는데 지금은 전하지 않는다.

(4) **통일 신라**: 공식적인 역사 편찬의 기록은 없고 개인이 찬술한 역사서들이 있다.
   ① **김대문**: 설화집인 『계림잡전』, 불교 고승들의 전기집인 『고승전』, 화랑들의 전기인 『화랑세기』, 한산 지방의 지리지인 『한산기』 등을 편찬하였다.
   ② **최치원**: 신라 역대 왕의 업적을 정리한 『제왕연대력』을 편찬하였다.

04 천문학·수학·의학

1. 고대의 천문학[9]

(1) **관측 이유**: 천문 현상이 **농경과 밀접한 관련**이 있고, 아울러 **왕의 권위**를 하늘과 연결시켰기 때문에 천체 관측을 중시하였다.

(2) **고구려**: 고구려에서는 별자리를 그린 **천문도**가 만들어졌다. 이는 훗날 조선 태조 때 '천상열차분야지도'의 기본 바탕이 되었다. 고분 벽화에도 별자리 그림이 남아 있는데, 사실적이고 정확하였다.

(3) **신라**: 7세기 선덕 여왕 때 **첨성대**를 세워 천체를 관측하였다. 경덕왕 때 천문박사 1명과 누각박사 6명을 두었다는 기록이 있어 천문학을 담당하는 관리가 존재했음을 알 수 있다.

2. 고대의 수학[10]

(1) **고대 삼국**: 고구려 고분의 구조, 백제의 석탑 등에 수학적 지식이 활용되었다.

(2) **통일 신라**: 석굴암의 석굴 구조나 불국사 3층 석탑(석가탑)과 다보탑 등의 건축에도 정밀한 수학적 지식이 이용되었다.

3. 고대의 의학

중국의 의학을 가장 먼저 접촉한 것은 고구려이다. 백제는 중국 남조와의 교류를 통해 의학적 지식을 교류하였으며, 일본에도 의학 지식을 전파하였다. 신라는 백제나 고구려를 통해 간접적으로 영향을 받았다.

❾ 고대의 천문 기록

우리 민족은 일찍부터 천문 현상을 관측하여 기록하였다. 『삼국사기』에는 일·월식, 혜성의 출현, 기상 이변 등에 관한 관측 기록이 많이 수록되어 있는데, 매우 정확한 기록임이 밝혀지고 있다.

첨성대

❿ 고대의 수학

고대 국가들은 궁궐이나 사찰을 짓는 건축 공사를 많이 했는데, 이 과정에서 수학에 대한 이해가 깊어지게 되었다.

석굴암 본존불의 수학적 비율

일본 호류사에서 발견된 '다라니경' 보다 20여 년 앞서 만들어진 것이다.

고구려의 금동관

황남대총에서 발견된 금동관

목간

해설
(가)는 의상의 행적에 관한 내용이고, (나)는 자장의 활동에 대해 서술하고 있다. ② 의상은 『화엄일승법계도』를 저술하여 화엄 사상의 요체를 제시하였다.
① 원효에 대한 설명이다. ③ 혜초에 대한 설명이다. ④ 고려의 의천이 주장한 내용이다.

정답 ②

05 기술의 발달

1. 목판 인쇄술과 제지술

(1) 무구정광대다라니경❶ : 불국사 3층 석탑에서 발견된 '무구정광대다라니경'은 8세기 초에 만들어진 두루마리 불경으로, 현존하는 세계에서 가장 오래된 목판 인쇄물이다.

(2) 제지술의 발달: 통일 신라에서는 대량으로 불경을 인쇄하기 위해 목판 인쇄술과 질 좋은 종이를 만들 수 있는 제지술이 발달하였다. 무구정광대다라니경에 쓰인 종이는 닥나무로 만든 것으로, 지금까지 보존될 수 있을 만큼 품질이 뛰어나다.

2. 제련 기술

(1) 고구려: 철광석 생산이 풍부하여 일찍부터 철을 다루는 기술이 발달하였다. 품질이 우수한 철제 무기와 도구 등이 출토되었고, 고분 벽화에는 철을 단련하고 수레바퀴를 제작하는 기술자의 모습이 사실적으로 그려져 있다.

(2) 백제
① 칠지도: 4세기 후반에 백제에서 만들어 일본에 보낸 칠지도는 강철로 만들고 금으로 글씨를 상감해 새겨 넣은 것으로, 백제 제철 기술의 우수함을 잘 보여 주고 있다.
② 백제 금동 대향로: 백제의 금속 공예 기술이 매우 뛰어났음을 보여 주는 걸작품이다.

(3) 신라: 신라에서는 금세공 기술이 발달하였다. 신라 고분에서 출토된 금관들은 순금으로 만든 것과 금으로 도금한 것이 있는데, 제작 기법이 뛰어나며 독특한 모양이 돋보인다.

9급 위드 한국사 목간 (木簡)

문서나 편지 등의 글을 나무 또는 대나무 조각에 적은 것으로, 주로 종이가 발명되기 이전에 사용되었다.

1. **좌관대식기 목간(부여)**: 좌관이라는 백제 관리가 농민들에게 곡식을 빌려 준 내용이 적혀 있다. 30%에서 50% 이상의 이자를 받은 사실이 기록되어 있어 삼국 시대의 고리대 현황을 파악할 수 있다.
2. **미륵사지 목간(익산)**: 숫자와 관련된 우리말 표기(일곱 日古里)를 확인할 수 있다.
3. **성산산성 목간(함안)**: 6세기 중반에 작성한 신라 목간이다. 대부분 세금을 바칠 때 짐에 부착한 꼬리표로, 어느 지역에서 누가 세금을 얼마 바쳤는지 적혀 있다.
4. **견고려사 목간(일본)**: 일본이 발해에 파견한 사신을 '견고려사'라 하였다.

대표 기출문제

다음 (가), (나) 승려에 대한 설명으로 옳은 것은?   2022. 국가직 9급

(가) 중국 유학에서 돌아와 부석사를 비롯한 여러 사원을 건립하였으며, 문무왕이 경주에 성곽을 쌓으려 할 때 만류한 일화로 유명하다.
(나) 진골 귀족 출신으로 대국통을 역임하였으며, 선덕 여왕에게 황룡사 9층탑의 건립을 건의하였다.

① (가)는 모든 것이 한마음에서 나온다는 일심 사상을 제시하였다.
② (가)는 『화엄일승법계도』를 만들었다.
③ (나)는 『왕오천축국전』이라는 여행기를 남겼다.
④ (나)는 이론과 실천을 같이 강조하는 교관겸수를 제시하였다.

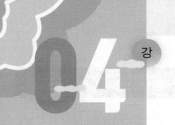

04강 고대인의 자취와 멋

解/法 기출분석

구 분		2008~2017	2018	2019	2020	2021	2022	2023	2024
9급	국가직	고분(2)				• 발해 수도별 유적 • 유네스코 세계 유산	유네스코 세계 유산		백제 문화재 (미륵사)
	지방직	• 고분 • 문화재(경주)							
	법원직	• 고분(3) • 백제 문화재 • 신라 하대 문화							

解法 요람

삼국의 고분

고구려

(국내성): 돌무지무덤
장군총

(후기): 굴식 돌방무덤(이후 보편화)

벽화: 생활풍속도
⇨ 사신도(상징적)

백제

(한성 시대): 돌무지무덤
석촌동 고분

(웅진 시대): 송산리 고분군(1~6호분)
벽돌무덤: 무령왕릉, 송6호

(사비 시대): 능산리 고분군(규모↓, 세련)
+ 금동 대향로

신라

(초기): 돌무지덧널무덤
천마총, 황남대총

(통일 전후): 굴식 돌방무덤
(둘레돌 12지신상)
김유신묘

발해의 고분

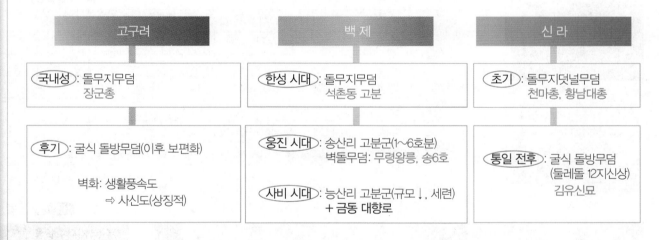

발해

| 정혜 공주 묘 | 굴식 돌방무덤 | 육정산 고분군, **고구려** 영향, 모줄임 천장 구조, 묘지, 돌사자상 |

| 정효 공주 묘 | 벽돌무덤 | 용두산 고분군, **당** 영향, 묘지, 벽화(12명 인물도) |

1. 고구려의 고분

(1) **초기(돌무지무덤)❶** : 고구려는 초기에 돌을 쌓아올린 돌무지무덤을 만들었다. 만주의 집안(지안) 일대에 1만 2,000여 기가 무리를 이루고 있다. 화강암을 계단식으로 7층 가량 쌓아올린 **장군총**이 대표적이다.

장군총

(2) **후기(굴식 돌방무덤)❷**

① **형태 및 보존**: 굴식 돌방무덤은 돌로 널방을 짜고 그 위에 흙으로 덮어 봉분을 만든 것이다. 널방의 **벽과 천장(모줄임 구조)**에는 벽화를 그리기도 하였다.

② **벽화**: 사신도❸·무용·씨름·사냥·생활 풍속 등 다양한 주제의 벽화가 그려져 있다. 초기에는 주로 생활 모습을, 후기에는 사신도 등 상징적인 그림을 많이 그렸다.

❶ 돌무지무덤
석총(石塚)이라고 불리며, 청동기 시대부터 삼국 시대까지 만들어졌다. 이른 시기의 것들은 단순한 돌무지였지만 점차 기단을 만들고 피라미드 형태로 정교하게 돌을 쌓아 올렸다.

❷ 굴식 돌방무덤
돌로 1개 이상의 방을 만들어 앞방과 널방(시신을 넣은 관을 두는 곳)으로 구분하고, 이를 통로로 연결하였다.

❸ 사신도(四神圖)
동서남북을 지키는 도교의 방위신(청룡·백호·현무·주작)으로, 죽은 자의 사후 세계를 지켜준다고 믿었다.

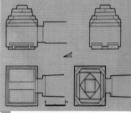
굴식 돌방무덤(모줄임 구조)

❋ **고구려의 고분**

돌무지무덤	장군총	만주의 집안, 돌을 계단식으로 7층으로 쌓음, 화강암으로 테두리를 두름, 벽화는 없음.
	안악 3호분	황해 안악, 미천왕릉이나 고국원왕릉으로 추측, 벽화(고구려 지배층의 생활 모습) 존재
	덕흥리 고분	평남 남포, 벽화(견우직녀도) 존재
	쌍영총	평남 용강, 서역 계통의 영향을 받아 팔각으로 된 두 기둥(쌍영), 벽화(기사도) 존재
굴식 돌방무덤	수산리 고분	평남 남포, 신분에 따라 사람 크기를 달리 그림, 벽화(교예도) 존재
	무용총	만주 집안, 벽화(사냥 그림, 행렬 모습 등) 존재
	각저총	만주 집안(국내성), 벽화(고구려 하층민의 씨름 모습과 별자리 그림) 존재
	강서 고분(대묘)	평남 남포, 널방에는 사신도가, 천장에는 신선 세계가 그려져 있음(도교 영향).

무용총 수렵도

각저총 씨름도

쌍영총 기둥

2. 백제의 고분

(1) 초기 한성 시기(석촌동 계단식 돌무지무덤)

초기 한성 시기에 계단식 돌무지무덤을 만들었는데, 서울 석촌동에 일부가 남아 있다. 이는 백제 건국의 주도 세력이 고구려와 같은 계통이라는 건국 이야기의 내용을 뒷받침하고 있다.

(2) 웅진 시기(송산리 고분군)

① 굴식 돌방무덤: 거대한 규모로 만들어졌다.

② 벽돌무덤: 벽돌무덤은 **중국 남조의 영향**을 받아 묘실을 벽돌로 축조해 만든 것으로, 완전한 형태로 발견된 **무령왕릉**이 유명하다. 송산리 1~5호분은 굴식 돌방무덤이나, 송산리 6호분은 무령왕릉과 같은 벽돌무덤이다. 벽화는 무령왕릉에는 없지만, 송산리 6호분에는 사신도 등이 있다.

석촌동 계단식 돌무지무덤

解法 도움닫기 무령왕릉

1971년 송산리 고분군 배수로 공사 중에 우연히, 거의 완전한 형태로 발견된 무령왕릉은 널길(통로)과 현실(널방, 시체가 있는 방)을 아치형으로 조성한 벽돌무덤(전축분)이었다. 무령왕릉은 중국의 남조의 영향을 받아 연꽃 등 우아하고 화려한 백제 특유의 무늬를 새긴 벽돌로 무덤 내부를 만들었으며, 무덤 주인공이 무령왕과 왕비임을 알려주는 지석이 발견되어 연대를 확실히 파악할 수 있는 고분이다. 시신이 들어 있는 목관의 목재는 일본에서만 나는 금송이었다. 또한 무령왕릉에서 출토된 여러 유물들이 중국, 일본, 가야에서도 출토되어, 무령왕릉이 백제가 중국 남조의 선진 문화를 소화하여 가야나 왜에 전해주는 국제적 지위를 차지하고 있었음을 증명하고 있다.

무령왕릉 내부

무령왕릉 진묘수(석수)

심화사료 百出

2020. 지방직 7급, 2019. 서울시 7급, 2018. 경찰 2차

무령왕릉 지석

영동대장군 백제 사마왕께서 나이가 62세 되는 계묘년(523) 5월 7일에 돌아가셨다. 을사년(525) 8월 12일에 안장하여 대묘(大墓)에 올려 모시며 기록하기를 이와 같이 한다. …… 병오년(526) 11월 백제국왕태비가 천명대로 살다 돌아가셨다. 서쪽의 땅에서 (빈전을 설치하여) 삼년상을 지내고 기유년(529) 2월 12일에 다시 대묘(大墓)로 옮기어 장사지내며 기록하기를 다음과 같이 한다.

(3) 사비 시기(능산리 고분군)

규모는 작지만 세련된 굴식 돌방무덤을 만들었다. 이곳에도 사신도가 그려져 있는데 고구려의 사신도가 힘찬 모습이 특징이라면, 백제의 사신도는 온화한 모습인 것이 특징이다.

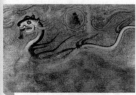

능산리 고분군의 사신도

❀ 백제의 고분

벽돌무덤	무령왕릉	공주 송산리, 중국 남조 양나라 양식, 도교 영향, 석수, 지석, 매지권, 양나라 동전, 금관, 귀고리, 팔찌 등 다량의 유물 출토, **벽화 없음.**
	송산리 6호분	공주 송산리, 벽화(소박한 형태의 사신도, 일월도)
굴식 돌방무덤	능산리 고분	부여 능산리, 1호분에 벽화(연화문, 사신도)

3. 신라의 고분

(1) 통일 이전(돌무지덧널무덤❶ ⇒ 굴식 돌방무덤)

① 초기: 나무로 관을 짜고 그 위에 돌을 얹는 돌무지덧널무덤이 주를 이루었다. 구조적 원인으로 인해 도굴이 어려워 부장품이 많이 남아 있다. 대표적으로 **천마총**, 서봉총, 호우총, 황남대총 등이 있다.

② 통일 직전: 신라 최초의 벽화 고분인 어숙묘가 굴식 돌방무덤으로 만들어졌다.

(2) 통일 이후(규모가 작은 굴식 돌방무덤)

① 변화: 불교의 영향으로 화장이 유행하였다. 고분 양식도 거대한 돌무지덧널무덤에서 점차 **규모가 작은 굴식 돌방무덤**으로 바뀌었다. 그리고 봉토 주위를 **둘레돌**로 두르고, **12지신상을 조각**하는 독특한 양식이 새롭게 나타났는데 **김유신 묘**가 대표적이다.

② 괘릉: 원성왕의 무덤으로 알려져 있다. 12지신상 외에도 문인상과 무인상이 함께 존재한다.

김유신 묘

김유신 묘 둘레돌에 있는 12지신상

괘릉의 무인상

❖ 신라의 고분

신라	돌무지 덧널무덤	경주	천마총	말 배가리개에 그린 천마도, 금관 출토, 벽화 없음.	도굴이 어려워 부장품이 많이 발견
			호우총	광개토 대왕의 명문이 새겨진 호우명 그릇 발견	
			황남대총	금관, 금제 허리띠, 서역 유리병 등 발견	
			서봉총	금관, 금제 과대, 요패 등의 부장품 출토	
	굴식 돌방무덤	영주	어숙묘	통일 직전 등장, 신라 최초의 벽화 고분	
통일 신라	굴식 돌방무덤	경덕왕릉, 흥덕왕릉 괘릉, 김유신 장군 묘		둘레돌에 12지신상 조각, 화장의 유행(문무왕릉)	

4. 발해의 고분

고구려를 계승한 것과 중국의 영향을 받은 고분이 함께 발견되는 것이 특징이다.

(1) 정혜 공주 묘(문왕의 둘째 공주): 중국 길림성 돈화현 육정산 고분군에 위치하였다. 굴식 돌방무덤으로, 모줄임 천장 구조가 고구려 고분과 닮았다. 묘지❷가 출토되었으며 이곳에서 나온 **돌사자상**은 매우 힘차고 생동감이 있다.

(2) 정효 공주 묘(문왕의 넷째 공주): 중국 길림성 화룡현 용두산 고분군에 위치하였다. 당나라의 영향을 받은 **벽돌무덤**으로, 천장은 각을 줄여 쌓는 평행 고임 구조로 되어 있다. 묘지와 **벽화**❸ 등 무덤에서 나온 유물은 발해의 높은 문화 수준을 생생하게 보여 준다.

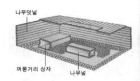
나무덧널 / 꺼묻거리 상자 / 나무널

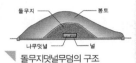
돌무지 / 봉토 / 나무덧널 / 널

▲ 돌무지덧널무덤의 구조

❶ 돌무지덧널무덤

신라에서 주로 만든 무덤이다. 지상이나 지하에 시신과 껴묻거리를 넣은 나무덧널을 설치하고 그 위에 냇돌을 쌓은 다음에 흙으로 덮었다. 구조상 널방이 없어 벽화를 그릴 수 없었다. 무덤 안으로 들어가는 널길이 없었기 때문에 도굴이 어려워 많은 껴묻거리가 그대로 남아 있다.

❷ 묘지(墓誌)

죽은 자의 생애와 가족 관계 등을 기록하여 관과 함께 묻은 유물이다. 돌에 기록하기도 하고, 석관에 기록한 것도 있으며, 조선 시대에는 백자로 만들기도 하였다.

❸ 정효 공주 묘의 벽화

무사·시위·내시·악사 등 12명의 인물도가 그려진 벽화가 발견되었다.

▲ 정혜 공주 묘에서 출토된 돌사자상

2018. 경찰 2차, 2016. 경찰간부, 2016. 기상청 9급

심화사료 百出

발해 정효 공주 비문

무릇 오래 전에 읽었던 『상서』를 돌이켜보건대, 요 임금은 …… 『좌전』을 널리 상세히 보건대, 주나라 천자가 딸을 제나라에 시집보낼 때 …… 어머니로서 갖춘 규범이 아름답고 아름다우면 선인들이 쌓은 은혜가 어찌 무궁하게 전해지지 않으리오……
공주는 우리 **대흥보력효감금륜성법대왕(大興寶曆孝感金輪聖法大王)**의 넷째 딸이다. …… 아아, 공주는 대흥(大興) 56년 (792) 여름 6월 9일 임진일(壬辰日)에 궁 밖에서 사망하니, 나이는 36세였다. 이에 시호를 정효 공주(貞孝公主)라 하였다. ……
황상(皇上)은 조회를 파하고 크게 슬퍼하여, 정침(正寢)에 들어가 자지 않고 음악도 중지시켰다.

---

02 건축과 탑

1. 건축

(1) **고구려**: 가장 규모가 큰 것은 장수왕이 평양에 세운 **안학궁**이다. 궁궐터 한 면의 길이가 620m나 된다. 이후 평원왕 때 평양에 **장안성**을 건립했는데 내성(궁궐), 북성(후방 방위), 중성(행정 기구), 외성(민가)의 4개의 성곽으로 이루어졌다.

(2) **백제**: 부소산성 남쪽의 **관북리 유적**을 백제 왕궁터로 추정하고 있다. 무왕 때 익산 미륵사를 건설했다고 하나 지금은 터만 남아 있다. 또한 이 시기에는 궁남지❹도 조성되었다.

(3) **신라**

① **통일 이전**: 사찰터로 황룡사지가 있다. **황룡사**❺는 진흥왕 대 건립되었고, 선덕 여왕 때 자장의 건의에 따라 9층의 목탑이 건립되었다.

② **통일 이후**: 불교가 융성함에 따라 사원을 많이 축조했는데, 그중 8세기 중엽에 세운 **불국사와 석굴암**이 통일 신라의 사원 건축을 대표한다.

㉠ **불국사**❻: 불국사는 불국토의 이상을 조화와 균형 감각으로 표현한 절이다. 『법화경』의 사바세계, 『무량수경』의 극락 세계, 『화엄경』의 연화장 세계를 형상화하였다.

㉡ **월지(안압지)**: 연못, 인공섬, 구릉과 건물이 매우 자연스럽게 어울리도록 꾸며졌다. 통일 신라의 뛰어난 조경술을 보여 주고 있다.

㉢ **석굴암**❼: 화강암으로 쌓은 **인조 석굴**로, 장방형의 전실과 원형의 후실로 이루어져 있다.

▼ 황룡사 복원도

불국사

고구려 장안성

❹ **궁남지**

무왕 때 조성된 것으로 추정되며, 백제의 조경 수준을 짐작할 수 있다.

❺ **황룡사(皇龍寺)**

진흥왕이 새 궁궐을 짓고자 하였는데, 황룡이 나타나자 궁궐 대신 절을 짓고, 황룡사라 하였다. 황룡사에는 장육존상이 존재했다고 한다.

❻ **불국사**

경덕왕 때 재상 김대성이 전생의 부모를 위해 석불사(석굴암)를, 현생의 부모를 위해 불국사를 지었다고 전해진다. 복잡하고 단순한 좌우 누각의 비대칭은 간소하고 날씬한 불국사 3층 석탑(석가탑), 복잡하고 화려한 다보탑과 어울려 세련된 균형감을 살리고 있다. 정문 돌계단인 청운교와 백운교는 직선과 곡선을 조화시켰다.

❼ **석굴암**

지상의 세계를 상징하는 네모난 전실과 하늘의 세계를 상징하는 둥근 후실로 구성되어 있다. 특히 후실 천정은 돔형으로 돌을 쌓아 올려 역학적인 안정감을 주었다. 석굴암의 본존불과 보살상들은 통일 신라 시대 조각의 최고 경지를 보여 주고 있다.

解法 도움닫기 황룡사의 복원

국립 문화재 연구소와 경주시는 2005년부터 2035년까지 총 30년에 걸쳐서 황룡사 복원 사업을 추진하여 황룡사지 담장 내곽의 사역 중심, 남문지 외곽의 진입 광장 및 신라왕경 주택지를 복원할 예정에 있다. 황룡사의 상징인 황룡사 9층 목탑(높이가 아파트 30층 규모인 80m)은 2027년까지 복원이 완료될 계획에 있으며, 황룡사 부지 중심부에 못을 하나도 사용하지 않는 전통 방식 그대로 건립된다.

● 상경
상경성의 궁성 정문터(오봉루 성문터)는 상경 용천부(영안)에서 발견되었다.

(4) 발해(상경성터): 상경●은 당시 당의 수도인 장안을 본떠 조방(= 바둑판식 구획)을 나누었다. 외성을 쌓고, 남북으로 넓은 주작 대로를 내고, 그 안에 궁궐과 사원을 세웠다. 궁궐 중에는 온돌 장치를 한 것도 발견되었다. 사찰은 높은 단 위에 금당을 짓고 그 좌우에 건물을 배치하였다.

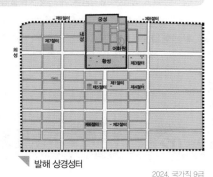
▼ 발해 상경성터

심화사료 百出
2024. 국가직 9급

미륵사지 금제 사리 봉안기

우리 왕후께서는 좌평 사택적덕의 따님으로 지극히 오랜 세월에 선인(善因)을 심어 이번 생에 뛰어난 과보를 받아 만민을 어루만져 기르시고 삼보(三寶)의 동량(棟梁)이 되셨기에 능히 가람(=미륵사)를 세우시고, 기해년 정월 29일에 사리를 받들어 맞이하셨다. 원하옵나니, 영원토록 공양하고 다함이 없이 이 선(善)의 근원을 배양하여, 대왕 폐하의 수명은 산악과 같이 견고하고 치세는 천지와 함께 영구하며, 위로는 정법을 넓히고 아래로는 창생을 교화하게 하소서.

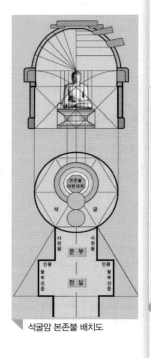
▼ 석굴암 본존불 배치도

9급 위 한국사

미륵사지 석탑 해체 과정에서 등장한 논란

「삼국유사」에는 '즉위 전 무왕이 경주에서 서동요를 아이들에게 퍼뜨려 선화 공주와 결혼했다.'고 기록되어 있으며 '미륵사는 무왕의 왕비인 선화 공주의 발원으로 건립됐다.'라고 기록되어 있다. 그러나 2009년 미륵사지 석탑을 해체하는 중에 발견된 금제 사리 봉안기에서 '좌평 사택적덕의 딸인 백제 왕후가 재물을 희사해서 가람을 창건하고 기해년에 사리를 봉안했다.'라는 기록이 발견되어 서동요 설화의 허구성이 제기된 바 있다.

창왕명석조사리감

부여 능산리 절터에서 발견된 사리감으로, 사리감의 외부에 성왕의 아들인 위덕왕(= 창왕)의 누이가 사리를 공양했다는 내용의 글이 새겨져 있다. 사리를 봉안한 연대와 공양자가 분명하며, 절의 창건 연대가 이 유물에 의해 최초로 밝혀지게 되었다.

▼ 창왕명석조사리감

2. 성곽

삼국 시대에는 방어를 위하여 성곽을 많이 축조하였다. 돌로 쌓은 산성이 대부분이고 지형에 따라 흙으로 쌓기도 했는데, 산의 능선을 자연스럽게 이용하여 쌓은 것이 특징이다.

3. 탑❷

삼국 시대에는 불교의 확산과 함께 부처의 사리를 봉안한 탑도 많이 건립되었다.

(1) 고구려: 고구려는 주로 목탑을 건립했는데, 지금까지 남아 있는 것은 없다.

❷ 탑
본래 부처의 사리를 봉안하기 위해 만든 것이나, 불상이나 불경이 봉안되기도 하였다.

(2) 백제

① 미륵사지 석탑❸ : 미륵사지 석탑은 서탑만 일부가 남아 있는데, **목탑의 모습을 많이 지니고 있다.**

② 정림사지 5층 석탑❹ : 미륵사지 석탑을 계승한 부여 정림사지 5층 석탑은 경쾌하면서도 안정된 모습이다. 미륵사지 석탑보다 단순화된 조형미를 보여 준다.

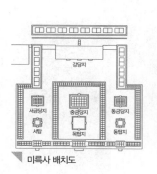
▲ 미륵사 배치도

미륵사지 석탑(전북 익산)

정림사지 5층 석탑(충남 부여)

(3) 신라

① 통일 이전

㉠ 분황사 모전 석탑❺ : 선덕 여왕 때 돌을 벽돌 모양으로 만들어 쌓은 모전 석탑으로, 지금은 3층까지만 남아 있다.

㉡ 황룡사 9층 목탑: 자장의 건의에 따라 백제 기술자 아비지의 지도를 받아 세운 목조탑으로, 몽골의 침입 과정에서 소실되었다.

② 신라 중대: 이중 기단 위에 3층으로 쌓는 전형적인 통일 신라의 석탑 양식을 완성하였다.

분황사 모전 석탑

㉠ 감은사지 3층 석탑❻ : 신문왕은 아버지 문무왕을 위해 감은사를 건립하였다(682). 현재 사찰은 없고 2개의 석탑이 존재하고 있는데, 뛰어난 균형미를 보여 준다.

㉡ 불국사 3층 석탑(석가탑)❼ : 불국사에는 **통일 신라 석탑의 전형**이라 할 수 있는 석가탑이 있다.

㉢ 다보탑: 복잡하면서도 화려한 형태미와 조화된 균형감으로 신라 예술의 정수를 보여 준다.

㉣ 화엄사 4사자 3층 석탑: 화강암으로 만든 석탑으로, 사자 모양의 석상들이 3층의 탑신을 받치고 있는 형태를 취하고 있다.

감은사지 3층 석탑

불국사 3층 석탑

다보탑

화엄사 4사자 3층 석탑

❸ 미륵사지 석탑

석재(돌)를 사용하여 나무로 만든 탑처럼 섬세하게 표현하였다.

❹ 정림사지 5층 석탑

1층 탑신 면에 당의 장수 소정방이 백제 정벌을 기념하여 새긴 '대당평백제국비명(大唐平百濟國碑銘)'이라는 글 때문에 한때 '평제탑'이라고 불렸다. 하지만 절터 발굴 과정에서 '정림사'라는 글귀가 새겨진 기와가 발견되어 정림사지 5층 석탑으로 불리게 되었다.

❺ 분황사 모전 석탑

현재 남아 있는 신라 석탑 가운데 가장 오래된 것이다.

❻ 감은사지 3층 석탑

서탑 해체 수리 과정에서 창건 당시 넣어둔 사리장치가 발견되었다.

❼ 석가탑과 다보탑

불국사 대웅전 앞에 위치한 석가탑과 다보탑은, 각각 석가여래와 다보여래가 땅에서 솟아났다는 불교적 세계관을 반영하고 있다.

▲ 탑의 구조

❶ 영광탑

현재 온전히 남아 있는 유일한 발해의 탑으로, 탑 아래에 무덤칸을 만들고 그곳에 시신을 안치하고 있는 무덤탑의 성격을 띠고 있다.

③ **신라 하대**: 선종 승려들의 사리를 봉안한 **승탑**과 **탑비**가 유행하였다.

    ㉠ **양양 진전사지 3층 석탑**: 석탑의 기단과 탑신 부분에 부조로 불상을 새긴 것으로 유명하다.

    ㉡ **승탑**: 팔각 원당형을 기본형으로 삼고 있는 승탑과, 승려의 일대기를 새긴 탑비는 세련되고 균형감이 뛰어나다. 쌍봉사 철감선사 승탑이 대표적이다.

④ **발해**: 대부분 **벽돌**로 쌓은 전탑으로, **영광탑**❶이 대표적이다.

양양 진전사지 3층 석탑

쌍봉사 철감선사 승탑

발해 영광탑

심화사료 百出　　　　　　　　　　　　　　　　　　　　　2018. 서울시 7급(상), 2017. 지방직 9급(하)

황룡사 9층 목탑 건립 배경

신인이 예를 갖춰 절하고 또 묻기를 "너희 나라는 어떤 어려움에 빠져 있는가?"라고 하니 **자장**이 "우리나라는 북쪽으로 말갈을 연하고 남쪽으로 왜국을 접하고 있고 **고구려와 백제 두 나라가 번갈아 변경을 침범**하여 이웃나라의 침략이 종횡하니 이것이 백성의 걱정입니다."라고 하였다. 신인이 말하기를 "지금 너희 **나라는 여자가 왕이 되어** 덕은 있으나 위엄은 없다. 그러므로 이웃나라가 꾀하는 것이다. 마땅히 속히 본국으로 돌아가라."라고 하였다. 자장이 "본국으로 돌아가면 장차 무엇이 이익이 되겠는가."라고 물으니 신인이 "황룡사 호법룡은 나의 장자로 범왕의 명을 받아 그 절에 가서 호위하고 있으니 본국으로 귀국하여 **절 안에 9층탑을 조성하면 이웃나라가 항복하고** 구한(일본, 오월, 말갈, 예맥 등 **신라의 주변 민족**)이 와서 조공하여 **왕업이 영원히 평안**할 것이다. 탑을 건립한 후에 팔관회를 베풀고 죄인을 사면하면 곧 외적이 해를 가할 수 없을 것이다. …… "라고 하였다. …… 정관 17년 계묘 16일에 당 황제가 하사한 경전·불상·가사·폐백을 가지고 귀국하여 **탑을 건립하는 일을 왕에게 아뢰었다.**

                                                           - 『삼국유사』

불상과 공예

1. 불상

삼국 시대에는 특히 미륵보살 반가상이 많이 만들어졌다. 이 중에서도 탑 모양의 관을 쓰고 있는 금동 미륵보살 반가상과 삼산관을 쓰고 있는 금동 미륵보살 반가상이 널리 알려져 있다.

삼산관(三山冠)을 쓰고 있는 금동 미륵보살 반가상

(1) **고구려**: 연가 7년명 금동 여래 입상이 유명한데, 중국 북조 양식의 영향을 받았다.

(2) **백제**: 백제인의 미소로도 불리는 **서산 마애 삼존불**은 바위 위에 부처 셋을 나란히 조각한 것이다.

(3) **신라**

① **경주 배리 석불 입상**: 통일 이전의 것으로, 일명 **신라의 미소**라 불린다.

② **석굴암 본존불**: 석굴암 주실의 중앙에 있는 본존불은 **균형** 잡힌 모습과 **사실적인** 조각으로 살아 움직이는 느낌을 가지게 한다. 본존불 주위의 보살상을 비롯한 부조들도 매우 **사실적**이다.

(4) **발해**: 고구려 양식을 계승한 것으로 여겨지는 불상이 발굴되었다. 동경 절터에서 발견된 **이불병좌상**은 흙을 구워 만든 것으로, 두 명의 부처가 나란히 앉아 있는 모습을 하고 있다.

연가 7년명 금동 여래 입상
고구려에서 제작했다는 내용이 불상 뒷면에 새겨져 있음.

서산 마애 삼존불

경주 배리 석불 입상

석굴암 본존불

이불병좌상

2. 석등

(1) **통일 신라**: 균형 잡힌 걸작으로 유명한 법주사의 쌍사자 석등과 불국사의 석등 등이 남아 있다.

(2) **발해**: 현무암으로 만들었고 높이가 6m에 이르며, 강하고 힘찬 느낌을 준다.

법주사 쌍사자 석등

발해의 석등

▲ 황남대총에서 출토된 유리병

3. 공예

(1) **삼국 시대**: 고분에서 출토되는 금제 장식이 대부분이다. 특히 신라는 고분에서 옥과 유리 제품이 출토되는데, 이는 서역과 교류가 있었음을 증명하는 자료이다.

(2) **통일 신라**

① **상원사 종**: 성덕왕 때 제작된 것으로 현존하는 가장 오래된 종이다.

② **성덕 대왕 신종(에밀레 종, 봉덕사 종)❶**: 경덕왕이 성덕왕을 기리기 위해 만들기 시작해서 혜공왕 때 완성되었다.

③ **보은 법주사 석련지**: 돌로 만든 연꽃 모양의 연못으로, 세부의 조각 수법이 우수하고 조형도 세련되었다.

④ **만불산❷**: 경덕왕이 당나라 대종에게 선물한 공예품으로, 신라의 공예 기술과 미술적 감각을 살린 최고의 걸작으로 뽑힌다.

(3) **발해**: 벽돌과 기와 무늬는 **고구려의 영향**을 받아 소박하고 힘찬 모습을 띠고 있다.

상원사 동종

성덕 대왕 신종

---

04 회화·글씨·문학·음악

1. 회화와 글씨

(1) **고구려**

① **회화**: 무용총, 각저총 등 대표적인 고분의 벽화들이 유명하다.

② **글씨**: 광개토 대왕릉 비문의 서체는 웅건한 자태를 뽐내고 있다.

▲ 안악 3호분의 벽화

▲ 백제 능산리에서 출토된 연화 무늬

고구려인의 생활상을 볼 수 있는 생활 벽화

무용총의 벽화를 통해 복원한 고구려인의 의상

(2) **백제**: 송산리 6호분의 사신도, 능산리 고분군의 사신도와 연화 무늬 등을 통해 온화한 미를 확인할 수 있다.

(3) 신라

   ① 회화

     ㉠ 천마도: 천마총에서 나온 천마도가 신라의 힘찬 화풍을 잘 보여 주고 있다. 천마도는 말의 배 가리개에 그린 그림으로 자작나무 껍질을 겹쳐서 만들었다.

     ㉡ 솔거: 신라의 대표적인 화가로, 분황사의 관음보살상 등을 그렸다고 한다.

   ② 글씨

     ㉠ 김생❸: 질박하면서도 굳센 신라의 독자적인 서체를 완성했다.

     ㉡ 김인문: 무열왕의 아들로, 그가 쓴 글과 비문이 지금까지 전해지고 있다.

2. 문학

(1) 고구려

   ① 황조가: 고구려 유리왕이 사모하는 여인을 그리워하며 지었다는 4언시이다.

   ② 을지문덕의 5언시: 을지문덕이 수나라 장군 우중문에게 보낸 시이다.

(2) 백제: 「정읍사」❹는 「악학궤범」에 수록되어 현재까지 전해 내려오는 백제 가요이다.

(3) 신라

   ① 회소곡: 신라 여성들의 길쌈 노동을 노래한 것이다.

   ② 향가: 주로 승려나 화랑에 의해 지어졌다. 진성 여왕 때 각간 위홍이 승려 대구와 함께 향가 모음집인 「삼대목」을 편찬하였는데 오늘날 전하지는 않는다. 「삼국유사」의 14수와 「균여전」의 11수만이 오늘날까지 전하고 있다.

(4) 가야(구지가 – 거북이 노래): 주술적인 내용이 담긴 노래로 수로왕 설화와 관련이 있다.

(5) 발해: 문왕 때 양태사가 일본에 사신으로 갔을 때 지은 「밤에 다듬이 소리를 들으며」가 있다.

3. 음악: 음악과 무용은 종교 및 노동과 밀접한 관련이 있다.

(1) 고구려: 고구려 고분 벽화에 사람들이 춤추고 있는 장면이 있는 것으로 보아 고구려 사람들은 춤을 즐긴 것으로 보인다. 고구려의 왕산악은 중국의 칠현금을 개량하여 거문고를 만들었다.

(2) 신라: 백결 선생은 「방아타령」을 지어 가난한 아내를 위로했으며, 옥보고는 거문고에 뛰어나 30여 곡의 거문고 곡조를 지었다고 한다.

(3) 가야: 우륵❺이 만든 가야금과 12악곡이 신라에 전해져 우리 음악 발전에 크게 기여하였다.

(4) 발해: 악기로는 고구려의 거문고를 계승한 발해금이 있었고, 발해의 악기는 송나라의 악기 제작에 영향을 주기도 하였다.

천마도

❸ 김생

이규보는 그의 저서 「동국이상국집」에서 탄연, 유신, 최우와 더불어 김생을 신품 4현이라고 극찬하였다.

❹ 「정읍사」

정읍현에 사는 행상의 아내가 남편이 돌아오지 않자 높은 산에 올라 먼 곳을 바라보며 남편이 혹시 밤길에 위해(危害)를 입지 않을까 하는 마음을 나타낸 노래이다.

▼ 노래하고 연주하는 토우

주로 가야와 신라의 고분에서 출토됨.

❺ 우륵

대가야가 망할 즈음 우륵이 가야금을 가지고 신라로 들어갔다. 신라 진흥왕은 그를 국원(충주)에 안치시키고 계고 등을 보내 그의 업적을 계승하게 하였다.

「황조가」

[유리명왕(瑠璃明王) 3년(B.C. 17)] 겨울 10월에 왕비 송씨(松氏)가 죽었다. 왕이 다시 두 여인에게 장가들어 후실로 하였다. 하나는 화희(禾姬)라고 하는데 골천(鶻川) 사람의 딸이었고, 또 하나는 치희(稚姬)라 하는데 한인(漢人)의 딸이었다. 화희가 치희에게 욕하기를 "너는 한인(漢人) 집의 비첩(婢妾)에 불과한데, 어찌해서 무례함이 심한가?"라고 하였다. 치희가 부끄럽고 분하여 도망쳐 돌아갔다. 왕이 그 말을 듣고 말을 채찍질하여 이를 따라갔으나 치희는 화가 나서 돌아오지 않았다. 왕이 일찍이 나무 밑에서 휴식을 취하다가 꾀꼬리[黃鳥]가 날아와 모여드는 것을 보고, 이에 감상에 젖어 노래하였다.

펄펄 나는 저 꾀꼬리
암수 서로 정답구나
외로울사 이 내 몸은
뉘와 더불어 돌아가랴

– 「삼국사기」

「구지가」

거북아, 거북아	龜何龜何(구하구하)
머리를 내놓아라.	首其現也(수기현야)
만약 내어 놓지 않으면	若不現也(약불현야)
구워서 먹으리.	燔灼而喫也(번작이끽야)

「밤에 다듬이 소리를 들으며」(양태사)

서리 하늘 달 밝은데 은하수 빛나 / 나그네는 돌아갈 생각 깊도다.
긴긴 밤 시름에 겨워 오래 앉아 있노라니 / 홀연 들리는 이웃 아낙의 다듬이 소리
바람결 따라서 끊어질 듯 이어지며 / 밤 깊어 별이 기울도록 잠시도 멎지 않네.
고국을 떠난 후로 저 소리 못 듣더니 / 지금 타향에서 들으니 소리 서로 비슷하네.

05 일본과의 문화 교류

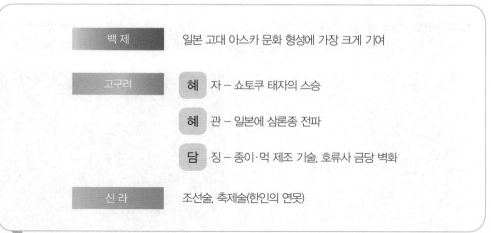

백 제	일본 고대 아스카 문화 형성에 가장 크게 기여

혜 자 – 쇼토쿠 태자의 스승

혜 관 – 일본에 삼론종 전파

담 징 – 종이·먹 제조 기술, 호류사 금당 벽화

신 라	조선술, 축제술(한인의 연못)

고대 문화의 일본 전파

1. 삼국의 문화 전파: 삼국의 문화는 일본에 전파되어 일본 고대 문화 성립과 발전에 큰 영향을 끼쳤다. 특히 삼국 중에서 일본과 가까웠던 백제가 삼국 문화의 일본 전파에 가장 크게 기여하였다.

(1) **고구려**

① **담징**: 7세기 초에 담징은 **종이와 먹의 제조 방법**을 전하였고, 호류사의 금당 벽화를 그렸다고 전해지고 있다.

② **혜자**: 승려 혜자는 **쇼토쿠 태자의 스승**이 되었다.

③ **혜관**: 일본 삼론종의 시조가 되었다.

④ **도현**: 연개소문의 불교 억압에 반발하여 일본으로 건너가 『일본세기』를 저술하였다.

⑤ **다카마쓰 고분 벽화**: 일본 나라 시에서 발견된 다카마쓰 고분 벽화가 **고구려 수산리 벽화 고분과 흡사한 점**에서 고구려의 영향력을 살펴볼 수 있다.

(2) **백제**

① **아직기와 왕인**: 4세기에 아직기는 일본의 태자에게 한자를 가르쳤다. 뒤이어 일본에 건너간 왕인은 『천자문』과 『논어』를 전하고 가르쳤다.

② **단양이와 고안무**: 5경 박사인 단양이와 고안무는 **무령왕** 때 일본에 가서 **유학**을 전파하였다.

③ **노리사치계**: 6세기 성왕 때 노리사치계가 **불경과 불상**을 전하였다.

④ **관륵**: 무왕 때 파견된 관륵은 역(曆), 천문지리, 둔갑방술 등의 책을 전하였다.

⑤ **영향**: 일본에 전래된 백제 문화의 영향을 받아 고류사(광륭사) 미륵보살 반가 사유상, 호류사(법륭사) 백제 관음상 등이 제작되었다.

(3) **신라**: 배 만드는 기술과 제방 쌓는 기술을 전해 주어 '한인의 연못'이라는 이름까지 생기게 되었다.

(4) **영향**: 삼국의 문화는 야마토 조정의 성립(6세기경)과 아스카 문화❶의 형성에 큰 영향을 끼쳤다.

수산리 고분 벽화(고구려)

다카마쓰 고분 벽화(일본)

일본 국보 1호
목조 미륵보살 반가상

❶ 아스카 문화
일본 나라의 아스카 지방을 중심으로 발전하였던 고대 일본 문화이다. 6세기 중반 이후 한반도로부터 전래된 불교 문화를 중심으로 7세기 전반에 융성하였다.

❶ 하쿠호 문화

7세기 후반에 발달한 일본의 고대 문화로, 당과 통일 신라의 영향을 많이 받았다. 불상, 가람 배치, 탑, 율령과 정치 제도에서 신라의 불교와 유교의 영향이 컸다.

2. 통일 신라의 문화 전파: 통일 신라 문화의 전파는 일본에서 파견해 온 사신 등을 통해서 이뤄졌다.

(1) **문화의 전파**: 원효, 설총이 발전시킨 불교와 유교 문화는 일본 하쿠호 문화❶의 성립에 기여하였다.

(2) **화엄 사상의 전파**: 심상에 의하여 전해진 화엄 사상은 일본 화엄종을 개창시켰다.

3. 발해의 문화 전파: 발해는 일본에 양태사, 왕효렴 등 유명한 문인을 사신으로 파견하였으며, 장경선명력, 불경 등을 전해 주었다. 일본은 장경선명력을 신력이라 하였으며, 861년부터 사용하였다.

고대 문화의 일본 전파

호류사 금당 벽화(복원도)

사마르칸트 지역 아프라시압 궁전 벽화의 고구려 사신 복원도

머리에 깃털을 꽂고 있는 오른쪽 두 사람이 고구려 사신이다.

06 중앙아시아 및 이슬람 세계와의 문화 교류

1. 고구려: 쌍영총의 무덤 양식, 각저총의 씨름도, 우즈베키스탄 아프라시압 궁전 벽화 등을 통해 고구려와 서역과의 교류를 알 수 있다.

2. 신라: 황남대총에서 출토된 유리잔과 백인이 새겨진 유리구슬, 경주 계림로 보검 등을 통하여 신라와 서역과의 교류를 짐작해볼 수 있다.

경주 계림로 보검

해설

③ 계단식 돌무지무덤은 서울 석촌동 고분군에서 발견되었다. 부여 능산리 고분군에서는 규모는 작지만 세련된 굴식 돌방무덤이 발견되고 있다.
① 백제의 미륵사지 석탑은 목탑의 모습을 많이 지니고 있다. ② 정림사지에는 미륵사지 석탑을 계승한 정림사지 5층 석탑이 있다. ④ 무령왕릉에는 무덤 주인공이 무령왕과 왕비임을 알려 주는 지석이 발견되었다.

정답 ③

대표 기출문제

우리나라 유네스코 세계 유산에 대한 설명으로 옳지 않은 것은?   2022. 국가직 9급

① 미륵사지에는 목탑 양식의 석탑이 있다.
② 정림사지에는 백제의 5층 석탑이 남아 있다.
③ 능산리 고분군에는 계단식 돌무지무덤이 있다.
④ 무령왕릉에는 무덤 주인공을 알려 주는 지석이 있었다.

PART

3

중세 사회의
발전

1 중세의 정치적 변천

CHAPTER

제3막 중세 사회의 발전 〈역·사·횡·단〉

解·法·기·출·진·맥

9급 국가직

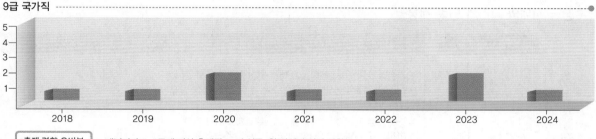

출제 경향 오버뷰　매년마다 1~2문제 이상 출제됨. 고려 성종, 원 간섭기 정치 상황

9급 지방직

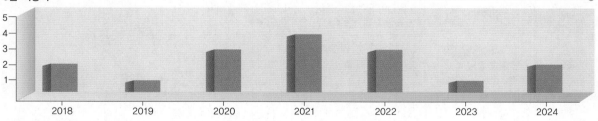

출제 경향 오버뷰　거의 매년마다 1~3문제 이상 출제됨. 광종, 대외 관계, 무신 정권, 원 간섭기 정치 상황

9급 법원직

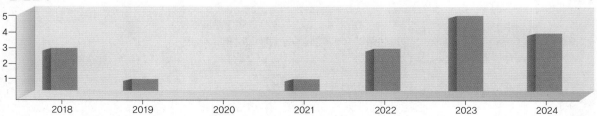

출제 경향 오버뷰　거의 매년마다 꾸준히 출제되고 있음. 광종, 성종, 대외 관계, 고려 중기의 국왕

중세 사회의 성립

01강

解/法 기출분석

구분		2008~2017	2018	2019	2020	2021	2022	2023	2024
9급	국가직								
	지방직	후삼국 시대							
	법원직	후삼국 통일				후삼국 통일			

후삼국 시대와 고려의 민족 재통일

	사 건	내 용
900	후백제 건국	• 견훤이 호족, 군사 세력을 토대로 완산주(전주)에서 건국 • 신라에 적대적, 농민에 과중한 조세 수취, 호족 포섭 실패
901	후고구려 건국	• 궁예가 초적, 호족 세력을 토대로 송악(개성)에서 건국 • 마진[904, 철원 천도(905)], 태봉(911) 등 잦은 국호 변경 • 미륵 신앙을 이용해 전제 정치 도모
918	고려 건국	• 왕건이 궁예를 축출하고 건국, 고구려 계승 의식 • 국호: 고려, 연호: 천수, 송악 천도(919)
926	발해 멸망	거란족에 의해 멸망, 발해의 유민 고려로 망명
927	공산 전투	고려가 후백제에 크게 패함(견훤이 신라를 공격하여 경애왕 죽임).
930	고창 전투	고려가 후백제에 승리하고 이를 계기로 주도권 장악
935	신라 멸망	신라 경순왕의 고려 투항(경순왕 김부: 고려 최초 사심관)
936	후백제 멸망	후백제 지배층의 내분
	고려의 통일	선산(일리천) 전투에서 고려가 승리함으로써 후삼국 통일

Now Event ▶▶
- 900 후백제 건국
- 901 후고구려 건국
- 916 요 건국
- 918 왕건, 고려 건국
- 926 발해 멸망
- 927 견훤, 신라 경애왕 살해
- 935 신라 멸망
- 936 고려, 후삼국 통일
- 946 거란, 요로 국호 변경
- 956 노비안검법 실시
- 958 과거 제도 실시
- 976 전시과 실시
- 992 국자감 설치

1392~1420 후일 ▶▶
- 1392 고려 멸망, 조선 건국
- 1402 호패법 실시
- 1420 집현전 확장

01 후삼국의 성립

1. 후백제(900~936)[1]

(1) 건국: 견훤은 전라도 지방의 군사력과 호족 세력을 토대로 성장하였다. 이후 **완산주(전주)**에 도읍을 정하고 후백제를 세웠다(900). 중국과 외교 관계를 맺고 오월, 거란, 일본 등에 외교 사절을 파견하였다.

(2) 한계: 견훤은 **신라에 적대적**이었고, 호족을 포섭하는 데 실패하였다. 또한 농민에게 지나치게 조세를 수취하여 민심을 잃었다.

2. 후고구려(901~918)[2]

(1) 건국: 궁예[3]는 한때 북원(원주) 지방의 도적인 양길의 부하로 있었다. 점차 세력을 키워 자립하여 강원도·경기도 일대를 장악하였다. 이후 **송악(개성)**에 도읍을 정하고 후고구려를 세웠다(901).

(2) 체제 정비: 국호를 마진으로 바꾼 궁예는 이듬해에 도읍을 철원으로 옮겼으며, 이후 국호를 다시 **태봉**으로 바꾸었다. 그는 **독자적인 연호를 사용**하면서 황제국 체제를 지향하였다. 그리고 국정을 총괄하는 **광평성**과 순군부 등 여러 관서를 설치하였으며, 9관등제를 실시하였다.

(3) 한계: 궁예는 **미륵 신앙을 이용하여 전제 정치를 도모**하였다. 또한 죄없는 관료와 장군을 살해하는 등 실정을 거듭하여 신하들에 의해 축출되었다.

3. 신라의 위축

후백제·후고구려의 성립 이후 경주 일대를 중심으로 겨우 명맥만 유지하였다.

02 고려의 건국과 민족의 재통일

1. 왕건의 등장과 고려 건국

(1) **왕건**[4]의 등장: 호족 출신인 왕건은 혈구진·패강진 등의 호족 세력을 기반으로 삼아 성장하였다. 궁예의 신하로 있으면서, 나주와 진도 등 서남해 지방에서 큰 전공을 세웠다.

(2) 고려 건국(918): 궁예를 몰아낸 뒤 신하들의 추대를 받아 왕위에 올랐다. 국호를 고려[5]라 하고 자신의 세력 근거지였던 **송악**으로 도읍을 옮겼다(919).

---

❶ 후백제의 세력 범위

차령산맥 이남의 충청도와 전라도 지역을 차지하였다. 이 지역의 우세한 경제력을 토대로 군사적 우위를 확보할 수 있었다.

❷ 후고구려의 세력 범위

궁예는 황해도 지역까지 세력을 넓혔다. 이후 한강 유역을 차지한 다음 경상북도 상주 일대로 세력을 확장하였다.

❸ 궁예

궁예는 신라 왕족 출신으로 태어나자마자 버림받았다. 부석사에 있던 신라 왕의 초상화를 칼로 훼손하는 등 반(反)신라 감정이 강하였다.

✎ 후고구려의 국호 및 연호의 변천

연도	국호	연호
901	후고구려	
904	마진	무태
905		성책
911	태봉	수덕만세
914		정개

❹ 왕건

송악(개성)의 호족 출신으로, 궁예의 부하가 되었다. 한강 유역을 점령하였고 903년 수군을 이끌고 금성(나주)을 점령하여 후백제를 배후에서 견제하는 등 많은 전공을 세워 수상인 시중이 되었다.

❺ 고려 국호의 의미

왕건은 고려라는 국호를 통해 옛 고구려 지역의 회복을 표방하였다. 이는 발해 유민의 흡수에도 유리하게 작용하였다.

2. 왕건의 정책

(1) **대내**: 각 지역의 호족과 선종 승려들을 포섭하는 한편, 세금을 줄여 민심을 얻었다.

(2) **대외**: 신라에 우호적인 정책을 펼쳐 후백제의 침입을 받은 신라에 구원병을 보냈다. 또한 중국의 여러 나라와 외교 관계를 맺어 대외 정세를 안정시켰다. 926년 발해가 거란에 멸망당하자 발해 유민을 대대적으로 **포용**[1]하였다.

3. 후삼국의 통일

(1) **공산 전투(927)**: 927년 견훤은 신라의 금성(경주)을 습격하여 경애왕을 죽이고 경순왕을 즉위시켰다. 왕건은 신라를 돕기 위해 출전했지만, 대구 부근의 공산에서 패배하였다. 이를 계기로 고려와 신라의 친선 관계는 강화되었다.

(2) **고창 전투(930)**: 고려는 고창(안동) 전투에서 후백제에게 대승을 거두었다. 이후 경상도 일대의 호족들이 왕건에게 복종했으며, 고려는 후백제와의 경쟁에서 우위에 서게 되었다.

(3) **견훤의 투항(935)**: 견훤의 아들인 신검과 금강이 왕위 계승을 둘러싸고 다툼을 벌였다. 신검은 견훤을 금산사에 가두고, 스스로 왕이 되었다. 이후 견훤은 금산사를 탈출하여 고려에 투항하였다.

(4) **신라의 멸망(935)**: 중앙 정치 문란과 지방 통제 기능 상실, 후백제의 잦은 침략[2] 등으로 인해 국가 유지가 어려워지자, 신라 **경순왕이 고려에 자진 항복**하였다. 이를 통해 고려는 신라의 전통과 권위를 계승하여 **정통성을 확보**할 수 있었다.

(5) **후백제의 멸망(936)**: 왕건은 후백제군을 **일리천 전투**에서 격파하였다. 당시 후백제의 왕이었던 신검의 항복을 받아 후삼국 통일(936)을 완성하였다.

고려의 민족 재통일

(지도 내 표기)
발해 유민의 포용
안북부(안주) / 화주(영흥)
서경(평양)
고 려
고려 건국(918)
송악(개성)
철원
북원(원주)
송악(개성) 천도(919)
황 해
동 해
울릉도
신 라
금성(경주)
후백제 멸망(936)
후백제
완산주(전주)
신라 항복(935)
견훤의 귀순(935)
무진주(광주) / 강주(진주)
금성(나주)
건국 전 왕건의 점령지
탐라
▢ 고려 건국 최초 영토
▢ 태조 북진 후의 영토

❶ **고려의 발해 유민 포용**
934년에는 발해의 왕자 대광현이 많은 유민들을 이끌고 망명해왔다.

❷ **후백제의 신라 공격**
후백제는 901년 대야성을 공격했으며 이후에도 계속하여 신라의 여러 성을 빼앗았다.

❸ **견훤의 귀순**
견훤은 왕위를 넷째 아들 금강에게 물려주려 하였다. 그러나 장남인 신검은 견훤을 금산사에 유폐하고, 금강을 살해하였다. 이후 금산사를 탈출한 견훤은 고려의 영토인 나주를 거쳐 고려에 귀순하였다. 견훤은 후삼국 통일 직후 병으로 사망하였다.

심화사료 百出

견훤의 귀순[3]

견훤이 막내아들 능예, 딸 애복, 애첩 고비 등을 데리고 나주로 달려와서 고려에 들어가기를 청하였다. 태조가 장군 유금필, 만세(태조의 사촌 동생) 등을 보내 전함 40여 척을 가지고 바닷길로 가서 견훤을 맞이하게 하였다. 견훤이 들어오자 태조는 다시 그를 상부(尙父: 아버지처럼 높다는 뜻)라고 불렀으며, 남쪽 궁궐을 주고 지위는 모든 관리의 위에 있게 하고 양주를 식읍으로 주었다. 또한, 금과 은을 주고 노비 40명과 10필의 말을 주었다.

– 「고려사」

❖ **중세 사회의 성립**

구분	신라	고려
지배 세력	진골 중심 귀족	호족(문벌 귀족), 6두품 출신
정치 제도	골품제에 기초한 폐쇄적 정치 구조	유교 정치 이념에 입각한 통치 체제 정비
사회	폐쇄적(골품제)	비교적 개방적(과거제)
사상·종교	불교 중심	유교와 불교의 공존
문화 발달	수도(경주) 중심의 귀족 문화	중앙 귀족 문화와 지방 문화 공존

02강 정치 구조의 정비

제1장 중세의 정치적 변천

 解/法 기출분석

구 분		2008~2017	2018	2019	2020	2021	2022	2023	2024
9급	국가직	시무 28조					성종		
	지방직	• 정치 제도(3) • 지방 제도(3)	문·무산계	태조	광종	식목도감	광종		성종
	법원직	• 왕권 강화 정책 • 광종(3) • 시무 28조 • 중앙 정치 조직(3)	• 중앙 정치 조직 • 고려 전기의 국왕					• 태조 • 성종 • 통치 제도	• 태조 • 고려 전기의 국왕 • 대간

解法
요람

중세 시대사 개관

	태조	광종	성종	현종 문종	숙종	예종 인종	정중부 경대승 이의민 최충헌 최우		충렬 충선	충목 공민	우왕
	918					1170		1270			1388(위화도 회군)

지배층	호족(초기)	문벌 귀족(중기)	무신	권문세족(후기)	신진 사대부(말기)
특징	자주적	보수적	기존 질서 붕괴 (-) 사회 동요 ↑ (+) 능력 중시, 관료 사회	자주권 상실	보수 vs 개혁
외교	북진 정책 거란(요): 강경책	여진 ⇒ 금 별무반(윤관) 사대 요구 수용 동북 9성 ↳ 북진 정책 좌절	몽골: 대몽 항쟁	원 ⇒ 내정 간섭	이민족 침입 (홍건적, 왜구)
유학	독자적 (최승로)	보수적, 사대적 (최충, 김부식)	유학 쇠퇴	성리학 수용 (안향)	성리학 ↑ (이색, 정몽주, 정도전)
역사	자주적 『7대 실록』	보수적 『삼국사기』 김부식	자주적 『동명왕편』 이규보	자주적 『삼국유사』 일연 『제왕운기』 이승휴	성리학적 사관 『사략』 이제현

1. 통치 체제의 정비

(1) 호족 세력 통합 및 견제

① 혼인 정책과 사성 정책: 태조는 각 지역 호족의 딸들과 혼인하여 결속을 강화하였다. 또한 유력 호족들에게 '왕'씨 성을 하사하였다.

② 공신 정책: 건국 과정에서 공을 세운 이들을 공신으로 책봉하고 논공행상에 따라 **역분전**을 하사하였다. 또한 본관제를 실시 **❶**하였다.

③ 사심관 제도 **❷**: 신라 경순왕 김부를 시작으로 개경에 거주하는 고관들을 출신 지역의 사심관으로 임명하였다. 이들은 부호장 이하의 관직 등에 관한 사무를 맡아보면서 해당 지역을 관리하였다.

④ 기인 제도 **❸**: 호족의 자제를 볼모로 삼아 수도에 두고 출신 지역의 일을 자문하게 한 제도이다.

(2) 정치 제도 정비: 태봉의 관제를 중심으로 신라와 중국의 제도를 참고하여 정치 제도를 정비하였다.

(3) 정책 방향 제시

① 훈요 10조: 태조는 말년에 '훈요 10조'를 남겨 후대의 왕들이 지켜야 할 정책의 기본 방향을 제시하였다.

② 『정계』와 『계백료서』: 태조는 『정계』와 『계백료서』를 지어 신하들이 지켜야 할 규범을 제시하였으나 현재 전하지 않는다.

2. 민생 안정책 **❹**

(1) 취민유도: 세율을 10분의 1로 낮추었으며, 호족들의 지나친 수취를 금지시켰다.

(2) 흑창 설치: 빈민 구제 기구로 진대법을 계승한 흑창을 설치하였다.

3. 북진 정책

(1) 고구려 계승: 태조는 고구려 계승을 표방하여 **국호를 고려**, 연호는 천수라 하였다. 또한, 북진 정책을 추진하여 고구려의 옛 땅을 회복하고자 하였다. 이에 따라 고구려의 옛 수도인 평양을 **서경**으로 삼아 중시했으며, **청천강에서 영흥 지방(만)까지 영토를 넓혔다.**

(2) 거란과의 관계 **❺**: 거란은 낙타 50필을 보내 친선 관계를 맺고자 했으나, 태조는 발해를 멸망시킨 거란을 적대시하였다. 거란의 사신들을 섬으로 유배보내고, 낙타를 만부교 아래에서 굶겨 죽였다(만부교 사건).

(3) 발해 유민의 포섭: 발해 왕족인 대광현이 망명하자 왕계라는 이름을 하사하고 관직을 제수하였다.

4. 숭불 정책

태조는 훈요 10조에서 **불교를 숭상할 것**과 **팔관회·연등회** 등 행사를 개최할 것을 당부하였다.

---

❶ 본관제 실시

각 지역의 유력자(호족)들에게 본관과 성씨를 가지게 하여 그 지역의 실질적인 지배자임을 공인해 주었다.

❷ 사심관 제도

충숙왕 때 폐지되었다. 조선의 경재소와 유향소는 이 제도에서 분화된 것이다.

❸ 기인 제도

통일 신라 시대의 상수리 제도를 계승한 것이다. 점차 그 기능이 약화되어 몽골 침입 이후 천역으로 인식되었다.

❹ 노비 해방

후삼국의 통일 과정에서 억울하게 노비가 된 농민들을 해방시켰다.

❺ 대거란 강경책

태조는 '거란은 발해와의 옛 동맹을 저버리고 하루아침에 발해를 쳐서 멸망시킨 무도한 나라이므로 교류할 수 없다'고 하면서 거란과의 친선을 거부하였다.

심화사료 百出

2024. 법원직 9급, 2023. 법원직 9급, 2021. 지방직 9급, 2019. 지방직 9급, 2018. 법원직 9급, 2014. 국가직 7급, 2012. 경찰 3차

정략 결혼❻과 사성(賜姓) 정책

- 신성왕태후(神成王太后) 김씨는 신라인 잡간 억렴의 딸이다. 신라왕 김부가 사신을 보내어 항복하기를 청하니 태조가 이를 후히 대접하고 돌아가 왕에게 고하라 하며 이르기를, "지금 왕이 나라를 과인에게 주니 그 줌이 크도다. 바라건대 종실과 결혼하여 사위와 장인의 친분을 길이 하고자 하노라." 하니 김부가 회보하기를, "우리 백부 억렴에게 딸이 있어 용모가 두루 아름다운지라 이 딸이 아니면 내정을 고루 갖출 수 없을 것이다." 하므로 태조가 이를 취하여 안종을 낳았다.
  – 「고려사」 권 88, 열전 1, 후비 1, 신성왕태후 김씨

- 왕순식(王順式)은 명주 사람으로 본주 장군이 되어 …… 뒤에 자제와 더불어 무리를 거느리고 와서 협력할 뜻을 보이니 태조가 왕씨 성을 하사하고 대광 벼슬을 내렸다. …… 태조가 신검을 토벌할 때 순식은 명주에서 자기 병사들을 거느리고 참전하였다.
  – 「고려사」 권 92, 열전 5, 왕순식

사심관 제도

태조 18년 **신라왕 김부가 와서 항복하였다.** 이에 신라국을 없애고 경주라 하였다. **김부를 경주의 사심관으로 임명**하여 부호장 (副戶長) 이하 관직 등에 관한 일을 맡게 하였다. 이에 모든 공신들이 이를 본받아 각기 자기 주의 사심관이 되었다. **사심관은 여기에서 비롯하였다.**
  – 「고려사」 권 75, 지 29, 선거 3, 사심관조

기인 제도

기인(其人)은 국초에 **향리의 자제를 뽑아 서울에서 인질을 삼고** 또 해당 지방의 일과 그에 대한 고문(顧問)에 대비토록 했는데 이를 기인이라 하였다.
  – 「고려사」 권 75, 지 29, 선거 3, 사심관조

태조의 훈요 10조

짐은 평범한 가문 출신으로 분에 넘치게 사람들의 추대를 받아 왕위에 올랐다. 재위 19년 만에 삼한을 통일하였고, 이제 왕위에 오른 지도 25년이 되었다. 몸이 이미 늙어지니, 후손들이 사사로운 인정과 욕심을 함부로 부려 나라의 기강을 어지럽게 할까 크게 걱정이 된다. 이에 '**훈요**'를 지어 후대의 왕들에게 전하고자 하니, 바라건대 아침 저녁으로 펼쳐 보아 영원토록 귀감으로 삼을지어다.

1. 우리나라의 대업은 부처님 덕분이니, 교·선의 사원을 창건하도록 하라.
   └ 불교를 숭상하면서 타락하지 않도록 경계할 것
2. 모든 사원은 다 도선이 산수의 순역을 가려서 개창한 것이니, 함부로 사원을 지어 지덕을 손상시키지 말라.
   └ 풍수지리설 중시
3. 왕위 계승은 적자·적손을 원칙으로 할 것
4. 중국의 제도와 꼭 같게 할 필요는 없으며, 거란과 같은 야만국의 풍속을 본받지 말 것
   └ 거란 배격
5. 서경은 수덕이 순조로워 우리나라 지맥의 근본이니 후세의 왕들이여, 100일간 그곳에서 머물라.
   └ 풍수지리설 중시, 북진 정책, 서경 중시(서경에 왕실의 세력 기반을 구축하려는 의도가 반영)
6. 연등, 팔관의 주신은 가감하지 말 것
   └ 연등회, 팔관회 중시
7. 소인을 멀리하고, 현인과 친하며, 조세를 가볍게 하고, 상벌을 공평히 할 것
   └ 유교 정치 사상의 입장에서 덕치와 애민을 강조
8. 차현 이남의 인물을 등용하지 말 것
9. 관리의 녹봉은 그 직무에 따라 제정할 것
10. 경사를 널리 읽어 고인의 말을 거울 삼을 것
  – 「고려사」 권 2, 세가 2, 태조 26년

❻ 정략 결혼

왕건은 중요 지역의 유력한 호족의 딸들과 혼인을 하였는데 혜종과 정종·광종의 모후는 각각 나주와 충주를 세력 기반으로 하고 있었다.

태조 왕건 청동상
(개경 현릉 부근에서 출토)

황제가 착용하는 통천관을 쓰고 있다. 고려는 왕건이 개창한 이래 황제국을 칭하고 있으며, 주변 나라들도 고려를 황제의 나라로 인식하였다. 금이 고려에 보낸 국서에 보면 '고려국 황제'라는 표현을 썼다.

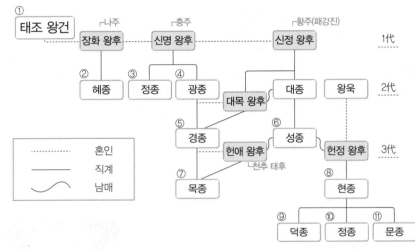

태조	정주 유씨(신혜 왕후)	– 소생 없음.
	나주 오씨(장화 왕후)	– 무(혜종) ⇐ 왕규
	충주 유씨(신명 왕후)	┌ 요(정종) ⇐ 왕식렴(서경 기반) └ 소(광종) – 주(경종) – 송(목종)
	황주 황보씨(신정 왕후)	– 욱 – 치(성종)
	…	…

왕건의 혼인 정책

---

02 혜종~정종

● 혜종

어머니인 장화 왕후 오씨의 세력이 약했기 때문에 정치적 기반이 불안정하였다. 이에 따라 혜종의 재위 기간 내내 혜종에 대한 암살 시도와 왕위에 대한 위협이 계속되었다.

● 광군

947년 거란군의 침입에 대비하여 조직된 특수 군대이다. 이를 통제하는 관서로 광군사를 두었다. 현종 때 주현군으로 개편되었다.

● 광학보(廣學寶)

불교의 가르침을 배우는 사람들을 위하여 설치한 장학 기관이다.

1. 혜종(943~945)●

(1) **혼인 정책의 부작용**: 태조가 죽은 뒤에 호족들은 왕자들의 배후 세력이 되어 정권 쟁탈전을 벌였고, 왕권은 불안정하였다.

(2) **왕규의 난 발생(945)**: 외척인 왕규가 자신의 외손자인 광주원군을 옹립하려 하였다. 이에 서경의 왕식렴과 결탁한 왕의 동생 요(정종)가 왕규를 제거하고 왕위에 올랐다.

2. 정종(945~949)

(1) **서경 천도 계획**: 왕식렴이 있는 서경으로 천도하고자 하였으나 실패하였다.

(2) **광군 조직(947)**: 서경의 입지를 강화하고 거란의 침입에 대비하기 위해 광군● 30만을 조직하였다.

(3) **광학보 설치**: 불교를 장려할 목적으로 광학보●를 설치하였다.

03 광종(949~975) ★★

1. 전제 왕권의 강화: 정종의 친아우 소가 즉위하여 4대 국왕 광종이 되었다.

(1) **호족 견제**: 대상 준홍과 좌승 왕동을 비롯한 공신 세력을 숙청하여 왕권을 강화하였다.

   ① **노비안검법(956)**: 불법적으로 노비가 된 자들을 조사하여 양인으로 해방하였다. 이를 통해 **호족의 세력을 약화**시키고 **국가의 수입 기반을 확대**하였다.

   ② **과거제 실시(958)**: 쌍기**❹**의 건의로 실시하였다. 공신의 우선 등용을 막고, 유학을 공부한 인재를 관리로 선발하였다. 국왕에게 충성할 새로운 인물을 뽑아 **신·구 세력의 교체**를 추진한 것이다.

(2) **칭제건원**: 광종은 자신을 **황제**라 부르게 하고, **광덕·준풍** 등 독자적인 연호를 사용하였다. 또한 개경을 황도, 서경을 서도라 하였다. 이 같은 정책들을 통해 외왕내제**❺** 체제를 구축하였다.

(3) **공복 제정(960)❻**: 지배층의 위계 질서를 확립하기 위하여 공복을 제정하였다(자·단·비·녹).

(4) **송과의 수교(962)❼**: 5대 10국을 통일한 송과 외교 관계를 맺고 선진 문물을 수입하였다.

2. 사회·문화 정책

(1) **제위보 설치**: 기금을 마련한 뒤 그 이자로 행려자나 빈민을 구제하였다.

(2) **불교의 장려**: 국사·왕사 제도**❽**를 정비하고 승과를 실시하였다. 또한 **귀법사를 창건**하고, 균여를 귀법사의 주지로 삼아 불교 사상의 통합을 추진하였다.

❹ 쌍기

중국 후주(後周) 출신으로 사신으로 고려에 왔다가 귀화하였다. 광종은 그의 건의에 따라 과거제를 실시하였다.

❺ 외왕내제(外王內帝)

대외적으로는 국왕의 호칭을 사용하면서 내부적으로는 황제의 제도를 취한 형태를 말한다.

❻ 백관의 공복 제정

광종은 백관의 공복을 관등에 따라 달리하는 4색 공복제[자(紫), 단(丹), 비(緋), 녹(綠)]를 정하였다.

❼ 송과의 수교

송나라와 수교한 이후, 광종 말기에는 송의 연호를 사용하였다.

❽ 국사·왕사 제도

시행은 태조 때부터로 보이지만, 제도적으로 정착된 것은 광종 때이다.

심화사료 百出   24. 법원직 9급, 22. 지방직 9급, 20. 국가직 7급, 20. 법원직 9급, 19. 경찰 2차, 18. 지방직 7급, 15. 서울시 9급, 13. 서울시 9급, 12. 법원직 9급

고려 광종

휘(諱)는 소(昭), 자(字)는 일화(日華)이니 **정종의 동생**으로 태조 8년(925) 을유일에 태어났다. 치세 초반에는 신하에게 예를 갖추어 대우하고 송사를 처리하는 데 현명하였다. **빈민을 구휼하고, 유학을 중히 여기며, 노비를 조사하여 풀어 주었다.** 밤낮으로 부지런하여 거의 태평의 정치를 이루었다. **중반 이후로는 신하를 많이 죽이고 불법(佛法)을 지나치게 좋아하여 절도가 없이 사치스러웠다.** 재위 기간은 26년이며 51세까지 살았다.   – 「고려사절요」 권 2, 광종 대성대왕

광종의 공신 세력 숙청

평농서사 권신(權信)이 대상(大相) 준홍(俊弘)과 좌승(佐丞) 왕동(王同) 등이 반역을 꾀한다고 참소하자 왕이 이들을 내쫓았다.   – 「고려사」, 세가, 광종

노비안검법

우리 태조가 창업한 초기에 여러 신하 중 본래 노비를 소유하고 있던 자를 제외하고는 본래 없는 자들이 혹은 종군하다가 포로를 잡아 노비로 삼기도 하고, 혹은 재물로 노비를 사기도 하였습니다. …… **광종 때에 이르러 비로소 노비를 심사하여 그 시비를 분간케 하였습니다.** 그리하여 천한 노예들이 뜻을 얻어 존귀한 사람을 능욕하고, 다투어 허위 사실을 날조하여 본 주인을 모함한 자가 헤아릴 수 없었습니다.   – 「고려사절요」

과거제의 실시

왕이 쌍기를 등용한 것을 옛 글대로 현인을 발탁함에 제한을 두지 않은 것이라 평가할 수 있을까. 쌍기가 인품이 있었다면 왕이 참소를 믿어 형벌을 남발하는 것을 왜 막지 못했는가. **과거를 설치하여 선비를 뽑은 일은** 왕이 본래 문(文)을 써서 풍속을 변화시킬 뜻이 있는 것을 쌍기가 받들어 이루었으니 도움이 없다고는 할 수 없다.   – 「고려사」, 세가, 광종, 이제현의 논평

청주 용두사지 철당간

당간은 절에 세우는 일종의 깃대이다. 광종 때 만들어진 이 당간에는 연호인 '준풍'이 새겨져 있다.

전시과 제도(시정 전시과)를 처음으로 실시하였다. 관품과 인품을 고려하여 전지와 시지를 지급하였다.

1. 유교 정치의 실현❷: 신라계 유학자들이 국정을 주도하면서 유교 정치가 본격적으로 펼쳐졌다.

(1) 정치적 개혁
  ① 중앙 관제 정비: 당의 제도를 모방한 2성 6부제를 중심으로 중앙 관제를 수립하였다.
  ② 과거 제도 정비: 과거 제도를 정비하고, 과거 출신자들을 우대하였다.
  ③ 문무산계제 실시: 지배층의 위계 질서를 재편성하기 위해 문무산계제❸를 실시하였다. 이를 통해 **중앙과 지방의 지배층을 구분**하였고 지방의 지배층은 격하시켰다.
  ④ 지방 제도 정비: **최승로**의 건의에 따라 전국의 주요 지역에 **12목을 설치**하고 **지방관을 파견**하였다. 향리 제도를 정비하고, 경주에 동경을 설치하여 3경제를 마련하였다. 또한 분사(分司) 제도를 정비하여 서경❹에도 개경의 중앙 정부와 유사한 관청들을 운영하였다.

(2) 대외 관계: 중국과 우호적인 관계를 유지하고, 북방의 **거란**을 배척하였다. 이에 거란은 소손녕을 보내 고려를 침략하였다(993). 이때 **서희**가 소손녕과 회담하여 거란과 교류하겠다고 약속하고, 대신 압록강 일대에 **강동 6주**를 확보하여 압록강까지 영토를 확대하였다.

(3) 경제적 개혁: 왕이 직접 농사를 지어 모범을 보였다(친경지, 적전). 재해 시 세금을 감면해 주는 면재법을 시행했으며, **건원중보**(우리나라 최초의 화폐, 철전)를 발행했으나 널리 이용되지 못하였다.

(4) 사회적 개혁: 빈민 구제 기관인 **의창**,❺ 물가 조절 기관인 **상평창**❻ 등이 설치되었다. 또한 신분 질서 확립을 목적으로 **노비환천법**❼이 실시되기도 하였다.

(5) 유교 교육의 진흥
  ① 중앙: **교육 조서를 반포**하여 유학 교육을 장려하였고, 최고 교육 기관인 **국자감**을 정비하였다. 또한, 비서성(개경)·수서원(서경)이라는 도서관을 설치하였다.
  ② 지방: 교육 기관인 **향교**를 설치하였다. 또한 지방에 **경학박사와 의학박사**를 파견하였다.
  ③ 문신월과법❽: 문신월과법을 제정하여 중앙의 관리들에게 매월 시를 지어 바치게 하였다.

2. 최승로❾의 시무 28조

성종은 중앙의 관리들에게 정책을 건의하도록 하였다. 이에 최승로는 **시무 28조**를 바쳤다. '불교는 **수신(修身)의 근본**이요, 유교는 **치국(治國)의 근원이다.**'라고 하여 유교 이념을 강조하고, **지방관 파견·불교 행사 축소**❿ 등을 건의하였다. 이를 수용한 성종은 불교 행사를 억제하고, **유교를 바탕으로 통치 체제를 정비**하였다.

---

❶ 경종의 반동(反動) 정치
경종은 광종의 정책을 철회하고, 광종의 정책을 뒷받침하였던 신진 세력을 제거하였다.

❷ 유교식 예제 마련
성종 때 유교식 의례를 수용하여 환구단과 사직을 세웠다.

❸ 문무산계제
중앙의 문·무 관리는 문산계를 받았다. 문산계에 포함되지 않는 향리, 탐라의 왕족, 여진의 추장 등에게는 무산계를 수여하였다.

❹ 서경
서경이 명당이라는 풍수지리설(서경 길지설)이 널리 퍼져 서경 천도와 북진 정책 추진의 이론적 근거가 되었다.

❺ 의창
진대법을 계승한 제도로, 태조 때 만들어진 흑창을 확대·개편한 것이다.

❻ 상평창
개경, 서경, 12목에 설치되었다.

❼ 노비환천법
노비안검법에 따라 해방됐던 노비 가운데 일부를 다시 노비 신분으로 돌려놨다.

❽ 문신월과법
중앙 관리에게는 매월 시 3수·부 1편을, 지방관에게는 매년 시 30수·부 1편을 바치도록 하였다.

❾ 최승로
신라 6두품 출신인 최은함의 아들로, 경순왕을 따라 고려로 왔다.

❿ 불교 행사의 축소
성종 때 연등회와 팔관회를 중단하였다. 이후 현종 때 연등회와 팔관회를 다시 성대하게 거행하였다.

심화사료 頻出

최승로의 5조 정적평⑪(광종 비판)

선왕은 정종의 유명(遺命)을 받고 아우로서 왕위를 계승한 후 예로써 아랫사람을 접하며 밝은 관찰력으로 사람을 잘 알아보았습니다. …… **그가 즉위한 해로부터 8년간 정치와 교화가 청백 공평하였고 형벌과 표창을 남용하지 않았습니다. 그러나 쌍기(雙冀)를 등용한 후로부터 문사를 존중하고 대우하는 것이 지나치게 풍후하였습니다.** …… 그 마무리를 잘하지 못한 것이 참으로 애석합니다. 더구나 경신년(광종 11, 960)부터 을해년(광종 26, 975)까지 16년간은 간흉(姦兇)들이 앞을 다투어 진출하면서 …… 군자는 받아들여지지 못하고 소인은 그 뜻을 얻었습니다. 마침내 자식이 부모를 거스르고 종이 그 주인을 논박하기에 이르러, 상하 간에 마음이 떠나고, 군신간이 해체되었습니다.

– 「고려사」 열전, 최승로, 5조 정적평

최승로의 시무 28조⑫

2. 불사(佛事)를 많이 베풀어 백성의 고혈을 짜내는 일이 많고, 죄를 지은 자가 중을 가장하고 구걸하는 무리들이 중들과 서로 섞여 지내는 일이 많습니다. 원컨대 군왕의 체통을 지켜 이로울 것이 없는 일은 하지 마십시오.

3. 우리 왕조의 시위하는 군졸은 태조 때에는 그 수효가 많지 않았으나, 뒤에 광종이 풍채 좋은 자를 뽑아 시위케 하여 그 수가 많아졌습니다. 태조 때의 법을 따라 날쌔고 용맹스런 자만 남겨 두고 그 나머지는 모두 돌려보내어 원망이 없도록 하십시오.

6. 불보(佛寶)의 돈과 곡식은 여러 절의 중이 각기 주군(州郡)에서 사람을 시켜 관장하며, 해마다 장리(長利: 비싼 이자)를 주어 백성을 괴롭게 하니 이를 모두 금지하소서.

7. **태조께서 나라를 통일한 후에 군현에 수령을 두고자 하였으나, 대개 초창기에 일이 번다하여 미처 이 일을 시행할 겨를이 없었습니다. 청컨대 외관(外官, 지방관)을 두소서.**

8. 중이 마음대로 궁궐에 출입하여 총애 받는 것을 금하십시오.

9. 관료들로 하여금 조회할 때에는 모두 중국 및 신라의 제도에 의하여 공복을 입도록 하여 지위의 높고 낮음을 분별하도록 하십시오.

11. **풍속은 각기 그 토질에 따라 다른 것이므로 모든 것을 반드시 구차하게 중국과 같게 할 필요는 없습니다.**

13. 봄에는 연등을 설치하고 겨울에는 팔관을 베풀어 사람을 많이 동원하고 노역이 심하오니, 원컨대 **이를 감하여 백성이 힘 펴게 하소서.**

16. 중들이 다투어 절을 짓는데, 수령들이 백성을 동원하여 일을 시키니 백성이 매우 고통스럽게 여기고 있습니다. 엄히 금하십시오.

19. **공신의 등급에 따라 그 자손을 등용하여 업신여김을 받고 원망하는 일이 없도록 하십시오.**

20. **불교를 행하는 것은 수신의 근본이며, 유교를 행하는 것은 치국의 근원이니, 수신은 내생을 위한 것이며, 치국은 곧 오늘의 일입니다.** 오늘은 지극히 가깝고 내생은 지극히 먼 것인데, 가까움을 버리고 지극히 먼 것을 구함은 또한 잘못이 아니겠습니까?

22. 광종이 노비를 안검하니, …… 천한 노예들이 주인을 모함하는 일이 이루 헤아릴 수 없이 많았습니다. 그런즉 선대의 일에 구애되지 말고, 노비와 주인의 송사를 판결할 때는 분명하게 하여 후회가 없도록 힘써야 합니다.

⑪ **최승로의 5조 정적평**

태조~경종까지 5대 왕의 업적에 대한 잘잘못을 비판한 글이다. 특히 광종에 대해 비판적이다.

⑫ **시무 28조**

조목	내용
1	북방 지역의 방어책
2	공덕재(불교 행사)의 폐지
3	왕실 시위 군졸 축소
4	왕이 행려자에게 음식을 나눠 주는 행사 폐지
5	중국과의 사무역 금지
6	사원의 고리대 비판
7	지방관의 파견
8	승려의 궁중 출입 금지
9	중국·신라의 제도를 따라 복식 제도 정비
10	승려의 역관 유숙 금지
11	중국 문물의 주체적인 수용
12	섬 사람들의 공역 경감
13	연등회와 팔관회 축소
14	신하에 대한 예우
15	왕실 내속 노비의 감소
16	사찰 남설 금지
17	신분에 따른 가옥 크기 규정
18	불상에 금과 은 사용 금지
19	삼한 공신(후삼국 통일에 협력한 공신) 자손의 처우 개선
20	왕의 지나친 불교 숭배 억제
21	초제 등의 제사 제한
22	노비의 신분 규제 철저 (광종의 노비안검 비판)

대표 기출문제

밑줄 친 '왕'의 재위 기간에 있었던 일로 옳은 것은?

2022. 지방직 9급

- 평농서사 권신(權信)이 대상(大相) 준홍(俊弘)과 좌승(佐丞) 왕동(王同) 등이 반역을 꾀한다고 참소하자 왕이 이들을 내쫓았다.
- 왕이 쌍기의 건의를 받아 처음으로 과거를 실시하였다. 시(詩)·부(賦)·송(頌) 및 사무책을 시험하여 진사를 뽑았으며, 더불어 명경업·의업·복업 등도 뽑았다.

① 노비안검법을 제정하였다.
② 전민변정도감을 설치하였다.
③ 토지 제도로서 전시과를 시행하였다.
④ 12목을 설치하고 지방관을 파견하였다.

해설

제시된 자료는 광종 때의 공신 숙청과 과거제 실시에 대한 내용이다. ① 광종은 노비안검법을 제정하여 불법적으로 노비가 된 자들을 조사하고 양인으로 해방하였다. ② 전민변정도감은 불법적인 농장을 규제하고, 백성을 보호하기 위해 설치한 기구이다. 고려 원종 때 처음 설치되었고 이후 충렬왕·공민왕·우왕 때 설치와 폐지를 반복하였다. ③ 경종 때 처음 전시과 제도를 실시하였다. ④ 성종의 업적이다.

정답 ①

제3편 중세 사회의 발전

1. 국초의 중앙 정치 기구

국초~성종 때까지는 태봉의 관제를 답습하여 광평성,[1] 내봉성,[2] 내의성,[3] 순군부,[4] 병부를 근간으로 한 정치 제도가 운영되었다.

❈ 고려의 중앙 관제

중서문하성(재부) [종1품, 문하시중]	재신(2품 이상) 낭사(3품 이하)	국가 정책 계획·결정	
중추원(추부) [종2품, 판원사]	추밀(2품 이상) 승선(3품)	군사 기밀 왕명 전달	
外 도병마사	재추 주요 관직 겸직	국방 문제 담당 임시 회의 기구 ⇨ 도평의사사(도당)로 개편(충렬왕) ⇨ 국정 전반 담당 최고 정무 기구	
內 식목도감		국내 법 제정, 각종 시행 규정 담당, 임시 회의 기구	
상서성	이부	문관 임명·승진 등 인사	
	병부	무관 임명·승진 등 인사, 군사 관련 사무	
	호부	호구·공부, 조세 징수	
	형부	법률, 재판, 노비 문제	
	예부	의례, 학교, 과거	
	공부	물품 제작, 조달, 건축·토목 관련 사무	
어사대		정치의 잘잘못을 논하고 관리들의 비리를 감찰, 서경권	어사대 + 낭사 = 대간(대성)
삼사		화폐, 곡식의 출납에 대한 회계 사무	
춘추관		실록, 국사 편찬 담당	
한림원		외교 문서·왕명·교서 작성 주관	

2. 중앙 관제 ☆

성종 때 2성 6부제를 토대로 마련했으며, 문종 대에 이르러 대부분 완성하였다. 당·송의 제도를 수용하여 2성 6부, 중추원과 삼사를 정비하였다. 도병마사[5]와 식목도감[6]은 고려의 독자적인 제도로, 고대의 귀족 합의제 전통이 반영된 것이다.

(1) **중서문하성[7]**: 문하시중을 수상으로 한 최고 관서로 **국정을 총괄**하였고, 재신과 낭사로 구성되었다.
　① **재신(2품 이상)**: 상층 구성원으로 백관을 통솔하고 **국가의 중요 정책을 심의, 결정**하였다.
　② **낭사(3품 이하)**: 하층 구성원으로 간관이라고도 불렸다. 간쟁과 봉박, 서경의 기능을 맡아보며, 정치의 잘못을 비판하였다.

(2) **상서성[8]**: 6부를 하위 기관으로 두고 정책을 집행하였다.

(3) **6부[9]**: 상서성에 소속되어 실제 정무를 분담하였으며, 정3품의 상서가 각 부의 장관이 되었다.

(4) **중추원**: 중서문하성과 함께 양부라 불렸고 추밀과 승선으로 구성되었다.
　① **추밀[10]**: 2품 이상의 고관으로, 군국기무와 **군사 기밀**을 관장하였다.
　② **승선**: 3품의 관리로, **왕명 출납**을 담당하였다.

---

(5) 삼사❶: 조세의 징수·운반·저장 등과 그에 따른 세입·세출의 회계 업무를 담당하였다.

(6) 재추 회의(고려의 독자적 기구, 재신+추밀❷)

　① 도병마사❸: 주로 국방·군사·대외 문제를 논의하던 임시 기구이다. 원 간섭기에 도평의사사(도당)로 개편되면서, 국정 전반을 결정하는 최고 정무 기구가 되었다.

　② 식목도감: 법의 제정이나 각종 시행 규정 등 대내 문제를 다루던 임시 기구이다.

(7) 어사대: 대관이라 불렸고 관리의 비리를 감찰하였다. 또한, 정치의 잘잘못을 논의하고 풍속을 교정하는 일을 담당하였다. 어사대의 관원은 중서문하성의 낭사와 함께 대간❹이라고 불리며 간쟁과 봉박, 서경 등의 임무를 수행하였다.

❋ 대간(대성, 성대)

	대(臺)	간(諫)	
	감찰	간쟁	서경 ─ 법을 고치거나 없앨 경우 동의권 └ 관리를 임명할 때 동의권 ⇩ ─ 고려: 모든 관직 └ 조선: 5품 이하 관리
고려	어사대	낭사	
조선	사헌부	사간원	

(8) 기타

　① 한림원❺: 왕명을 기록하고 외교 문서를 작성하였다. 그 밖에 과거의 고시관❻ 역할도 하였다.

　② 춘추관: 실록과 국사 편찬을 담당한 관청으로, 국초에는 사관이라 불렸다.

(9) 특징: 독자적 제도 – 귀족 정치의 특징

　왕권을 견제하는 대간 제도, 고위 관리들이 참여하는 재추 회의 등이 운영되었다.

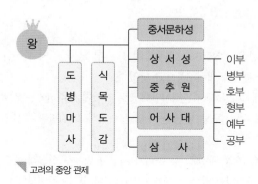

▼ 고려의 중앙 관제

9급 위 한국사

고려의 관등
종1품~종2품(재추), 정3품~종6품(참상❼·참내), 정7품~종9품(참하·참외)

고려의 관직

실직(업무 o)	정직(정규직)과 체아직(임시직)
산직❽(업무 ×)	• 검교직(고위 관리)과 동정직(하급 관리) • 첨설직(고려 말 군공을 세운 자들에게 품계만 지급)

cf 치사(致仕): 퇴직한 관리

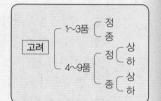

❶ 삼사(三司)
조선의 삼사는 사헌부·사간원·홍문관을 지칭하며, 언론 기관이다.

❷ 재신·추밀
재신과 추밀은 6부의 판사와 상서 등을 겸하며 정책의 결정과 집행에 모두 관여하였다.

❸ 도병마사의 변천
• 성종: 양계 병마사 통솔
• 현종: 임시 회의 기구, 국방·군사 담당
• 고종: 재추 합좌, 국정 전반 관장
• 충렬왕: 도평의사사 개편, 상설 기구화, 최고 정무 기관

❹ 대간(臺諫)
관리에 대한 감찰 임무를 맡은 대관과 국왕에 대한 간쟁 임무를 맡은 간관을 합쳐 부르는 말이다. 왕의 잘못을 논하는 간쟁과 잘못된 왕명을 시행하지 않고 되돌려 보내는 봉박, 관리의 임명과 법령의 개정이나 폐지 등에 동의하는 서경권을 가지고 있었다.

❺ 한림원
왕에게 경서를 강론하는 서연관의 기능, 왕의 행차에 호종하는 시종관의 기능, 서적 편찬 사업 등을 담당하였다. 조선 시대에는 예문관과 승문원으로 분리되었다.

❻ 고시관(지공거)
과거를 주관하는 시험관으로, '좌주'라고 불리기도 하였다.

❼ 참상과 참하
국왕이 참석하는 조회(朝會)에 참석할 수 있느냐, 없느냐에 따라 참상과 참하로 구분되었다.

❽ 산직(散職)
실제 직무는 없고 이름만 있는 관직으로, 관직 수요에 비해 관직을 희망하는 인원이 많아서 만들어졌다. 성종 때 검교직·동정직이, 공민왕 때 첨설직이 설치되었다.

제3편 중세 사회의 발전

고려의 5도 양계

3. 지방 행정 조직(이원적 구성)

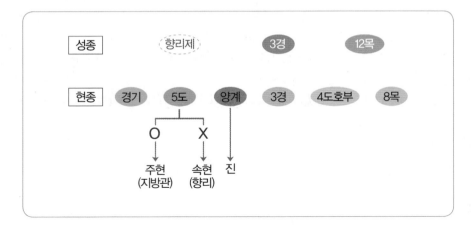

(1) 지방 제도의 정비 과정

① **국초❶**: 사심관 제도와 본관제를 실시하였다.

② **성종❷**

　㉠ **지방관 파견**: 최승로의 건의를 수용하여 **12목**을 설치하고 최초로 **지방관을 파견**했다.

　㉡ **3경제**: 서경과 동경(경주)을 설치하고, 개경을 포함한 3경 체제를 갖추었다. 이후 동경 대신 **남경(문종 때 설치, 한양)**을 3경에 편제하였다.

③ **현종**: 전국을 **5도**와 **경기, 양계**로 크게 나누었다. 5도 양계 안에 4도호부 8목을 비롯하여 56개의 주·군, 28개의 진 등을 편성하였다.

(2) 5도

① **성격**: 상설 행정 기관은 없었고, 도 아래에 현이 설치되었다. 중앙 관직인 **안찰사가 파견**되었다.

② **안찰사❸**: 관품은 보통 5품 내지 6품으로 낮았다.

　㉠ **임기**: 임기는 6개월이었고, 경관직이었으므로 지방에 상주하지는 않았다.

　㉡ **업무**: 형옥·조세 수납·군사·민생 등의 일을 수행하고, 지방관(수령)을 감찰하였다.

③ **군현❹**

　㉠ **운영**: 토착 세력인 호장, 부호장 등 향리가 지방관 밑에서 실질적 행정 사무를 담당하였다.

　㉡ **특징**: 지방관이 파견되지 않은 속현이 지방관이 파견되는 주현보다 더 많았다. 속현은 주현을 통해 간접적으로 통제를 받았다. 이를 보완하고자 **예종 때부터 속현에 감무❺**를 파견하였다.

④ **향리**

　㉠ **역할**: 지방관을 보좌하여 노역 징발, 조세 징수와 같은 **지방 행정 실무**를 담당하였다. 그러나 속현 등이 다수 존재하는 상황에서 향리는 **지방의 실질적인 지배 세력**이었다.

　㉡ **특징**: 신분이 세습되었으며, **외역전**이 지급되었다. **상층 향리**일 경우 과거 응시가 가능하여 중앙 관직에 진출할 수 있었다.

　㉢ **향리 견제**: 향리의 관제를 격하시켜 중앙 관리와는 엄격히 구별하였다. 일부 향리의 자제들은 인질이 되어 개경으로 보내졌다(기인 제도).

❷ 성종 때 지방 제도

당나라의 제도를 모방하여 10도를 설치하려 하였으나 제대로 시행되지 못하였다.

❸ 안찰사

예종 때 5도 안찰사가 설치되었다.

❹ 지방관 파견

주와 군에는 자사가, 현에는 현령이 파견되었다.

❺ 감무

예종 때부터 지방의 속현, 향, 소, 부곡, 장, 처 등에 파견된 관직이다. 유망민을 안정시켜 조세와 역을 효과적으로 수취하는 것을 주 업무로 하였다.

❖ 고려와 조선의 향리 비교

구분	고려	조선
차이점	• 권한이 강함(실질적 지방 지배자). • 보수 有(외역전 지급 받음.) • 군사 지휘권의 행사(일품군) • 과거를 통해 중앙 관리로 진출	• 권한이 약함(아전으로 격하), 6방에 배속 • 보수: 토지 지급 없음(관청 경비 중 삭료 지급). • 군사 지휘권 없음. • 과거 응시 제한(근무 일수 채우고 관청 허가를 받아야 함.)
공통점	• 세습 신분	• 지방의 행정 실무 담당 • 중간 계층

⑤ **특수 행정 구역**❻: 향·부곡·소·역·진 등으로, 주현을 통하여 간접적으로 통제받았다.

(3) 양계

　① 성격: 국경 지대인 **북계**와 **동계**에 설치한 **군사적 특수 지역**이다. **병마사**를 파견하였고, 방어사주
　　와 진으로 구성되었다.

　② **병마사**❼: 5도에 파견된 안찰사보다 지위가 높았다. 양계에 상주하면서 군사 업무뿐 아니라 양계
　　지역 내의 **민정까지 총괄**하였다.

(4) 경기: 현종 때 왕경❽ 주변의 현들은 경기로 묶어 중앙 정부의 직할에 두었다.

(5) 3경 4도호부 8목

　① 3경: 국가의 균형적 발전을 도모하는 동시에 **지방 세력을 견제**하기 위해 설치하였다. 성종 때 경
　　주를 동경으로 승격하여 개경, 서경의 3경 체제를 갖추었다. 이후 문종 때 동경 대신 남경(한양)
　　이 3경에 편제되었다.

　② **4도호부**❾: 군사적 방어의 중심지 역할을 하였는데, 동계와 북계·서해도·전라도에 설치되었다.

　③ **8목**: 지방 행정의 중심지 역할을 했으며, 양계와 교주도에는 설치되지 않았다.

　④ **계수관**❿: 경·도호부·목에는 계수관을 두었는데, 일반 주현과 중앙을 연결하는 역할을 하였다.

4. 군사 조직

❻ **특수 행정 구역**

향과 부곡은 이미 신라 시대부터 존재하였고, 소는 고려 시대에 등장하였다. 향과 부곡의 주민은 농업에 종사하였고 소의 주민은 수공업에 종사하였다.

❼ **병마사(兵馬使) 견제**

중앙에서는 병마사를 감찰하기 위해 양계 지역에 감창사를 파견하여 조세 및 창고 업무를 담당하게 하였다.

❽ **경중 5부**

왕경을 포함한 구역은 경중 5부로 따로 독립시켜 중앙 정부가 직접 관리하였다.

❾ **도호부**

도호부는 시기에 따라 3~5개로 개수가 조금씩 변하였다.

❿ **계수관**

지방의 인재를 뽑아 올리거나, 범죄자 심문, 공문서 발송 등의 역할을 하였다.

❶ 2군 6위의 합좌 기관

2군 6위에는 지휘관인 상장군과 대장군으로 구성된 **중방**이, 령에는 각 령의 지휘관인 장군들의 합좌 기관인 **장군방**이 있어, 군사 문제를 논의하였다.

❷ 령(領)

2군 6위에는 모두 45개의 령이 딸려 있었다. 령은 1,000명의 군인으로 조직된 부대였다.

❸ 삼별초

도적을 잡기 위해 설치한 야별초에서 시작되었다. 야별초(치안 유지, 야간 경비)에서 분리된 좌별초와 우별초, 그리고 몽골의 포로였다 탈출한 군사로 이루어진 신의군으로 구성되었다. 개경 환도와 몽골과의 강화에 반대하여 대몽 항쟁을 계속하였다.

(1) **중앙군**: 중앙군은 2군 6위❶로 구성되었으며, 45개의 령❷이 배속되었다.

  ① **구성**

    ㉠ **2군**: 응양군(1령)과 용호군(2령)으로, 현종 때 설치된 **국왕의 친위 부대**이다.

    ㉡ **6위**: 좌우위, 신호위, 흥위위, 금오위, 천우위, 감문위이다. **수도의 경비와 국경 방어, 경찰 업무**, 궁성문의 수비 등을 맡았다.

  ② **편성**: 대부분 직업 군인으로 군적에 올라 **군인전**을 지급받고, 직역을 자손에게 세습하였다.

(2) **지방군**: 16세 이상의 **농민병**으로 편성되었다.

  ① **주현군**: 일반 주현에 주둔했으며 지방관의 지휘를 받았다. 지역의 방어를 담당했으며, 정용군·보승군과 노동 부대인 일품군으로 구성되었다.

  ② **주진군**: 양계의 진 등에 주둔하였다. 좌군, 우군, 초군으로 구성된 상비군이다. 이들은 둔전을 경작하면서 국경 수비를 전담하였다.

(3) **특수군**

  ① **광군**: 정종 때 거란족의 침입에 대비하기 위해 편성한 것으로, 이후 주현군의 모체가 되었다.

  ② **별무반**: 여진족의 정벌을 위해 숙종 때 편성되었다. 신기군(기병), 신보군(보병), 항마군(승병)으로 구성되었다.

  ③ **삼별초**❸: 최우 집권기에 설치된 군대로, **최씨 정권의 군사 기반**이 되었다.

07 관리 등용 제도

1. 과거 제도: 능력에 따른 관리 등용 제도로, 시험을 통해 인재를 선발하였다.

(1) **시행**: 3년마다 시행되는 **식년시**가 원칙이나 격년시가 유행하였다.

(2) **응시 자격**: 법적으로 **양인 이상**이면 과거에 응시할 수 있었다. 실제로 제술업이나 명경업에는 주로 귀족과 상층 향리 자제들이 응시하였고, 농민은 주로 잡과에 응시하였다.

(3) **과거 종류**

  ① **제술과(업)**: 문학적 재능과 **정책** 등을 시험하였다.

  ② **명경과(업)**: 유교 경전에 대한 이해 능력을 시험하였다.

  ③ **잡과(업)**❹: 법률·회계·지리 등 실용 기술학을 시험하여 기술관을 뽑았다.

  ④ **승과**: 교종시와 선종시로 나누어 시험보았다.

(4) **응시 절차**

  ① **1차(향시)**: 상공(개경), 향공(지방), 빈공(외국인)으로 구분하여 선발하였다.

  ② **2차(국자감시)**: 향시 합격자와 국자감생 등이 국자감에서 시험을 보았다. 합격자는 진사라고 불렀다.

  ③ **3차(예부시)**: 동당(감)시라고도 하며 출제 위원인 지공거(고시관)가 선발했다.

홍패

합격자가 받은 것으로, 응시자의 이름과 지위·성적·고시관의 명단이 기록되어 있다.

❹ 잡과

율업(律業), 산업(算業), 서업(書業) 등 11종류로 나누어 시험을 치루었다.

✎ 무과

예종~인종 때 잠깐 실시되었으나 곧 폐지되었다. 이후 고려 말 공양왕 때 비로소 정식으로 설치되었으나 제대로 시행되지 못하였다. 따라서 무관들은 세습에 의해 충원하거나, 간단한 시험을 거쳐 선발하였다.

(5) **변화**: 공민왕 때 원의 영향으로 과거삼층법이 실시되었다. 향시(초시)−회시(예부에서 주관)−전시(국왕 친임 아래에 치러지는 최종 시험)의 순서로 진행되었다. 전시가 시행됨에 따라 시험에서 왕의 영향력이 한층 커졌다. 또한 좌주와 문생의 관계**❺**에서 빚어지는 파벌의 폐해를 시정하였다.

2. 음서**❻** 제도: 조상의 음덕으로 자손이 관리가 될 수 있는 제도이다.

(1) **종류**: 문무 5품 이상 관리의 자손에 대한 일반적인 음서, 공신 자손에 대한 음서, 왕실의 먼 후대 자손에 대한 음서 등으로 나뉜다.

(2) **범위**❼: 고려 시대에는 **공신과 종실의 자손 외에 5품 이상 관료의 아들, 손자** 등에게 음서의 혜택을 주었다. 음서의 연령은 18세 이상으로 규정되어 있지만 10세 미만의 경우도 많았고 대략 15세를 전후해 관직에 취임하였다.

(3) **특징**: 대부분 음서를 거쳐 5품 이상의 고위직에 진출했으며, 공음전과 함께 **귀족 특권 유지와 세습**에 기여하였다.

3. 관리 등용 제도의 특징

고려는 과거 제도와 음서 제도가 공존함으로써 능력을 중시하는 **관료** 사회의 특징과 신분을 중시하는 **귀족** 사회의 특징을 모두 가지고 있었다.

❺ 좌주와 문생의 관계

과거를 통해 지공거(知貢擧, 과거 시험관)인 좌주(座主)와 급제자인 문생(門生)의 관계가 형성되었다. 이들은 유대를 굳게 맺고서 학문의 전통을 이어가는 한편, 사회·정치적으로 폐단을 일으키기도 하였다.

❻ 음서제

음서제는 목종 즉위년에 최초로 시행한 기록이 있는 것으로 보아, 적어도 성종 시기에 정비된 것으로 보인다.

❼ 음서의 범위

음서는 한 명만 혜택을 받는 1인 1자의 원칙이 적용됐다. 4~5품은 아들과 손자까지 혜택이 주어졌지만, 3품 이상의 경우 조카·사위·동생·양자도 혜택을 받을 수 있었다.

대표 기출문제

(가)에 들어갈 기구로 옳은 것은?   2021. 지방직 9급

고려 시대 중서문하성과 중추원의 고위 관료들은 도병마사와 [(가)]에서 국가의 중요한 일을 논의하였다. 도병마사에서는 국방과 군사 문제를 다루었고, [(가)]에서는 제도와 격식을 만들었다.

① 삼사   ② 상서성
③ 어사대   ④ 식목도감

해설

제시된 자료에 들어갈 정치 기구는 식목도감이다. 고려 시대에는 중서문하성과 중추원에 소속된 고관이 함께 모여 중요한 정책을 의논하는 기구인 도병마사와 식목도감이 있었다. ④ 식목도감은 법의 제정이나 각종 시행 규정 등 대내 문제를 주로 다루었다.

정답 ④

03강 문벌 귀족 사회의 성립과 대외 관계

제1장 중세의 정치적 변천

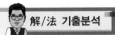

解/法 기출분석

구분		2008~2017	2018	2019	2020	2021	2022	2023	2024
9급	국가직	• 별무반 • 대외 관계 • 예종	대외 관계	인종	서울(한성)			서희	현종
	지방직	• 대외 관계(2) • 숙종 • 현종	서경(지역사)		별무반	대외 관계	강조		
	법원직	• 현종~예종 • 최충 • 대외 관계					• 숙종 • 예종	인종~의종	

解法 요람

문벌 귀족 사회의 성립과 대외 관계

성종 — 문벌 귀족 사회의 성립 — **거란** 1차 강동 6주(서희 담판)

현종 — 지방 행정 제도 개편: 5도 양계, 4도호부, 8목 — **거란** 2차 개경 함락(강조의 정변) / 3차 귀주 대첩(강감찬)

문종 — 문벌 귀족 사회의 심화, 중앙 관제의 완성
이자연: 경원 이씨, **최충**: 9재 학당(문헌공도) ⇨ 사학 12도
경정 전시과

숙종 — **의천**: 국청사, 천태종
화폐 발행: 삼한통보, 해동통보, 활구(은병) — **여진** 별무반(윤관)

예종 — 관학 진흥책: 7재 설치, 양현고 — **여진** 동북 9성(윤관)

인종 — 문벌 귀족 사회의 모순 표출
이자겸의 난(1126), **묘청**의 서경 천도 운동(1135) — **금(여진)** 고려에 사대 요구 (이자겸 수용)

1. 고려 전기의 외교 노선

(1) 북진 정책

고려는 태조 때부터 고구려 옛 땅을 회복하려는 **북진 정책**을 추진하였다.

(2) 친송 정책

송❶은 고려와의 친선을 도모하며 **군사적 지원**을 받고자 했지만, 고려는 군사적 개입은 피하면서 실리를 추구하였다.

(3) 대거란 강경책❷

태조 때부터 발해를 멸망시킨 거란을 적대시하였다. 그러나 거란(요)은 송을 공격하기 전에 후방의 안정을 확보하고자 하였다. 이에 따라 고려와 긴장 관계가 형성되었다.

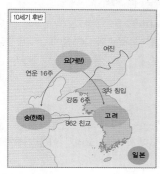

1차 침입	성종(993)	서희의 외교(강동 6주) ⇨ 거란과의 교류 약속
2차 침입	현종(1010)	① 강조의 정변 ⇨ 2차 침입 ② 개경 함락 ⇨ 현종 피난 ③ 양규의 선전 ④ 강화 체결
3차 침입	현종(1018)	강감찬의 귀주 대첩
결과		• 고려, 송, 거란 세력 균형 ⇨ 평화 유지 • 나성(개경)과 천리장성(압록강에서 도련포까지) 축조

2. 거란의 침입

(1) 제1차 침입(성종, 993)

① **배경**: 거란은 986년 압록강 중류 지역의 정안국❸을 멸망시킨 후, 고려에 대한 침략을 시작하였다.

② **과정**: 성종 때인 993년, 거란(요)의 소손녕은 80만 대군을 이끌고 침략하였다. 거란은 고려가 차지하고 있는 옛 고구려 땅을 내놓고 송과 교류를 끊을 것을 요구❹하였다.

③ **서희의 외교 담판**: 서희는 소손녕과 담판에서 **고려가 고구려의 후계자임**을 밝히고, **거란과 교류하겠다고 약속**하였다. 이에 고려는 **압록강 동쪽의 강동 6주**❺를 확보하여 국경이 압록강까지 확대되었다.

④ **결과**: 고려는 거란의 연호를 사용했으며, 거란은 송을 공격하여 수도 근처까지 압박하였다.

심화사료 百出

2023. 국가직 9급, 2023. 법원직 9급, 2018. 국가직 9급, 2014. 지방직 9급, 2013. 국가직 7급

서희와 소손녕의 담판

소손녕: 너희 나라는 신라 땅에서 일어났고 고구려의 옛 땅은 우리가 소유하고 있거늘, 너희 나라가 고구려의 옛 땅을 자주 침식할 뿐 아니라 **우리 거란과 국경을 접하고 있으면서 바다를 건너 송나라만 섬기기** 때문에 오늘의 출정을 보게 된 것이니 이제 만일 그 땅을 할양하고 조공을 바치면 무사할 것이다.

서희: 그것은 틀린 말이다. **우리는 고구려 옛 땅을 터전으로 하고 있어서 나라 이름도 고려**라 하였고, 평양을 서경이라 한 것이다. 만약 국경을 논한다면 당신 나라의 동경도 모두 우리 경내에 들어 있는데 어찌 침식했다고 할 수 있겠느냐. 더욱이 압록강 내외의 땅도 또한 우리 경내이지만 지금은 여진이 잠식하여 장악하고 간사한 짓까지 하고 있어 도로의 막힘이 바다를 건너기보다 어려우므로 당신 나라와 통교하지 못한 것이다. **만약 여진을 쫓고 우리 국토를 되찾아 큰 성과 작은 성을 쌓아서 재침을 막아 통로가 트이면** 어찌 감히 수빙(修聘)을 하지 않겠는가. 이 말씀을 귀국 임금에게 아뢰어 주기 바란다.

－「고려사」

---

❶ **송의 외교적 목적**

송은 만리장성 이남까지 진출해 온 거란을 견제하기 위해서 고려와 긴밀한 우호 관계를 유지하고자 하였다.

❷ **거란에 대한 강경책**

• 태조: 거란이 조공으로 보낸 낙타를 만부교 밑에서 굶겨 죽였다(만부교 사건).
• 정종: 광군사를 설치하고 광군 30만을 조직하였다.

❸ **정안국**

발해 유민이 압록강 유역에 세운 국가이다. 정안국이 송과 손잡고 거란을 치려고 하자, 거란(요)은 정안국을 침공하여 멸망시켰다.

❹ **거란의 1차 침입 과정**

거란은 송을 공격하기 전에 후방의 안정을 확보하려고 고려를 공격하였다. 거란의 침략에 당황한 고려에서는 서경 이북의 땅을 넘겨주고 평화 조약을 맺자는 주장이 나오기도 하였다. 그러나 거란의 침략 의도가 송과의 외교 관계를 단절하는 것에 있다고 파악한 서희는 거란의 장수 소손녕과 외교 담판을 벌였다.

❺ **강동 6주 확보**

서희는 적장 소손녕과의 담판에서 고려가 고구려를 계승했음을 분명히 하고, 북방 지역의 교통로를 확보하면 거란과 교류하겠다고 약속하였다. 거란은 압록강 일대에 대한 고려의 영유권을 인정하여, 고려는 6개의 성을 쌓아 압록강까지 영토를 확대하였다.

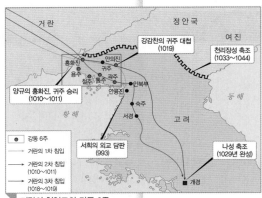

거란의 침입로와 강동 6주

거란의 침입로와 강동 6주 지도 범례:
- 강동 6주
- 거란의 1차 침입
- 거란의 2차 침입 (1010~1011)
- 거란의 3차 침입 (1018~1019)

지도 내 표기:
- 거란 / 정안국 / 여진 / 고려
- 강감찬의 귀주 대첩 (1019)
- 천리장성 축조 (1033~1044)
- 흥화진 / 안의진 / 귀주 / 용주 / 철주 / 통주 / 곽주 / 안북부 / 안융진 / 숙주
- 양규의 흥화진·귀주 승리 (1010~1011)
- 서희의 외교 담판 (993)
- 나성 축조 (1029년 완성)
- 서경 / 황해 / 동해 / 개경

❶ 강조의 정변

목종의 어머니 천추 태후와 김치양이 불륜 관계를 맺고 왕위를 빼앗으려 하였다. 이런 상황에서 강조가 군사를 일으켜 김치양 일파를 죽인 다음 목종을 폐위시키고 현종을 즉위시켰다.

❷ 강조

강조는 거란군의 침입에 맞서 싸웠지만 패하여 거란군의 포로가 되었다. 거란은 그에게 귀순을 제의했으나 강조는 이를 거부하고 처형당하였다.

❸ 천리장성

덕종 때 쌓기 시작해서 정종 때 완성되었다.

---

(2) 제2차 침입(현종, 1010)

① 원인: 거란은 신하가 임금을 죽인 죄(강조의 정변❶)를 묻는다는 명분을 내세워 40만 대군을 이끌고 2차 침입을 감행하였다.

② 과정: 서북면을 지키던 강조❷의 패배 이후, 개경이 함락되고 현종은 전라도 나주까지 피난하였다. 그러나 흥화진의 양규 등 거란의 배후에서 고려군은 저항을 계속하였다.

③ 결과: 퇴로의 차단을 우려하고 있었던 거란은 고려의 강화 조건(국왕의 거란 방문, 강동 6주 반환)을 받아들이고 물러갔다.

심화사료 百出

2022. 지방직 9급

거란의 2차 침입 당시 강조의 패배

군대를 이끌고 통주성 남쪽으로 나가 진을 친 강조는 거란군에게 여러 번 승리를 거두었다. 하지만 자만하게 된 그는 결국 패해 거란군의 포로가 되었다. 거란의 임금이 그의 결박을 풀어 주며 "내 신하가 되겠느냐?"라고 물으니, 강조는 "나는 고려 사람인데 어찌 너의 신하가 되겠느냐?"라고 대답하였다. 재차 물었으나 같은 대답이었으며, 칼로 살을 도려내며 물어도 대답은 같았다. 거란은 마침내 그를 처형하였다.

– 「고려사」 열전, 강조

(3) 제3차 침입(현종, 1018)

① 원인: 거란은 현종의 거란 방문과 강동 6주의 반환을 요구하였다. 그러나 고려가 이를 거절하자 다시 침략하였다.

② 과정: 거란의 소배압이 10만 군을 거느리고 쳐들어 왔다. 거란군은 개경 근처까지 진출했지만 고려군의 저항에 부딪혀 흥화진 등에서 패배하였다. 강감찬이 지휘하는 고려군은 귀주에서 퇴각하는 거란군을 크게 물리쳤다(강감찬의 귀주 대첩, 1019).

3. 결과

(1) 세력 균형: 고려가 거란의 침입을 막아냄으로써 송, 거란(요), 고려 삼국 간의 세력 균형이 유지되었다. 이후 고려는 거란과 외교 관계를 맺고 사신을 교환하였다.

(2) 국방 강화와 전란 대비

① 나성 축조: 현종 때 강감찬의 건의로 개경에 나성을 쌓아 도성 수비를 강화하였다.

② 천리장성 축조❸: 압록강에서 동해안의 도련포에 이르는 북쪽 국경 일대에 천리장성을 쌓았다.

③ 대장경 조판: 거란의 침입을 부처의 힘으로 막고자 초조대장경이 조판되었다.

02 고려 중기의 정치 상황

1. 목종(997~1009)

(1) **개정 전시과[4] 시행**: 목종 원년에 시정 전시과를 개편하여 **개정 전시과**를 시행하였다.

(2) **강조의 정변**: 목종이 후사가 없자 김치양[5]은 천추 태후와 모의하여 본인과 태후의 아들을 왕의 후계자로 삼으려고 하였다. 이에 서북면 도순검사 **강조가 군사를 일으켜** 개경에 들어와 김치양 일파를 제거하고 **목종을 폐위시킨 후 현종을 왕으로 옹립**하였다.

심화사료 百出

2024. 국가직 9급

강조의 정변

강조의 군사들이 궁문으로 마구 들어오자, 목종이 모면할 수 없음을 깨닫고 태후와 함께 목 놓아 울며 대궐 밖으로 나와 법왕사로 자리를 옮겼다. 잠시 후 황보유의 등이 대량원군을 받들고 도착하여 드디어 왕위에 올렸다. 강조가 목종을 폐위하여 양국공으로 삼고, 군사를 보내 김치양 부자(父子)와 유행간 등 7인을 죽였다. …… 강조가 사람을 시켜 그를 죽인 후 왕이 자결하였다고 보고하였으며, 시신은 문짝을 취하여 만든 관에 넣어 객관(客館)에 임시로 안치하였다. 왕은 왕위에 있는 지 12년이었고 나이는 30세였다.

— 「고려사」

2. 현종(1009~1031)[6]

(1) **거란의 침입 격퇴**: 거란의 2·3차 침입을 물리쳤다. 이후 개경에 **나성**을 쌓아 방어를 강화하였다.

(2) **지방 제도 정비**: 경기와 5도 양계, 4도호부·8목을 두어 지방 제도를 정비하였다.

(3) **주현공거법**: 향리 자제의 과거(문과) 응시를 허용하였다.

(4) **『7대 실록』 편찬**: 거란의 침입 때 소실된 서적들을 보완하기 위해 『7대 실록』을 편찬하였다.

3. 문종(1046~1083)

안정과 번영을 이룬 황금기였지만, 문벌 귀족의 기득권 강화 등 보수화가 심화된 시기이기도 하였다.

(1) **중앙 경관직 완성**: 성종 때부터 정비되어 온 중앙 경관직이 완비되었다.

(2) **경정 전시과 시행**: 개정 전시과를 개편하여 경정 전시과[7]를 시행하였다.

(3) **송과의 국교 재개**: 현종 때 단절된 송과의 외교 관계를 회복하였다(1071).

(4) **남경 설치**: 한양을 남경으로 승격시켜 개경, 서경[8]과 함께 3경이라 하였다.

(5) **사학 12도**: 최충의 문헌공도를 중심으로 **사학 12도**가 성행하였다.

(6) **불교 장려**: 흥왕사를 건립했으며, 문종의 넷째 아들인 **의천**이 승려가 되었다.

(7) **민생 안정책**: 재해로 인한 손실에 비례해 전세를 감면하였다(답험손실법). 그리고 전품제[9]를 실시하였다.

(8) **기인선상법[10]**: 기인이 반드시 향리의 자제여야 한다는 규정을 없앴다.

---

[4] 개정 전시과

관직의 높낮이(1~18등급)를 고려하여 토지를 차등 지급하였다.

[5] 김치양

경종의 왕후이자 목종의 어머니인 천추 태후와 추문을 일으켜 성종이 유배시켰다. 그러나 목종이 즉위하자 천추태후가 다시 불러서 높은 벼슬을 주었다.

[6] 현종

현종은 부모의 명복을 빌기 위해 개경에 현화사를 창건하였다.

✎ 의창(주창)수렴법(현종)

각주에 의창을 두고, 토지의 넓이에 따라 미곡(의창미)을 부담하게 하였다.

[7] 경정 전시과

전시과의 지급 대상을 현직 관료로 제한하였다.

[8] 서경

문종 때 서경 주변에 서경기(西京畿) 4도를 설정하기도 하였다.

[9] 전품제

휴경의 정도에 따라 3등급으로 나누어 조세를 부과하였다.

[10] 기인선상법(其人選上法)

기인이 본래 가지고 있던 인질의 성격이 약화되고, 노동 인력 제공으로 변화되었다.

4. 숙종(1095~1105) ☆

숙종은 조카인 헌종이 어린 나이로 즉위하자 선위를 받는 형식으로 왕위를 찬탈하였다.

(1) **별무반**: 여진족 토벌을 위해 윤관의 건의를 받아들여 **별무반**을 조직하였다.

(2) **화폐 정책❶**: 주전관(주전도감)❷을 설치하여 **해동통보·은병** 등을 주조하였다. 특히, 은병은 우리나라의 지형을 본뜬 고액 화폐로 민간에서는 활구라 불렀다.

(3) **남경 건설**: 김위제의 주장(한양 명당설)에 따라 남경에 남경개창도감(남경 건설을 위한 임시 관청)을 두고 궁궐을 지었다.

(4) **관학 진흥**: 국자감 안에 서적포를 설치(1101)하고 책을 인쇄·출판하였다.

(5) **불교 장려**: 의천은 숙종의 후원으로 국청사를 건립하고 **천태종**을 창시하였다.

5. 예종(1105~1122)

(1) **여진 정벌**: 윤관은 별무반을 이끌고 여진을 정벌하고, 함흥평야 일대에 **9성**을 설치하였다(1107). 그러나 1년 만에 9성을 여진족에게 돌려주었다.

(2) **관학 진흥책**: 사학의 융성에 따른 관학 위축에 대응하여 각종 관학 진흥책을 펼쳤다.
  ① **7재 설치**: 국자감(국학)❸을 재정비하여 전문 강좌인 7재를 설치하였다.
  ② **양현고 설치**: 양현고라는 **장학 재단**을 설립하여 유학생들에게 경제적 지원을 하였다.
  ③ **청연각, 보문각 설치**: 학문 연구 기관이자 도서관인 청연각과 보문각을 건립하였다.

(3) **복원궁 설치**: 복원궁이라는 도교 사원을 건립하였다.

(4) **민생 안정책**: 구제도감❹과 혜민국❺을 설치하고, 속현에 감무를 파견❻하였다.

❶ **숙종의 화폐 정책**
숙종은 화폐를 유통시킴으로써 국가 재정을 통제하고자 하였다. 이를 통해 귀족과 불교 세력을 견제하여 왕권을 강화시키고자 하였다.

❷ **주전관(鑄錢官)**
숙종 때 의천의 건의로 만들어진 관청으로, 화폐를 주조하였다.

❸ **국자감(국학)**
예종 때 국자감의 명칭을 국학으로 개칭하였다(최근에는 충렬왕 때로 보기도 함).

❹ **구제도감**
각종 재해나 전염병이 발생했을 때 병자의 치료를 목적으로 설치한 임시 기관이다.

❺ **혜민국**
백성의 질병 치료를 위하여 설치한 의료 기관이다.

❻ **감무 파견**
우봉, 파평 등 속현 지역에 감무관을 파견하여 백성의 토지 이탈을 막고 농업을 권장하였다.

03 여진의 침입

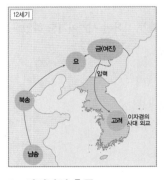

12세기 초	완옌부를 중심으로 통일 ⇨ 고려와 충돌
숙종	**별무반** 편성(윤관 건의)
예종	여진족을 축출하고 **동북 9성** 축조(윤관, 1107) ⇨ 1년 만에 반환
	'금'의 건국(아골타)
인종	금이 거란을 멸한 뒤 고려에 군신 관계 요구 ⇨ **이자겸이 정권 유지를 위하여 금의 사대 요구 수용**

1. 여진과의 충돌

(1) **초기의 여진족**: 여진은 한때 말갈이라 불리면서 오랫동안 고구려에 복속되어 있었다. 발해 멸망 이후 여진❼으로 불리며 부족 단위로 흩어져 생활하였다. 이들은 고려에 토산물을 바치고 고려는 대신 벼슬과 물품을 주었다(회유 정책).

(2) **여진족의 성장**: 요(거란)가 쇠퇴하는 상황에서 여진족은 완옌부를 중심으로 부족을 통일하였다.

❼ **고려의 대여진 정책**
고려는 두만강 지역의 여진을 경제적으로 도와주는 등 회유하면서 그들의 도발에는 강력히 대처하였다.

2. 윤관의 여진 정벌

(1) **1차 접촉**: 여진은 고려군과 자주 충돌하였다. 이에 숙종은 윤관을 보냈으나 기병이 강한 여진에게 대패하였다.

(2) **별무반 편성[8]**: 숙종 때 윤관의 건의에 따라 기병을 주축으로 한 별무반을 조직하였다. 기병 중심의 신기군, 보병 중심의 신보군, 승병 중심의 항마군으로 구성되었다.

(3) **동북 9성 축조(예종)**: 윤관이 별무반을 이끌고 정벌을 단행하여 동북 지방 일대에 9성을 쌓았다.

(4) **동북 9성[9]의 반환**: 여진의 계속된 침입 등으로 9성의 방어가 어렵게 되자, 여진에게 조공을 약속받고 1년 만에 9성을 돌려주었다.

여진의 침입로와 동북 9성

척경입비도(拓境立碑圖)
윤관이 9성을 개척하고 비석을 세우는 장면을 조선 후기에 그린 것이다.

[8] 별무반 편성
여진과의 충돌에서 기병 위주인 여진에게 번번이 패하자, 윤관은 숙종에게 별무반 편성을 건의하였다.

[9] 동북 9성의 위치 논란
동북 9성의 위치는 오랫동안 논란의 대상이 되었는데, 두만강 유역설·길주 부근설·간도 부근설 등이 있다. 최근 함흥평야설이 폐기되었는데, 이는 일제 식민사학자들이 제시한 것으로, 고려의 정복 지역을 함흥평야로 국한시켰다.

[10] 시대별 여진족의 명칭

우리나라	명칭
고대 이전	숙신·읍루
삼국~ 통일 신라	물길
	말갈
고려~ 조선 전기	여진
조선 후기	만주족

심화사료 百出

2022. 서울시 9급, 2020. 지방직 9급, 2014. 지방직 9급, 2012. 경찰 3차, 2007. 국가직 9급

별무반의 편성

"신이 **오랑캐에게 패한 것은, 그들은 기병인데 우리는 보병**이라 대적할 수 없었기 때문이었습니다." 이에 **왕에게 건의하여 새로운 군대를 편성**하였다. 문·무 산관, 이서, 상인, 농민들 가운데 말을 가진 자를 **신기군**으로 삼았고, 과거에 합격하지 못한 20살 이상 남자들 중 말이 없는 자를 모두 **신보군**에 속하게 하였다. 또 승려를 뽑아서 **항마군**으로 삼았다. ― 「고려사절요」

3. 금나라와의 사대 외교

(1) **배경**: 여진[10]의 아골타가 만주 지역 대부분을 차지하고 1115년 **금나라**를 건국하였다. 금나라는 거란(요)을 멸망시킨 이후, 고려에 군신 관계를 요구하였다.

(2) **과정**: 많은 신하들이 이에 반대했으나, 당시 집권자였던 **이자겸**은 전쟁을 피하고 정권을 유지하기 위해 금의 요구를 수용하였다.

(3) **결과**: 금과 군사적인 충돌은 피할 수 있었지만, 고려 초부터 추진된 북진 정책은 좌절되었다. 뒷날 **묘청·정지상** 등이 **금국정벌론**을 펼치는 배경이 되었다.

심화사료 百出

2019. 국가직 9급

금나라의 사대 요구 수용(고려 인종)

금(金)을 섬기는 일의 가부를 의논하게 하니 모두 불가(不可)하다고 하였다. 유독 **이자겸**과 척준경만이 말하기를, "금이 과거 소국(小國)일 때는 요(遼)와 우리나라를 섬겼습니다. 그러나 지금 **금이 급격하게 세력을 일으켜 요와 송(宋)을 멸망**시켰으며, …… 나날이 강대해지고 있습니다. …… 게다가 **작은 나라가 큰 나라를 섬기는 것은 선왕의 도리**이니, 사신을 보내어 먼저 예를 갖추고 위문하는 것이 옳습니다."라고 하니, 왕이 그 말을 따랐다. ― 「고려사」

1. 문벌 귀족 사회의 성립

(1) **문벌 귀족의 형성**: 여러 세대에 걸쳐 중앙에서 고위 관직자를 배출한 가문을 문벌 귀족이라 부른다. 이들은 **지방 호족 출신과 신라 6두품 계통의 유학자 출신** 등으로 구성되었다.

(2) **문벌 귀족 사회의 모순**

① **정치·경제적 특권**: 과거와 음서를 통하여 관직을 독점하고, 중서문하성과 중추원의 재상이 되어 정국을 주도하였다. 또한 과전과 공음전을 받아 경제 기반을 확보하였다.

② **보수화**: 문벌 귀족은 오랜 기간 특권을 누리면서 **문종 이후** 점차 보수화되었다. 이들은 **왕실이나 귀족 간의 혼인** 등을 통해 기득권을 독점하였다.

2. 인종(1122~1146)❶

(1) **문벌 귀족 사회의 모순 표출**: 이자겸의 난(1126)과 묘청의 난(1135) 등이 일어났다.

(2) **주요 정책**

① **교육 제도 정비**: 국자감(국학)에 **경사 6학**❷ 제도를 마련했으며, 무과를 폐지❸하였다. 또한, 지방 교육 진흥을 위해 각 주에 향교를 세웠다.

② **『삼국사기』 편찬(1145)**: 김부식이 왕명을 받아 기전체 사서인 『삼국사기』를 편찬하였다.

③ **『상정고금예문』❹ 편찬**: 최윤의 등이 고금(古今)의 예문을 정리하여 50권의 책으로 만들었다.

❖ **왕실과 경원 이씨❺ 가문의 혼인 관계**

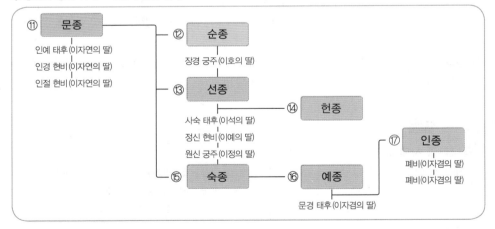

[왼쪽 여백 주석]

✎ **대표적인 문벌 귀족**
- 경원 이씨: 이자겸
- 해주 최씨: 최충
- 경주 김씨: 김부식
- 파평 윤씨: 윤관

❶ **인종**
어머니는 이자겸의 딸인 문경 태후이며, 이자겸의 딸 두 명을 왕후로 맞이하였다.

❷ **경사 6학**
국자학, 태학, 사문학, 율학, 서학, 산학을 말한다.

❸ **무학재 폐지**
관학 7재 중 무학재(강예재)에서는 무예의 이론과 실기를 교육했는데, 인종 때 폐지되었다.

❹ **『상정고금예문』**
무신 집권기, 최우가 주도하여 강화도에서 금속 활자로 『상정고금예문』 28부를 인쇄(고종, 1234)하였다.

❺ **경원(인주) 이씨**
대표적인 문벌 귀족 가문이다. 문종 대부터 인종 대까지 80여 년 동안 5명의 왕에게 9명의 왕비를 들여 왕실의 외척으로 권력을 누렸다. 이자연은 세 딸을 문종에게 시집보냈으며(문종의 왕비), 순종·선종·숙종의 외할아버지가 되었다. 이자연의 손자인 이자겸의 딸들도 예종과 인종의 왕비가 되었다.

3. 이자겸의 난(1126)

(1) 배경: 예종이 죽자 이자겸의 외손자인 **인종**이 즉위하였다. 이자겸은 **예종의 측근 세력들을 제거**[6]하면서 권력을 장악하였다.

(2) 전개

① 반란의 발생: 이자겸[7]은 **도참설(십팔자위왕설, 十八子爲王說)**을 내세워 인종을 독살하려 하였다. 이에 위협을 느낀 인종이 이자겸을 제거하려 하자, 오히려 이자겸은 척준경과 함께 반란을 일으켰다.

② 이자겸의 몰락: 인종은 척준경을 이용하여 이자겸을 몰아냈다. 이후 척준경도 쫓겨났다.

(3) 결과: 왕권이 크게 실추되었고, 중앙 지배층 사이의 분열을 심화시켰다. 이 사건은 문벌 귀족 사회의 붕괴를 촉진하는 계기가 되었다.

2017. 국가직 7급, 2013. 법원직 9급

심화사료 頻出

이자겸의 난

왕이 어느 날 홀로 한참 통곡하였다. **이자겸의 십팔자(十八子)가 왕이 된다는 비기(秘記)**가 원인이 되어 왕위를 찬탈하려고 독약을 떡에 넣어 왕에게 드렸던 바, 왕비가 은밀히 왕에게 알리고 떡을 까마귀에게 던져주었더니 그 까마귀가 그 자리에서 죽었다.

— 『고려사』

4. 묘청의 서경 천도 운동(1135)

(1) 배경

이자겸의 난으로 개경의 궁궐이 불타는 등 국왕과 왕실의 권위가 크게 떨어졌다. 또한 서경(평양) 출신의 신진 관리들이 성장하면서, 개경 귀족들과 갈등이 커져 갔다.

(2) 전개

① 묘청 세력: 인종에게 '황제를 칭하고, 금을 정벌할 것'을 건의하고, **서경(평양) 천도**[8]를 주장하였다.

② 개경 세력: 김부식 등 민생 안정을 내세워 금과 사대 관계를 유지하고자 하였다.

③ 인종: 서경 천도에는 동의하여 서경에 대화궁과 팔성당(토착신)을 세웠다. 그러나 칭제건원과 금나라 정벌 등 너무 과격한 주장은 수용하지 않았다.

④ 반란의 발생: 정권 장악이 어렵게 되자, 묘청 세력은 **서경**에서 난을 일으켰다. 이들은 국호를 대위국, 연호를 천개, 군대를 천견충의군이라고 하였다. 그러나 **묘청의 난**은 김부식이 이끈 관군에 의해 진압되었다.

✤ 서경파 vs 개경파

구분	서경파	개경파
세력	**묘청·정지상**[9] 등 신진 관료 세력	김부식 등 기존 문벌 귀족
사상	**국풍파**(풍수지리설, 불교, 낭가)	**한학파**(유학)
외교	금나라 정벌(북진 정책)	금나라 정벌 반대
성격	자주적	보수적, 합리적
역사 의식	고구려 계승 의식	신라 계승 의식

❻ 예종의 측근 세력 제거

이자겸은 예종의 동생인 대방공 보를 위시하여 한안인, 문공미 등 50여 명을 살해하거나 유배하였다. 이들은 대개 지방 토착 세력이었고 예종 때 등용된 정계의 신진 세력이었다.

❼ 이자겸

아들을 출가시켜 현화사 불교 세력과 강력한 유대 관계를 맺었다.

❽ 묘청의 서경 천도

묘청 세력은 지덕쇠왕설을 내세워 천도를 주장하였다. 지덕이 쇠한 개경을 버리고 지덕이 왕성한 서경으로 수도를 옮기면 금이 굴복하고 주변 나라들이 조공을 바칠 것이라고 주장하였다.

❾ 정지상

서경 출신으로, 척준경을 몰아낸 공로로 출세하였다.

(3) 결과

① **문벌 귀족 사회의 모순 심화**: 묘청의 난 이후, 개경 문벌 귀족의 보수화 경향은 더욱 강화되었다. 그리고 문신 우대와 무신 차별도 더욱 심각해졌다.

② **서경의 지위 격하**: 묘청의 난 이후, 서경에 별도의 관서를 두는 분사(分司) 제도가 폐지되었다.

③ **『삼국사기』 편찬(1145)**: 묘청의 난을 진압한 후 개경파인 김부식에 의해 『삼국사기』가 편찬❶되었다.

④ **신채호의 평가**: 신채호는 『조선사연구초』에서 서경 천도 운동을 '조선 역사상 일천년래 제일대 사건'이라 하여 자주성을 높이 평가하였다.

❶ 『삼국사기』 편찬 배경
인종은 실추된 왕권을 다시 세우고, 과거의 역사를 되돌아보면서 치국의 도리와 군신의 의리 등을 역사에서 되찾고자 하였다.

❷ 신채호의 평가
신채호는 기존 유교주의 입장에서 묘청의 서경 천도 운동을 바라보던 사관을 극복하고, 한국사의 전체적 흐름 속에서 이 사건의 역사적 의미를 재조명하였다.

고등사료 百出

2020. 법원직 9급, 2015. 지방직 9급, 2008. 지방직 7급

서경 천도 운동에 대한 신채호의 평가❷

묘청의 천도 운동에 대하여 역사가들은 단지 왕사(王師)가 반란한 적을 친 것으로 알았을 뿐인데, 이는 근시안적인 관찰이다. 그 실상은 낭가(郎家)와 불교 양가 대 유교의 싸움이며, 국풍파(國風派) 대 한학파(漢學派)의 싸움이며, 독립당 대 사대당의 싸움이며, 진취 사상 대 보수 사상의 싸움이니, 묘청은 전자의 대표요 김부식은 후자의 대표였던 것이다. …… 만약 김부식이 패하고 묘청이 이겼더라면, 조선사가 독립적, 진취적으로 진전하였을 것이니 이것이 어찌 **일천년래 제일대 사건**이라 하지 아니하랴. ─ 『조선사연구초』

심화사료 百出

2017. 서울시 9급, 2017. 법원직 9급

서경파의 주장(묘청)

제가 보건대 **서경 임원역의 땅은 풍수지리를 하는 사람들이 말하는 아주 좋은 땅**입니다. 만약 이곳에 궁궐을 짓고 전하께서 옮겨 앉으시면 천하를 다스릴 수 있습니다. 또한 **금나라가 선물을 바치고 스스로 항복할 것이고 주변의 36나라가 모두 머리를 조아릴 것**입니다. ─ 『삼국사기』

개경파의 주장(김부식)

금년 여름 서경 대화궁에 30여 개소나 벼락이 떨어졌습니다. 서경이 만일 좋은 땅이라면 하늘이 이렇게 하였을 리 없습니다. 또 서경은 아직 추수가 끝나지 않았습니다. 지금 거동하시면 농작물을 짓밟을 것이니 이는 백성을 사랑하고 물건을 아끼는 뜻과 어긋납니다. ─ 『삼국사기』

묘청의 난

임술일에 왕이 다음과 같이 조서를 내렸다. "…… 나에게 불평을 품은 나머지 당돌하게 병란을 일으켜 관원들을 잡아 가두었으며 천개(天開)라는 연호를 표방하고 군호(軍號)를 충의(忠義)라고 하였으며 공공연히 병졸들을 규합하여 서울을 침범하려 한다. 사변이 뜻밖에 발생하여 그 세력을 막을 도리가 없다." ─ 『고려사』

대표 기출문제

(가) 인물에 대한 설명으로 옳은 것은?

2022. 지방직 9급

군대를 이끌고 통주성 남쪽으로 나가 진을 친 [(가)] 은/는 거란군에게 여러 번 승리를 거두었다. 하지만 자만하게 된 그는 결국 패해 거란군의 포로가 되었다. 거란의 임금이 그의 결박을 풀어 주며 "내 신하가 되겠느냐?"라고 물으니, [(가)] 은/는 "나는 고려 사람인데 어찌 너의 신하가 되겠느냐?"라고 대답하였다. 재차 물었으나 같은 대답이었으며, 칼로 살을 도려내며 물어도 대답은 같았다. 거란은 마침내 그를 처형하였다.

① 묘청의 난을 진압하였다.
② 별무반의 편성을 건의하였다.
③ 목종을 폐위하고 현종을 옹립하였다.
④ 거란과 협상하여 강동 6주 지역을 고려 영토로 확보하였다.

해설
제시된 자료의 (가) 인물은 고려의 장수인 강조이다. ③ 목종 때 강조가 정변을 일으켜 목종을 폐위시켰으며 현종을 왕으로 옹립하였다. ① 김부식에 대한 설명이다. 김부식이 이끈 관군의 공격으로 묘청의 난은 약 1년 만에 진압되었다. ② 윤관에 대한 설명이다. ④ 서희의 외교 담판에 대한 설명이다.

정답 ③

04강 무신 정변과 몽골의 침입

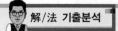 解/法 기출분석

구 분		2008~2017	2018	2019	2020	2021	2022	2023	2024
9급	국가직	• 지역사(제주도) • 삼별초			최충헌				
	지방직	• 무신 정권 • 대몽 항쟁				무신 정권		• 삼별초 • 지역사(강화도)	
	법원직	• 무신 정권(3) • 대외 관계(4)	만적의 난	지역사(압록강)					무신 정권

 解法 요람

무신 정권기의 정치 변동과 집권 기구

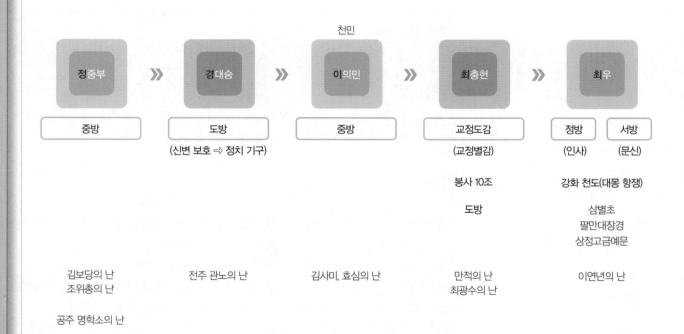

정중부	경대승	이의민 (천민)	최충헌	최우
중방	도방 (신변 보호 ⇒ 정치 기구)	중방	교정도감 (교정별감) 봉사 10조 도방	정방(인사) / 서방(문신) 강화 천도(대몽 항쟁) 삼별초 팔만대장경 상정고금예문
김보당의 난 조위총의 난 공주 명학소의 난	전주 관노의 난	김사미, 효심의 난	만적의 난 최광수의 난	이연년의 난

공민왕릉의 무인상과 문인상

무인상보다 문인상이 한 계단 위에 배치되어 있어 고려의 문신 우대 경향을 잘 보여 주고 있다.

❶ 숭문천무(崇文賤武)

무신은 승진에 제한을 받아 정3품 상장군까지만 오를 수 있었다. 또한, 군대의 총사령관도 문신이 독점하였다(서희·강감찬·윤관·김부식은 모두 문신 출신). 뿐만 아니라 지급받는 토지도 문신이 받는 것보다 적었다.

1. 무신 정변의 배경

(1) 문벌 귀족 지배 체제의 모순

묘청의 난 이후 **정치적 분열**은 계속되었고 의종은 향락에 빠지는 등 실정을 거듭하였다.

(2) 숭문천무❶의 심화

무신은 오랫동안 승진 등 여러 가지 차별을 받았다. 또한, 하급 군인도 군인전을 제대로 지급받지 못한 채 각종 공사에 동원되어 불만이 많았다.

심화사료 百出

무신 정변의 원인

의종 24년 8월 그믐날 수박희(태견)를 하였다. 대장군 이소응이 이기지 못하고 달아나려 하였다. 이때 한뢰가 갑자기 나서 이소응의 뺨을 후려쳐 섬돌 아래로 떨어지게 하였다. 왕과 여러 신하들이 손뼉을 치며 크게 웃었다. 정중부, 김광미, 양숙, 진준 등은 낯빛을 바꾸어 서로 눈짓을 하더니 정중부가 날카로운 소리로 한뢰를 꾸짖었다. "이소응이 비록 무관이나 벼슬이 3품인데 어찌 이렇게 심한 모욕을 주는가." 왕이 정중부의 손을 잡고 달래서 말렸다. ─ 「고려사」

무신 정변의 발생

날이 저물어 어가가 보현원 근처에 당도하자 이고와 이의방이 먼저 가서 왕의 명령이라 둘러대며 순검군을 집합시켰다. …… 왕의 사저에 난입해 10여 명을 죽인 후, 사람을 시켜 길에서, **"무릇 문신의 관을 쓴 자는 비록 서리(胥吏)라 할지라도 모조리 죽여 씨를 말려라!"**라고 고함을 치게 했다. ─ 「고려사」

2. 정변의 발생(1170)

정중부, 이의방 등 무신들은 보현원에서 정변을 일으켜 많은 문신을 살해하였다. 이어 의종을 거제도에 유폐하고 의종의 동생(명종)을 왕으로 세워 권력을 장악하였다.

3. 무신 정권의 전개

❷ 중방

무신의 최고위직인 상장군·대장군의 합좌 기구이다. 무신 집권기 초반, 무신들은 중방을 권력 기구로 삼았다.

❸ 도방(都房)

경대승은 개인의 사병 집단을 사저에 유숙하게 하고 이를 도방이라 불렀다.

❹ 이의민

무신난과 김보당, 조위총 등의 저항 세력을 타도하는 데 공을 세워 상장군이 되었다. 경대승이 두려워 고향 경주에 숨어 살다가 경대승 사후에 권력을 잡았다.

(1) 형성기(1170~1196)

정치는 **중방❷**을 중심으로 이루어졌는데, 권력 다툼으로 **집권자가 자주 교체**되었다. 기존 문신 세력·승려·농민·천민 등이 반란을 일으켜 사회적 혼란이 더욱 커졌다.

① 정중부: 정중부는 이의방 등을 제거(1174)하고 **중방**을 중심으로 권력을 행사하였다.

② 경대승: 정중부를 제거(1179)하고 정권을 잡은 경대승은 신변 안전을 위해 사병 집단인 **도방❸**을 설치하였다. 이후 조정의 질서를 회복하려 했으나, 30살의 나이로 병사하였다(1183).

③ 이의민❹: 천민 출신의 이의민은 **중방**을 중심으로 정권을 잡았으나, 갖은 횡포와 부정 축재를 일삼다가 최충헌에게 피살당했다.

(2) 확립기(1196~1258) – 최씨 무신 정권의 시대 ☆

4대 62년간 최씨 정권이 계속되면서 무신 정권은 안정되었으나, 국가 통치 조직은 오히려 약화되었다.

① 최충헌[5](1196~1219): 명종 – 신종 – 희종 – 강종 – 고종

　　㉠ 봉사 10조: 최충헌이 명종에게 올린 개혁안으로, **토지 겸병·승려의 고리대업 금지·조세 개혁** 등을 제시하였다. 그러나 개혁은 흐지부지되었으며, 오히려 자신의 권력 강화에 집중하였다.

최충헌의 봉사 10조(시무 10조)

적신 이의민은 성품이 사납고 잔인하여 윗사람을 업신여기고 아랫사람을 능멸하였고, 임금 자리를 흔들기를 꾀하여 화의 불길이 커져 백성이 살 수 없으므로 **신 등이 일거에 소탕하였습니다.** 원컨대 폐하께서는 새로운 정치를 도모하시어 태조의 바른 법을 좇아 행하여 중흥하소서. 삼가 열 가지 일을 조목으로 나누어 아룁니다.

1. 새 궁궐로 옮길 것
2. 관원의 수를 줄일 것
3. 농민으로부터 빼앗은 토지를 돌려줄 것
4. 선량한 관리를 임명할 것
5. 지방관의 곡물 진상을 금할 것
6. 승려의 고리대금업을 금할 것
7. 탐관오리를 징벌할 것
8. 관리의 사치를 금할 것
9. 함부로 사찰을 건립하는 것을 금할 것
10. 신하의 간언을 용납할 것

　　㉡ 도방의 부활: 신변 보호를 위해 사병 기관인 도방을 부활시켰다. 이후 도방은 삼별초와 함께 무신 정권의 군사적 기반이 되었다.

　　㉢ 교정도감 설치: 반대 세력을 숙청하기 위해 **감찰 기구**로서 교정도감을 설치하였다. 이후 인사·재정 등 국가의 중요 정책을 결정·집행하는 **최고 권력 기구**가 되었다. 또한 장관인 **교정별감**은 **최씨 가문에서 세습**하였다.

　　㉣ 흥녕부 설치: 희종 때 최충헌은 **진강후**에 책봉되어 경상도 진주 지역을 **식읍**으로 받았다. 이를 관리하기 위해 흥녕부를 따로 설치하였다.

　　㉤ 이규보 등용[6]: 이규보 등 문인들을 발탁하여 그들의 행정 능력을 활용하였다.

　　㉥ 지눌의 신앙 결사 운동 후원: 귀법사, 흥왕사 등 교종계 승려들의 반란 사건 이후 최충헌은 선종계 지눌의 신앙 결사 운동을 후원하였다.

② 최우(최이)[7]의 집권(1219~1249): 고종(1213~1259)

　　㉠ 정방 설치: 자신의 집에 정방을 설치하여 모든 관직에 대한 **인사권을 행사**하였다.

　　㉡ 서방 설치: 최우의 집에 설치된 문인들의 숙위 기관이다. **문인들이 정책을 자문**하였다.

　　㉢ 삼별초[8] 조직: 좌별초·우별초와 신의군을 포함하여 조직하였는데, 공적인 임무를 띤 **최씨의 사병**이었다. 이후 정부가 몽골과 강화하자 끝까지 항쟁하였다.

　　㉣ 대몽 항쟁: 몽골이 침략하자 최우는 **강화도로 천도**하여 항전하였다. 또한, 몽골의 침입을 불교의 힘으로 격퇴하기 위해 **팔만대장경(재조대장경)**을 만들었다.

③ 최항: 최우의 뒤를 이어 교정별감이 되어 대몽 항쟁을 이어갔다.

④ 최의: 대신들의 지지를 얻지 못하고 실정을 거듭하다가 김준 등에게 살해되었다.

(3) 붕괴기(1258~1270): 1258년(고종 45) 최의가 제거되면서 무신 정권은 붕괴기[9]에 접어들었다.

① 김준: 천민 출신으로 최의를 살해하고 정권을 잡았으나 임연 일파에게 살해되었다.

② 임연: 김준을 제거하고 정권을 잡은 이후 몽골에 항전하려 했으나 병으로 사망하였다.

③ 임유무: 임연의 아들로 개경 환도를 거부하다가 살해되었다. 이에 원종은 개경으로 환도(1270)하였고, 왕정이 회복되었다.

---

❺ 최충헌

최충헌은 명종을 폐하고 신종, 희종, 강종, 고종을 차례로 왕으로 세웠다.

❻ 인재 등용

최씨 정권은 '능문능리(能文能吏)', 즉, 학문적 교양이 높고 행정 실무에 밝은 문인들을 기용하였다. 이규보, 최자, 진화 등이 그 대표적인 인물이다.

❼ 최우

최우의 처가 죽자, 고종이 명하여 관청 비용으로 왕족처럼 장례를 치르도록 하였다.

❽ 삼별초

도적을 잡기 위해서 야별초를 둔 데서 비롯하였다. 야별초를 좌별초와 우별초로 나누었으며, 몽골군의 포로가 되었다가 도망해 온 자들로 신의군을 편성함에 따라 삼별초가 형성되었다. 이들은 일반 무뢰배와 같은 다양한 계층들까지도 포함하여 구성되었다.

❾ 무신 정권의 붕괴

몽골은 항몽의 주동자인 무신 정권을 무너뜨리려 하였다. 고려 국왕도 몽골과의 결합을 통해 약화된 왕권의 회복을 꾀하였다.

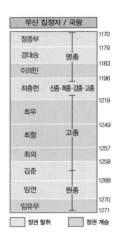

무신 집정자 / 국왕		
정중부		1170
경대승	명종	1179
이의민		1183
		1196
최충헌	신종·희종·강종·고종	1219
최우		1249
최항	고종	1257
최의		1258
김준		1268
임연	원종	1270
임유무		1271

□ 정권 탈취   ■ 정권 계승

4. 무신 정변의 영향

(1) **정치**: 무신 집권으로 왕권은 약화되었으나, 귀족 사회에서 관료 체제로 전환되는 계기가 되었다.

(2) **경제**: 지배층의 대토지 소유는 더욱 늘어났고 **전시과 체제는 붕괴되었다.** 또한, 국가의 과도한 수취와 집권층의 수탈로 민생이 피폐해졌다.

(3) **사회**: 농민과 천민의 대규모 봉기가 일어나는 등 신분제가 동요되었다.

(4) **문화**: 불교계에서는 신앙 결사 운동이 일어났으며, 유학은 침체되었다. 그리고 대몽 항쟁을 겪으면서 민족적 자주 의식이 강화되었다.

---

02 무신 집권기의 사회 동요

1. 최씨 무신 집권기 이전(명종 재위 기간)

무신들 간의 권력 다툼과 집권층의 농민에 대한 수탈이 심화되었다. 이에 따라 민란이 빈번하였다.

(1) **김보당의 난(1173)**: 동북면 병마사 김보당이 의종의 복위를 위해 난을 일으켰다(최초의 반무신 난).

(2) **조위총의 난(1174)**: 서경 유수 조위총이 지방군과 농민을 이끌고 정중부 정권 타도를 주장하며 항거하였으나 실패하였다(농민 봉기의 성격도 띰).

(3) **교종계 승려의 난**: 귀법사 등 교종 계통 승려❶들이 반란을 일으켰다.

(4) **망이·망소이의 난(1176)**❷: **공주 명학소**에서 망이와 망소이가 봉기하였다. 이 사건은 이후 향·소·부곡 등이 폐지되는 계기가 되었다.

(5) **전주 관노의 난(1182)**: 전주의 군인·관노·승려가 반란을 일으켜 한때 전주를 점령하였다.

(6) **김사미·효심의 난(1193)**❸: 명종 때 운문과 초전에서 농민 중심으로 **신라 부흥 운동**을 전개하였다.

▲ 무신 집권기의 주요 민란 봉기지

2. 최씨 무신 집권기

(1) **만적의 난(1198)**: **최충헌의 사노비**인 만적은 '사람은 누구나 공경대부가 될 수 있다.'고 주장하며 봉기를 계획했으나 실패하였다. 이 사건은 신분 차별에 항거하는 신분 해방 운동의 성격을 띠었다.

(2) **이비와 패좌의 난(1202)**: 경주에서 이비와 패좌가 **신라 부흥 운동**을 표방하면서 난을 일으켰다.

(3) **최광수의 난(1217)**: 서경에서 고구려 부흥 운동을 일으켰다.

(4) **대몽 항쟁기**: 최우 집권 시기, 이연년 형제가 전라도 담양에서 백제 부흥 운동을 일으켰다.

---

❶ **승병**

고려 사찰에서는 토지, 노비 등과 같은 재산을 지키기 위해 승병을 양성하였다.

❷ **망이·망소이의 난**

무신 정권은 명학소를 충순현으로 승격시켜 무마하였으나 봉기가 계속되자 군대를 보내 토벌하였다. 이 사건을 계기로 향·소·부곡과 같은 특수 행정 구역은 폐지되어 점차 일반 군현으로 통합·승격되었다.

❸ **김사미·효심의 난**

김사미·효심의 난은 경주·강릉의 봉기 세력과 연합하여 그 세력을 크게 확대하였다. 산발적으로 전개되던 민란은 이를 계기로 점차 다른 지역과 연합하였다.

✎ **삼국 부흥 운동**

고려 왕조를 부정하는 삼국 부흥 운동이 일어났다. 경주에서 신라 부흥 운동, 서경에서 고구려 부흥 운동, 담양에서 백제 부흥 운동이 일어났지만 모두 실패하였다.

심화사료 百出

2024. 법원직 9급, 2019. 서울시 9급, 2018. 법원직 9급, 2017. 국가직 9급(하), 2012. 법원직 9급

김보당의 난

명종 3년 8월에 동북면 병마사 **김보당이 동계에서 군사를 일으켜 정중부, 이의방을 치고 전왕(의종)을 복위시키고자 하는데** 동북면 지병마사 한언국도 군사를 일으켜 이에 호응하고 장순석 등을 보내어 거제의 전왕을 받들고 계림에 나와 살게 하였으나, 9월에 한언국은 붙잡혀 죽고 또 조금 뒤에 안북 도호부에서 김보당을 잡아 보내니 이의방이 이를 저자에서 죽이고, 무릇 문신은 모두 살해하였다.

― 「고려사」

망이·망소이의 난

망이 등이 홍경원을 불지르고 그곳에 있는 승려 10여 명을 죽였다. 주지승을 핍박하여 그로 하여금 편지를 가지고 개경으로 가게 하였는데, 대략 다음과 같은 내용이었다. "**이미 우리 고향을 현(충순현)으로 승격시킨 후** 수령을 두어 무마하게 하고 나서 그 길로 군대를 동원하여 토벌하고 내 어머니와 처를 잡아 가두니, 그 뜻이 어디에 있는가. 차라리 칼날 아래 죽을지언정 결코 항복하여 포로가 되지는 않을 것이며 반드시 개경에 이르러 복수한 뒤에야 그치겠다."

― 「고려사」

만적의 난

경계의 난❹(정중부의 난과 김보당의 난) 이래로 공경대부가 천한 노예들 가운데서 많이 나왔다. **장수와 재상의 씨가 따로 있는 것이 아니다.** 때가 오면 누구나 할 수 있는 것이다. 우리들 노비만이 어찌 매질 밑에서 고생하라는 법이 있는가. …… 먼저 최충헌을 죽인 후 이어 각각 그 주인들을 죽인 후 노비 문서를 불살라 삼한에서 천인을 없애면 공경장상이라도 우리가 모두 할 수 있을 것이다.

― 「고려사」

❹ 경계(庚癸)의 난

정중부 등이 일으킨 무신 정변(1170)과 김보당이 일으킨 반무신난(1173)을 합쳐 부르는 말이다.

03 몽골과의 전쟁 ☆

강동의 역 (1219)	1. 거란족의 일부가 몽골에 쫓겨 고려 침입 2. 몽골과 연합하여 거란족 섬멸(1219) ⇒ 몽골의 공물 요구
몽골 1차 침입 (1231)	1. 몽골 사신 저고여 피살 2. 몽골 1차 침입(1231) ⇒ 고려의 몽골 요구 수용
몽골 2차 침입 (1232)	1. 과도한 조공 요구 ⇒ 강화 천도(대몽 항쟁) 2. 몽골 2차 침입(1232) 3. 처인성에서 장수 살리타가 김윤후에게 사살되자 퇴각
대몽 항쟁기	장기 항전의 배경 ⇒ 일반 민중들의 저항

1. 배경

(1) **몽골족의 흥기**: 13세기 초엽에 유목 생활을 하던 몽골족(칭기즈 칸)이 부족 단위에서 벗어나 통일 국가를 이루었다. 이후 금나라를 공격하는 등 정복 사업을 전개하였다.

(2) **강동의 역(1219)**: 거란족❺의 일부가 몽골에 쫓겨 고려 국경을 침범하자, 고려는 몽골군과 연합하여 강동성에 있는 **거란족을 섬멸**하였다. 이를 계기로 **몽골은 고려에 공물을 요구**하였다.

(3) **저고여 피살 사건**: 몽골 사신 저고여가 고려에 왔다가 귀국 길에 압록강변에서 살해당하였다(1225).

❺ 거란의 침입

몽골에 쫓긴 거란족이 고려에 들어왔다가 제천 방면에서 김취려에게 패하여 물러갔다(1217).

❷ 강화도 천도

최씨 정권은 강화도로 천도했으나 조세는 바닷길로 운반했기 때문에 장기간 항전할 수 있었다. 또한 강화도에 궁궐(고려궁지)·사직·사찰 등을 건립하고 연등회와 팔관회도 시행했다.

❸ 대장도감 설치

최우 정권은 1236년 대장도감을 설치하여 대장경 조판 사업을 담당하게 하였다.

❹ 일반 민중들의 저항

충주 다인철소와 처인부곡에서의 전투가 대표적인 사례로, 이들 지역은 각각 익안폐현과 처인현으로 승격되었다.

❺ 무신 정권의 붕괴

최씨 무신 정권이 무너진 이후에도 권력은 무신들이 장악하고 있었고, 이들은 주전론을 주장하며 원종의 폐위를 시도하였다. 그러나 몽골의 압력으로 실패하였고, 이후 국왕과 문신들의 정치적 입지가 강화되었다.

2. 몽골의 침입 과정❶과 고려의 항쟁

(1) **제1차 침입(1231)**

① **원인**: 저고여 피살 사건을 구실로 몽골의 살리타가 대군을 이끌고 침입해 왔다.

② **박서와 지광수의 활약**: 귀주성에서 박서의 완강한 저항에 부딪히자 몽골군은 길을 돌려 개경을 포위하였다. 충주에서는 **지광수**를 중심으로 **노군·잡류가 활약**하였다.

③ **결과**: 몽골군이 수도를 포위하자 고려 정부는 몽골의 요구를 수용하고 강화를 체결하였다.

(2) **제2차 침입(1232)**

① **원인**: 몽골이 무리한 조공을 요구하자 **최우 정권**은 항전할 것을 결의하고 **강화도로 도읍을 옮겼다.❷**

② **처인성 전투**: 몽골이 다시 침입(2차 침입)해 왔으나 **처인성(용인) 전투에서 김윤후가 이끄는 민병과 승군에 의해 몽골군 총사령관 살리타가 사살**되었다.

③ **결과**: 지리적 접근이 어렵고 지휘관을 잃은 몽골군은 소득 없이 퇴각하였다.

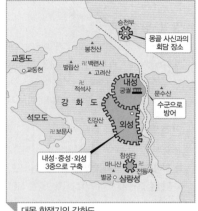

▼ 대몽 항쟁기의 강화도

(3) **고려의 대몽 항쟁**

① **강화도에서의 저항**: 최씨 무신 정권은 백성들을 산성과 섬으로 피난시키고 항전과 외교를 병행하면서 저항하였다. 지배층들은 민심을 모으고 부처의 힘으로 몽골군을 물리치기 위해 **팔만대장경을 조판(1236~1251)❸**하였다.

② **민중들의 저항❹**: 일반 백성들은 물론 부곡민, 노비, 초적들까지 나서서 몽골군에 대항하여 싸웠다.

(4) **무신 정권의 붕괴와 개경 환도**

① **무신 정권의 붕괴❺**: 항전을 고집하던 최씨 정권이 무너지고, 몽골과의 강화가 성립(1259)되었다.

② **개경 환도(1270)**: 원종은 몽골군의 지원을 받으며 개경 환도를 단행하였다.

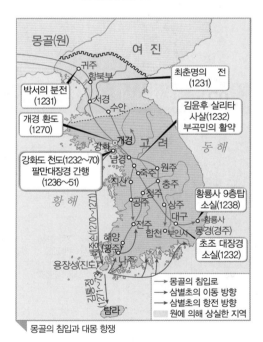

▲ 몽골의 침입과 대몽 항쟁

(5) **삼별초의 항쟁(1270~1273)**

① **원인**: 고려 왕실이 개경 환도와 삼별초 해산 명령을 내리자 대몽 항쟁에 앞장섰던 삼별초는 배중손의 지휘 아래 반기를 들었다(1270).

② 전개 과정
　ㄱ 강화도: 고려 조정이 개경으로 환도하자 삼별초는 왕족인 승화후 온을 왕으로 추대하고 항몽 정권을 수립하였다.
　ㄴ 진도: 용장성을 쌓고 행궁을 마련하며 서남해 일대를 장악하고 항전**[6]**하였다. 그러나 김방경이 이끄는 여·몽 연합군의 공격으로 진도가 함락되었고, 승화후 온과 배중손도 전사하였다.
　ㄷ 제주도: 김통정을 중심으로 한 잔여 세력은 제주도로 옮겨 항쟁을 계속하였다. 결국 마지막 근거지인 항파두리성이 함락되면서 항쟁은 막을 내렸다.

3. 결과 및 영향

(1) **왕정 복고와 고려 왕조 유지**: 1270년(원종) 무신 정권이 붕괴되고 왕정이 복구되었다. 몽골은 고려를 직속령으로 편제하지 않고, 예외적으로 **고려의 주권과 고유한 풍습을 인정**하였다(세조 구제). 이는 고려의 끈질긴 항쟁의 결과였다.

(2) **원의 내정 간섭 강화**: 원나라는 고려 왕실을 보존시킨 상태에서 내정 간섭을 강화하였다.

(3) **국토의 황폐화**: 장기간 전쟁으로 국토는 황폐해졌으며, 백성들은 많은 피해를 입었다.

(4) **문화재 소실**: 초조대장경**[7]**과 교장(속장경), 황룡사 9층 목탑을 비롯한 수많은 문화재가 소실되었다.

(5) **민족적 자주 의식 강화**: 대몽 항쟁을 겪으면서 민족적 자주 의식이 강화되었다. 이러한 사실은 단군을 민족의 시조로 인식한 『삼국유사』와 『제왕운기』의 편찬을 통해서도 알 수 있다.

고급사료 頻出

강화 천도에 대한 반발
유승단이 **"성곽을 버리며 종사를 버리고, 바다 가운데 있는 섬에 숨어 엎드려** 구차히 세월을 보내면서, 변두리의 백성으로 하여금 장정은 칼날과 화살 끝에 다 없어지게 하고, 노약자들은 노예가 되게 함은 국가를 위한 좋은 계책이 아닙니다."라고 반대하였다.
－『고려사절요』

처인성 전투와 충주산성 전투**[8]**
김윤후는 고종 때 사람이다. (그는) 일찍이 승려가 되어 백현원에 살았는데 몽골병이 오자 처인성으로 난을 피하였다. **몽골의 원수(元帥) 살례탑이 와서 처인성을 공격하자 김윤후가 그를 활로 쏴 죽였다.** 왕이 그 공을 가상히 여겨 상장군을 제수하였으나 …… 굳이 사양하고 받지 않았다. 이에 (훨씬 낮은 계급인) 섭낭장(攝郎將)으로 고쳐 제수하였다. **뒤에 (그는) 충주산성 방호별감이 되었다.** 몽골병이 와서 성을 포위한 지 무릇 70여 일 만에 군량미가 거의 다 떨어졌다. 김윤후가 사졸을 설득하고 독려하여 말하기를 …… 드디어 관노(官奴)의 명부를 가져다 불살라 버리고 또 빼앗은 소와 말을 나누어 주니 사람들이 다 죽음을 무릅쓰고 적진에 나아갔다.
－『고려사』

노군, 잡류 별초의 활약
처음 충주 부사 우종주가 매양 장부와 문서로 인하여 판관 유홍익과 틈이 있었는데, 몽골병이 장차 쳐들어온다는 말을 듣고 성 지킬 일을 의논하였다. 그런데 의견상 차이가 있어서 우종주는 양반 별초를 거느리고 유홍익은 **노군과 잡류 별초**를 거느리고 서로 시기하였다. 몽골병이 오자 우종주와 유홍익은 양반 등과 함께 다 성을 버리고 도주하고, **오직 노군과 잡류만이 힘을 합쳐서 이를 쫓았다.**
－『고려사』

[6] 삼별초의 활동
삼별초는 서남해 도서 지방을 점령하여 정부의 조세 수송로를 차단하였다. 또한 일본에 외교 문서를 보내 몽골의 침입 가능성을 경고하고, 연대의 필요성과 군사적 지원을 요청하였다.

[7] 초조대장경 소실
초조대장경의 경판은 대구 팔공산 부인사에 보관했으나 1232년 몽골의 침입 때 불타버렸다(소실 시기에 대해서는 논란 있음).

[8] 충주산성 전투
1253년(고종 40), 충주산성에서 김윤후를 비롯한 군민들은 1개월여 동안 몽골의 공격을 막았으나 식량이 부족하여 점차 사기가 떨어지게 되다. 이때 김윤후는 노비 문서를 모조리 불살라버리고 노획한 소·말을 사람들에게 균등하게 분배하였다. 이에 사기가 오른 충주의 관민과 노비들은 혼신의 힘을 다하여 싸웠으며, 몽골군은 기세가 꺾여 더 이상 공격하지 못했다.

심화사료 百出

삼별초의 항쟁

(원종) 11년에 수도를 개경으로 다시 옮기면서 …… 삼별초가 딴 마음이 있어 복종하지 않았다. …… **배중손**과 노영희는 삼별초를 이끌고 시랑(市廊)에 모여서 **승화후(承化侯) 온(溫)을 협박하여 왕으로 삼고** 관부를 설치했는데 …… 적은 **진도로 들어가서 근거지로 삼고** 인근 고을들을 노략질하였으므로 왕이 김방경에게 명령하여 토벌케 하였는데 …… 적장 **김통정**은 패잔병을 거느리고 탐라(제주도)로 들어갔다.

— 「고려사」

고려첩장❶

- 이전 문서에서는 몽고의 연호를 사용했는데, 이번 문서에서는 연호를 사용하지 않았다.
- 이전 문서에서는 몽고의 덕에 귀의하여 군신 관계를 맺었다고 하였는데, 이번 문서에서는 강화로 도읍을 옮긴 지 40년에 가깝지만, 오랑캐의 풍습을 미워하여 **진도로 도읍을 옮겼다**고 한다.

세조 구제❷

첫째, 옷과 머리에 쓰는 관은 고려의 풍속에 따라 바꿀 필요가 없다.

둘째, 사신은 오직 원 조정이 보내는 것 이외에 모두 금지한다.

셋째, 개경으로 다시 돌아가는 것은 고려 조정에서 시간을 조절할 수 있다.

넷째, 압록강 둔전과 군대는 가을에 철수한다.

다섯째, 전에 보낸 다루가치는 모두 철수한다.

여섯째, 몽골에 자원해 머무른 사람들을 조사하여 돌려보낸다.

… (후략) …

---

❶ 고려첩장(高麗牒狀)

1271년 진도에 있던 삼별초가 보낸 외교 문서를 가마쿠라 막부가 3년 전에 원종이 보낸 국서와 비교하여 이해가 잘 안 되거나 불확실한 부분을 정리한 12가지 항목이다.

❷ 세조 구제

황위 다툼을 하던 쿠빌라이는 고려의 태자(고려 원종)가 스스로 항복하러 자신을 찾아온 것에 크게 기뻐하였다. 이후 원나라 황제(세조)로 즉위한 쿠빌라이는 원종에게 고려의 의관(衣冠)을 비롯한 풍속을 몽골식으로 고칠 필요없이 원래대로 할 것을 허락하였다(세조 구제). 이는 고려의 독자성을 유지하는 데 큰 역할을 하였다.

대표 **기출문제**

다음 사건을 시기순으로 바르게 나열한 것은?

2021. 지방직 9급

(가) 정중부와 이의방이 정변을 일으켰다.
(나) 최충헌이 이의민을 제거하고 권력을 잡았다.
(다) 충주성에서 천민들이 몽골군에 맞서 싸웠다.
(라) 이자겸이 척준경과 더불어 난을 일으켰다.

① (가) ⇒ (나) ⇒ (라) ⇒ (다)　　② (가) ⇒ (다) ⇒ (나) ⇒ (라)

③ (라) ⇒ (가) ⇒ (나) ⇒ (다)　　④ (라) ⇒ (가) ⇒ (다) ⇒ (나)

[해설]

(라) 인종 때인 1126년에 일어난 이자겸의 난에 대한 설명이다. (가) 1170년 무신 정변 발생에 대한 설명이다. (나) 최충헌이 이의민을 제거하고 권력을 잡은 것은 명종 때인 1196년의 일이다. (다) 몽골의 5차 침입 때인 1253년 김윤후는 천민들과 함께 몽골의 침입에 맞서 충주성을 지켜냈다.

[정답] ③

05강 고려 후기의 정치 변동

解/法 기출분석

구분		2008~2017	2018	2019	2020	2021	2022	2023	2024
9급	국가직	• 원 간섭기 정치 • 충선왕 • 공민왕(2)					원 간섭기 정치	전민변정도감	
	지방직	• 도평의사사 • 충선왕			공민왕	지역사(서경)	우왕		화통도감
	법원직	• 전민변정도감 • 공민왕(3) • 여말선초					원 간섭기 정치		

원 간섭기 개혁 정치

충렬왕

① 도평의사사(도당) 설치: 기능 확대
③ 성리학 전래(안향), 성균관, 문묘 건립

② 여 · 원 연합군 일본 원정
④ 고조선 계승 의식: 『삼국유사』, 『제왕운기』 편찬

충선왕

① 사림원 설치
③ 수시력 채용

② 소금 전매제(각염법)
④ 만권당(연경) 설립: 학문 연구소, 이제현

충목왕

정치도감 설치

공민왕

반원 정책
① 친원파 숙청(기철 등)
② 정동행성 이문소 폐지, 관제 복구, 몽골풍 폐지
③ 쌍성총관부 회복: 유인우 공격 ⇨ 철령 이북 땅 수복

왕권 강화책
① 정방 폐지
② 성균관 개편(순수 유학 교육 기관)
③ 전민변정도감 설치(신돈 등용)

우왕

① 왜구 격퇴(홍산 · 진포 · 황산), 위화도 회군
② 『직지심체요절』: 청주 흥덕사

01 원의 내정 간섭

1. 관제의 개편

(1) **부마국**: 고려의 국왕은 원나라 공주와 **결혼**하여 원 황제의 부마가 되는 것이 관행이 되었고, 고려 왕실의 예법과 호칭은 제후국 수준으로 격하되었다.

(2) **관제 격하(1275)**: 충렬왕 때 관청의 명칭이 격하되었다. 중서문하성과 상서성은 **첨의부**로 합쳐지고, 중추원은 밀직사로 바뀌었다. 6부는 4사로 개편되었는데, 이 과정에서 공부는 폐지되었다.

이전	중서문하성 상서성	중추원	이부 예부	병부	호부	형부	어사대	한림원
이후	첨의부	밀직사	전리사	군부사	판도사	전법사	감찰사	문한서

(3) **도평의사사❶**

① **설치**: 도병마사의 기능이 확대되어 충렬왕 때 **도평의사사(도당)**로 개편되었다.

② **기능 강화**: 국정 전반의 중요 사항을 결정하는 **최고 정무 기구**가 되었다. 구성원도 증가하였다.

2. 영토의 상실(원의 직할지로 편입된 지역)

(1) **쌍성총관부(1258~1356)**: 고려 고종 때 몽골은 화주(영흥)에 쌍성총관부를 설치하여 **철령 이북**을 직속령으로 편입시켰다. 이후 공민왕 때(1356) 무력으로 탈환하였다.

(2) **동녕부(1270~1290)**: 원종 때 최탄의 투항으로 원은 자비령 이북의 땅을 차지하고 **서경**에 **동녕부**를 설치하였다. 이후 충렬왕 때 고려에 반환되었다.

(3) **탐라총관부(1273~1301)❷**: 삼별초의 항쟁을 진압한 후 원은 제주도에 탐라총관부를 설치하고 목마장을 경영하였다. 이후 충렬왕 때 반환되었다.

3. 원의 일본 원정

(1) **전개**: 고려는 몽골(원)과 강화 이후에 두 **차례**에 걸친 일본 원정에 동원되었다. 몽골(원)은 일본 원정을 위한 물자와 군인 등을 고려에 요구하였다. 그러나 일본 원정은 **태풍**으로 실패하였다.

(2) **정동행성 설치**: 일본 원정을 위해 개경에 **정동행성**이라는 준비 기관을 두었다. 이후 정동행성은 계속 유지되고, 고려의 내정을 간섭하였다.

▼ 원나라의 일본 원정

✎ 호칭 격하

이전	이후
짐	고
폐하	전하
태자	세자
조, 종	충○왕
선지	왕지
상서	판서
시랑	총랑
사	유
주	정

❶ **도평의사사**

도병마사는 관제 격하의 대상은 아니었으나(중국에는 없음), 정부의 필요에 의해 개편되었다.

❷ **탐라총관부의 폐지**

1294년 충렬왕은 탐라를 고려에 돌려줄 것을 청하여 원나라 세조로부터 허락을 받았다. 그러나 이후에도 원은 탐라에 관리를 파견하여 목장 경영을 계속하였다. 결국 1301년 충렬왕 때 탐라총관부가 폐지되었다.

4. 원의 내정 간섭[3]

(1) **독로화(인질) 제도**: 고려는 왕족 등을 원나라에 **인질**로 보내야 했다. 특히 고려의 세자는 원나라 수도 연경(북경)에 가서 원나라 공주와 결혼하고 살다가 돌아와 왕위에 올랐다.

(2) **입성책동[4]**: 친원 세력들은 고려를 원나라의 **지방 행정 구역(직속령)**으로 편입하려는 시도를 하였다.

(3) **정동행성**: 원래 일본 원정을 준비하기 위해 개경에 설치한 기구였는데, 원정 이후에도 계속 유지되어 내정을 간섭하였다. 장관은 **고려 왕**이 겸직했으며, 실권은 사법 기구인 **이문소**에 집중되어 있었다.

(4) **순마소**: 반원 인사의 색출과 치안을 담당한 감찰 기구이다. 조선 초 의금부로 개편되었다.

(5) **만호부(萬戶府)**: 몽골의 10진법에 따른 고려의 군사 조직으로, **5만호부**가 성립되었다.

(6) **다루가치 설치**: 몽골어로 총독을 의미한다. 고려에 파견되어 내정을 간섭하고 공물을 징발하였다.

5. 원의 경제적 수탈

(1) **인적 수탈**: 원은 환관을 요구했으며, 또 고려의 처녀를 **공녀**로 뽑아 갔다(결혼도감[5]). 이로 인해 고려에서는 일찍 결혼하는 조혼의 풍습이 유행하였다.

(2) **물적 수탈**: 원은 조공이라는 명목으로 금, 은, 베를 비롯하여 인삼, 약재 등 특산물을 수탈하였다. 또한, 매를 징발하기 위해서 **응방**이라는 특수 기관을 설치하였다.

심화사료 · 頻出

공녀 문제

이런 일이 1년에 한두 번이나 2년에 한 번씩 있는데, 그 처녀의 수가 많은 때는 40~50명에 이른다. 이미 그 선발에 뽑히게 되면 그 부모나 일가친척들이 서로 모여 통곡하며 밤낮으로 우는 소리가 끊이지 않았다. 국경에서 헤어지는 데에 이르러서는 옷자락을 붙잡고 발을 구르며 넘어져서 길을 막고 울부짖다가 …… 기절하는 사람도 있고, 피눈물을 쏟아 눈이 먼 사람도 있다.

— 「고려사절요」

---

02 공민왕의 개혁 정치

1. 원 간섭기 개혁 정치

(1) **충렬왕[6]**(1274~1308)

① **원의 내정 간섭**: 고려의 관제, 왕실과 관련된 호칭 등이 제후국 수준으로 격하되었다. 또한 원의 강요로 두 차례에 걸쳐 **일본 원정에 동원**되었다.

② **각종 개혁 추진**

㉠ **도평의사사의 설치**(1279): 도병마사를 도평의사사로 개편하였다.

㉡ **전민변정도감[7] 설치**: 불법적인 대토지(농장) 확대를 금지하고 양민을 보호하기 위해 설치하였다. 토지를 원래 주인에게 돌려주고, 노비를 본래 신분으로 되돌리려고 했으나 실패하였다.

③ **영토 수복**: 동녕부를 원에 요청해 반환받고 서경 유수관을 설치하였다. 또한 **탐라총관부**를 반환받은 후 제주라 이름을 고치고 목사를 두었다.

❸ 심양왕 제도

당시 남만주 심양에는 고려인 포로나 유민들이 많이 살면서 특수한 지역을 형성하였다. 원은 이 곳의 통치를 원활히 하기 위해 심양왕을 책봉하였다. 그리고 이를 통해 고려왕을 견제하기도 하였다.

❹ 입성책동(立省策動)

충선왕 복위 이후 약 30년간 4차례에 걸쳐 일어났는데, 모두 왕위 계승과 관련있다는 공통점이 있다. 입성책동 시도는 실패하였으나 고려에 대한 원의 영향력을 더욱 강화시켰다.

❺ 결혼도감(結婚都監)

원에서 요구하는 공녀를 뽑기 위하여 원종 때 설치한 관청이다.

✎ 원 간섭기 관제의 변화

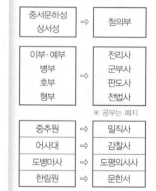

중서문하성 상서성	⇨	첨의부

이부·예부 병부 호부 형부	⇨	전리사 군부사 판도사 전법사

※ 공부는 폐지

중추원	⇨	밀직사
어사대	⇨	감찰사
도병마사	⇨	도평의사사
한림원	⇨	문한서

❻ 충렬왕

충렬왕은 개경에 묘련사를 창건하여 고려 왕실의 복을 빌었다.

❼ 전민변정도감

'전민'은 토지와 백성(노비), '변정'은 분별하여 정리한다는 뜻이며, '도감'은 임시 관청을 일컫는다. 고려 원종 때 처음 설치되었고 이후 충렬왕·공민왕·우왕 때 설치와 폐지를 반복하였다.

❶ 섬학전

고려 후기에 양현고의 재원이 고갈되자, 안향의 건의로 섬학전을 설치하였다. 국학(성균관) 학생들의 학비를 마련하였다.

❷ 충선왕

1298년 충렬왕의 선위를 받아 충선왕이 즉위하였다. 그러나 바로 그해 원나라에 압송되면서 충렬왕이 복위하였다. 이후 원나라 무종이 즉위하는데 공을 세운 충선왕은 1308년 다시 왕이 되었다.

❸ 각염법

민간의 소금 제조와 판매를 금지한 법으로, 국가에서 소금의 생산·판매를 독점하고 수익을 차지하였다.

❹ 찰리변위도감

중단되었던 전민변정 사업을 다시 추진하기 위해 만든 임시 기구이다.

❺ 충혜왕

충혜왕의 개혁 정치는 기철 등 친원파의 반발을 샀다.

❻ 정치도감(整治都監)

각 도에 정치관을 파견하여 양전을 시행하였으며, 토지 탈점자를 찾아 처벌하였다.

❼ 개혁의 배경

공민왕 때 원 황실은 북쪽으로 밀려나고 명나라가 건국(1368)되었다. 공민왕은 이러한 상황을 이용하여 친원 세력을 축출하고 반원 자주 정책을 추진하였다.

④ **성리학 전래**: 안향은 원에 들어가 『주자전서』를 직접 필사하여 가져왔다.

⑤ **성균관 개칭**: 국학을 성균관으로 개칭하고 문묘를 설립하였다. 또한 섬학전❶이라는 장학 재단을 설치하였다.

⑥ **고조선 계승 의식 강화**: 고조선 계승 의식을 내세운 역사서들이 편찬되었다. 대표적으로 **일연**의 『삼국유사』와 이승휴의 『제왕운기』가 있었다.

(2) 충선왕❷(1298, 1308~1313)

충선왕은 아버지인 **충렬왕**과의 심한 갈등으로 즉위와 폐위를 반복하였다. 이후 원나라에 머물다가 돌아와 왕위를 되찾았다.

① **사림원 설치**: 개혁의 핵심 기구로 **사림원**을 설치하고, 국왕의 고문 역할과 왕명 출납·인사 업무를 담당하게 하였다. 이에 따라 정방은 약화되었다.

② **소금 전매제**: 재정 수입을 늘리기 위해 **각염법**❸을 제정하고, 소금의 전매를 단행하였다.

③ **수시력 채용**: 원의 역법인 수시력이 전래되어, 일부를 채용하였다.

④ **만권당 설립**: 아들인 충숙왕을 즉위시킨 뒤 원나라로 돌아가 **연경**에 만권당을 설립하였다. 중국 최고의 학자들인 조맹부, 요수 등을 초대하고 **이제현** 등 고려 학자들을 불러 교류하게 하였다.

(3) 충숙왕(1313~1330, 1332~1339)

찰리변위도감❹을 설치하였고, 폐단이 많았던 사심관을 폐지하였다.

(4) 충혜왕❺(1330~1332, 1339~1344)

편민조례추변도감을 설치하고 소은병을 제작하였다.

(5) 충목왕(1344~1348)

개혁 기구로서 **정치도감(정리도감)**❻을 설치하여 당시 여러 폐단들을 시정하려 하였다.

심화사료 百出 2017. 경찰 2차, 2013. 서울시 7급

충선왕

휘(諱)는 장(璋)이고, 몽고의 휘는 익지례보화(益智禮普化-이지르부카)이다. 선왕의 맏아들이며 어머니는 제국대장공주(齊國大長公主)이다. 을해년 9월 정유일에 출생하였다. 성품이 총명하고 굳세며 결단력이 있었다. **이로운 것을 일으키고 폐단을 제거하여 시정에 그런대로 볼만한 것이 있었으나 부자(父子) 사이는 실로 부끄러운 일이 많았다.** 오랫동안 상국(上國)에 있었는데, 스스로 귀양가는 욕을 당하였다. 재위 기간은 5년이며, 51살까지 살았다.

– 「고려사절요」

2. 공민왕(1351~1374) ☆☆

공민왕은 **충숙왕**의 둘째 아들(강릉 대군)이자 충혜왕의 동생이다. 볼모로 원에 머물며 원나라 **노국대장공주**와 혼인을 하였다. 원나라의 어려운 내부 사정❼(원·명 교체기)을 알고 있는 상황에서 조카 충정왕이 폐위되자 귀국하여 왕위에 올랐다.

(1) 개혁 과정

① 전반기 개혁

ㄱ **몽골풍 폐지**: 원의 연호와 호복·변발 등의 원나라 풍습을 폐지하였다.

ㄴ **친원파의 숙청**: 기철 등의 친원 세력을 숙청하였다.

ㄷ **정동행성 이문소 폐지**: 고려의 내정을 간섭하던 정동행성 이문소를 폐지하였다.

ㄹ **관제 복구**: 몽골식 관제를 폐지하고 원 간섭 이전으로 복구하였다.

ㅁ **쌍성총관부 회복**: 유인우 등이 쌍성총관부를 공격하여 **철령 이북의 땅을 수복**하였다.

ㅂ **정방 폐지**: 신진 사대부의 등용을 억제하고 있던 정방을 폐지하였다.

② 왜구와 홍건적의 침입
공민왕 8년(1359)과 10년(1361)에 두 차례에 걸친 홍건적의 침입과 왜구의 잦은 침탈에 따라 개혁 정치는 중단되었다. 한편, **이성계 등 신흥 무인 세력이 성장**하는 계기가 되었다.

③ 후반기 개혁(흥왕사의 변[8] 이후)

ㄱ **전민변정도감 설치**: 승려 신돈을 등용하여 권문세족들이 부당하게 빼앗은 토지와 노비를 본래의 소유주에게 돌려주거나 양민으로 해방시켰다. 이를 통하여 권문세족들의 경제 기반을 약화시키고 국가 재정 수입의 기반을 확대하였다.

ㄴ **교육, 과거 제도 정비**: 성균관을 순수 유학 교육 기관으로 개편하여 유학 교육을 강화하고 과거 제도를 정비하여 새로운 인재를 등용하였다.

ㄷ **요동 공략**: 인당과 최영으로 하여금 요동 지방을 공략[9]하게 하였다.

(2) 결과

① 개혁의 실패
권문세족의 반발을 완전히 제압하지 못하였고 원의 간섭도 완전히 배제하지 못하였다. 결국 신돈이 제거되고 공민왕이 시해[10]되면서 개혁은 중단되었다.

② 신진 사대부와 신흥 무인 세력의 성장
공민왕 대에 신진 사대부가 개혁을 주도하면서 크게 성장하였고, 왜구와 홍건적을 물리치는 과정에서 신흥 무인 세력이 성장하였다. 이후 이들은 권문세족과 대립했으며 결국 **조선 왕조 개창의 중심 세력**이 되었다.

고등사료 百出

23. 국가 9급, 20. 경찰 2차, 19. 지방 7급, 19. 서울 7급(상), 19. 경찰 1차, 18. 국가 7급, 14. 국가 9급, 13. 서울 9급, 11. 법원 9급, 11. 국가 7급, 11. 경찰(정보통신), 09. 국가 7급

공민왕의 반원 정책
공민왕이 원의 제도를 따라 변발(辮髮)을 하고 호복(胡服)을 입고 전상에 앉아 있었다. 이연종이 간하려고 문 밖에서 기다리고 있었더니 왕이 사람을 시켜 물었다. (이연종이) 말하기를 "임금 앞에 나아가 직접 대면해서 말씀드리기를 바라나이다."라고 하였다. 이미 들어와서는 좌우를 물리치고 말하기를, "변발과 호복은 선왕(先王)의 제도가 아니오니 원컨대 전하께서는 본받지 마소서"라고 하니, **왕이 기뻐하면서 즉시 변발을 풀어 버리고** 그에게 옷과 요를 하사하였다. — 「고려사」

공민왕의 반원 자주 정책(쌍성총관부 탈환)
동북면 병마사 유인우가 **쌍성을 함락하였다.** 총관 조소생과 천호 탁도경은 도주하고 화, 등, 장, 정, 예, 고, 문, 의 등 각 주와 선덕, 원흥, 영인, 요덕, 정번 등 여러 진을 수복하였다. 고종 무오년에 원나라에 빼앗겼던 함주 이북의 지방을 수복한 것이다. — 「고려사」

홍건적의 침입
공민왕 10년(1361)에 **홍건적이 개경을 함락하자 왕이 복주(福州)로 피난**갔는데, 정세운이 추밀 겸 응양군 상장군으로 호종하였다. …… 왕이 마침내 정세운을 총병관(摠兵官)으로 삼고 교서를 내리기를, "천하가 안정되면 재상(宰相)에게 뜻을 두고 천하가 위태로우면 장수에게 뜻을 둔다고 하였다. ……" — 「고려사」

공민왕의 영토 수복

❽ 흥왕사의 변(1363)
홍건적의 2차 침입 당시 정세운, 이방실, 김득배 등이 홍건적을 격퇴하여 개경을 수복하였다. 이들을 시기한 김용은 계략을 꾸며 1362년 이방실, 김득배, 정세운 등을 제거하였다. 자신의 죄상이 폭로될까 두려웠던 김용은 원의 기황후 세력과 연계하여 심양왕 덕흥군을 왕으로 옹립하고자 모의하였다. 1363년 김용은 왕을 시해할 목적으로 흥왕사의 행궁에 침범했으나 최영에 의해 격퇴되었다.

❾ 요동 공략
이후 이성계가 압록강을 건너 요양을 점령하고 이 땅이 원래 고려의 땅임을 선포하기도 하였다.

❿ 자제위 사건(공민왕 시해 사건)
1372년 자제위를 설치하여 젊고 외모가 잘생긴 청년을 뽑아 좌우에서 시중을 들게 하였다. 그러나 자제위를 둠으로써 비빈(妃嬪)과 자제위 사이에 풍기가 문란해졌으며, 이를 처벌하는 과정에서 자제위 홍륜에게 공민왕이 시해되는 사건이 일어났다.

권문세족	신진 사대부
• 친원 세력	지방 향리
• 고위 관직 독점	출신
음서와 정방	과거
대지주 (농장과 노비)	지방의 중소 지주
친불교적	유교적 (성리학)
친원적	친명적

신돈과 전민변정 사업

신돈이 전민변정도감(田民辨正都監)을 두기를 청하고 "종묘, 학교, 창고, 사원 등의 토지와 세업전민(世業田民)을 호강가(豪强家)가 거의 다 빼앗아 차지하고는 혹 이미 돌려주도록 판결 난 것도 그대로 가지고 있으며, 혹 양민을 노예로 삼고 있다. 이제 전민변정도감을 두어 고치도록 하니, 잘못을 알고 스스로 고치는 자는 죄를 묻지 않을 것이나, 기한이 지나 일이 발각되는 자는 엄히 다스릴 것이다."

— 「고려사」

공민왕의 성리학 중흥

공민왕 16년에 **성균관을 다시 짓고 이색을 판개성부사 겸 성균대사성을 삼았다.** 학생을 증치하고 경술(經術)의 선비인 김구용, 정몽주, 박상충, 박의중, 이숭인을 택하여 교관을 겸임시켰다. 이에 앞서서는 성균관 학생이 수십 명에 불과하더니, 이색이 다시 학칙을 정하고 매일 명륜당에 앉아 경서를 수업하고, 강의를 마치면 서로 더불어 토론하여 권태를 잊으니, 이에 학자가 많이 모여 함께 눈으로 보고 마음으로 느끼는 가운데 **정주성리(程朱性理)의 학이 왕성해졌다.**

— 「고려사」

심화사료 百出

2022. 지방직 9급

우왕

왕의 어릴 때 이름은 모니노이며, 신돈의 여종 반야의 소생이었다. 어떤 사람은 "반야가 낳은 아이가 죽어서 다른 아이를 훔쳐서 길렀는데, 공민왕이 자신의 아들이라고 칭하였다."라고 하였다. 왕은 공민왕이 죽은 뒤 이인임의 추대로 왕위에 올랐다. 이후 이인임, 염흥방, 임견미 등이 권력을 잡아 극심하게 횡포를 부렸다.

— 「고려사」

대표 기출문제

(가) 시기의 사실로 옳지 않은 것은?

2022. 국가직 9급

무신 정권 몰락
⇩
(가)
⇩
공민왕 즉위

① 만권당이 만들어졌다.
② 정동행성이 설치되었다.
③ 쌍성총관부가 수복되었다.
④ 「제왕운기」가 저술되었다.

03 홍건적과 왜구의 격퇴

홍건적 1차 침입(1359)	공민왕	• 홍건적의 서경 침입 • 이승경 · 이방실 등이 격퇴
홍건적 2차 침입(1361)		• 홍건적에 의한 개경 함락 • 공민왕이 안동으로 피난, 정세운 · 이성계 등이 격퇴
왜구의 침략과 격퇴		• 홍산 대첩(우왕): 최영 • 진포 대첩(우왕): 최무선 • 황산 대첩(우왕): 이성계 • 관음포 대첩(우왕): 정지 • 쓰시마 토벌(창왕): 박위

1. 홍건적❶의 침입

(1) 침입

원나라에 쫓겨 요동으로 물러선 홍건적이 압록강을 건너 두 차례에 걸쳐 고려를 침공하였다.

(2) 전개

① 1차 침입(1359): 모거경이 4만여 명의 병력으로 침입했다가 대부분의 병력을 잃고, 되돌아 갔다.

② 2차 침입(1361): 반성·사유 등이 20여만 명을 이끌고 침입하여 **개경이 함락**되고 **공민왕이 복주(안동)로 피난**하는 시련을 겪었으나 정세운,❷ 최영, 이성계 등이 격퇴하였다.

2. 왜구의 침입❸

(1) 침입

고려 말 공민왕과 우왕 대에 왜구의 침략이 급증했는데, 특히 해안 지역의 피해가 컸다. 왜구들은 연해 지방 뿐만 아니라 때로는 내륙 깊숙한 곳까지 침입하여 약탈, 방화, 살인을 일삼았다.

(2) 격퇴

① 외교 교섭: 왜구를 막기 위해 일본의 막부와 외교 교섭을 벌였으나 성과를 거두지 못하였다.

② 화포 개발: 왜구 격퇴를 위해 우왕 때 최무선이 **화통도감**을 설치하여 화포를 개발하였다.

③ 왜구 토벌: **최영**❹이 **홍산**(부여)에서 왜구를 격퇴하고, **최무선**은 **진포**에서 왜선 **500척**을 화통과 화포로 대파하였다. **이성계**는 운봉을 넘어온 왜구를 추격하며 **황산**(남원)에서 적장 아기발도를 사살하는 등 주력 부대를 전멸시키고, **정지**는 관음포 앞바다에서 왜선을 격침시켰다. 이후 창왕 때 박위는 왜구의 근거지인 **쓰시마**를 토벌하였다.

3. 홍건적과 왜구 격퇴의 결과

홍건적과 왜구의 침입을 격퇴하면서 **이성계 등 신흥 무인 세력이 급성장**하였다.

심화사료 頻出

2024. 지방직 9급

화통도감 설치(우왕, 최무선)

비로소 **화통도감**을 설치했다. 판사 **최무선**의 말을 따른 것이다. 이때에 원나라의 염초 장인 이원이 최무선과 같은 동네 사람이었다. 최무선이 몰래 그 기술을 물어서 집의 하인들에게 은밀하게 배워서 시험하게 하고 조정에 건의했다. — 「고려사절요」

홍건적과 왜구의 격퇴

❶ **홍건적**

원나라 말기 한족 반란군으로, 머리에 붉은 두건을 둘렀다고 해서 홍건적이란 이름이 붙었다.

❷ **정세운**

이방실, 김득배 등과 함께 홍건적에게 함락당한 개경을 수복하는데 공을 세웠으나, 이후 김용에 의해 살해당하였다.

❸ **왜구의 침입**

고려 말 왜구들은 일본 정부의 통제를 받지 않고 독자적으로 활동하였다. 왜구들의 침입과 약탈로 수도를 철원이나 충주 등 내륙 지방으로 옮기자는 주장도 제기되었다.

❹ **최영**

1388년 우왕 때 명의 철령위 설치에 대응하여 요동 정벌을 추진하였다. 그러나 이성계의 위화도 회군으로 좌절되었다.

공민왕 때 홍건적의 침입

안성현(安城縣)은 안성군(安城郡)으로 삼았으며, 수원부(水原府)를 강등하여 수원군(水原郡)으로 삼았다. **왕이 복주(=안동)에 머무를 때**에 복주 사람들이 마음을 다하여 먹을 것과 물품 등을 준비하여 바쳤으므로, 마침내 **여러 도(道)의 군사를 징집하여 개경을 수복할 수 있었다.** 홍건적이 양광도(현재 충청도·경기 남부 일부·강원도 일부)를 항복시켰을 때 수원에서 가장 먼저 항복하니 주군(州郡)에서 감히 그 예봉을 꺾지 못하였는데, 안성만이 홀로 작은 읍으로서 계책을 세워서 적을 섬멸하여 적이 감히 남쪽으로 내려오지 못하였으므로, 수원의 네 부곡(部曲)을 떼어내어서 안성에 예속시켰다.　　－「고려사절요」, 공민왕 11년(1362)

✎ 최영의 호기가   18. 경찰 1차

좋은 말 살지게 먹여
시냇물에 씻겨 타고
서릿발 같은 칼 잘 갈아
어깨에 둘러메고
대장부의 위국충절을
세워 볼까 하노라

이성계의 황산 대첩

한 적장이 나이 겨우 15, 16세 되었는데, 골격과 용모가 단정하고 고우면서도 매우 사납고 용맹스러웠다. 흰 말을 타고 창을 마음대로 휘두르면서 달려 부딪치는데 그가 가는 곳마다 쓰러져 감히 대적하는 사람이 없었다. 군사들은 **아기발도(阿其拔都)**라 부르면서 서로 그를 피하였다. 이성계는 그가 용감하고 날랜 것을 아껴서 두란(豆蘭)에게 명해 사로잡고자 하였다. 두란이 말하기를, "만약 산 채로 잡으려 하면 반드시 사람을 상하게 할 것입니다." 하였다. 아기발도는 갑옷과 투구로 목과 얼굴을 감쌌는데 쏠 만한 틈이 없었다. 이성계가 말하기를, "내가 투구의 정자(頂子)를 쏘아 투구를 벗길 것이니 그대가 즉시 쏘아라." 하고는, 드디어 말을 채찍질해 뛰게 하여 투구를 쏘아 정자를 바로 맞혔다. 투구 끈이 끊어져 기울어지자 급히 투구를 조정하여 쓰므로 이성계가 즉시 투구를 쏘아 또 정자를 맞히니, 투구가 마침내 떨어졌다. 두란이 곧 쏴서 죽이니, 이에 적군의 기세가 꺾였다.

－「태조실록」

✤ 고려의 대외 관계

거란 (10~11세기)	1차 침입 (성종, 993)	고구려의 옛 땅을 내놓을 것, 송과 교류를 끊고 자신들과 교류할 것 ⇨ 서희의 외교(강동 6주 획득), 거란과 교류 약속
	2차 침입 (현종, 1010)	고려의 친송 관계 유지 ⇨ 강조의 정변을 빌미로 침입 ⇨ 개경 함락, 양규의 선전 ⇨ 강화 체결
	3차 침입 (현종, 1018)	강감찬이 귀주에서 거란군 섬멸(귀주 대첩)
	결과	• 고려, 송, 거란 세력 균형 ⇨ 평화 유지 • 국방 강화: 나성, 천리장성(압록강 하류~동해안 도련포) 축조
여진 (12세기)		• 숙종 때 윤관의 건의로 별무반 설치 • 예종 때 여진 정벌과 동북 9성 설치: 1년 만에 반환 • 금의 사대 요구 수용(이자겸: 정권 유지 목적)
몽골 (13세기)		• 첫 접촉: 거란족의 일부가 몽골에 쫓겨 고려 침입 ⇨ 고려는 몽골 및 동진국의 군대와 연합하여 거란족 섬멸(강동의 역, 1219) ⇨ 몽골은 자신들을 은인이라고 내세우며 공물 요구 • 1차(1231): 몽골 사신 피살 ⇨ 몽골의 침입, 개경 포위 ⇨ 몽골의 요구 수용 • 2차(1232): 몽골의 무리한 조공 요구 ⇨ 강화 천도(무신 정권의 대몽 항쟁) ⇨ 처인성에서 장수 살리타가 김윤후에게 사살되자 퇴각 • 몽골의 계속된 침략: 일반 민중들의 저항(장기 항전의 배경), 팔만대장경 조판, 문화재 소실 • 개경 환도(원종, 1270) ⇨ 삼별초의 항쟁(강화도-진도-제주도)
홍건적, 왜구 (14세기)	홍건적	1차(1359)　　홍건적이 침입했으나 이승경 등이 격퇴
		2차(1361)　　홍건적의 침입으로 개경 함락, 공민왕은 안동으로 피난 ⇨ 정세운, 이성계 등이 격퇴
	왜구	홍산 대첩(1376)　　최영이 홍산(부여)에서 왜구 격퇴
		진포 대첩(1380)　　최무선이 화통도감을 설치하고, 화포를 만들어 진포에서 격퇴
		황산 대첩(1380)　　이성계가 황산에서 남해안 일대의 왜구를 섬멸
		쓰시마 토벌(1389)　　박위가 전함 100척을 이끌고 쓰시마 토벌

2 CHAPTER

중세의 경제 · 사회 · 문화

解·法·기·출·진·맥

9급 국가직

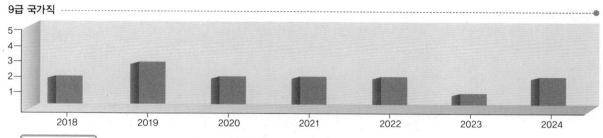

> **출제 경향 오버뷰** 경제 · 사회 · 문화 각 파트별로 꾸준히 출제되고 있음. 전시과 제도, 신분 제도, 역사서

9급 지방직

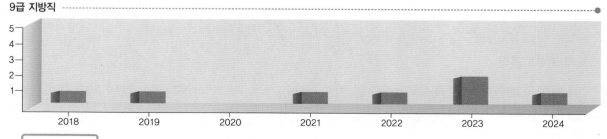

> **출제 경향 오버뷰** 최근 6년간 경제 · 사회 파트에서 출제되지 않고 있음. 토지 제도, 승려, 『삼국사기』

9급 법원직

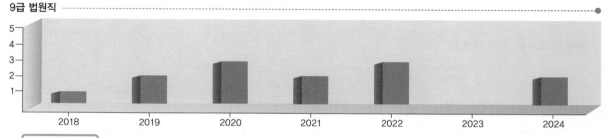

> **출제 경향 오버뷰** 경제 · 사회 · 문화 각 파트별로 꾸준히 출제되고 있음. 토지 제도, 신분 제도, 승려, 관학 진흥책

중세의 경제 정책과 경제 활동

제2장 중세의 경제·사회·문화

解/法 기출분석

구 분		2008~2017	2018	2019	2020	2021	2022	2023	2024
9급	국가직	• 토지 제도(2) • 경제 정책(2) • 상업		시정 전시과			경제 정책		고려 경제
	지방직	• 토지 제도(3) • 수공업 • 대외 무역							
	법원직	토지 제도(3)		토지 제도	토지 제도	고려 경제	토지 제도		

解法
요람

토지 제도의 기본 개념

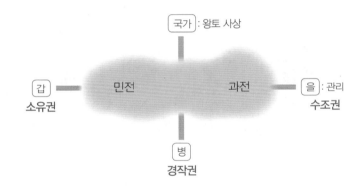

토지의 3대 권리

① 소유권(소유 형태에 따라): 토지를 사유하는 자가 갖는 권리. 토지 매매·양도 가능. 민전은 매매·대여·증여가 가능한 개인의 사유지이며, 공전은 국가 소유의 국유지임.

② 수조권(누가 수조권을 행사하느냐에 따라): 국가가 행정의 편의를 위해 만들어낸 개념으로, 조세를 수취할 수 있는 권리. 수조권자가 개인(관리)일 경우는 사전, 국가일 경우는 공전이라 함.

③ 경작권(경작 형태에 따라): 토지 소유자에게 토지를 임대. 임대료인 지대를 납부하고 경작할 수 있는 권리. 지대는 민전(사유지)인 경우 총 생산량의 1/2을, 공전(국유지)인 경우 1/4을 원칙으로 함.

전주전객제와 지주전호제

1. 수취 제도

(1) 양안과 호적

　　고려는 토지와 인구를 파악하여 토지 대장인 **양안**❶과 호구 장부인 **호적**❷을 작성하였다. 이를 토대로 각 군현에 조세를 할당하고, 공물과 역을 징발하였다.

(2) 조세❸ : 비옥한 정도에 따라 3등급(전품제)으로 나누어 생산량의 1/10을 부과하였다. 조세는 각 군현의 농민을 동원하여 **조창**까지 옮긴 다음, 조운을 통해 개경으로 운반❹하였다.

(3) 공물❺ : 집집마다 토산물을 거두는 제도로, 매년 내는 **상공**과 필요에 따라 수시로 거두는 **별공**이 있었다. 중앙에서 필요한 공물을 주현에 부과하면, 각 고을의 향리들이 집집마다 공물을 거두어 들였다.

(4) 역 : 국가에서 16세~59·60세 정도 남자(정남)의 노동력을 무상으로 동원한 제도이다. 군 복무를 하는 **군역**과 국가 공사 등에 동원되는 **요역**❻이 있었다.

(5) 기타 : 어민에게 어염세·선세를, 상인에게 상세를 거두었다. 또한 수공업자에게는 일정 기간 동안 역을 부과하여 관에서 필요한 물품을 만들도록 하였다.

고등사료 百出

전품제(田品制)

무릇 토지의 등급은 묵히지 않는 토지를 상(上)으로 하고, 한 해 묵히는 토지를 중(中)으로 하며, 두 해 묵히는 토지를 하(下)로 한다.

– 『고려사』

요역

편성된 호는 인구의 장정이 많고 적음에 따라 9등급으로 나누어 부역을 시킨다.

– 『고려사』

---

2. 재정의 운영

(1) 재정 지출❼ : 관리의 녹봉,❽ 일반 비용, 국방비, 왕실 경비 등에 지출하였다.

(2) 관청 설치 : 재정을 운영하는 관청으로 **호부**와 **삼사**를 두었다.

　　① **호부** : 호적과 양안을 제작하고, 조세를 거두고 지출하는 재정 운영을 계획·총괄하였다.

　　② **삼사** : 곡식의 출납·회계 관련 사무 등을 관장하였다.

(3) 관청 운영 경비 : 각 관청은 관청 운영 경비로 사용할 수 있도록 공해전을 지급받았다. 그러나 경비가 부족한 경우에는 그 비용을 각 관청에서 스스로 마련하기도 하였다.

---

❶ **양안**
경작지의 소유자와 면적, 형태를 적은 장부이다.

❷ **호적**
부부를 중심으로 구성된 가족을 등재하였다.

❸ **조세**
토지에서 거둔 세금으로, 녹봉과 국가 재원으로 사용하였다. 조세의 징수는 지방관의 중요한 임무 가운데 하나였으며, 실질적인 징수는 각 군현의 향리가 담당하였다.

❹ **조운 제도**
고려 시대에 처음 등장한 제도로, 지방에서 거둔 조세를 배를 이용하여 수도까지 옮겼다.

❺ **공물**
호 단위로 부과되었으며 조세보다 부담이 더 컸다.

❻ **군역과 요역**
군역에 따라 정남은 주현군이나 주진군에 소속되었다. 요역은 궁궐과 관청, 사원을 건설하는데 동원되거나 세곡 운반 등 국가에서 노동력이 필요할 때마다 동원되었다.

❼ **창(倉)**
쌀이나 베를 보관·지급하는 업무 담당
- 좌창 : 관리의 녹봉
- 우창 : 국가 행사, 궁궐 건축 등
- 상평창(물가), 의창(구휼)

❽ **녹봉**
관리들은 1년에 두 번 녹패라는 문서를 창고에 제시하고 녹봉을 받았다.

사사건건 고날 935~1392

B.C. 57~A.D. 935 전일 ▶▶
- 194 고구려 진대법 실시
- 509 신라 동시전 설치
- 687 관료전 지급
- 722 정전 지급
- 828 청해진 설치

Now Event ▶▶
- 976 전시과 실시
- 996 철전(건원중보) 주조
- 1076 경정 전시과 제정
- 1102 해동통보 주조

02 전시과 체제의 성립과 변화 ☆

시기	명칭	내용
태조(940)	역분전	개국 공신에게 논공행상격으로 지급
경종(976)	시정 전시과	전·현직 관리, 관품(4복색) + 인품 반영(역분전 성격)
목종(998)	개정 전시과	전·현직 관리, 관품만 고려, 문관 우대, 한외과, 군인전 규정
문종(1076)	경정 전시과	현직 관리에게만 지급, 공음전, 별사전 신설, 한외과 폐지

1. 전시과(田柴科) 제도

(1) 역분전(태조, 940) – 전시과의 선구

① 성격: 고려 건국 과정에서 공로가 컸던 공신에게 논공행상격으로 지급된 토지이다.

② 분급 기준: 관품이나 관직이 아니라 충성도와 인품에 따라 지급되었다.

(2) 전시과 제도의 특징

① 수조권 지급❶: 문무 관리로부터 군인, 한인에 이르기까지 18등급으로 나누어 곡물을 수취할 수 있는 전지와 땔감을 얻을 수 있는 시지를 주었다. 이때 수조권만 지급되었다.

② 수조권 반납: 전시과는 관직 복무와 직역에 대한 대가로 지급되었다. 따라서 토지를 받은 자가 죽거나 관직에서 물러날 때에는 토지를 국가에 반납하도록 하였다.

(3) 전시과 제도의 변천

① 시정 전시과(경종, 976)

㉠ 지급 기준❷: 관품(官品)과 인품(人品)을 함께 반영하였다. 사색 공복 등을 기준으로 삼아 문반, 무반, 잡업으로 나누어 지급 결수를 정했다(다원적 기준).

㉡ 특징: 공신들을 우대하는 등 역분전적인 성격이 아직 남아 있었다. 그리고 군인에 대한 토지의 분급 규정이 제대로 마련되지 않았다(임시적).

② 개정 전시과(목종, 998)

㉠ 지급 기준: 인품이라는 막연한 요소를 배제하고 오직 관품만 고려하여 18과(科)로 구분(일원적)한 후 토지를 지급하였다. 그리고 18과에 들지 못한 자들은 한외과로 분류하여 전지 17결을 주었다.

㉡ 특징: 무관보다 문관을 우대하였고, 산관(품계 ○, 담당 업무 ×)도 현직 관리보다 몇 과 아래의 토지를 받았다. 전반적으로 토지 지급량이 이전보다 감소하였다. 또한, 군인전이 규정되었다.

③ 경정 전시과(문종, 1076)

㉠ 지급 기준: 현직 관리만을 대상으로 관품의 높낮이에 따라 18과로 나누어 지급하였다. 산관이 지급 대상에서 제외되었고, 한외과도 폐지되었다.

㉡ 신설: 5품 이상의 관리를 대상으로 한 공음전시, 무산계를 소유한 인물들을 대상으로 한 무산계전시, 승려·풍수지리업자를 대상으로 한 별사전시가 신설되었다.

㉢ 특징: 토지 지급량이 감소되었고 무관에 대한 차별이 시정되었다.

❶ 지급 대상
서리, 향리, 군인, 악공은 수조지를 지급받았다. 서리는 15~18과에 속해 17~25결의 수조지를 지급받았으며, 향리는 외역전, 군인은 군인전, 악공은 별정전을 지급받았다.

❷ 시정 전시과의 분급 기준
사색 공복을 기준으로 삼은 뒤 다시 문반과 무반, 잡업으로 나누었다. 자삼 이상은 18품으로 나누었으며, 문반의 단삼 이상은 10품으로 나누었다. 비삼은 8품으로 나누었으며, 녹삼 이상은 10품으로 나누었다.

제3부 중세 사회의 발전

❖ 전시과의 토지 지급 액수

시기	등급		1	2	3	4	5	6	7	8	9	10	11	12	13	14	15	16	17	18
경종 (976)	시정 전시과	전지	110	105	100	95	90	85	80	75	70	65	60	55	50	45	42	39	36	33
		시지	110	105	100	95	90	85	80	75	70	65	60	55	50	45	40	35	30	25
목종 (998)	개정 전시과	전지	100	95	90	85	80	75	70	65	60	55	50	45	40	35	30	27	23	20
		시지	70	65	60	55	50	45	40	35	33	30	25	22	20	15	10			
문종 (1076)	경정 전시과	전지	100	90	85	80	75	70	65	60	55	50	45	40	35	30	25	22	20	17
		시지	50	45	40	35	30	27	24	21	18	15	12	10	8	5				

※ 시정 전시과의 경우 자삼에 대해서만 18등급으로 나누어 지급하였다.

✎ 전시과의 운영

1. 관리가 전시과로 지급받은 토지가 다른 사람의 토지일 경우, 실제 소유자로부터 조세를 거둠(수확량의 1/10).
2. 관리가 전시과로 지급받은 토지가 본인 소유 토지일 경우, 국가로부터 조세를 면제받음.
3. 전시과로 지정되지 않은 토지의 소유자는 조세로 국가에 수확량의 1/10을 납부함.

심화사료 百出   2019. 국가직 9급, 2019. 서울시 7급, 2019. 법원직 9급, 2018. 국가직 7급, 2010. 법원직 9급

태조 때의 녹읍

여름 5월 을사 왕이 예산진(禮山鎭)에 행차하여 조서(詔書)를 내려 이르기를, "…… 마땅히 너희들 공경(公卿)이나 장상(將相)과 같이 나라의 봉록을 받는 이들은 내가 백성을 자식처럼 사랑하는 마음을 헤아려 너희들의 녹읍(祿邑)에 편제되어 있는 백성을 불쌍히 여겨야 한다. 만약 가신(家臣) 가운데 아는 것 없는 무리를 녹읍에 보낸다면, 오직 거두어들이는 데만 힘써 마음대로 약탈할 것이니 너희 또한 어찌 알 수 있겠는가? ……." 라고 하였다.   — 「고려사」

역분전

처음으로 역분전을 정하였다. 조신(朝臣), 군사들에게 **관계(官階)는 논하지 아니하고 그들의 성행(性行)의 선악과 공로의 대소를 보아** 지급하였는데 차등이 있었다.   — 「고려사」

시정 전시과

경종 원년(976) 11월에 처음으로 직관(職官)과 산관(散官) 각 품의 전시과(田柴科)를 제정하였는데, 관품(官品)의 높고 낮음은 따지지 않고 단지 인품(人品)으로만 이를 정하였다.   — 「고려사」

개정 전시과

목종 원년 3월에 군현들에 있는 안일호장에게는 원래 직전의 절반을 주기로 하였다. 12월에 문무 양반 및 군인, 한인에게 토지를 나누어 주는 전시과를 제정하였다. …… **이에 들지 못한 자에게는 모두 전 17결을 주기로 하였고,** 이것을 항구적으로 지켜야 할 법식으로 제정하였다.   — 「고려사」

경정 전시과

문종 30년(1076)에 전시과를 다시 개정하였다. 제1과는 전 100결, 시 50결, …… 제17과는 전 20결, 제18과는 전 17결로 한다.   — 「고려사」

과전법

문종 때 설정한 구역을 기준으로 경기에 소속될 군현들을 정하고 좌·우도로 나누어 배치한다. 여기에 과전을 설치하고, 1품으로부터 9품과 산직에 이르기까지의 관리를 18과로 나누어 이를 지급한다. …… **경성(京城)에 살면서 왕실을 시위하는 자는 과에 따라 토지를 받는다. 제1과**는 제내대군으로부터 문하시중에 이르기까지로 150결이고, …… **제18과**는 권무(임시직), 산직으로 10결이다.   — 「고려사」

2. 민전(民田)

(1) 사유지: 매매, 상속, 기증, 임대 등이 가능한 개인의 사유지로, 소유권이 보장된 토지였다.

(2) 조세 부과: 민전의 소유자는 국가에 일정한 세금을 내야 했다.

3. 토지의 종류

종류		특징
공전	공해전(公廨田)	중앙과 지방의 각 관청 경비를 충당하기 위해 지급한 토지이다.
	내장전(內莊田)	왕실 재정을 위해 왕실이 직접 소유권을 가지고 경영하였던 토지이다.
	학전(學田)	각 교육 기관의 경비를 충당하기 위해 지급된 토지이다.
	둔전(屯田)	변경이나 군사 요지에 설치해 군량에 충당한 토지이다.
사전	과전(科田)	관리들에게 지급한 토지로 양반전이라 불렸다. 수조권만 지급하였으며 세습되지 않았다.
	공음전(功蔭田)	5품 이상 고위 관리에게 지급한 토지로 자손에게 상속 가능한 영업전이었다.
	한인전**❶**(閑人田)	6품 이하 하급 관료의 자제로서 관직에 오르지 못한 사람에게 지급한 토지이다(관인 신분 세습).
	군인전(軍人田)	군역의 대가로 주는 토지로, 군역이 세습됨에 따라 자손에게 세습되었다.
	외역전(外役田)	향리의 직역 부담에 대한 대가로 지급한 토지로, 향리직이 세습됨에 따라 세습되었다.
	구분전(口分田)	하급 관료와 군인 사망시 유가족에게 주는 토지이다. 또한, 직역을 세습할 자손이 없으면 국가에서는 토지를 회수하고 대신 구분전을 지급하였다.
	사원전(寺院田)	사원의 운용 재원으로 지급된 토지로 영업전에 해당한다.
	별사전(別賜田)	승려(승인)와 풍수지리업자에게 지급되던 토지이다.
	별정전(別丁田)	악공, 공장 등 무산계로 분류된 직급에 지급한 토지이다.
	식읍**❷**	토지만이 아니라 인정에 대한 지배가 허용된 식읍이 호(戶) 단위로 왕실이나 공신들에게 수여되었다.

4. 녹과전**❸**

개경 환도 후 원종은 관리들의 녹봉을 보충하기 위해 녹과전제를 실시하였다. 현직 관료만을 대상으로 경기 8현의 토지에 대한 수조권을 분급하였다.

5. 전시과 체제의 붕괴

(1) 전시과의 붕괴: 귀족들이 지급받은 과전을 세습**❹**하는 경향이 커지면서 전시과 제도는 점차 원칙대로 운영되지 못하였다. 이러한 현상은 무신 정변 이후 가속화되어 전시과 체제가 붕괴되었다.

(2) 농장의 확대: 농장은 원 간섭기 이후 확대되었으며, 권문세족의 경제적 기반이 되었다.
   ① 토지 탈취: 지배층은 농민의 토지를 빼앗거나 토지를 개간한다는 명목(사패**❺** 사칭)을 내세워 대토지(농장)를 차지하였다.
   ② 운영: 농장은 면세의 특권을 누려 귀족들은 조세를 납부하지 않았다. 또한 국가에 세금을 내야 할 농민들이 농장의 전호가 되었다. 따라서 농장의 확대는 국가 재정의 궁핍을 초래하였다.

6. 과전법의 시행(1391, 공양왕 3)

(1) 수조권 몰수: 권문세족의 토지를 몰수하여 수조권은 모두 국가로 귀속하여 재분배하였다. 대상 지역은 경기 지역에 한하였다.

(2) 소유권 일부 인정

① **불법적 소유권**: 권문세족이 불법적으로 획득한 소유권은 원 주인에게, 혹은 국가로 환수되었다. 또한 경작권을 보장하여 자영농을 육성하였고, 이로 인해 농민의 지위가 향상되었다.

② **합법적 소유권**: 합법적인 소유권은 인정하였다. 그러나 병작반수❻를 금지하였다.

③ **결과**: 권문세족의 경제적 기반이 무너지고, 신진 사대부의 경제적 기반이 마련되었다.

2018. 서울시 7급, 2017. 지방직 9급(하), 2017. 지방직 7급

녹과전

도병마사가 말하기를, "근래에 전쟁으로 말미암아 창고가 텅 비어서 백관(百官)의 녹봉(祿俸)을 주지 못하고 사인(士人)을 권장할 방법이 없으므로, **경기(京畿) 8개 현(縣)에서 품(品)에 따라 녹과전을 지급**하소서."라고 하므로 이를 따랐다. 　　－「고려사」

고려 말 사전의 폐해

대사헌 조준 등이 글을 올려 말하기를, "…… 태조께서 즉위한 뒤 신하들에게 '최근 민에 대한 수탈이 가혹하여 사람들이 너무 살기가 어렵다. 지금부터는 수확량의 1/10을 걷도록 하라. ……'고 하셨습니다. …… 근년에 이르러 겸병이 더욱 심하여져서 간악하고 흉악한 무리들은 **주(州)를 타넘고 군(郡)을 포괄하며 산과 내를 표지로 삼아 모두 가리켜 조업전(祖業田)이라고 하면서 서로 물리치며 서로 빼앗으니, 한 이랑의 주인이 5~6명을 넘고 1년에 조(租)를 거두는 것이 8~9차례에 이릅니다.** …… 호소할 곳 없는 불쌍한 백성들이 사방으로 흩어져 떠돌아다닙니다. 　　－「고려사」

03 고려의 농업

1. 권농 정책

(1) 목적: 고려는 건국 초부터 재정 확보와 민생 안정을 위해 농업을 중시하였다. 개간과 간척 사업을 장려하여 경작지를 확대하였다. 또한 농번기에는 잡역 동원을 금지하고 재해를 입은 농민은 세금을 감면해 주었다.

(2) 광종: 개간한 땅은 세금을 일정 기간 면제해 주는 공사전조법을 만들어 황무지 개간을 장려하였다.

(3) 성종❼: 고리대의 이자를 제한하여 이자는 원금을 넘지 않도록 하였다(자모상모법❽).

(4) 황무지 개간: 황무지나 주인이 방치한 토지(진전)에 대한 개간이 이루어졌다. 개간한 토지는 주인이 없으면 소유권을 인정해 주었고, 주인이 있으면 소작료를 적게 받거나 면제해 주었다.

(5) 저습지, 간척지 개간: 12세기 이후, 연해안의 저습지와 간척지가 개간되었다. 특히 강화도 천도 이후에는 **강화도**를 중심으로 간척 사업이 활발히 추진되었다.

2. 농업 기술 발달

(1) 수리 시설 정비: 김제의 벽골제와 밀양의 수산제 등 여러 수리 시설을 재정비하였다.

(2) 농기구와 종자의 개량: 호미와 보습 등 농기구와 종자가 개량되었다.

(3) 깊이갈이: 소를 이용한 깊이갈이(심경)가 일반화되었다.

❻ **병작반수**

대토지 소유주들은 주변 농민에게 토지를 경작시키고, 생산량의 절반을 수취하였다.

❼ **면재법**

자연재해로 농사에 피해를 입었을 경우에는 조세를 적게 받거나 면제해 주었다.

❽ **자모상모법**

이자가 빌린 돈과 같은 액수에 도달하면 더 이상 이자를 취하지 못하게 하였다.

(4) **시비법❶**: 녹비법·퇴비법 등 **시비법**이 발달하면서 **휴경지가 감소**하였다.

(5) **2년 3작 윤작법 보급**: 밭농사에서는 2년 3작 윤작법이 점차 보급되어 2년 동안 보리, 콩, 조 등을 돌려지었다.

(6) **이앙법 전래**: 고려 말에 이앙법(모내기법)이 남부 지방에 전래되었다.

(7) **농서 보급**: 고려 후기에는 이암이 중국의 농서인 **『농상집요』❷**를 소개하였다.

(8) **목화 전래**: 공민왕 때 문익점이 원에서 목화씨를 가져와 목화 재배가 이루어졌다.

04 고려의 수공업

1. 전기: 고려 전기에는 관청 수공업과 소 수공업이 중심이었다.

(1) **관청 수공업**

① **특징**: 기술자를 **공장안(工匠案)**에 올려 물품을 생산하게 하였다. 또한, 부역으로 동원된 농민을 보조 인력으로 활용하였다.

② **생산품**: 무기류, 가구류, 금은 세공품, 견직물, 마구류 등을 만들었다.

(2) **소 수공업**

① **특징**: 소❸는 정부가 **공물의 확보**를 위해 설정한 특수 행정 구역이다.

② **생산품**: 금, 은, 철, 구리, 실, 각종 옷감, 종이,❹ 먹, 차, 생강 등을 생산하여 관청에 납부하였다.

2. 후기: 고려 후기에는 민간 수공업과 사원 수공업이 발달하였다.

(1) **민간 수공업**: 농촌의 가내 수공업이 중심이었다. 국가에서 삼베를 짜게 하거나 뽕나무를 심어 비단을 생산하도록 장려하였다. 농민은 삼베, 모시, 명주 등을 생산하여 공물로 바쳤다.

(2) **사원 수공업❺**: 사원에서는 기술이 좋은 승려와 노비가 있어 베, 모시, 기와, 술, 소금 등 품질 좋은 제품을 생산하였다.

고급사료 百出

사원 수공업의 발달

승려들이 심부름꾼을 시켜 절의 돈과 곡식을 각 주군에 장리를 놓아 백성을 괴롭히고 있다. 지금 부역을 피하려는 무리들이 부처의 이름을 걸고 돈놀이를 하거나 농사, 축산을 업으로 삼고 장사를 하는 것이 보통이 되었다. …… 어깨를 걸치는 가사는 술 항아리 덮개가 되고, 범패를 부르는 장소는 파, 마늘의 밭이 되었다. 장사꾼과 통하여 팔고 사기도 하며, 손님과 어울려 술 먹고 노래를 불러 절간이 떠들썩하다.

– 『고려사』

▼ 양산 통도사 국장생 석표
일반인의 토지와 통도사의 토지를 구별하기 위해 만들었다.

05 고려의 상업

1. 고려 전기

(1) **도시**: 고려의 상업은 도시를 중심으로 발달하였다.

   ① **시전 설치**: 개경에 시전을 만들어 상설 점포를 열었고, **경시서**를 두어 상행위를 감독하였다.

   ② **관영 상점**: 개경·서경·동경(경주) 등 대도시에는 **서적, 약, 술, 차** 등을 파는 **관영 상점**(서적점·약점·주점·다점)이 있었다.

   ③ **비정기적인 시장**: 도시민이 일용품을 매매할 수 있었으며, 주로 한낮에 열렸다.

(2) **지방**: 지방은 주로 관청 근처에 시장이 열려 농민, 수공업자, 관리 등이 쌀, 베 등의 물품을 서로 바꾸었다. 또한 행상들은 각 지역을 돌아다니면서 일용품을 판매하였다.

2. 고려 후기: 고려 후기에는 전기보다 도시와 지방의 상업 활동이 활발해졌다.

(1) **도시**: 관청 수공업의 쇠퇴와 **소(所)**의 해체에 따라 관청은 시전을 통해 물품을 구입하였다. 이에 따라 개경의 시전 규모가 더욱 확대되었고, 업종별 전문화가 이루어졌다.

(2) **지방**: 지방에서는 행상이 활동하였다. 또한 부정기적으로 주현시가 열렸지만 번창하지는 못했다.

(3) **원의 발달**: 육상 교역의 확대에 따라 여관인 **원**이 발달했으며, 이곳이 상업 활동의 중심지가 되었다.

(4) **사원**: 사원의 상업 활동은 고려 후기에 더욱 활발해졌다. 상업 활동으로 축적한 부를 고리대 자본으로 사용하기도 하였다.

3. 화폐 발행

(1) **배경❻**: 고려 정부는 국가의 재정 증가, 상품의 원활한 유통 등을 목적으로 화폐를 만들었다.

(2) **화폐 주조**

   ① **성종**: 최초로 철전인 건원중보를 만들었으나 유통에 실패하였다.

   ② **숙종**: 의천의 건의로 주전도감을 설치하여 **삼한통보, 해동통보, 해동중보** 등 동전과 **활구(은병)❼** 라는 은전을 만들었다. 그러나 널리 유통되지는 못했다.

   ③ **고려 후기**: 소은병❽(충혜왕) 등이 제작되었고, 공양왕 때는 최초의 지폐인 저화가 발행되었다.

(3) **결과**

   화폐는 도시에서도 주로 다점이나 주점 등에서만 사용되는 등 **널리 유통되지 못하였다.** 물건을 거래할 때는 여전히 곡식이나 삼베가 사용되었다.

심화사료 百出

2018. 서울시 7급

고려의 화폐 정책

숙종 7년 왕이 명하기를 "백성들을 부유하게 하고 나라의 이익이 되는 데 돈보다 중요한 것은 없다. **이제 금속을 녹여 돈을 만드는 법령을 제정한다.** 돈 15,000꾸러미를 주조하여 문무 양반과 군인들에게 주어 돈 통용의 시초로 삼도록 하라."고 하였다.

– 「고려사」

---

❻ 화폐 사용에 대한 찬·반 입장
의천은 화폐 정책을 통하여 경제 발전과 부의 균등한 분배를 이룰 수 있다고 보았다. 이에 반해 임춘은 화폐 경제의 발전은 일부 권세가들의 재산 축척에 기여할 뿐이라고 생각하였다.

❼ 활구(은병)

우리나라의 지형을 본떠서 은 1근으로 만든 고가의 화폐로, 그 가치는 포 100필에 해당하였다. 주로 외국과의 교역에 사용되었다.

❽ 소은병
은의 조달이 힘들어지고 동을 혼합한 은병의 위조가 성행하자, 충혜왕 원년(1331) 크기를 줄이고 화폐 가치를 반으로 낮춘 소은병이 만들어졌다.

❶ 보의 종류

학보	태조, 학교의 장학 재단
광학보	정종, 승려들의 면학 재단
경보	정종, 불경의 간행 담당
제위보	광종, 빈민 구제
팔관보	문종, 팔관회의 경비 조달
상평보	각종 자연재해에 대비
금종보	현화사의 범종 주조 비용 마련

❷ 벽란도

원래 예성항으로 불렸으나 그곳에 있던 벽란정의 이름을 따서 벽란도라 하였다. 서해안의 항구 중 비교적 물이 깊어 배가 자유롭게 드나들 수 있었으며, 수도인 개경과 가깝다는 지리적 이점이 있었다.

❸ 송과의 무역

송나라(960년 건국)와는 광종 때부터 교류가 시작되었다. 그러나 고려가 거란과 사대 관계를 맺은 후부터 11세기 중반까지는 공식적인 대송 외교가 중단되었다.

❹ 거란과의 무역

거란과는 조공을 통한 사행 무역 외에 국경 지대의 시장인 각장에서 교역이 이루어졌다.

❺ 일본과의 무역

일본과는 정식 국교가 없었으며, 11세기 후반부터 상인이 왕래하였다. 고려 국왕에게 토산물을 바치면 왕이 답례품을 하사하는 형태로 이루어졌다.

❻ 원 간섭기 왕실 주도 무역

충렬왕의 왕비 제국 대장 공주는 공물로 받은 인삼 등을 중국에 수출하였으며, 충혜왕은 상인에게 벼슬을 하사하기도 하였다.

4. 보❶의 발달

(1) **목적**: 일정한 기금을 조성하여 그 이자를 공적 사업에 사용하고자 하였다.

(2) **폐단**: 보의 운영이 문란해지면서 일부 보들은 고리대업을 하는 폐단이 발생하였다.

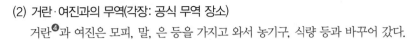

06 고려의 대외 무역

1. 배경

고려 전기에는 안정된 국제 관계를 배경으로 대외 무역이 활발하게 이루어졌다. 고려 후기에는 원나라를 통해 세계 시장과 연결되면서 대외 무역이 더욱 활발해졌다.

2. 대외 무역: 개경과 가까운 예성강 어귀의 벽란도❷가 국제 무역항으로 번성하였다.

고려의 대외 무역

(1) **송과의 무역❸**

고려의 대외 무역에서 **가장 큰 비중**을 차지하였다.

① **교역품**: 송에서 왕실과 귀족의 수요품인 **약재, 비단, 서적 등을 수입**했으며, 종이, 인삼, 나전 칠기, 화문석 등 수공업품과 토산물을 수출하였다. 특히 고려의 종이와 먹은 품질이 뛰어나 비싸게 수출되었다.

② **교통로**: 북방에 거란·여진이 있었기 때문에 주로 바닷길이 이용되었다. 처음에는 예성강(벽란도)–대동강–산둥반도의 길이 이용되었으나, 이후에는 예성강–흑산도–밍저우(양쯔강 이남)가 주교역로가 되었다.

(2) **거란·여진과의 무역(각장: 공식 무역 장소)**

거란❹과 여진은 모피, 말, 은 등을 가지고 와서 농기구, 식량 등과 바꾸어 갔다.

(3) **일본과의 무역❺**

일본은 수은, 황, 감귤, 향료, 말 등을 가지고 와서 식량, 인삼, 서적 등과 바꾸어 갔다.

(4) **서역과의 무역**

① **교역**: 대식국(아라비아)의 상인이 **송나라**를 통해 진출하였다. 이들은 고려에 수은, 향료, 산호 등을 팔았다. 원 간섭기에는 색목인이라 불린 서역인들이 고려에 들어왔다.

② **영향**: 아라비아 상인들을 통하여 고려의 이름(Corea)이 서방 세계에 널리 알려지게 되었다.

(5) **원과의 무역❻**

공무역은 고려에서 예물을 보내고 원이 답례하는 형식으로 이루어졌다. 사무역은 공무역보다 규모가 컸으며 왕이나 사신의 수행원이나 상인이 주도하였다.

07 귀족과 농민의 경제 생활

1. 귀족: 대대로 상속받은 토지와 노비, 관료가 되어 받은 과전과 녹봉[7] 등을 경제 기반으로 하였다.

(1) 과전: 직역의 대가로 국가로부터 수조권을 지급받았으며, 조세로 생산량의 1/10을 거두었다.

(2) 녹봉: 현직 관리들은 1년에 2번씩 쌀, 보리 등의 곡식을 받았으며 베나 비단을 받기도 하였다.

(3) 소유지: 자신의 소유지를 노비에게 경작시키거나 소작을 시켜 생산량의 반을 거두었다. 또 외거 노비에게 신공[8]으로 매년 베나 곡식을 받았다.

(4) 농장: 귀족은 **권력**이나 **고리대**를 이용하여 농민의 토지를 **빼앗기**도 하고, 개간을 하여 토지를 늘렸다. 특히, **농장(부재지주)**은 대리인을 보내 소작인을 관리하고 소작료를 거두어 갔다.

2. 귀족의 생활 모습

큰 누각을 짓고 사치스러운 생활을 하였을 뿐만 아니라, 지방에 **별장**을 가지고 있었다. 귀족들은 외출할 때 남녀 모두가 **시종**을 거느리고 말을 타고 다녔다. 중국에서 수입한 차(茶)를 **다점**에서 즐겼으며, 주점을 다니기도 하였다.

3. 농민

(1) 토지 경작: 농민은 자기 소유의 민전을 경작하거나, 국유지나 다른 사람의 소유지를 빌려서 농사를 지었다.

(2) 가내 수공업: 품팔이를 하거나 부녀자들이 삼베, 모시, 비단 등을 짜는 가내 수공업을 통해 생계를 유지하였다.

심화사료 百出

2018. 서울시 7급

귀족의 화려한 생활

김돈중(김부식의 아들로, 정중부가 보현원에서 난을 일으켰을 때 살해당함) 등이 절의 북쪽 산은 민둥하여 초목이 없으므로 그 인근의 백성을 모아 소나무, 잣나무, 삼나무, 전나무와 기이한 꽃과 이채로운 풀 등을 심고 …… 휘장, 장막과 그릇 등이 몹시 사치스럽고 음식이 진기하여 왕이 재상, 근신들과 더불어 매우 흡족하게 즐겼다.

－「고려사」

대표 기출문제

전시과 제도의 변천 과정을 나타낸 것이다. (가) 제도에 대한 〈보기〉의 설명으로 옳은 것만을 모두 고른 것은?

2016. 국가직 9급

시정 전시과 (경종 1년, 976)	⇒	개정 전시과 (목종 1년, 976)	⇒	(가) (문종 30년, 1076)

〈보기〉

㉠ 4색 공복을 기준으로 등급을 나누었다.
㉡ 산직(散職)이 전시의 지급 대상에서 배제되었다.
㉢ 등급별 전시의 지급 액수가 전보다 감소하였다.
㉣ 무반과 일반 군인에 대한 대우가 전반적으로 향상되었다.

① ㉠, ㉡   ② ㉢, ㉣   ③ ㉠, ㉡, ㉢   ④ ㉡, ㉢, ㉣

---

❼ 녹봉

관료를 47등급으로 나누어 1등급은 400석을 받고, 최하 47등급은 10석을 받았다.

❽ 신공

노비가 주인에게 제공하는 노동력이나 물품을 말한다.

제3편
중세 사회의 발전

해설

(가) 제도는 경정 전시과이다. ㉡ 산직(散職)은 일정한 직임이 없는 관직이다. 경정 전시과에서는 현직 관리만을 대상으로 삼았기 때문에 산직은 전시의 지급 대상에서 배제되었다. ㉢ 경정 전시과에서는 1등급을 제외하고 각 등급별로 토지 지급 액수가 3~5결 정도 감소하였다. ㉣ 경정 전시과에 대한 설명이다. ㉠ 시정 전시과에 대한 설명이다.

정답 ④

고려의 신분 제도와 사회 모습

제2장 중세의 경제·사회·문화

解/法 기출분석

구분		2008~2017	2018	2019	2020	2021	2022	2023	2024
9급	국가직	• 신분 제도(4) • 형률 제도 • 향·소·부곡			구제도감	향리			
	지방직	• 신분 제도(2) • 향·소·부곡							
	법원직	• 신분 제도 • 가족 제도(2)			원 간섭기 사회 모습	신분 제도	향리		

解法
요람

고려의 사회 구조

귀족
- 왕족, 5품 이상의 고위 관료
- 음서, 공음전의 혜택을 받는 특권층
- 문벌 귀족 ⇒ 권문세족 ⇒ 신진 사대부

중류층
- 지배층의 하부 구조(말단 행정직)
- **잡류**(중앙 관청 말단 서리), **남반**(궁중 실무), **향리**(지방 행정), **군반**(군인), **역리**(역 관리) 등
- 직역과 지급된 토지 세습

양민
- 일반 농민(백정), 상공업 종사자, 향·소·부곡민 등
- **백정**: 주로 농업에 종사, 조세·공납·역의 의무를 짐.
- **특수 행정 구역민**: 향·소·부곡·역·진·장·처.
  세금·노동력 징발 多, 거주 이전 금지

천민
- 대부분 노비, 재산으로 간주, 일천즉천, 천자수모법 적용
- **공노비**(입역 노비, 외거 노비), **사노비**(솔거 노비, 외거 노비)

01 귀족

1. 특징

(1) 구성
왕족을 비롯하여 5품 이상의 고위 관료들이 고려 지배층의 핵심인 귀족 계층을 형성하였다.

(2) 특권
음서와 공음전의 혜택을 누렸으며, 정부의 요직을 독점하며 국정을 장악하였다.

2. 문벌 귀족

(1) 성립
고려 개국에 공을 세운 **호족**과 **6두품** 출신들이 대대로 고위 관직을 차지하여 문벌 귀족을 형성하였다.

(2) 특징
① **거주**: 주로 개경에 거주❶하였고, 죄를 지으면 형벌로써 귀향시켰다(귀향형).❷
② **정치**: 고위 관직을 독점하였고, 서로 중첩된 혼인 관계를 맺어 권력을 유지하였다.❸
③ **경제**: 관직에 따라 과전과 공음전의 혜택을 받았고, 대규모의 토지를 차지하였다.

(3) 변화: 무신 정변을 계기로 문벌 귀족 세력은 점차 약화되었고, 무신이 권력을 잡았다.

심화사료 百出

2022. 소방직

> **문벌 귀족**
> • 나라에 벼슬하는 자는 바로 **귀한 가문 출신의 관리**들이며, …… 나라의 재상은 대부분 훈척(勳戚)을 임명한다. 선종부터 이씨의 후손을 비로 맞이하였는데, 예종도 세자 때 이씨의 딸을 맞아 비로 삼았다. - 『선화봉사고려도경』
> • 최사추는 문헌공 최충의 손자이다. …… 최사추의 아들은 최원과 최진이다. 최원은 여러 차례 승진하여 상서우복야가 되었고, 최진은 문하시랑평장사가 되었다. 이자겸, 문공미, 유인저가 모두 최사추의 사위이니 문벌의 성대함이 당시에 비길 바가 없었다. - 『고려사』

3. 권문세족❹

(1) 배경: 원 간섭기에는 권문세족이 고려 후기의 새로운 지배층으로 등장하였다.

(2) 재상지종: 충선왕 때 왕실과 혼인할 수 있는 **재상지종**으로 정해졌다.

(3) 유형: 문벌 귀족 가문이 그대로 유지된 경우(경주 김씨, 인주 이씨)와 무신 정권 때 새로이 득세한 경우(언양 김씨, 평강 채씨), 원과 결탁을 통해 성장한 친원 세력(평양 조씨, 철원 유씨) 등이 있다.

(4) 특권
① **정치**: 도평의사사 등 **주요 관직을 독점**하고, **음서**로 신분을 세습해 갔다.
② **경제**: 강과 하천을 경계로 삼을 만큼 대규모의 **농장**을 소유하고도 국가에 세금을 내지 않았으며, 몰락한 농민을 농장에 끌어들여 노비처럼 부렸다.

---

❶ 부재지주
지방의 소유지(농장)에 거주하지 않아 대리인을 따로 보내 토지를 관리하였다.

❷ 귀향형(歸鄕形)
범죄를 저질렀을 때 본관(本貫)으로 돌려보내는 형벌로, 녹을 받는 관리가 공물을 훔쳤거나 뇌물을 받은 경우, 승려가 소속 사원의 미곡(米穀)을 훔친 경우 등에 적용되었다.

❸ 신분 변동
지방 향리의 자제도 과거를 통해 신진 관료가 되어 귀족의 대열에 들 수 있었다. 반대로 중앙 귀족에서 낙향하여 향리로 전락하는 경우도 있었다.

❹ 권문세족과 문벌 귀족
문벌 귀족이 가문 자체의 권위로 귀족적 특권을 누렸음에 비하여 권문세족은 현실적인 관직을 통하여 정치 권력을 행사하였다는 점에서, 권문세족은 문벌 귀족과 비교했을 때 관료적 성격이 짙다고 볼 수 있다.

✎ 지배 세력의 변천

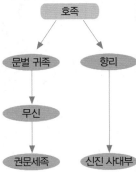

✎ 고려 시대 지배층의 특징

문벌 귀족	권문세족	신진 사대부
호족, 6두품	친원 세력	지방 향리
과거, 음서	음서, 정방	과거
과전, 공음전	대농장	중소 지주
불교, 유교	불교	성리학

고등사료 頻出

2012, 지방직 9급

권문세족(재상지종, 宰相之宗) - 충선왕의 복위 교서

이제부터 만약 종친으로서 같은 성에 장가드는 자는 황제의 명령을 위배한 자로서 처리할 것이니, 마땅히 여러 대를 내려오면서 재상을 지낸 집안의 딸을 취하여 부인을 삼을 것이며, 재상의 아들은 왕족의 딸과 혼인함을 허락할 것이다. 만약 집안의 세력이 약하면 반드시 그렇게 할 필요는 없다. …… **철원 최씨, 해주 최씨, 공암 허씨, 평강 채씨, 청주 이씨, 당성 홍씨, 황려 민씨, 횡천 조씨, 파평 윤씨, 평양 조씨는 다 여러 대의 공신 재상의 종족이니, 가히 대대로 혼인할 것이다.** 남자는 종친의 딸에게 장가가고 딸은 종비(宗妃)가 됨직하다.

– 『고려사』

4. 신진 사대부

(1) **성립**: 대부분 **향리 출신의 중소 지주**로서 **과거 시험**에 합격한 후 중앙 정계에 진출한 세력이다. 공민왕 때의 개혁 정치에 힘입어 신진 사대부로 성장하였다.

(2) **특징**: 권문세족과 대립하면서 고려 후기의 사회 모순을 비판하고 전반적인 사회 개혁을 주장하였다. 또한 **성리학**을 받아들여 사상적 기반으로 삼았다.

02 중류층

1. 특징

(1) **성립**

새롭게 등장한 신분 계층으로, 통치 체제의 하부 구조인 말단 행정 업무를 담당하였다.

(2) **유형**

중앙 관청의 말단 관리인 서리(잡류), 궁중 관리인 남반, 지방 행정의 실무를 담당한 향리, 하급 장교인 군반, 지방의 역(驛)을 관리하는 역리 등이 있었다.

(3) **운영**

중류층의 직역은 세습되었으며, 직역의 대가로 **외역전(향리)**과 같은 토지를 받았다. **상층 향리**의 경우 과거 응시에 제한을 두지 않아 고위 관리가 될 수 있었다.

2. 향리❶

(1) **업무❷**: 지방의 실질적인 **지배층**으로 조세 징수와 역역 동원의 일을 맡았다.

(2) **향리의 신분 상승**: 상층 향리❸의 자식들은 **과거**를 통해 **중앙의 관리**가 되기도 하였다. 무신 집권기 이후 이들이 대거 중앙에 진출했는데, **능문능리(能文能吏)**라고 불리기도 하였다.

❶ 향리의 종류

향리층은 세 부류로 구분되었다. 가장 상층인 호장층(호장, 부호장), 행정 실무를 전담하는 기관층(병정, 창정, 호정, 부호정 등), 잡무를 전담하는 색리층으로 분류되었다.

❷ 향리의 업무

향리는 간단한 소송을 진행하기도 했으며, 군대(일품군)를 통솔하여 관청, 성, 사찰 등을 건축하였다.

❸ 상층 향리

향리는 자기들끼리 통혼하였으며, 과거 응시 자격에서도 특혜를 받았다. 이들은 과거 합격자를 다수 배출하여 일부는 문벌 귀족으로 성장하기도 하였다.

향리의 변천

1. 성종: 호장·부호장 등 향리직제를 정비하였다.
2. 현종: 군현 크기에 따라 향리의 수를 정하였고, 향리의 공복도 규격화하였다. 더불어 향리 자제의 과거(문과) 응시를 허용하였다(주현공거법).
3. 문종: 호장❹을 최상위로 하는 향리 승진 9단계를 제정하였다.

❹ **호장(戶長)**
향리직의 우두머리로, 부호장과 함께 해당 고을의 향리가 수행하던 모든 실무 행정을 총괄하였다.

3. **남반**: 궁중의 당직이나 국왕의 호종, 간단한 왕명 전달 등을 맡아보았다.

4. **서리(잡류)**: 중앙 관청의 말단 관리로, 행정 실무에 종사하였다. 문서를 기록하고 관리하는 업무를 보았다.

5. **군반**: 직업 군인이었으며 2군 6위 등 중앙군을 형성하였다.

6. **역리**: 지방의 역(驛)을 관리하였으며, 군사 정보 및 왕명 전달 등의 업무를 수행하였다.

03 양민

1. **특징**: 일반 주, 부, 군, 현에 거주하며 농업이나 상공업에 종사하는 사람들을 의미한다.

2. **백정**

양민의 대다수는 농민으로써 이들을 **백정(白丁)**이라고 불렀다. 백정은 조세, 공납, 역의 의무를 가진 계층으로 법제적으로는 과거 응시에 제약이 없었고, 군인으로 선발이 가능하였다. 자기 소유의 민전을 경작하거나 다른 사람의 토지를 빌려 경작하였다.

✎ **정호와 백정**
정호 ┌ 직역 ○
     └ 서리·향리·하급 장교 등
백정 ┌ 직역 ×
     └ 일반 농민

3. **특수 행정 구역(잡척)❺**: 향과 부곡은 고려 시대 이전부터 존재하였고, 소는 고려 시대에 등장하였다.

(1) 역할

① 향·부곡: 주로 **농업**에 종사하며 국유지를 경작하는 역을 부담하였다.

② 소: 도자기, 종이, 먹 등을 생산하는 **수공업**에 종사하거나 금, 은, 동, 철 등을 캐는 **광업**에 종사하였는데 소금, 생강, 차와 같은 특산물 납부 지역도 있었다.

③ 역·진: 육상 교통이나 수상 교통의 요지에 설치되었다. 이곳의 주민은 육상·수상 교통에 종사하였다.

④ 장·처: 왕실 재정을 주로 담당하였다.

(2) **향리의 지배**: 지방관을 따로 파견하지 않아서 이 지역의 주민들은 주로 향리의 통제를 받았다.

(3) **특징**: 양민임에도 불구하고 일반 군현민보다 더 많은 세금 부담을 지고 있었다. 또한 **국학**에 들어가거나 과거에 응시할 수 없었고, 승려가 될 수도 없었다. 거주하는 곳도 제한되어 **다른 지역으로 이주**하는 것이 원칙적으로 금지되었다.

(4) **변동❻**: 일반 군현민이 반란을 일으키면 군현을 향·소·부곡으로 강등했으며, 특수 행정 구역민이 공을 세우면 일반 군현으로 승격하였다.

❺ **잡척**
왕실 또는 국가의 직영 농장에서 농사를 짓거나 수공업품을 제조하거나, 관청 숙박소 등에서 일했다. 이밖에 광산에서 일하는 광부를 철간, 어부를 생선간, 소금 굽는 염부를 염간, 목축하는 사람을 목자간, 봉홧불을 밝히는 사람을 봉화간, 뱃사공을 진척이라 불렀다.

❻ **특수 행정 구역의 소멸**
공주 명학소에서 일어난 망이·망소이의 난(1176)을 계기로 점차 폐지되었으며, 조선 시대에 가서 완전히 소멸되었다.

❖ 고려 시대 특수 행정 구역민의 특징

유형	향, 부곡	농업 종사
	소	수공업(옷감, 종이, 먹), 광업(금, 은, 철), 특산물(차, 생강)
	역, 진	역(육상 교통), 진(수상 교통)
	장, 처	왕실 재정 담당
세금 부담		양민보다 더 과중한 세금 부담과 노동력 징발
거주 이전 제한		다른 지역으로 이주 금지

심화사료 百出   2012. 국가직 9급

특수 행정 구역
향·부곡·악공·잡류(관아의 말단 이속) 자손은 과거에 응시하는 것을 허락하지 않는다.   ─「고려사」

특수 행정 구역에서 일반 군현으로 승격
익안폐현은 충주의 다인철소인데, **주민들이 몽골의 침입을 막는 데 공이 있어 현으로 삼아** 충주의 속현이 되었다.   ─「고려사」

4. 양수척

(1) **기원**: 양수척은 고려 초부터 있었는데, 여진족이나 거란족의 후손이었다.

(2) **분화**: 양수척은 사냥과 유기 제조 및 기생의 일로써 생업을 삼았다. 고려 말기가 되어서는 기생의 일을 전업으로 하는 재인이 떨어져 나가 독자적인 계층을 이루었으며, 나머지 **양수척은 화척으로 불리며 사냥·유기 제조와 도살을 생업으로 삼았다.**

(3) **특징❶**: 정해진 거처가 없었고, 그에 따라 호적(본적지)도 없었으며 부역마저 부과되지 않았다. 이러한 사실들을 통해 국가가 양수척을 국민 외의 존재로 파악했음을 알 수 있다.

❶ **양수척의 특징**
남에게 소유되어 팔리는 존재는 아니었기에 노비와는 구별되었다.

04   천민

노비(奴婢) = 종(從), 창적(蒼赤): 재산으로 간주, 매매·대여·증여 모두 가능, 성(姓) 소유 X, 조세 의무 X, 입사 X, 승려 X

공노비	입역 노비	관청에서 잡역 종사
	외거 노비	• 농업 종사 • 수입 중 규정 액수를 관청에 납부, 재산 소유 가능
사노비	솔거 노비	주인집에 살면서 잡일
	외거 노비	• 주인과 따로 살며 농업 종사, 일정량의 신공 납부 • 가옥, 토지, 노비 등 재산 소유 가능
신분 결정❷		일천즉천(⇨ 노비종모법)
소유 권한❸		천자수모법

❷ **노비의 신분 결정**
일천즉천(一賤卽賤)에 따라 부모 가운데 한쪽이 노비면 무조건 자녀도 노비가 되었다. 이로 인해 노비의 수가 크게 증가하였다.

❸ **노비의 소유 권한**
부와 모가 모두 노비면 모의 주인이 자녀를 소유하였다(천자수모, 賤者隨母). 만약 부모 중 한쪽만 노비면 노비의 주인이 자녀를 소유하였다.

1. 특징

천민의 대다수는 노비로 소유주에 따라 공노비와 사노비로 나뉘었다. 이들은 **재산으로 취급**되어 매매, 증여, 상속이 가능하였고, 교육과 과거 응시, 관직 진출이 금지되었으며 승려도 될 수 없었다.

2. 유형

(1) 공노비: 국가 기관에 소속된 노비로, 전쟁 포로나 중대 범죄자에서 비롯되었다.

① 입역 노비: 주로 궁궐이나 관청에서 일했으며, 일정한 급료가 지급되었다. 10여 세부터 노동력을 제공하고 60세가 되면 입역에서 벗어날 수 있었다.

② 외거 노비: 주로 국유지를 경작하고, 매년 일정 액수의 곡식이나 베를 관청에 납부하였다.

(2) 사노비: 개인 또는 사원이 소유한 노비로, 국가에 대한 조세와 부역의 의무는 없었다.

① 솔거 노비: 주인 집에 살면서 잡일을 돌보며 생활하였다. 재산을 소유하는 것은 실제로 불가능하였다.

② 외거 노비❹: 주인과 따로 살면서 농업에 종사하고 일정량의 **신공❺**을 납부하였다. 가옥, 토지, 노비 등 재산을 소유할 수 있었다.

고득사료 百出

2013. 국가직 9급

고려 시대의 외거 노비

평량은 평장사 김영관의 집안 노비로, 경기도 양주에 살면서 농사에 힘써 부유하게 되었다. 그는 권세가 있는 자들에게 뇌물을 바쳐 천인에서 벗어나 산원동정의 벼슬을 얻었다. 그의 처는 소감 왕원지의 집안 노비인데, 왕원지는 집안이 가난하여 가족을 데리고 가서 의탁하고 있었다. 평량이 후하게 위로하여 서울로 돌아가기를 권하고는 길에서 몰래 처남과 함께 원지 부처와 아들을 죽이고, 스스로 그 주인이 없어졌으므로 계속해서 양민으로 행세할 수 있음을 다행으로 여겼다. ─ 「고려사」

---

05 법률과 사회 제도

1. 법률

(1) **특징**: 고려는 중국의 당률을 참고한 71개조 법률을 시행하였으나, 대부분의 경우 관습법을 따랐다. 또한 행정과 사법이 명확하게 분리·독립되어 있지 않았다.

(2) **종류**: 태·장·도·유·사❻의 다섯 종류가 있었다.

(3) **기타**

① 삼원신수법: 중죄인에 대해서 3인 이상의 형관이 합의하여 재판하는 것을 말한다.

② 삼심제(삼복제): 사형은 판결의 공정성을 위해 삼심제로 결정하였다.

③ 수속법: 형벌의 경중에 따라 재화를 납부하여 실형을 면제받는 것을 말한다. 그러나 고려에서는 수속법과 같은 배상제보다는 실형주의를 우위에 두고 있었다.

④ 면제: 귀양형을 받은 사람이 부모상을 당하였을 때에는 7일간의 휴가를 주었으며, 70세 이상 노부모를 모신 자의 경우 형의 집행을 보류하기도 하였다.

---

❹ **외거 노비**

주인의 토지를 경작할 경우, 생산량의 1/2을 지대로 납부하고 나머지는 자신의 몫으로 소유할 수 있었다. 또한 타인의 토지를 경작하거나 자신의 토지를 소유할 수도 있었다.

❺ **신공(身貢)**

외거 노비가 매년 주인에게 바치는 일종의 몸값이다.

❻ **고려의 형벌**

· 태: 회초리로 때림.
· 장: 곤장형
· 도: 목에 칼을 채워 감방에 수감
· 유: 멀리 유배 보내는 형
· 사: 교수형과 참수형

2. 사회 제도

(1) 빈민 구제 기관

① 흑창: 태조 때 빈민 구제를 위해 설치한 진휼 기관이다.

② 의창❶: 흑창을 계승한 것으로 성종 때 마련하였다. 봄에 곡식을 빌려주고 가을에 갚게 하였다.

③ 제위보: 광종 때 설치되었다. 기금을 조성하여 그 이자로 빈민을 구제하였다.

(2) 물가 조절 기관(상평창)

개경, 서경, 12목에 설치하였다. 곡식의 값이 내렸을 때 사들였다가 값이 오르면 싸게 팔아 물가 안정을 꾀하였다.

(3) 의료 기관

① 동·서 대비원❷: 환자 진료와 빈민 구휼을 위해 개경에 세웠던 의료 기관이다.

② 혜민국: 백성들의 의료를 맡아 의약품을 제공했던 곳으로 예종 때 설치하였다.

③ 구제도감, 구급도감: 재해나 전염병 발생 시 백성 구제를 위해 임시 관서로 설치하였다.

3. 향도

(1) 조직: 향도는 불교 신앙에 바탕을 둔 농민 공동체 조직으로, 고려 시대에 확산되었다.

(2) 매향 활동: 미륵을 만나 구원받고자 하는 염원에서 향나무를 땅에 묻는 활동이다.

(3) 변화

① 고려 전기: 사원 건립, 매향 등 대규모의 노동력이 필요한 불교 신앙 활동을 주로 하였다.

② 고려 후기: 마을 노역, 혼례와 상장례 등 공동체 생활을 주도하는 농민 조직으로 성격이 변화하였다.

심화사료 百出
2014. 법원직 9급

매향(埋香)

빈도(貧道)와 수천 명의 사람들이 함께 커다란 바람을 일으켜 **침향목(沈香木)을 묻고** 자씨(慈氏)의 하생(下生)과 용화삼회(龍華三會)를 기다린다. 이 향을 지니고 있다가 미륵여래(彌勒如來)에게 바쳐 공양(供養)하니 …… 함께 발원한 사람들이 모두 내원(內院)에서 태어나 불퇴지를 증명하기를 원한다. …… **주상전하(主上殿下)의 만만세(萬萬歲)와 나라가 태평하고 백성이 편안하기를 기원하였다.**
— 사천매향비, 천인이 계(契)를 맺어 매향(埋香)하며 발원하여 지음.

▼ **사천매향비**
우왕 때 경남 사천에 사천매향비를 세워 국가의 평안, 미륵보살의 구원 등을 기원하였다.

▼ **개심사지 5층 석탑(경북 예천)**
탑을 건립하는 데 예천군과 다인현의 미륵향도, 추향도 등 1만여 명이 참여하였다는 기록이 새겨져 있다.

---

06 🔖 **고려인의 생활 모습**

1. 대가족 사회: 귀족에서 양인까지 모두 대가족 단위로 편제되었고 그에 따라 **효(孝)**를 중시하였다.

고려~조선 전기	VS	조선 후기(17세기 이후)
여성의 지위가 남성과 대등	가정 내에서	가부장제 강화(남성 중심)
처가살이(솔서혼, 남귀여가혼)	생활	친영 제도
자녀 구별 ×, 출생 순서	호적 기재	아들 중심
자녀 구별 ×, 윤회봉사	제사	장자 봉양의 원칙
자녀 구별 ×, 자녀 균분 상속	재산 상속	적장자 중심

2. 혼인

(1) **특징**: 고려 시대에 여자는 18세 전후, 남자는 20세 전후에 혼인을 했으며, 혼인 형태는 일부일처제가 일반적이었다. 고려 왕실에서는 동성 근친혼인 족내혼❸의 관행이 있었는데, 이는 중기 이후 여러 번의 금령에도 불구하고 사라지지는 않았다.

(2) **솔서혼의 풍습(= 남귀여가혼, 서류부가혼)**
결혼 후 남자가 처가에서 오랜 기간 생활하며, 처의 부모를 봉양하는 경우가 많았다.

(3) **고려 후기의 혼인 풍속**
일찍 결혼하는 조혼의 풍속❹이 유행했으며, 부인을 여러 명 두는 사람도 생겨났다. 이는 원에 보내지는 공녀가 되는 것을 피하기 위함이었다.

3. 여성의 지위

고려 시대 여성❺의 지위는 높은 편이어서 출사❻에서만 제약이 있었을 뿐 많은 부분에서 남성과 동등하였고 호주(戶主)가 될 수 있었다.

(1) **제사❼와 재산 상속**: 부모의 유산은 자녀에게 골고루 분배되었으며 아들이 없을 때에는 양자를 들이지 않고 딸이 제사를 지냈다. 상복 제도에서도 친가와 외가의 차이가 크지 않았다.

(2) **호적 기재**: 태어난 차례대로 호적에 기재하여 남녀 차별을 하지 않았고, 사위가 처가의 호적에 입적하여 처가에서 생활하는 경우가 적지 않았다. **사위와 외손자에게까지 음서의 혜택이 돌아갔으며,** 공을 세운 사람의 부모는 물론 장인과 장모도 함께 상을 받았다.

(3) **재가**: 여성의 재가는 비교적 자유롭게 이루어졌고,❽ 그 자식의 사회적 진출에도 차별을 두지 않았다.

4. 장례

대부분 토속 신앙과 결합한 불교·도교 의식에 따라 시행되었다. 정부는 유교식 장례와 제사 의식을 보급하려 했으나 실정에 맞지 않았다.

(1) **지배층**: 불교의 영향을 받은 화장❾이 유행하였다. 매장도 널리 이용되었는데, 묘지의 위치를 정할 때 풍수지리설이 많은 영향을 미쳤다.

(2) **피지배층**: 농민들은 구덩이에 시신을 바로 매장하였다. 시신을 산과 들에 방치(풍장)하기도 하였다.

5. 명절

정월 초하루, 삼짇날, 단오, 유두, 추석 등이 있었으며, 단오 때는 격구와 그네뛰기 및 씨름을 즐겼다.

❸ **왕실 족내혼의 감소**
충선왕은 복위교서에서 종친으로서 같은 성씨에 장가드는 자는 황제의 명령을 위배한 자로서 처리한다고 하였다. 이후 왕실에서 족내혼의 비중이 감소하였다.

❹ **조혼의 유행**
고려 후기, 조혼의 풍속이 유행함에 따라 예서제(데릴사위제, 어린 신랑을 처가에서 양육해 혼인)가 늘어나는 결과를 가져왔다.

❺ **고려 여성의 재산권 보호**
고려 여성은 자신의 재산을 독립적으로 소유하였다. 결혼 후에도 호적상에 남편과 아내의 노비를 구분하여 기록하였기 때문에, 남편이 사망하여 처가 본가로 돌아갈 때 자기 소유의 노비를 찾아갈 수 있었다.

❻ **출사**
벼슬을 하여 관직을 수행하는 것

❼ **제사(고려~조선 전기)**
윤회봉사는 딸을 포함해 모든 자식들이 돌아가며 제사를 지내는 것이다. 분할봉사는 자식들이 제사를 나누어 각기 담당한 제사를 지내는 방식이다. 외손봉사는 딸의 자손들이 제사를 지내는 방식이다.

❽ **여성의 재가**
고려의 여성은 이혼을 요구할 수 있었고, 남편이 죽으면 재혼할 수도 있었다. 『고려도경』에서는 '고려인은 쉽게 결혼하고, 쉽게 헤어져 그 예법을 알지 못한다.'라고 기록하고 있어 당시 사회 분위기를 짐작할 수 있다.

❾ **석관(石棺)**

고려 관료들은 화장을 많이 하였다. 화장한 후 남은 유골은 석관에 넣었는데, 석관의 사면에는 사신(四神)을 새겨 넣었다.

2020. 경찰 1차, 2017. 국가직 9급(하), 2016. 법원직 9급, 2014. 서울시 9급, 2013. 지방직 9급

❶ 박유

박유는 인구를 늘리기 위해 여러 명의 처를 둘 것을 주장하였다. 그러나 여성들에게 손가락질을 당했으며 아내를 두려워한 고위 관리들이 많아 그의 주장은 받아들여지지 않았다.

✎ 포괄적인 혈연 의식

고려 시대는 권리나 의무가 부계와 모계에 동등하게 적용되어 아들과 딸, 친손자와 외손자를 동등하게 여겼다.

✎ 근친혼과 동성혼

근친혼은 가까운 친인척 간에 결혼을 하는 것이고, 동성혼은 같은 성씨끼리 혼인하는 것이다. 이는 가문의 경제적 기반과 사회적 특권을 유지하기 위함이었다. 고려 후기까지 근친혼과 동성혼이 상당히 존재하였다.

❷ 몽골풍

- 증류 방식의 술인 소주가 등장
- 임금의 음식을 가리키는 '수라'라는 말이 사용
- 남자들 사이에서 머리의 뒷부분만 남겨놓고 주변의 머리털을 깎아 나머지 모발을 땋아서 등 뒤로 늘어뜨리는 머리 스타일(변발) 사용

❸ 결혼도감

원나라에서 요구하는 여자를 선발하기 위해 둔 관청으로, 1274년(원종 15)에 설치되었다.

고등사료 百出

고려 시대 여성의 지위

박유❶는 **충렬왕** 때 대부경에 임명되었다. 왕에게 글을 올려 …… "청컨대, 여러 신하, 관료로 하여금 **여러 처를 두게 하되**, …… 여러 처에서 낳은 아들도 역시 본처가 낳은 아들처럼 벼슬을 할 수 있게 하기를 원합니다. ……"라고 하였다. …… 어떤 노파가 그를 손가락질하면서 "첩을 두고자 요청한 자가 저놈의 늙은이다."라고 하니, 듣는 사람들이 서로 전하여 서로 가리키니 거리마다 여자들이 무더기로 손가락질하였다. 당시 재상 중에 부인을 무서워하는 자들이 있었기 때문에 **그 건의를 정지하고, 결국 실행되지 못하였다.**

— 「고려사」

남귀여가혼의 전통

지금은 남자가 장가들면 여자 집에 거주하여, 남자가 필요로 하는 것은 모두 처가에서 해결하고 있습니다. 그리하여 **장인과 장모의 은혜가 부모의 은혜와 똑같습니다.** 아, 장인께서 저를 두루 보살펴 주셨는데 돌아가셨으니, 저는 장차 누구를 의지해야 합니까.

— 「동국이상국집」

---

6. 원 간섭기의 사회 변화

(1) **몽골풍❷**: 원과의 문물 교류가 활발하였다. 이에 따라 고려 사회에는 몽골풍이 유행하여 **변발**, 몽골식 복장, 몽골어가 왕실과 지배층을 중심으로 널리 퍼졌다.

(2) **고려양**: 고려 사람들 중 여러 가지 이유로 몽골에 가거나, 끌려간 사람들이 많았다. 이들에 의하여 고려의 의복, 그릇, 음식 등 풍습이 몽골에 전해졌는데, 이를 고려양이라 한다.

(3) **공녀 문제**: 원의 공녀 요구는 고려에 심각한 사회 문제를 가져왔다. **결혼도감❸**을 통하여 원으로 끌려간 여인 중에는 기황후와 같은 특별한 경우도 있었지만, 대부분은 고통스럽게 살았다.

解法 도움닫기 고려에 퍼진 몽골 풍속

복식	변발, 철릭, 족두리 등
음식	만두, 소주, 설렁탕 등
언어	수라, 마누라(마마), - (아)치, 보라 등

▼ 족두리

▼ 철릭

▼ 소줏고리

해설

제시된 자료의 ㉠은 고려의 특수 행정 구역인 '소'를 일컫는다. ① 향·소·부곡의 주민들은 양민임에도 불구하고 일반 군현민보다 더 많은 세금을 부담하고, 국학에 들어가거나 과거에 응시할 수 없는 등 많은 차별을 받았다. ② 고려의 귀족들은 죄를 지을 경우, 형벌로서 귀향시켰다. ③ 고려 향리에 대한 설명이다. ④ 노비에 대한 설명이다.

정답 ①

대표 기출문제

다음 ㉠의 주민에 대한 설명으로 옳은 것은?

2016. 지방직 9급

고려 시기에 [㉠]은(는) 금, 은, 구리, 쇠 등 광산물을 채취하거나 도자기, 종이, 차 등 특정한 물품을 생산하여 국가에 공물로 바쳤다.

① 군현민과 같은 양인이지만 사회적 차별을 받았다.
② 죄를 지으면 형벌로 귀향을 시키는 처벌을 받았다.
③ 지방 호족 출신으로 지방 행정의 실무를 담당하였다.
④ 재산으로 간주되어 매매·상속·증여의 대상이 되었다.

03강 불교 사상과 학문의 발달

解/法 기출분석

구 분		2008~2017	2018	2019	2020	2021	2022	2023	2024
9급	국가직	• 불교(2) • 도교 • 풍수지리 사상(2) • 유학 • 역사서(3)	팔관회	•『삼국유사』 • 단군 인식	『제왕운기』	안향			
	지방직	• 불교(8) • 대장경 • 풍수지리 사상 • 9재학당 • 관학 진흥책 • 역사서(6)	고려의 국가 제사	불교		『삼국사기』		• 의천 • 이규보	
	법원직	• 불교(3) • 도교·풍수리지설 • 관학 진흥책	의천과 지눌		관학 진흥책	『삼국유사』		• 의천 • 고려 시대 주요 사건	

解法
요람

의천 vs 지눌

교선 일치의 시작(형식, 교단)   선교 통합의 완성(내용, 교리)

의천   VS   **지눌**

┌ 교장도감: 교장 편찬(교종계 사상 정리)
1. 흥왕사: 화엄종 중심으로 교종 통합(성상겸학)
2. 국청사: 천태종 중심으로 선종까지 통합
　　　　(교관겸수, 내외겸전)

┌ **요세** 만덕사: 백련 결사(보현도량), 법화 신앙, 정토 신앙
1. 송광사: 수선사 결사(신앙 결사): 독경, 선 수행, 노동
　　　　⇩ ← 무신 정권 후원
2. 조계종 확립(돈오점수, 정혜쌍수)
　　　└ **혜심** 유불일치설: 성리학 수용에 기여

고려의 역사서

삼국사기 (인종)	김부식	• 삼국 역사를 기전체로 서술(본기, 열전, 지, 표) • 보수적, 유교적 합리주의 사관, 신라 계승 의식 • 고조선에 대한 서술 없음. 신이한 기록 삭제
동명왕편 (무신 집권기)	이규보	• 고구려 시조인 동명왕에 대한 서사시 • 고구려 계승 의식, 자주적, 민족적
삼국유사 (충렬왕)	일연	• 삼국 역사를 서술(왕력 · 기이 · 흥법 · 탑상 · 효선 편 등) • 자주적, 민족적, 고조선 계승 의식(단군 신화 수록) • 향가 14수, 불교 관련 자료, 민간 설화, 신화 등 수록
제왕운기 (충렬왕)	이승휴	• 상권에서 중국 역사, 하권에서 고조선~고려 충렬왕 때까지 다룸. 발해사 최초 기록 • 자주적, 민족적, 고조선 계승 의식(단군 신화 수록) • 우리의 역사를 중국과 대등하게 인식

사사건건 1날 950~1392

~950 전일 ▶▶
• 900 후백제 건국
• 901 후고구려 건국
• 918 고려 건국
• 936 고려, 후삼국 통일

Now Event ▶▶
• 958 과거제 실시   • 992 국자감 정비   • 1086 의천, 교장도감 설치   • 1145 김부식, 「삼국사기」 저술

01 불교의 발전

1. 고려의 불교 정책

(1) **태조**: 훈요 10조에서 **연등회❶**와 **팔관회❷** 등 불교 행사의 시행을 장려하였다. 개경에 흥국사 등 여러 사원을 세웠으며, 승록사를 설치하여 불교 행정 업무를 처리하였다.

(2) **광종**: 승과를 실시하여 합격한 자에게는 **승계❸**를 주고 승려의 지위를 보장하였다.

(3) **현종**: 초조대장경을 조판하고 성종이 폐지한 **연등회와 팔관회를 부활**시켰다. 또한 현종은 현화사를 창건하여 부모의 명복을 빌었다.

(4) **문종**: 흥왕사를 건립하고 불교를 중흥시켰다.

(5) **국사·왕사 제도**: 명망 높은 승려를 국사와 왕사로 삼아 국왕의 고문 역할을 맡겼다.

(6) **불교 지원**: 사찰은 많은 토지와 노비를 지급받았으며, 승려는 면역의 혜택을 받았다.

고름사료 百出   2018. 국가 9급

현종 때의 팔관회 부활

팔관회를 부활시키고 왕이 위봉루에 임어하여 연악을 관람하였다. 과거에 성종은 잡다한 기예가 불경하고 번잡하다는 이유로 모두 폐지하고, 다만 당일에 법왕사로 행차하여 행향하고는 돌아와 구정에 이르러서 문무 관리들의 조하(朝賀)만을 받았을 따름이다. 폐지한 지 거의 30년 되는 이때에 이르러서야 정당문학(政堂文學) 최항이 요청하므로 부활시켰다.

– 「고려사절요」

---

2. 불교 통합 운동

(1) 광종의 불교 개혁

① 배경: 고려 초기 불교계는 크게 교종과 선종의 두 흐름으로 나뉘어 대립하였다.

② 내용

㉠ 교종 통합: 개경에 **귀법사**를 세워 화엄종의 중심 사찰로 삼고, **균여❹**를 중심으로 교종을 통합하고자 하였다. 이는 **화엄종** 중심으로 법상종을 흡수하고자 한 것이다.

㉡ 선종 통합: 중국에서 법안종을 도입하여 선종을 통합하고자 하였다.

㉢ 균여: 화엄 북악파의 법손으로, 화엄종 중심으로 교종 통합을 시도하였다. 또한 불교의 대중화를 위해 보살의 실천행을 강조하였다.

㉣ 의통과 제관: 광종 때 중국으로 건너갔다. 의통은 중국 천태종의 13대(혹은 16대) 교조가 되었고, 제관은 천태종의 기본 교리를 정리한 「천태사교의」를 저술하였다.

③ 결과: 광종 사후 불교계의 개혁은 흐지부지되었다. 이후 100여 년간 고려 왕실(화엄종)과 경원 이씨❺(법상종)와 같은 귀족의 지원을 받은 교종이 융성하였다.

---

❶ 연등회

국초에는 정월 15일, 현종 이후에는 2월 15일에 열렸다. 왕은 연등회 행사가 끝나면 봉은사의 태조 사당에 참배하였다.

❷ 팔관회

매년 11월 15일에 열렸으며, 옥황상제와 용신 등 토속신에게 제사지냈다. 국제적 규모의 행사로, 송의 상인이나 여진과 탐라의 사절이 와서 무역을 하는 국제 교류의 장소였다.

❸ 승계(僧階)

승과에 합격한 승려에게 국가에서 부여한 계급이다.

❹ 균여

성상융회를 주장하여 교종의 통합을 주도하였다. 이는 화엄종을 중심으로 법상종을 흡수하여 교종 내의 대립을 해소하고자 한 것이다. 또한, 성속무애의 논리를 제시하였다.

❺ 법상종(현화사)과 경원 이씨의 유착

법상종은 현화사를 중심으로 경원 이씨와 깊은 관계를 맺었다. 이자연의 아들인 소현은 현화사의 주지가 되어 법상종 교단을 이끌었다. 이자겸의 아들인 의장도 현화사 주지가 되어 이자겸의 난 때 현화사 승려 300여 명을 직접 이끌고 이자겸을 지원하였다.

• 1234 『상정고금예문』간행   • 1281 일연, 『삼국유사』저술   • 1304 국학에 대성전 설립   • 1377 화통도감 설치
『직지심체요절』간행

▶▶ 후일 1392~
• 1420 집현전 확장
• 1441 측우기 제작
• 1443 훈민정음 창제
• 1485 『경국대전』완성

(2) 의천(대각국사)의 교단 통합 운동 ⭐

① **화쟁 사상 계승**: 원효의 화쟁 사상을 토대로 하여 불교 사상을 통합하려 하였다.

② **균여 비판**: 균여의 화엄학에 실천적인 면이 다소 결여되어 있음을 비판하였다.

③ **사상적 바탕**

㉠ 성상겸학: '성(화엄종)'과 '상(법상종)'의 대립을 뛰어 넘어 '성상(性相)'의 '겸학(兼學)'을 강조하였다. 화엄종과 법상종의 통합을 지향한 것이다.

㉡ 교관겸수: 교리 이론인 교와 실천 수행법인 관을 함께 닦아야 한다고 주장하였다. 이는 이론의 연마와 실천을 아울러 강조한 것이다.

㉢ 내외겸전: 내적 수행(선종)과 외적 이론 공부(교종)를 골고루 갖추어야 한다는 주장이다.

④ **의천의 교·선 통합 운동**

㉠ 교종 통합: 흥왕사를 근거지로 삼아 화엄종을 중심으로 교종을 통합하였다. 또한 흥왕사에 교장도감을 설치하고 교장을 편찬하여 불교의 교리와 사상을 정리하였다.

㉡ 선종 통합: 의천은 국청사를 중심으로 **천태종을 창시**(숙종, 1097)하여 교종의 입장에서 선종을 포섭하였다.

㉢ 교단 통합: 교·선 통합을 뒷받침하기 위해 교관겸수, 내외겸전의 논리를 제시하였다.

㉣ 결과: 의천이 죽은 후에 교종과 선종은 다시 분열되었고, 귀족 중심의 불교가 지속되었다.

(3) 교종 세력의 약화

무신 정변 이후 기존의 문벌 귀족과 밀접한 관련이 있던 **귀법사** 등 교종은 무신 정권에 반발하였다. 이러한 교종과의 갈등 과정에서 **무신 정권은 선종에 관심**을 갖게 되었다.

영통사 대각국사비(개성)

김부식이 비문을 지어 대각국사 의천의 행적을 기록하였다.

심화사료 百出   2024. 법원직 9급, 2018. 법원직 9급, 2017. 지방직 9급

의천(문종의 넷째 아들)

후(煦)는 **문종의 넷째 아들**로서 송나라 황제와 이름이 같으므로 그것을 피하여 자(字)로 행세하였다. 문종이 여러 아들에게, "누가 승려가 되어 복전(福田)의 이익을 짓겠느냐?"라고 물으니 후(煦)가, "상(上, 왕)의 명령대로 하겠다." 하고, 출가하여 영통사(靈通寺)에 거처하였다. 그는 송나라에 들어가 법을 구하려 했으나 문종이 허락하지 않았다. 하지만 후(煦)는 송나라로 들어가 황제를 만나 여러 절을 다니며 법을 묻겠다고 하였다.

— 『고려사절요』

교관겸수(教觀兼修)

• 법사는 일찍이 제자들을 훈시하여 "관(觀, 선종)을 배우지 않고 경(經, 교종)만 배우면 비록 오주(五周)의 인과(因果)를 들었더라도 삼중(三重)의 성덕에는 통하지 못하며, 경을 배우지 않고 관만 배우면 비록 삼중의 성덕을 깨쳤으나 오주의 인과를 분별하지 못한다. 그런즉, **관도 배우지 않을 수 없고 경도 배우지 않을 수 없다.**"라고 하였다.

• **교종(教宗)을 공부하는 사람은 내적인 것을 버리고 외적인 것만을 구하려는 경향이 강하고, 반면에 선종(禪宗)을 공부하는 사람은 외부의 대상을 잊고 내적으로만 깨달으려는 경향이 강하다.** 이는 모두 양극단에 치우친 것이므로 양자를 골고루 갖추어 안팎으로 모두 조화를 이루어야 한다.

— 『대각국사 문집』

❶ 수선사

지눌은 처음에 거조암에서 정혜(결사)를 결성하였다. 순천 송광산에 있는 길상사로 근거지를 옮긴 뒤 왕명에 의해 수선사로 개칭하였다.

❷ 조계종

조계종이 하나의 종파를 의미하는 뜻으로 쓰이기 시작한 것은 고려의 숙종 때로 보이며, 종파로 확립된 시기는 지눌 때로 보고 있다.

❸ 지눌의 사상적 배경

지눌은 중국 화엄종의 일부 승려들이 주장한 선·교 통합에 영향을 받았다. 이에 따라 화엄과 선이 근본적으로 다르지 않기 때문에 화엄의 가르침도 선종의 방법처럼 단번에 깨달을 수 있다(돈오)고 주장하였다.

❹ 지눌의 선교 일치

지눌은 선을 근본(體)으로 삼고 교를 수단(用)으로 삼아서(선체교용, 禪體敎用) 선과 교의 합일점을 구하였다.

◀ 송광사

❺ 요세의 백련 결사

최우 집권기(고종) 때, 요세는 백련 결사를 조직하였다. 또한 백련결사문을 발표하여 수행 방법 등을 정리하였다.

◀ 백련사

(4) **지눌(보조국사)의 결사 운동** ☆

① **배경**: 무신 집권 이후 불교계에서는 새로운 종교 운동인 결사 운동이 일어났다.

② **수선사❶ 결사 운동**: 지눌은 당시 불교계의 타락상을 비판하고, 승려 본연의 자세로 돌아가 독경과 선 수행, 노동에 고루 힘쓰자는 개혁 운동인 **수선사 결사**를 제창하였다. 송광사에 중심을 둔 수선사 결사는 **최씨 무신 정권의 후원**을 얻어 활발하게 전개되었다.

③ **조계종❷의 확립**: 지눌의 결사 운동은 무신 정권의 후원을 받아 조계종의 확립으로 이어졌다.

④ **사상적 특징❸**: 선종을 중심으로 교종을 포용하여 교와 선의 대립을 극복하고자 하였다.

　㉠ **정혜쌍수**: 선과 교학을 분리하지 않고 함께 수행해야 한다는 논리다. 또 지눌은 이를 바탕으로 삼아 철저한 수행을 강조하였다.

　㉡ **돈오점수**: '내가 곧 부처'라는 깨달음을 얻은 뒤에도 **꾸준히 수행**할 것을 강조하였다.

⑤ **지눌의 교·선 통합**: 지눌은 교종과 선종의 사상적 대립·갈등을 극복하고자 하였다. 이를 위해 **선종을 중심으로 교종을 포용**하여 선교 일치 사상❹ 체계를 정립하고, 교·선 통합을 완성하였다.

고급사료 百出 20 지방 7급, 18 법원 9급, 17 지방 9급, 16 지방 9급, 13 지방 9급, 12 지방 7급, 10 서울 9급, 09 국가 9급, 09 법원 9급, 07 국가 7급

지눌의 정혜결사문

한마음(一心)을 깨닫지 못하고 한없는 번뇌를 일으키는 것이 중생인데 부처는 이 한마음을 깨달았다. 깨닫고 아니 깨달음은 오직 한마음에 달려 있으니 이 마음을 떠나 따로 부처를 찾을 것이 없다. …… 지금의 불교계를 보면, 아침저녁으로 행하는 일들이 비록 부처의 법에 의지하였다고 하나, 자신을 내세우고 이익을 구하는 데 열중하며, 세속의 일에 골몰한다. 도덕을 닦지 않고 옷과 밥만 허비하니, 비록 출가하였다고 하나 무슨 덕이 있겠는가? …… 하루는 같이 공부하는 사람 10여 인과 약속하였다. **명예와 이익을 버리고 산림에 은둔하여 결사를 결성하자. 항상 선을 익히고 지혜를 끌고루 하는 데 힘쓰자.**

– 권수정혜결사문(勸修定慧結社文)

돈오점수(頓悟漸修)

먼저 깨치고 나서 후에 수행한다는 뜻은 못의 얼음이 전부 물인 줄은 알지만 그것이 태양의 열을 받아 녹게 되는 것처럼 범부가 곧 부처임을 깨달았으나 불법의 힘으로 부처의 길을 닦게 되는 것과 같다.

– 권수정혜결사문(勸修定慧結社文)

정혜쌍수(定慧雙修)

정(定)은 본체이고 혜(慧)는 작용이다. 작용은 본체를 바탕으로 존재하므로 혜가 정을 떠나지 않고, 본체가 작용을 가져오게 하므로 정은 혜를 떠나지 않는다. 정은 곧 혜인 까닭에 허공처럼 텅 비어 고요하면서도 항상 거울처럼 맑아 영묘하게 알고, 혜는 곧 정이므로 영묘하게 알면서도 허공처럼 고요하다.

– 보조국사 법어

(5) **요세의 백련 결사**

① **백련 결사**: 강진 만덕사(백련사)에서 보현도량을 개설하고 **백련 결사❺**를 제창하였다. 백련 결사는 백성들의 신앙적 욕구를 고려했기 때문에 지방민의 적극적인 호응을 얻었다.

② **사상적 특징**: 천태종 승려로, 복잡한 이론보다는 종교적 실천을 강조하였다. **자신의 행동을 진정으로 참회하는 법화 신앙**과 염불을 통해 극락 왕생하는 **정토 신앙**을 적극 수용하였다.

(6) **혜심(진각국사)의 유불 일치설**

혜심은 유불 일치설을 주장하며, 심성의 도야를 강조하였다. 이를 통해 **성리학 수용의 사상적 발판**을 마련하였다.

요세의 결사 운동

대사는 『묘종』을 설법하기 좋아하여 언변과 지혜가 막힘이 없었고 대중에게 참회 수행을 권하였다. …… 왕공대인과 지방 수령, 높고 낮은 사부 대중 가운데 결사에 들어온 자들이 300여 명이나 되었고, 가르침을 전도하여 좋은 인연을 맺은 자들이 수없이 많았다.

– 「동문선」, 만덕산백련사원묘국사비명 병서

혜심의 유불 일치설

나는 옛날 공(公)의 문하에 있었고 공은 지금 우리 수선사에 들어왔으니, 공은 불교의 유생이요 나는 유교의 불자입니다. 서로 손과 주인이 되고 스승과 제자가 됨은 옛날부터 그러하였고 지금에야 비롯된 것은 아닙니다. **그 이름만을 생각한다면 불교와 유교가 아주 다르지만, 그 실지를 알면 유교와 불교가 다르지 않습니다.** 부처님이 말씀하시기를, "나는 두 성인을 중국에 보내어 교화를 펴려고 하셨는데, 한 사람은 노자로 그는 가섭보살이요, 또 한 사람은 공자로 그는 유동보살이다." 하였습니다. 이 말에 의하면 유(儒)와 도(道)는 좋은 부처님의 법에서 흘러나온 것이니, 방편은 다르나 진실은 같은 것입니다. – 「조계진각국사어록」

(7) 고려 후기의 불교❻

① **불교계의 부패**: 불교계의 개혁 노력은 약화되고, 불교 종파와 사원은 원과 고려 왕실의 후원을 받으며 특권을 누렸다. 이 결과 **신진 사대부의 비판**을 받았다.

② **결사 운동의 변질**: 수선사는 원의 탄압으로 위축되고 친원적인 성격으로 변하였다.

③ **보우❼**: 공민왕 때 왕사였던 보우는 원나라에서 **임제종❽**을 도입하고, 9산 선문의 통합을 주장했으나 성공하지 못하였다.

3. 대장경

(1) 간행

불교에 대한 이해 수준이 높아지면서 **불교 관련 서적들을 모아 체계적으로 정리한 대장경**이 만들어졌다. 대장경은 **경·율·논의 삼장❾**으로 구성됐으며, 당시 인쇄술과 호국 불교의 전통을 보여 준다.

(2) 초조대장경

현종 때 **거란의 침입**을 받았던 고려는 부처의 힘을 빌려 이를 물리치려고 70여 년의 기간 동안 대장경을 목판에 간행하였다. 이 초조대장경은 개경의 흥왕사에 보관하였다가 대구 팔공산 **부인사**로 옮겼다. **몽골 침입 때 불타 버렸으나**, 인쇄본 일부가 남아 있어 고려 인쇄술의 정수를 보여 주고 있다.

초조대장경

(3) 재조대장경(팔만대장경)❿

① **간행**: 몽골의 침략으로 소실된 초조대장경을 대신하여 고종 때 대장경을 다시 만들었다. 강화도로 천도한 최우 무신 정권은 **강화도에 대장도감**을 설치하고 대장경을 조판하였다. '팔만대장경'이라고 부르며, 현재 **합천 해인사⓫**에 보관되어 있다.

팔만대장경

② **의의**: 팔만대장경은 방대한 내용을 담았으면서도 **잘못된 글자나 빠진 글자가 거의 없다.** 제작의 정밀성과 글씨의 아름다움 등을 가진 세계에서 가장 우수한 대장경으로, 유네스코 세계 기록 문화유산에 지정되었다.

---

❻ **불교계의 새로운 경향**
원 간섭기에는 결사 운동들이 위축되고, 균여파 화엄종과 일연의 가지산파가 부흥하였다.

❼ **보우**
한양 천도를 건의하기도 하였다.

❽ **임제종**
다른 선종계 종파처럼 화두(話頭)를 이용하는 '간화선'을 수행 방법으로 택하였으며, 스승과 제자와의 관계를 중시하였다. 또한 임제종은 조선 시대 선종의 발전에 영향을 주었다.

❾ **경·율·논(삼장)**
경은 부처가 말씀한 근본 교리이고, 율은 교단에서 지켜야 할 생활 규범이며, 논은 경과 율에 대한 승려나 학자의 해석이다.

❿ **재조대장경**
재조대장경은 강화도 대장도감뿐 아니라 최씨 무신 정권의 식읍이 있는 진주의 분사대장도감에서도 조판되었다. 개태사의 승려 수기의 주도 아래 편집·교정하였고 16년 만에 완성되었다.

⓫ **해인사 장경판전**
팔만대장경을 보관한 곳으로, 조선 초기에 만들어졌다.

❶ 『신편제종교장총록』
의천이 요, 송, 일본 등 동아시아 각
지에서 25년 동안 수집한 1,010부
4,759권의 저술을 가지고 선종 8년
(1091) 편찬하였다. 그러나 선종 관련
서적과 균여의 저서는 수록되어 있지
않다.

(4) 교장(속장경)

의천은 고려는 물론이고 송과 요의 대장경에 대한 주석서인 논·소·초를 모아 교장을 편찬하여 불교 사상과 교리를 정리하려 하였다. 이를 위하여 목록인 『신편제종교장총록』❶을 만들고, 교장도감을 설치하여 10여 년에 걸쳐 신라인의 저술을 포함한 4,700여 권의 전적을 간행하였다.

심화사료 百出

의천의 교장 편찬

내가 일찍이 가만히 생각해보니, **경론이 갖추어졌다** 하더라도 장소(章疏)가 없으면 법을 널리 펼 길이 없게 된다고 말할 수 있다. 그러므로 지승법사의 호법하는 뜻을 본받아 **교장을 널리 찾아내** 나의 책임을 삼아 쉬지 않고 노력하기를 20년 동안 하여 지금에 이르렀다. 새것이든 옛것이든 제찬된 여러 종파의 의소를 얻게 되면, 사사로이 비장하지 않고 간행했으며, 책을 낸 뒤 새로 발견된 것이 있으면 그 뒤에 계속 수록하고자 하였다.

– 『신편제종교장총록』 서문

02 도교와 풍수지리설의 발달

1. 도교의 성행

(1) 특징❷

도교는 불교와 더불어 나라의 안정과 왕실의 번영을 기원하는 역할을 하였다. 또한, 재앙을 물리치고 복을 기원하는 신앙으로서 일반 백성에게도 널리 유행하였다.

청자 인물형 주전자
도교의 제례를 주관하는 도사의 모습으로 추정된다.

(2) 도교 행사

국가 차원에서 도교 행사가 자주 열렸고, 하늘에 제사를 지내는 초제가 성행하였다(소격전 담당). 또한, 예종 때 도교 사원인 복원궁이 건립되었다.

(3) 한계

도교는 불교적인 요소와 도참 사상까지 수용하여 일관된 체계를 보이지 못하였으며, 교단도 성립하지 못한 채 민간 신앙 형태로 유지되었다.

2. 풍수지리설의 유행

(1) 특징

풍수지리설은 미래의 길흉화복을 예언하는 도참 사상과 결합하였다. 풍수 도참설은 신라 말 도선에 의해 주장된 것이다.

(2) 영향

① **비보사탑설**❸ : 도선이 내세운 사상으로, **전국 곳곳에 사원이나 탑·부도를 세우고 보살에게 빌면 보호를 받을 수 있다**고 주장하였다.

② **지기쇠왕설** : 지기(地氣, 땅의 기운)는 일정 기간이 지나면 그 기운이 쇠하고, 또 일정 기간이 지나면 쇠했던 기운이 되살아난다고 보았다. 이러한 쇠왕(쇠함과 왕성함)은 그곳에 자리잡은 왕조나 사람에게도 영향을 준다는 이론이다.

⊙ 서경 길지설: 고려 초기에 서경 천도와 북진 정책 추진의 이론적 근거가 되었다. 또한 묘청의 서경 천도 운동에도 영향을 미쳤다.

⊙ 한양 명당설❹: 북진 정책의 퇴조와 함께 새로이 한양 명당설이 대두하여 문종 때 이곳을 남경으로 승격시켰고, 숙종 때 풍수가 김위제의 건의로 남경개창도감을 두어 궁궐을 건설하였다. 이후 고려 말 이성계의 한양 천도에 이용되어 한양이 조선의 수도가 되었다.

❹ 한양 명당설

공민왕과 우왕 때 왕사 보우 등이 한양 천도를 주장하는 사상적 근거가 되었다.

심화사료 百出

2017. 국가직 9급, 2017. 국가직 9급(하)

생활 속의 도교 풍속

태자가 안경공 왕창을 맞이하여 잔치하고 풍악을 올려 밤을 새웠다. 나라 풍속이 도가(道家)의 말에 의하면 매번 이날이 되면 반드시 모여 마시고 밤이 새도록 자지 않았다. 이것을 '경신을 지킨다(收庚申)'❺라고 한다.

— 「고려사절요」

예종의 도교 장려

대관(大觀) 경인년에 천자께서 저 먼 변방에서 신묘한 도(道)를 듣고자 함을 돌보시어 신사(信使)를 보내시고 우류(羽流) 2인을 딸려 보내어 교법에 통달한 자를 골라 훈도하게 하였다. 왕은 신앙이 돈독하여 정화(政和) 연간에 비로소 **복원관(福源觀)**을 세워 도가 높은 참된 도사 10여 인을 받들었다.

— 「고려도경」

남경(한양) 명당설

김위제는 숙종 1년(1096)에 위위승동정에 올랐다. …… 김위제가 도선의 술법을 공부한 후, **남경 천도를 청하며** 다음과 같은 글을 올렸다. "도선의 비기에는 '고려 땅에 세 곳의 수도가 있으니, 송악(松嶽)이 중경(中京), 목멱양이 남경(南京), 평양이 서경이다.'라고 했습니다. …… 또 '건국한 후 160여 년 후에 목멱양에 도읍한다.'라고도 했습니다. 그러므로 지금이 바로 새 수도를 돌아보고 옮길 때라고 봅니다. 제가 또 도선의 답산가(踏山歌)를 보니 '송악이 쇠락한 뒤에 어느 곳으로 갈 것인가? 삼동(三冬)의 해 뜨는 곳에 넓은 벌판이 있다. 후대의 어진 사람이 이곳에 도읍하면, 한강의 어룡(魚龍)이 사해로 통할 것이다.'라고 하였습니다.

— 「고려사」 권 122, 「열전」 35, [방기] 김위제

❺ 수경신 풍습

수경신 신앙은 사람들이 60일마다 돌아오는 경신일에 잠을 자지 않는 것이다. 사람들은 몸속에 있는 삼시충이 그 사람의 잘못을 일일이 기록해 두었다가 경신일에 잠든 사이 하늘로 올라가 상제에게 죄상을 보고한다고 믿었다. 그래서 이때 삼시충이 몸속을 빠져나가지 못하도록 밤새 술 마시고 노래를 불렀다.

03 유학의 발달

1. 초기의 유학: 자주적이고 주체적인 특성을 지녔다.

(1) **태조**: 태조 때 최언위, 최응 등 유학자들은 유교에 입각한 국가 경영을 건의하였다.

(2) **광종**: 과거 제도를 실시하여 관료를 선발하였다.

(3) **성종**: 유교 정치 사상의 정립

　① 유학 교육 강화: 성종은 **교육 조서**를 발표하고 **국자감**과 **향교** 등의 유교 교육 기관을 정비하였다. 또 개경에 비서성과 서경에 수서원이라는 도서관을 설치하였다.

　② **최승로**: 시무 28조를 올려 유교 정치 이념에 입각한 개혁안을 건의하였다.

❶ 훈고학(訓詁學)

글자 하나하나의 뜻을 밝혀 문장을 바르게 해석하여, 옛날 서적들을 제대로 이해하려는 학문이다.

2. 중기의 유학

(1) 성격

① 불교와의 공존: 사장학·훈고학❶을 중시한 고려 유학자들은 유교는 현실 생활을, 불교는 정신 생활을 주관하는 것으로 여겨 불교를 배척하지 않았다.

② 보수화 경향: 문벌 귀족 사회의 발달과 함께 유학은 보수적 성향이 강화되었다.

(2) 대표적 학자

① 최충: 문종 때 활약한 최충은 해동공자라는 칭송을 들었다. 그는 관직에서 물러난 후에 9재 학당을 세워 유학 교육에 힘썼으며, 훈고학적 유학에 철학적 경향을 불어넣었다.

② 김부식: 인종 때 활약한 김부식은 고려 중기의 보수적이면서 현실적인 성격의 유학을 대표하였다. 그는 『삼국사기』를 편찬하기도 하였다.

(3) 무신 정권기: 무신 정변으로 고려의 유학은 한동안 위축되었다. 그러나 최씨 정권이 문신을 본격적으로 발탁하면서 이규보,❷ 진화, 최자 등이 활약하였다.

❷ 이규보

당·송의 고문(古文)을 숭상했으며, 유·불·도교를 넓게 포용하였다. 저서로는 『동명왕편』, 『동국이상국집』, 『국선생전』 등이 있다.

3. 후기의 유학(성리학의 수용)

(1) 성리학의 특징

① 철학적 유학: 성리학은 경전 해석을 중시하는 훈고학이나 문장력을 중시하는 사장 중심의 유학과 달리, 우주의 원리와 인간의 심성을 철학적으로 탐구하는 신유학이었다.

② 사서 중시: 성리학을 집대성한 주희❸는 『대학』, 『논어』, 『맹자』, 『중용』을 사서로 새롭게 간행하였다.

❸ 주희

주희는 사서(四書)를 집주(集注)하면서 바른 이치(理)와 그것이 인간의 본성으로 내면화된 성(性)을 중심으로 재해석함으로써, 성리학(性理學)의 체계를 세웠다. 이는 선종 불교의 철학적 사유 체계를 유학에 접목시킨 것이었다.

(2) 성리학의 수용❹

① 안향: 충렬왕 때 안향은 원에서 『주자전서』를 베껴와 고려에 성리학을 처음 소개한 인물이다.

② 이제현: 이제현은 원에 설립된 만권당에서 원의 학자들과 교류하면서 성리학에 대한 이해를 심화하였다. 그는 귀국한 후에 이색 등에게 영향을 주어 성리학 전파에 이바지하였다.

③ 이색: 이색은 공민왕 때 성균관 대사성이 되어 정몽주·정도전·권근 등을 가르치면서 성리학을 더욱 확산시켰다.

(3) 성리학의 영향

① 신진 사대부의 수용: 신진 사대부는 성리학을 바탕으로 불교의 폐단과 권문세족의 횡포를 적극 비판하면서 사회 모순을 개혁하고자 하였다.

② 실천적 기능 강조: 성리학의 철학적인 측면보다는 실천적 기능을 강조하였다. 따라서 『소학』과 『주자가례』를 보급하여 유교적 생활을 정착시키고자 하였다.

❹ 고려 후기 원에서 활약한 학자들

충렬왕 때 안향은 김문정을 원나라에 보내 공자의 초상화·각종 서적 등을 구해오도록 하였다. 백이정은 충선왕 때 직접 원에 가서 요수, 염복 등 학자들과 교유하며 성리학을 배워 왔다.

> **고등사료** 百出
>
> ### 안향의 성리학의 수용
>
> **안향(安珦)**이 학교가 날로 쇠하자 ……. "…… 지금 양현고가 텅텅 비어 선비들을 기를 것이 없습니다. 청컨대 6품(品) 이상은 각각 은(銀) 1근(斤)을 내게 하고 …… 이를 양현고에 돌려 본전(本錢)은 두고 이자만 취하여 **섬학전으로 삼아야 합니다**." 하니 양부가 이를 좇아 아뢰었다. …… 안향이 박사 김문정 등에게 부탁하여 **중원(중국)에 가서 선성(공자) 및 칠십자(七十子)의 상(像)을 그려 오도록 하였다.** …… 만년에는 항상 회암선생(주자)의 초상을 걸고 경모(景慕)하면서 드디어 **호를 회헌(晦軒)이라** 하였다.
>
> – 『고려사』

안향

04 교육 기관

1. 초기

(1) 태조: 개경과 서경에 학교를 설립하였으며, 운영 자금을 마련하기 위하여 학보를 설치하였다.

(2) 성종: 교육 조서를 반포하고 국자감을 정비했으며, 지방에 향교를 설치하고 경학박사와 의학박사를 파견하였다.

> **심화사료** 百出
>
> ### 태조의 교육 기관 설치
>
> 태조 13년(930) 12월 서경에 행차하여 학교를 세웠다. 이에 앞서 서경에 학교가 없었는데 수재인 정악을 서학박사로 삼아 머물도록 하였다. 정악은 학원을 따로 창설하고 6부의 생도를 모아 가르쳤다. 후에 태조는 흥학의 소식을 듣고 비단을 하사하여 이를 권장하고 의·복 2업을 겸해 두었다. 또 곡식 100석을 내려 학보로 하였다. — 「고려사절요」

2. 중기

(1) 사학(私學)의 발달

최충의 문헌공도를 비롯한 **사학 12도**가 융성했는데, **9경(經) 3사(史)**[5]를 교과 내용으로 하였다. 사학의 학생들이 과거에서 좋은 성적을 거두자 귀족 자제들이 사학 12도로 몰렸다.

(2) 관학 진흥책

① 현종: 신라의 설총과 최치원을 문묘에서 배향하고 제사를 지냈다.

② 숙종: 국자감 안에 **서적포**를 두어 서적을 간행하였고, 평양에 기자 사당을 세웠다.

③ 예종: 국자감을 **국학**으로 고치고(이설: 충렬왕) 7개의 전문 강좌인 **국학 7재**를 개설하였다(무학재인 강예재는 인종 때 폐지). 또한 국자감의 재정을 담당하는 **양현고**를 설치하였으며, 도서관 겸 학문 연구소인 **청연각과 보문각**을 두었다.

④ 인종[6]: 국자감에 **경사 6학**의 제도를 정비하고 지방의 각 주에 **향교**를 설립하였다.

(3) 국자감[7]

① 유학부: 귀족 자제를 대상으로 한 국자학에는 문무관 3품 이상의 자손, 태학에는 5품 이상, 사문학에는 7품 이상의 자손이 입학하여 유학 교육을 받았다.

② 기술학부: 8품 이하의 관리 자제와 서민이 입학하였다.

❖ **국자감(신분별 입학, 기술 교육 실시): 경사 6학**

경학부 (유학부)	국자학	유교 경전 교육, 문·무관 3품 이상 관리 자손 입학 가능	공음전, 음서 혜택
	태학	정치, 역사 교육, 문·무관 5품 이상 관리 자손 입학 가능	
	사문학	문학 교육, 문·무관 7품 이상 관리 자손 입학 가능	
잡학부 (기술부)	율학	법률 교육	문·무관 8품 이하 관리 자손 및 평민 자제 입학 가능
	서학	서예, 그림 교육	
	산학	수학 교육	

[5] **9경과 3사**
9경(經)은 「시」, 「서」, 「역」, 「예기」, 「주례」, 「의례」, 「춘추좌전」, 「춘추공양전」, 「춘추곡량전」을 말하며, 3사(史)는 「사기」, 「한서」, 「후한서」를 말한다. 그러나 다르게 보는 견해도 있다.

[6] **서적소(書籍所) 설치**
인종은 서적소를 설치해 여러 신하들과 함께 서적을 강독하고 학문을 탐구하였다.

[7] **국자감(國子監)의 명칭 변화**
· 충렬왕 원년: 국학(國學)
· 충렬왕 24년: 성균감(成均監) (충선왕 즉위 년도)
· 충렬왕 34년: 성균관(成均館) (충선왕 복위 1년)

✎ **「고려도경」**
인종 때 송나라 사신 서긍이 고려에 와서 견문한 여러 가지 실정을 그림과 글로 설명한 책이다. 서긍은 이 책에서 당시 고려의 교육과 학문을 높이 평가하였다.

✎ 사학 12도

대부분 과거에서 지공거를 지낸 고관 출신의 학자들이 세웠다.

도명	설립자	고시관 경력
문헌공도	최충	지공거 (현종, 정종)
홍문공도	정배걸	지공거(문종)
광헌공도	노단	지공거 (문종, 선종)
남산도	김상빈	국자감시 시관(문종)
서원도	김무체	
문충공도	은정	
양신공도	김의진	지공거(문종)
정경공도	황영	지공거(숙종)
충평공도	유감	
정헌공도	문정	지공거(문종)
서시랑도	서석	
구산도		

성균관(개성)

심화사료 百出

사학의 융성

이후로부터 무릇 과거에 나아가려는 자는 모두 9재에 적을 두니, 이를 문헌공도라 불렀다. 또 유신(儒臣: 문신)으로 도(徒)를 세운 자가 11명이 있으니, **문헌공 최충의 도와 아울러 세칭 12도라 하였지만, 최충의 도가 가장 성하였다.** — 『고려사』

최충의 9재 학당

현종이 중흥한 뒤로 전쟁이 겨우 멈추어 문교(文敎)에 겨를이 없었는데, 충이 후진들을 불러 모아서 가르치기를 부지런히 하니, 여러 학생들이 많이 모여들었다. 드디어 (송악산 아래의 자하동에) 학당을 마련하여 낙성(樂聖), 대중(大中), 성명(誠明), 경업(敬業), 조도(造道), 솔성(率性), 진덕(進德), 대화(大和), 대빙(待聘) 등의 **9재(齋)로 나누고 각각 전문 강좌를 개설**토록 하였다. 그리하여 당시 과거 보려는 자제들은 반드시 먼저 그의 학도로 입학하여 공부하는 것이 상례로 되었다. — 『고려사』

3. 후기

(1) **충렬왕**: 국학을 성균관으로 개칭하고, 공자 사당인 문묘를 새로 건립하였다. 또한 경사교수도감을 설치하여 7품 이하의 관리들에게 경전과 역사를 가르쳤다.

(2) **공민왕**: 2차 홍건적의 침입 이후 성균관을 순수한 유학 교육 기관으로 개편하였다.

05 역사서의 편찬 ★★

❀ 역사 서술 방식

구분	특징	편찬 방식	대표 역사서
기전체(紀傳體)	인물 중심	본기(황제), 열전(인물), 세가(제후), 지(제도, 문물), 연표	『삼국사기』『고려사』 이종휘의 『동사』『해동역사』
편년체(編年體)	시간 중심	• 역사를 연·월·일 순으로 정리하는 편찬 방식 • 동양에서 가장 오래됨.	『고려사절요』『동국통감』『조선왕조실록』
강목체(綱目體)		• 연·월·일 순에 따라 강(綱), 목(目)으로 기록 • 정통과 명분은 강(대주제, 큰 글씨), 이에 대한 구체적인 서술 내용을 목(소주제, 작은 글씨)으로 편찬	『동사강목』
기사본말체(紀事本末體)	사건 중심	• 역사를 사건별로 나누어 관련 내용을 모아 서술(사건의 명칭을 제목으로 내걸음) • 사건의 원인과 결과를 중심으로 정리(사건을 체계적으로 기술하는 데 편리)	『연려실기술』

1. 건국 초기 역사서: 고구려 계승 의식을 표방하였다.

❶ 실록

고려 초부터 역대 왕의 치적을 기록한 실록을 편찬하였다. 조선 초기에 『고려사』를 편찬할 때 참고 자료로 사용되었으나, 지금은 남아있지 않다.

(1) **왕조 실록❶**: 건국 초기부터 왕조 실록을 편찬하였으나, 거란의 침입으로 불타버렸다.

(2) **『7대 실록』**: 태조부터 목종에 이르는 『7대 실록』을 현종 때 편찬하기 시작하여 덕종 때 완성하였으나 현존하지 않는다.

(3) **『구삼국사』**: 현존하지 않으나 관찬 사서로 추정된다. 고구려 계승 의식과 북진 정책, 발해 유민 포섭 등의 시대 분위기가 반영된 것으로 보인다.

2. 중기

(1) 특징

신라 계승 의식이 강화되었고 보수적 경향이 강해졌다.

(2) 『삼국사기』(1145)

『삼국사기』는 인종 때 김부식을 중심으로 편찬된 현존하는 우리나라 최고(最古)의 역사서이다. 고려 초에 쓰인 『구삼국사』를 참고했으며, 유교적 합리주의 사관에 따라 신이 사관을 배격하였다. 기전체(본기, 지, 표, 열전)로 서술되었으며, 신라 계승 의식이 더 많이 반영된 것으로 여겨지고 있다.

심화사료 百出

2022. 국가직 9급, 2021. 지방직 9급, 2012. 국가직 9급

『삼국사기』를 올리는 글 ❸

신 부식은 아뢰옵니다. 옛날에는 여러 나라들도 각각 사관을 두어 일을 기록하였습니다. …… 성상 폐하께서는 …… 옛날의 사서(史書)를 두루 읽으시고 "오늘날의 학사 대부가 5경·제자의 책이나 진(秦)·한(漢) 역대의 역사에 대해서는 혹 널리 통하여 자세히 설명하는 자가 있으나, **우리나라 사실에 대해서는 도리어 그 처음과 끝을 까마득히 알지 못하니 매우 한탄스러운 일이다.** 하물며 신라·고구려·백제가 나라를 세우고 정립하여 능히 예의로써 중국과 통교한 까닭으로 범엽의 한서나 송기의 당서에는 모두 열전이 있으나 **국내(중국)는 상세하고 국외(우리나라)는 소략하게 써서 자세히 실리지 않은 것이 적지 않고 옛 기록에는 문자가 거칠고 잘못되고 사적이 빠져 없어진 것이 많으므로** …… 마땅히 삼장을 갖춘 인재를 구하여 능히 일관된 역사를 완성하여 만대에 물려주어, 해와 별처럼 밝게 해야 하겠다."라고 하셨습니다. …… 해동의 삼국도 지나온 세월이 장구하니, 마땅히 그 사실이 책으로 기록되어야 하므로 마침내 늙은 신에게 명하여 편집하게 하셨사오나, 아는 바가 부족하여 어찌할 바를 모르겠습니다.

– 『삼국사기』 서문

『삼국사기』의 특징

- 현존하는 가장 오래된 역사서
- 기전체❹: 본기 28권(고구려 10권, 백제 6권, 신라·통일 신라 12권), 지(志) 9권, 표 3권, 열전 10권(김유신 열전이 3권으로 가장 많음)
- 내용: 유교적 합리주의 사관과 신라 계승 의식에 따라 삼국 시대의 역사 다룸, '괴력난신(초자연적이고 신비한 것)은 다루지 않는다.'라는 원칙에 따라 서술
- 긍정적 평가
  - 객관적 서술: 공동 작업, 유교적 가치관에 맞지 않는 사실이라 해도 있는 그대로 기록, 저자의 평을 구분하여 서술(논찬을 따로 둠)
  - 자주 의식: 삼국을 모두 '우리나라'라고 표현, 삼국 모두 본기(황제의 행적 기록)를 둠.
  - 삼국의 기록 존중: 삼국 고유의 기록 존중(고구려 주몽, 신라 박혁거세의 건국 신화 다룸)
- 부정적 평가
  - 신라 중심 서술: 열전과 지의 분량에서 차이가 큼, 신라를 정통으로 파악, 신라의 성립 기년이 고구려보다 앞섬, 발해사는 거의 기술하지 않음.
  - 유교적 합리주의와 사대적 세계관: 전통 사상과 고대 관념, 상고사를 평가 절하(고조선의 존재를 알면서도 삭제), 신이한 기록과 불교적 세계관에 입각한 생활상은 다루지 않음.

(3) 『편년통록』(의종): 김관의가 쓴 사서로 현재 전해지지 않으나 『고려사』에 일부 내용이 전한다.

---

❷ 『삼국사기』의 자주적 측면

『삼국사기』는 당시 송과 금의 대립 속에서 자주성의 고양을 시도하였다. 그 예로 삼국의 왕을 '본기'로 서술하였고(『고려사』에서는 왕을 '세가'로 기술), 신라 고유의 왕호(거서간, 차차웅, 이사금, 마립간)를 그대로 사용하였다.

▲ 『삼국사기』

❸ 『삼국사기』를 올리는 글

일흔이 넘어 『삼국사기』 편찬을 마친 김부식이 인종에게 바친 글이다. 경주 출신의 문벌 귀족인 김부식은 묘청의 서경 천도 운동을 진압한 후, 유교 이념으로 지배 질서를 재정립하고 금과 온건한 대외 관계를 유지하고자 하였다. 한편, 김부식은 이 글에서 우리 역사를 잘 알기 위해 『삼국사기』를 편찬했다는 뜻을 밝히고 있다.

❹ 기전체

우리나라와 중국의 역대 왕조에서 정사(正史)를 편찬할 때 사용한 역사 서술 방식이다. 본기(제왕), 세가(제후), 열전(인물), 지(주제), 표(연표) 등으로 구성되었다.

3. 후기

(1) 특징

고려 후기에는 민족적 자주 의식을 바탕으로 전통 문화를 올바르게 이해하려는 경향이 대두하였다.

(2) 『동명왕편』(1193)❶ : 무신 집권기 때 이규보가 편찬하였다. 동명왕의 건국 신화를 5언시로 재구성한 일

종의 영웅 서사시로서, 고구려 계승 의식을 반영❷하고 고구려의 전통을 노래하였다.

❶ 『동명왕편』

이규보는 김부식의 삼국사기에 동명왕의 신이한 사적이 생략되어 있다고 평하였다.

❷ 고구려 계승 의식

고려가 천손의 후예인 고구려의 전통을 계승했다는 자부심을 표현하였다. 이를 통해 고려의 기원을 신성시하고자 하였다.

심화사료 頻出   2023. 지방직 9급, 2018. 서울시 7급, 2014. 경찰 1차, 2010. 국가직 7급

동명왕편 서문

세상에서 동명왕의 신이(神異)한 일을 많이 말한다. …… 김부식은 삼국사기를 편찬할 때 국사란 세상을 바로잡는 책이니 신이(神異)한 일로 후세에 보여줌은 옳지 않다고 생각하여 동명왕의 사적을 매우 간략하게 다루었다. …… 지난 계축년 4월에 구삼국사를 얻어 동명왕 본기를 보니 그 신기한 사적이 세상에서 얘기하는 것보다 더하였다. 그러나 처음에는 믿지 못하고 귀신이나 환상이라고만 생각하였는데, 두세 번 반복하여 읽어서 점점 그 근원에 들어가니 환상이 아닌 성스러움이며, 귀신이 아닌 신성한 이야기였다. …… 그러나 동명왕의 사적은 변화 신이하여 여러 사람들의 눈을 현혹시킬 일이 아니요, 실로 창국하신 신이한 자취인 것이다. 이러하니 이 일을 기술하지 않으면 앞으로 후세에 무엇을 볼 수 있으리오. 이런 까닭에 노래를 지어 이를 기록하고 무릇 천하로 하여금 우리나라가 본래 성인의 나라임을 알게 하려 할 따름이다.   ― 「동명왕편」

(3) 『해동고승전』(1215) : 고종 때 승려 각훈❸이 왕명에 따라 편찬하였다. 삼국 시대의 승려 30여 명의 전

기가 수록되어 있으며, 현재는 일부만 남아 있다.

(4) 『삼국유사』❹ : 충렬왕 때 일연이 쓴 것으로, 불교사를 중심으로 고대의 민간 설화나 전래 기록을 수

록하였다. 고조선 계승 의식에 입각해 단군 신화를 수록하고 단군을 민족의 시조로 인식하였으며, 향가 14수를 실었다. 왕력·기이(신이)·흥법·탑상·의해 등 9편목으로 구성되어 있다.

❸ 불교 관련 역사서

각훈 이전에 의천은 『원종문류』, 『석원사림』 등의 역사서를 저술하였다.

❹ 『삼국유사』

처음 간행된 시기는 논란이 있으나, 일반적으로 1281년경으로 보고 있다. 또한 각 자료마다 인용한 근거를 밝히고 있다.

심화사료 頻出   2019. 국가직 9급, 2013. 국가직 9급

『삼국유사』

대체로 성인은 예악으로써 나라를 일으키고, 인의로써 가르침을 베푸는데, 괴이하고 신비한 것은 말하지 않는 것이다. 그러나 제왕이 장차 일어날 때에는 천명과 비기록을 받게 되므로, 반드시 남보다 다른 일이 있었다. 그래야만 능히 큰 변화를 타서 대기를 잡고 큰일을 이룰 수 있는 것이다. …… 그렇다면 삼국의 시조가 모두 신비스러운 데서 탄생하였다는 것이 무엇이 괴이하랴. 이것이 신이(神異)로써 이 책의 앞머리를 삼은 까닭이다.   ― 「삼국유사」 서문

(5) 『제왕운기』(1287) : 충렬왕 때 이승휴가 중국사와 한국사를 병행❺하여 서술하였다. 한국사를 단군부

터 서술하여 단군을 민족 시조로 인식하고, 고조선 계승 의식❻을 확립하였다. 또한 발해사를 최초로 우리 역사로 기록하였고, 우리 역사를 중국과 대등하게 파악하였다.

❺ 『제왕운기』 상·하권

상권은 중국의 역사를 7언시로, 하권은 우리나라의 역사를 5언시로 서술하였다.

❻ 『제왕운기』의 단군 민족주의

『삼국유사』는 단군의 후손이 부여, 고구려, 백제로 이어졌다고 보고 삼한과 신라는 중국 계통으로 보고 있으나, 『제왕운기』는 예맥, 부여, 옥저, 삼한, 삼국 등 고대 국가들이 모두 단군의 후손이라고 서술했다.

심화사료 頻出

『제왕운기』

요하 동쪽에 별천지가 있으니, 중국과 확연히 구분되도다. 큰 파도 삼면을 둘러싸고 북쪽으로 대륙과 길이 이어졌네. 가운데 사방 천리 땅, 여기가 조선이니, 강산의 형승은 천하에 이름있도다. 밭 갈고 우물 파며 평화로이 사는 예의의 집, 중국인들이 우리더러 소중화라 하네.   ― 「제왕운기」

(6) 성리학적 유교 사서

고려 후기에는 신진 사대부의 성장 및 성리학의 수용과 더불어 **정통 의식과 대의명분**을 강조하는 성리학적 유교 사관이 대두하였다. 대표 사서로는 『천추금경록』,❼ 『고금록』,❽ 『본조편년강목』,❾ 이제현의 『사략』❿ 등이 있다.

❼ 『천추금경록』

충렬왕 때 정가신이 편찬한 책으로, 고려의 역사를 간략하게 정리한 것으로 보인다.

❽ 『고금록』(1284)

원부, 허공 등이 충렬왕의 명을 받아 편찬한 책이다. 고려 중기에도 박인량이 편찬한 『고금록』이라는 역사서가 있으나, 내용을 전혀 알 수가 없다.

❾ 『본조편년강목』(1317)

충숙왕 때 민지가 왕명으로 편찬한 역사서로, 『천추금경록』을 보완하여 고려 역사를 편년체와 강목체를 결합하여 서술하였다(우리나라 최초의 강목체 역사서).

❿ 『사략』(1357)

이제현이 공민왕 때 성리학적 유교 사관에 입각하여 편년체로 저술한 책이다. 태조~숙종까지 역대 임금의 치적을 정리한 것으로, 그 속에 실린 '사찬(업적 평가)'만이 현재 전한다.

대표 기출문제

다음 내용의 역사서에 대한 설명으로 옳은 것은?

2021. 지방직 9급

나는 삼한(三韓) 산천의 음덕을 입어 대업을 이루었다. 왕께서는 "우리나라 사람들은 유교 경전과 중국 역사에 대해서는 자세히 말하는 사람이 있으나 우리나라의 사실에 이르러서는 잘 알지 못하니 매우 유감이다. 중국 역사서에 우리 삼국의 열전이 있지만 상세하게 실리지 않았다. 또한, 삼국의 고기(古記)는 문체가 거칠고 졸렬하며 빠진 부분이 많으므로, 이런 까닭에 임금의 선과 악, 신하의 충과 사악, 국가의 안위 등에 관한 것을 다 드러내어 그로써 후세에 권계(勸戒)를 보이지 못했다. 마땅히 일관된 역사를 완성하고 만대에 물려주어 해와 별처럼 빛나도록 해야 하겠다."라고 하셨습니다.

① 불교를 중심으로 신화와 설화를 정리하였다.
② 유교적인 합리주의 사관에 따라 기전체로 서술되었다.
③ 단군 조선을 우리 역사의 시작으로 본 통사이다.
④ 진흥왕의 명을 받아 거칠부가 편찬하였다.

해설

제시된 자료는 고려 인종 때 편찬된 『삼국사기』와 관련된 내용이다. ② 『삼국사기』는 김부식을 중심으로 편찬된 현존하는 우리나라 최고(最古)의 역사서이다. 유교적 합리주의 사관에 기초하여 서술되었다.
① 『삼국유사』에 대한 설명이다. ③ 단군 조선을 우리 역사의 시작으로 본 통사로는 조선 전기에 편찬된 『동국통감』 등이 있다. ④ 신라의 거칠부가 저술한 『국사』에 대한 설명이다.

정답 ②

과학 기술과 귀족 문화의 발달

解/法 기출분석

구 분		2008~2017	2018	2019	2020	2021	2022	2023	2024
9급	국가직	화통도감	진화				안동 봉정사 극락전	고려 문화재	고려 문화재
	지방직	· 건축 · 고대~중세 문화					고려 초기의 불상		· 직지심체요절 · 건축
	법원직	· 금속 활자 · 건축 · 불상과 탑 · 상감청자 · 원 간섭기 문화 · 고려 문화		석탑					

解法 요람

고려 과학 기술과 귀족 문화의 발달

천문학	사천대(서운관): 천문·역법을 맡은 관청(첨성대에서 관측)

역 법	**초기** 당의 선명력 ⇨ **후기** 원의 수시력(충선)

의 학	태의감(의료 업무) 설치, 『향약구급방』(고종): 현존 최고(最古) 의서

인쇄술	목판 인쇄술	초조대장경, 팔만대장경 간행
	금속 활자 인쇄술	· 『상정고금예문』 인쇄(1234): 현존 × · 『직지심체요절』 간행(1377): 청주 흥덕사, 현존 세계 최고(最古)

화 약	최무선(화약 제조법 터득) ⇨ 화통도감 설치(1377) ⇨ 진포 싸움에서 왜구 격퇴

건 축	후기(13세기)	주심포식 건물: 봉정사 극락전, 부석사 무량수전, 수덕사 대웅전

석탑 (다각다층)	전 기	월정사 8각 9층 석탑(송의 영향)
	후 기	경천사 10층 석탑(원의 영향) ⇨ 원각사지 10층 석탑(조선)

불 상	고려 초, 대형 불상	논산 관촉사 석조 미륵보살 입상, 안동 이천동 석불, 광주 춘궁리 철불: 조형미 부족
	신라 양식 계승	부석사 소조 아미타여래 좌상

부 도	고달사지 승탑(팔각 원당형)

자 기	독자적인 청자 개발 12세기 상감청자 유행

서 예	**전기** 구양순체 유행(유신, 탄연, 최우 등) ⇨ **후기** 원의 송설체(이암 등)

01 천문학과 의학[1]

1. 천문학: 천문 관측과 역법 계산을 중심으로 발달하였다.

(1) 천문 관측

① 천문 관련 기구: 천문과 역법을 맡은 관청으로서 **사천대(서운관)**가 설치되었고, 이곳의 관리는 첨성대(개경)에서 천체와 기상을 관찰하고 기록하였다.

② 관측 기록: 『고려사』에 일식, 혜성, 태양 흑점 등에 관한 관측 기록이 매우 풍부하게 남아 있다.

(2) 역법

고려 초기에는 신라 때 쓰던 당의 **선명력**을 그대로 사용하였다. 이후 충선왕 때 원의 **수시력**을 채용하고 그 이론과 계산법을 충분히 소화하였다. 공민왕 때부터 명의 대통력[2]을 받아들였다.

2. 의학

(1) 의학 교육 및 의과 실시

의료 업무를 맡은 **태의감**에서 의학 교육을 실시하고, 의원을 뽑는 **의과**를 시행하였다.

(2) 독자적 의학 발달

① 배경: 우리나라의 실정에 맞는 자주적인 의학으로 발달함으로써 향약방이라는 고려의 독자적 처방이 이루어지게 되었다.

② 『향약구급방』[3](1236, 고종 23): 대장도감에서 처음으로 간행된 『향약구급방』은 현존하는 우리나라 최고(最古)의 의학 서적으로, 각종 질병에 대한 처방과 국산 약재 180여 종이 소개되어 있다.

심화사료 百出

『향약구급방』

(여기에) 수록한 약은 모두 우리나라 백성들이 쉽게 알고 얻을 수 있는 것이다. 약을 먹는 방법도 이미 잘 알려져 있다. …… 궁핍한 시골에서는 매우 급한 병이 나더라도 의사를 부르기 힘들다. 이때 이 책이 있다면 …… 이 의서에 실린 약은 모두 우리나라 사람들이 쉽게 알 수 있고, 쉽게 구할 수 있으며, 복용하는 법도 일찍이 경험한 것들이다. …… **대장도감에서 이 의서를 간행**한 뒤 세월이 오래되어 판이 낡았고 옛 판본은 구하기가 어렵다.

---

02 인쇄술의 발달

1. 목판 인쇄술

신라 때부터 발달한 목판 인쇄술은 고려 시대에 이르러 더욱 발달하였다.

(1) 고려 대장경 판목

초조·팔만대장경의 편찬은 고려의 목판 인쇄술이 최고의 수준에 이르렀음을 보여 준다.

---

❶ 고려 시대의 과학 기술

국자감에서 율학, 서학, 산학 등의 잡학을 교육하였다. 과거에서도 기술관을 등용하기 위한 잡과가 시행되었다.

고려의 첨성대

❷ 대통력

대통력은 명나라 건국 초에 만들어졌는데 수시력과 유사하였다.

❸ 『향약구급방』

『향약구급방』의 간행 시기에 대해서는 대장도감의 운영 시기인 1236년~1251년 사이로 보는 이설도 있다.

제3편 중세 사회의 발전

(2) 목판 인쇄술의 한계

목판 인쇄술은 한 가지의 **책을 다량으로 인쇄**하는 데는 적합하지만, 여러 종류의 책을 소량으로 인쇄하는 데에는 활판 인쇄술보다 못하였다. 따라서 고려에서는 일찍부터 활판 인쇄술 개발에 힘을 기울였으며, 후기에 금속 활자 인쇄술[1]을 발명하였다.

2. 활판 인쇄술

(1) 배경

고려 시대에 세계에서 최초로 금속 활자 인쇄술이 발명된 것은 **목판 인쇄술의 발달, 청동 주조 기술의 발달**, 인쇄에 적합한 먹과 종이의 제조 등이 어우러진 결과였다.

(2) 『상정고금예문』(1234)[2]

이규보의 『동국이상국집』의 기록에 의하면 **최우가 강화도에서 『상정고금예문』을 금속 활자로 28부를 인쇄**하였다고 한다. 이는 **서양에서 금속 활자 인쇄가 시작된 것보다 200여 년이나 앞서 이루어진 것**이다. 그러나 이 책은 오늘날 전하지 않는다.

(3) 『직지심체요절』(1377)[3]

현존하는 가장 오래된 금속 활자 인쇄물로 청주 **흥덕사**에서 금속 활자인 주자로 찍어 낸 것이 전한다. 개항 이후 서울에 온 주한 프랑스 공사 플랑시에 의해 프랑스로 건너갔고, **현재는 프랑스 국립 도서관에 보관 중이다.**

3. 제지술

전국적으로 닥나무의 재배를 장려하고, 전담 관서를 설치하여 우수한 종이를 만들었다.

---

03 화약 무기 제조와 조선 기술

1. 화약 제조

고려 말에 **최무선**[4]의 노력으로 화약 제조법을 터득하였다. 이에 고려는 **화통도감**[5](1377, 우왕)을 설치하고 화약과 화포를 제작하였다. 이후 최무선은 이 화포를 이용하여 **진포 싸움**(금강 하구)에서 왜구를 크게 무찔렀다.

2. 조선 기술

해상 무역과 조세미 운반을 위해 대형 선박이 제조되었다. 고려 말에는 왜구 격퇴를 위해 **누전선**이라는 전함이 만들어졌으며, 배에 화포를 설치하여 왜구 격퇴에 활용하였다.

---

❶ 금속 활자

금속 활자는 책의 내용에 따라 낱개의 활자를 옮겨 심을 수 있기 때문에 여러 종류의 책을 인쇄하는데 유리하였다.

❷ 『상정고금예문』

12세기 인종 때 최윤의 등이 지은 의례서인데, 강화로 천도할 때 예관이 가지고 오지 못하여 최우가 보관하던 것을 강화도에서 금속 활자로 인쇄하였다.

❸ 『직지심체요절』

정식 서명은 『백운화상초록불조직지심체요절(白雲和尙抄錄佛祖直指心體要節)』로, 독일의 구텐베르크가 인쇄한 책보다 70여 년 앞서 간행된 것으로 밝혀졌다. 2001년에 유네스코 세계 기록 유산으로 등재되었다.

❹ 화약 제조법

최무선은 중국인 이원에게서 화약의 중요한 원료인 염초(=질산칼륨)를 만드는 기술을 배워 화약 제조법을 완전히 알아냈다고 한다.

❺ 화통도감

고려는 화통도감을 두고 대장군포를 비롯한 20여 종의 화기를 생산하였다.

▼ 누전선

04 건축과 조각

1. 건축

(1) 특징: 궁궐과 사원이 중심이었다. 남아 있는 것이 거의 없어 개성 만월대 터를 통해 당시 궁궐 건축을 짐작할 수 있다. 경사진 면에 축대를 높이 쌓고 건물을 계단식으로 배치하였기 때문에 건물이 층층으로 나타나 웅장하게 보였을 것이다.

(2) 주심포식 건물: 고려 전기에는 주로 **주심포 양식**이 유행하였다. 현재는 13세기 이후에 지은 일부 건물만 남아 있다.

① **안동 봉정사 극락전:** 주심포 양식, 배흘림기둥,❻ 맞배지붕으로 건축되었다. 보수 공사 중에 공민왕 때 중창했다는 상량문이 발견되어 **우리나라에서 가장 오래된 목조 건축물**로 보고 있다.

② **영주 부석사 무량수전:** 배흘림기둥과 팔작지붕, 주심포 양식을 지닌 영주 부석사 무량수전은 장중한 외관과 함께 간결한 조화미를 지녀 고려 후기 목조 건축의 대표적인 작품으로 꼽는다.

③ **예산 수덕사 대웅전:** 충렬왕(1308) 때 건립된 건축물로 백제 계통의 목조 건축 양식을 이었다. 맞배지붕과 배흘림기둥, 주심포 양식으로 건축되었다.

봉정사 극락전

부석사 무량수전

수덕사 대웅전

(3) 다포식❼ 건물: 고려 후기에는 원의 영향을 받은 다포식 건물이 등장하여 조선 시대 건축에 큰 영향을 끼쳤다. 황해도 사리원의 성불사 응진전❽과 함북 안남면 석왕사 응진전 등은 고려 시대 다포식 건물로 유명하다.

성불사 응진전

❻ **배흘림기둥**
기둥의 가운데 부분을 볼록하게 만드는 기법으로, 보는 사람에게 안정감을 주었다.

❼ **다포식 건축 양식**
13세기에 중국 화북 지방에서 유행하던 건축 양식으로, 원과의 교류를 통해 고려에 도입되었다.

❽ **성불사 응진전**
지붕면이 양면으로 경사진 맞배지붕의 건축물이다.

解法 **도움닫기** **주심포 양식과 다포 양식**

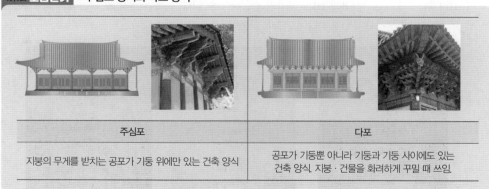

주심포	다포
지붕의 무게를 받치는 공포가 기둥 위에만 있는 건축 양식	공포가 기둥뿐 아니라 기둥과 기둥 사이에도 있는 건축 양식. 지붕 · 건물을 화려하게 꾸밀 때 쓰임.

전통 건축물의 지붕

맞배지붕	우진각지붕	팔작지붕
건물 양 옆에 지붕이 없이 앞뒤로만 마주보고 있는 형태	앞뒤와 양옆이 모두 지붕면 (앞뒤: 사다리꼴, 양 옆: 세모꼴)	건물 정면에서 볼 때 팔(八)자로 보이는 지붕

2. 조각

(1) 석탑

① **특징**: 다각 다층탑이 많이 만들어졌으며, 석탑의 몸체를 받치는 받침이 보편화되었다. 신라 석탑보다 비례감·안정감은 다소 부족하나 자연스러운 모습을 지녔다.

② **고려 전기**: 고구려 양식의 영향을 받은 개성 불일사 5층 석탑, 백제 양식을 계승한 부여 무량사 5층 석탑, 신라 양식의 영향을 받았으나 고려만의 독특한 개성도 보여 주는 개성 현화사 7층 석탑과 송의 영향을 받은 강원도 평창의 **월정사 8각 9층 석탑** 등이 있다.

개성 불일사 5층 석탑   부여 무량사 5층 석탑   개성 현화사 7층 석탑

③ **고려 후기**: 충목왕 때 대리석으로 제작된 **경천사 10층 석탑**❶은 원의 영향을 받은 것으로, 조선 세조 때 세워진 원각사지 10층 석탑에 영향을 주었다.

월정사 8각 9층 석탑   경천사 10층 석탑   원각사지 10층 석탑(조선)

❶ **경천사 10층 석탑(현재)**

경천사 10층 석탑은 본래 경기도 개풍군 부소산 경천사지에 세워져 있었으나 일제 강점기 도쿄로 불법 반출되었다가 반환되어 경복궁에 방치되었다. 현재는 서울 용산 국립 중앙 박물관에 옮겨져 있다.

(2) 승탑

고달사지 승탑처럼 신라 후기 승탑의 전형적인 형태인 **팔각 원당형**을 계승하는 것이 많고, 특이한 형태를 띠면서 조형미가 뛰어난 법천사 지광국사 현묘탑 등도 있다.

❷ 승탑

승탑은 승려의 사리나 유골을 안치한 일종의 무덤이다. 승려들이 모시는 스승이 입적한 뒤 세우는 것이다.

❸ 신라 하대의 팔각 원당형 승탑

쌍봉사 철감선사 승탑

고달사지 승탑 (원종대사 혜진탑)	지광국사 현묘탑	보제존자(나옹화상) 석종형 승탑
고려 초기, 신라 하대 팔각 원당형 승탑 계승❸	특수형 승탑 (평면방형)	석종 형태의 승탑

(3) 불상

① 특징: 고려 전기의 불상은 시기와 지역에 따라 다양하게 제작되었다.

② 종류

　㉠ 철불: 고려 초기에는 **대형 철불**이 많이 제작되었다. 광주 춘궁리 철불(하남 하사창동 철조 석가여래 좌상)이 대표적이다.

　㉡ **거대한 불상**: 거대한 석불이 유행하였는데, 사람들이 많이 다니는 길목에 만들어졌다. 큰 규모에 비해 조형미는 다소 떨어지지만, 소박한 지방 문화의 모습을 잘 보여 준다. 논산 관촉사 석조 미륵보살 입상(은진 미륵)과 안동 이천동 석불 등이 대표적이다.

　㉢ 신라 양식 계승: 부석사 소조 아미타여래 좌상같이 신라 시대 양식을 계승한 걸작도 있다.

안동 이천동 석불

하남 하사창동 철조 석가여래 좌상	관촉사 석조 미륵보살 입상	개태사지 석불 입상	부석사 소조 아미타여래 좌상

파주 용미리 마애이불 입상

1. 자기

(1) 발달 배경

고려 자기는 신라와 발해의 기술을 토대로 송의 자기 기술을 받아들여 11세기에 독자적인 경지를 개척하였다.

11C	순수 비색 청자	• 비취색이 나는 순수 비색 청자, 중국인들에게 극찬 받음. 「고려도경」 • 청자의 그윽한 색, 다양한 형태, 고상한 무늬, 우리 민족의 정취
12C 중~ 13C 중	상감 청자	• 12세기 중엽 독창적 기법인 상감법이 개발되어 자기에 활용 • 상감법: 그릇 표면을 파낸 자리에 백·흑토를 메워 무늬를 내는 방법 • 전라도 강진과 부안이 유명(흙과 연료 풍부, 바닷길로 운송 가능)
14C	청자 쇠퇴[1]	원으로부터 북방 가마 기술 도입되면서 점차 퇴조
15C	분청사기	• 청자에 백토의 분을 칠한 것으로 분과 안료로 무늬를 만들어 장식 • 안정된 그릇 모양, 소박한 무늬, 구김살 없는 우리의 멋
16C	백자	청자보다 깨끗하고 담백해 선비들의 취향과 어울려 널리 이용
17C~	청화 백자	• 백자가 민간에까지 널리 사용되면서 본격적으로 자기 공예가 발전 • 회청으로 백자에 그림을 그린 것으로 민간까지 널리 보급되어 유행

(2) 발달 과정

① 순수 청자(11세기): 자기 중에서 가장 이름난 것은 비취색이 나는 청자인데, 중국인도 천하의 명품으로 손꼽았다.

심화사료 百出

2024. 국가직 9급, 2016. 지방직 7급, 2014. 국가직 7급

송나라 사신 서긍[2]이 본 고려 청자

도자기의 빛깔이 푸른 것을 고려 사람들은 비색(翡色)이라 부른다. 근래에 와서 만드는 솜씨가 교묘하고 빛깔도 더욱 예뻐졌다. 술그릇의 모양은 오이 같은데, 위에 작은 뚜껑이 있어서 연꽃에 엎드린 오리 모양을 하고 있다. 또 주발, 접시, 술잔, 사발, 꽃병, 옥으로 만든 술잔 등도 만들 수 있지만, 일반적으로 도자기를 만드는 법을 따라 한 것들이므로 생략하고 그리지 않는다. 여러 그릇 중에서 이 물건이 가장 정밀하고 뛰어나다.

– 「고려도경」

② 상감 청자(12세기 중엽)

㉠ 발달 과정: 12세기 중엽에 고려의 독창적 기법인 **상감법[3]**이 개발되어 자기에 활용되었다. 무늬를 훨씬 다양하고 화려하게 넣을 수 있었던 상감 청자는 강화도 천도 시기까지 주류를 이루었으나, **원 간섭기 이후 퇴조**해 갔다.

㉡ 청자[4] 생산지: 고려의 청자는 자기를 만들 수 있는 흙이 생산되고 연료가 풍부한 지역에서 구워졌는데, 전라도 **강진과 부안**이 유명하였다. 특히 강진에서는 최고급의 청자를 만들어 중앙에 공급하기도 하였다.

---

❶ 청자 쇠퇴의 원인

몽골과의 전쟁 중 청자를 만들던 고급 기술자들과 가마가 큰 피해를 입었다. 이에 더하여 고려 말 왜구의 잦은 침입으로 해안 지방(강진, 부안 등)의 많은 자기소 등이 해체됨에 따라 청자는 점차 쇠퇴하였다.

❷ 서긍

서긍은 「고려도경」에서 고려 청자의 우수함을 서술하였다.

❸ 상감법

나전 칠기나 은입사 공예에서 응용된 것으로 그릇 표면을 파낸 자리에 백토·흑토를 메워 무늬를 내는 방법이다.

❹ 청자 만드는 법

청자는 물에는 묽어지고 불에는 굳어지는 자토로 모양을 만들고 무늬를 새긴 후 청색을 내는 유약을 발라 1,250도에서 1,300도 사이의 온도로 구워서 만든다. 유약은 규석과 산화알루미늄이 주성분으로, 이들이 높은 온도에서 녹아 유리질화되는데, 유약에 함유된 철분이 1~3%가 되면 녹청색을 띠어 청자가 된다.

| 청자 상감 운학문 매병 | 청자 진사연화문 표주박 모양 주자 | 청동제 은입사 표류수금문 정병 |

2. 공예

고려의 금속 공예 역시 불교 도구를 중심으로 크게 발전하였다.

(1) 금속 공예

청동기 표면을 파내고 실처럼 만든 은을 채워 넣어 무늬를 장식하는 **은입사 기술**이 발달하였다. 이는 **자기의 상감법 발달에 영향**을 끼쳤다.

(2) 나전 칠기 공예

옻칠한 바탕에 자개를 붙여 무늬를 나타내는 나전 칠기 공예도 크게 발달하였다. 특히 불경을 넣는 경함, 화장품갑, 문방구 등이 남아 있다. 나전 칠기 공예는 현재까지 전하고 있다.

▼ 나전 칠기

06 글씨, 그림과 음악

1. 글씨

(1) 고려 전기

구양순체가 주류를 이루었는데, 유신·탄연·최우가 유명하였다.

(2) 고려 후기

원나라 서예가인 조맹부의 글씨체인 **송설체**가 유행했는데, 이암이 뛰어났다.

2. 그림

(1) 고려 전기

그림은 도화원에 소속된 전문 화원의 그림과 문인이나 승려의 문인화로 나뉘었다. 뛰어난 화가로는 '예성강도'를 그린 이령 등이 있으나 그림은 전해지고 있지 않다.

(2) 고려 후기

① **천산대렵도**: 공민왕이 그렸다는 '천산대렵도'❺가 전해진다. 힘차게 말을 달리는 인물을 잘 묘사했으며, 당시 그림이 원나라 화풍에 영향을 받았음을 보여 준다.

② **불화**: 고려 후기에는 왕실과 권문세족의 구복적 요구에 따라 불화가 많이 그려졌다. 일본에 전해 오고 있는 혜허가 그린 '관음보살도(양류관음도)'가 대표적인 작품이다.

❺ 천산대렵도

천산에서의 수렵 장면을 묘사하였다. 원 간섭기 이후에는 자주 시행된 사냥때문에 이 같은 수렵도가 많이 그려졌다.

▼ 양류관음도(혜허)

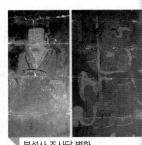

부석사 조사당 벽화

③ 사경화: 경전의 내용을 알기 쉽게 그림으로 설명한 사경화도 유행하였다.

④ 기타: 사찰의 벽화가 일부 남아 있는데, 부석사 조사당 벽화의 사천왕상 등이 대표적이다.

3. 음악

(1) 아악

아악은 송에서 수입된 대성악이 궁중 음악으로 발전된 것으로, 현재까지 이어지고 있다.

(2) 향악

속악이라고도 하는 향악은 우리의 고유 음악이 당악의 영향을 받아 발달한 것인데, 당시 유행한 민중의 속요와 어울려 수많은 곡이 만들어졌다. **동동, 한림별곡, 대동강, 오관산** 등이 대표적이다.

07 문학의 발달

1. 초기

고려 초기의 문학은 향가와 한문학이 주류를 이루고 있었다.

(1) 향가의 계승

광종 때 **균여**는 불교 경전을 향가로 쉽게 풀이해서 쓴 「**보현십원가**」 11수를 지었다.

(2) 한문학의 발달

과거제가 정착된 후 중국의 경서, 시문 창작 등이 중시되었다. **박인량과 정지상** 등이 대표적이다.

2. 중기

고려 중기, 문벌 귀족 사회가 발달하면서 당·송의 한문학을 숭상하는 경향이 나타났다.

3. 후기

무신 집권기에 문신들은 **현실도피적** 경향의 책들을 많이 저술하였다. **패관 문학과 가전체 문학**이 유행했으며, 서민의 감정을 표현하는 작품도 등장하였다.

(1) 패관 문학: 민간에 구전되던 이야기들을 일부 고쳐서 한문으로 기록하였다.

　① 『**파한집**』(이인로): 우리나라 시화집의 효시라 할 수 있다. 또한 역대 문인들의 이야기를 기록했으며 개경, 평양, 경주 등 역사적 유적지의 풍속과 풍경 등을 묘사했다.

　② 『**백운소설**』(이규보): 31개 항목으로 된 시와 문론에 대한 이규보의 비평이 담겨있다.

　③ 『**역옹패설**』(이제현): 당대의 역사적 사실을 서술했으며, 시에 대한 자신의 평론도 기록하였다.

(2) 가전체 문학: 물건 등을 의인화한 문학

① 「국순전」(임춘): 술을 의인화한 가전체 문학 작품으로, '국순'이라는 인물이 술에 탐닉하다가 패가망신하는 내용이다.

② 「국선생전」(이규보): '국성(국선생)'이라는 인물을 통해 바람직한 인간의 모습과 신하로서 올바른 처신을 제시하고 있다.

③ 「죽부인전」(이곡): 대나무를 의인화하여 절개있는 부인에 비유하여 쓴 작품이다.

④ 「저생전」(이첨): 종이를 의인화한 문학 작품으로, 관리로서의 삶을 다루었다.

(3) 경기체가

신진 사대부들은 향가 형식을 계승하여 새로운 시가인 경기체가를 만들었다. 대표적인 작품으로는 「한림별곡」, 「관동별곡」, 「죽계별곡」 등이 있다.

(4) 장가(속요)

민중 사이에서 유행한 것으로 서민의 감정을 자유분방하게 표현하였다. 「청산별곡」, 「쌍화점」, 「가시리」 등이 있다.

(5) 한시

① 이규보: 「동명왕편」은 고구려를 건국한 사실에 대한 5언시(일종의 영웅 서사시)이다.

② 진화: 이규보와 동시대에 쌍벽을 이룬 문인이다. 금나라에 사신으로 가면서 남긴 시가 유명한데, 송이 몰락하고 금이 아직 미개한 반면, 고려가 문명의 중심에 있다는 자부심을 드러내고 있다.

✎ 청산별곡
살으리 살으리라.
청산에 살으리라.
머루와 다래를 먹으며 청산에 살으리라.

✎ 진화의 시
서쪽 송나라는 이미 기울고 북쪽 오랑캐(금)는 아직도 잠자고 있네
앉아서 문명의 아침을 기다리자 하늘의 동쪽(고려)에서 해가 떠오르고 있네

💬 **대표** 기출문제

다음 설명에 해당하는 문화유산은?

2022. 국가직 9급

이 건물은 주심포 양식에 맞배지붕 건물로 기둥은 배흘림 양식이다. 1972년 보수 공사 중에 공민왕 때 중창하였다는 상량문이 나와 우리나라에서 가장 오래된 목조 건물로 보고 있다.

① 서울 흥인지문
② 안동 봉정사 극락전
③ 영주 부석사 무량수전
④ 합천 해인사 장경판전

해설
② 제시된 자료는 안동 봉정사 극락전에 대해 설명하고 있다. 봉정사 극락전은 주심포 양식의 건물로, 맞배지붕과 배흘림 기둥을 갖추었다. 보수 공사 중 공민왕 때 지붕을 수리한 적이 있었다는 기록이 발견되었다.

정답 ②

PART

4

근세 사회의
발달

근세 정치 변화와 통치 체제의 정비

CHAPTER **1**

解·法·기·출·진·맥

9급 국가직

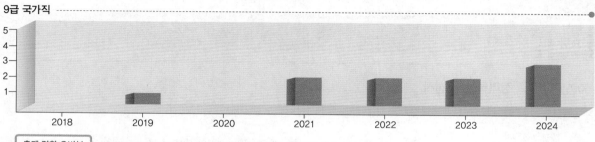

> 출제 경향 오버뷰 | 최근 4년간 꾸준히 2문제 이상씩 출제되고 있음. 중앙 정치 제도, 기묘사화

9급 지방직

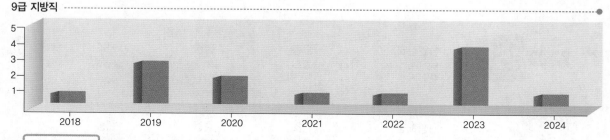

> 출제 경향 오버뷰 | 매년마다 1~4문제 이상 출제되고 있음. 세종, 임진왜란

9급 법원직

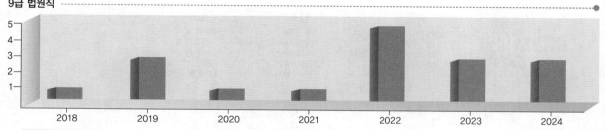

> 출제 경향 오버뷰 | 매년 1~5문제 이상 출제되고 있음. 태종, 통치 제도, 붕당 정치

근세 사회의 성립과 정치 체제의 확립

제1장 근세 정치 변화와 통치 체제의 정비

解/法 기출분석

구 분		2008~2017	2018	2019	2020	2021	2022	2023	2024
9급	국가직	• 의정부 서사제 • 중앙 제도(2) • 정도전		중앙 제도		세조	중앙 제도		• 건국 과정 • 세조
	지방직	• 정도전 • 중앙·지방 제도(3) • 세종(3) • 『경국대전』		• 정도전 • 세종	세종	사헌부	세종	과거 제도	
	법원직	• 중앙 제도(4) • 경연 • 지방 제도 • 관리 선발 제도 • 교육 제도 • 태종 • 통치 제도	지방 제도	• 건국 과정 • 조선 전기의 정치	중앙 제도		• 태종 • 세조	수령 7사	조선 전기의 정치

解法 요람

100년 단위로 정리하는 조선사

15세기 훈구

태조 ▶	태종 ▶	세종 ▶	세조 ▶	성종
정도전	왕권 강화 6조 직계제	모범적 유교 정치 의정부 서사제	왕권 강화 6조 직계제	『경국대전』 완성 언론 활동↑(사림 등용)

사화 16세기

연산군 ▶	중종 ▶	명종 ▶	선조
무오사화(조의제문) 갑자사화(폐비 윤씨)	조광조 기묘사화	을사사화	임진왜란

선조 ─ 동인 ─ 북인 / 남인
선조 ─ 서인

17세기 붕당(사림)

광해군 ▶	인조 ▶	효종 ▶	현종
중립 외교(북인)	친명배금(서인) 정묘·병자호란	북벌론(서인)	기해예송(서인) 갑인예송(남인)

탕평 18세기

숙종 ▶	영조 ▶	정조
편당적 → 환국 경신환국(서인) 기사환국(남인) 갑술환국(서인)	완론 탕평 탕평교서(즉위) 이인좌의 난 탕평파 육성 균역법 실시	준론 탕평 규장각 설치 신해통공 수원 화성 축조 만천명월주인옹

경신환국 ─ 노론
기사환국 ─ 소론

19세기 세도 정치

순조 ▶	헌종 ▶	철종 ▶	고종
안동 김씨 홍경래의 난	풍양 조씨	안동 김씨 임술민란	흥선 대원군

01 고려의 멸망과 조선의 건국

1. 고려 왕조의 몰락

(1) 요동 정벌
① 배경: 우왕이 즉위하자 이인임 일파는 명과 북원에 사신을 파견❶하였다. 그러나 명이 철령 이북의 땅을 직속령❷으로 삼으려 하자, 고려와 명의 갈등 관계가 깊어졌다.
② 전개: 고려 정부는 최영의 주도로 요동 정벌을 추진하였다. 그러나 이성계는 요동 정벌이 현실적으로 불가능하다고 판단하여 요동 출병을 반대하였다(4불가론).

심화사료 百出

이성계의 사불가론❸

"내(우왕)가 요동을 공격하고자 하니, 경은 마땅히 힘을 다하라." 태조는 대답하기를, "지금 정벌하는 것에 네 가지 불가한 점이 있습니다. **소(小)로서 대(大)를 거역하는 것**이 첫째 불가한 것이고, **농사철에 군사를 일으킴**이 둘째 불가한 것이며, 요동을 공격하게 되면 왜구에게 침입할 틈을 주게 되는데 이 점이 셋째 불가한 것입니다. 게다가 **지금은 여름철이라서 비가 자주 내리므로 아교가 녹아 활이 눅고, 군사들은 질병을 앓을 것입니다.** 이 점이 넷째 불가한 것입니다."라고 하니, 우왕은 그 말을 옳다고 여겼다. …… 밤에 최영은 들어가 우왕을 뵙고 아뢰었다. "원하옵건대 딴 말은 듣지 마옵소서." — 『태조실록』

---

(2) **위화도 회군(1388)**: 요동 정벌에 나섰던 이성계 일파는 위화도에서 군대를 되돌렸다. 이후 최영 등 반대파를 제거하고 우왕 대신 그 아들인 **창왕**을 옹립하였다.

(3) **신진 사대부의 분화**: 위화도 회군 이후 신진 사대부 세력은 개혁의 방향을 둘러싸고 급진 개혁파와 온건 개혁파로 갈라졌다. 이들은 고려 왕조의 존속 여부, 토지 제도의 개혁 등에 대해 의견을 달리하였다.

❖ 사대부 분화

온건파 신진 사대부	급진파 신진 사대부
정몽주, 이색, 길재	조준, 정도전, 윤소종
정치적 지위와 경제력 우세	경제력 열세, 군사력 우세
고려 왕조의 틀 안에서 점진적인 개혁 추진	고려 왕조를 부정하는 역성 혁명❹ 주장
전면적인 토지 개혁 반대	전면적인 토지 개혁 주장(국유화)

(4) 공양왕 옹립(1389)
이성계 일파는 **폐가입진❺**을 명분으로 창왕을 폐하고, 공양왕을 옹립하였다. 이성계는 1391년 삼군도총제부❻를 설치하고 자신이 삼군도총제사가 되어 군권을 장악하였다.

---

❶ **양면 외교**
우왕이 즉위하자 이인임 일파는 명나라에 사신을 보내 왕위 계승의 승인을 요청하는 한편, 북원에 사신을 파견해 국교를 회복하고자 하였다.

❷ **명의 철령위 설치 요구**
명나라는 원이 과거에 지배했던 철령 이북의 땅을 직속령으로 삼겠다고 고려에 통보하였다(쌍성총관부 ⇨ 철령위).

❸ **사불가론(四不可論)**
작은 나라가 큰 나라를 거역하는 것, 농번기인 여름에 출병하는 것, 출병하면 왜구가 노릴 염려가 있는 것, 장마철에는 활이 제 기능을 발휘하지 못하고 전염병 발생의 우려가 있는 것.

위화도 회군

❹ **역성 혁명**
유교 정치 사상에서 나온 말로서, 왕이 민심을 잃으면 다른 사람이 천명을 받아 새로운 왕조를 세워도 좋다는 내용이다.

❺ **폐가입진(廢假立眞)**
'가짜 왕을 내몰고 진정한 왕을 추대해야 한다.'는 의미이다. 이성계 일파는 우왕과 창왕은 공민왕의 자손이 아니라 신돈의 핏줄이라고 주장하며, 이들을 제거하였다.

❻ **삼군도총제부**
조선 태조 때 의흥삼군부로 개편되었다.

사사건건 1392~1494

Now Event ▶▶
- 1392 조선 건국
- 1394 한양 천도
  『조선경국전』 편찬
- 1398 1차 왕자의 난
- 1400 2차 왕자의 난
- 1402 호패법 실시
- 1418 세종 즉위
- 1419 쓰시마 정벌
- 1416,1434 4군 설치, 6진 설치
- 1443 훈민정음 창제

❶ 공사전적
공전과 사전의 수조권을 명시해둔 장부를 말한다.

❷ 급전도감
전지(논·밭)의 분급을 담당하던 임시 관청이다.

정몽주

❸ 한양 천도
한양은 한강을 끼고 있어 교통이 편리하고, 산으로 둘러싸여 방어에도 유리하였다. 한양 천도를 통해 개경의 구세력 약화를 도모하였다.

❹ 성저십리(城底十里)
한성부에 도성을 쌓아 도성 안과 밖을 구분하였다. 도성을 기준으로 사방 10리에 해당하는 지역(성저십리)에는 개인의 무덤을 쓰거나 벌채를 못하도록 규제하였다(일종의 그린벨트 지역).

❺ 김가행 사건(1394)
김가행 등이 새 왕조의 안위와 왕씨의 운명을 점쟁이에게 점친 사실이 발각되었다. 이후 공양왕과 그 두 아들 및 왕씨 다수가 제거되었다.

❻ 도첩제(度牒制)
조선 정부는 승려 자격증인 도첩을 발급하였다.

(5) **과전법의 시행(1391)**

① **시행**: 1390년 전국적인 양전 사업을 실시하고 종래의 공사전적❶을 모두 불태워 전제 개혁의 토대를 마련하였다. 이듬해 급전도감❷을 설치하고 **과전법을 제정·공포**하였다.

② **결과**: 토지가 재분배되어 신진 사대부의 경제적 기반이 마련되고 국가 재정도 확충되었다.

(6) **정몽주 제거(1392)**: 새 왕조 개창을 반대하던 정몽주는 선죽교에서 암살되었다(1392. 4.).

2. 조선의 건국(1392)

이성계는 **공양왕**에게 **양위**를 받아 왕위에 올랐다. 태조 이성계는 고조선을 계승한다는 의미로 국호를 조선이라 선포하고(1393), 한양을 새 도읍으로 정하였다(1394).

심화사료 百出
2014. 사회복지직 9급

공양왕 옹립(폐가입진)
우와 창은 본래 왕씨가 아니기 때문에 종사를 받들 수 없으며, 또한 천자의 명이 있으니 **마땅히 가짜를 폐하고 진짜를 세울 것**이다. 정창군 왕요는 신종의 7대손으로 그 족속이 가장 가까우니 마땅히 세울 것이다.
— 『고려사』

국호(國號)의 제정
우리나라의 국호가 일정하지 않았다. 조선이라 한 것이 셋이었으니 바로 단군·기자·위만이다. …… 이제 명나라 천자께서 "오직 조선이란 이름이 아름다울 뿐만 아니라 그 유래가 오래다. 이 이름을 그대로 쓰고 하늘을 본받아 백성을 잘살게 하면 후손이 길이 창성할 것이다."고 명하였다. …… 이제 조선이라는 아름다운 국호를 그대로 쓰니 기자의 선정도 마땅히 강구해야 할 것이다.
— 『삼봉집』 7, 『조선경국전』

02 국왕 중심의 통치 체제 정비

1. 태조(1392~1398)

(1) **체제 정비**

① **한양❸ 천도**: 한양을 도읍으로 정한 후에 도성을 쌓고 궁궐을 지었다(한성부❹ 건설). 종묘, 사직, 관아, 4대문 등 기반 시설을 갖추고 한성(부)이라 칭하였다.

② **공신 선정**: 공신도감을 설치하고 개국 공신을 선정하였다. 또한 개국 초 정치적 불안 요소인 왕씨를 제거하였다(김가행 사건).❺

③ **도평의사사 약화**: 삼군도총제부를 의흥삼군부로 개편하여 군사 업무를 총괄하게 하였다. 이에 따라 도평의사사는 군사 기능을 상실하고 정치 업무만 담당하였다.

④ **지방 제도 개편**: 관찰사 제도를 정비하고, 속현·향·소·부곡을 혁파하였다.

⑤ **도첩제❻의 실시**: 국가에서 승려를 관리하고 승려의 수를 제한하였다.

解法 도움닫기 한양 - 유교 사상이 반영된 계획 도시

조선 왕조는 『주례』를 참고하여 한양을 유교가 지향하는 이상 적인 도시로 만들고자 하였다. 전조후시(전조후침)에 따라 궁궐 앞에 관청을 배치하고, 뒤에는 왕실의 생활 공간을 두었다. 좌묘 우사에 따라 궁궐 왼편(동쪽)에는 종묘를, 오른편(서쪽)에는 사 직단을 두었다. 또한 동대문은 흥인지문(興仁之門), 서대문은 돈 의문(敦義門), 남대문은 숭례문(崇禮門), 북대문은 숙정문(肅靖門) 이라고 하였다. 이는 유교의 덕목인 '인의예지신(仁義禮智信)'을 반영한 것이었다. 이와 같이 경복궁을 비롯한 주요 건물들은 유 교 이념에 따라 배치되었고, 그 명칭도 유교 경전에서 따와 이 름붙였다.

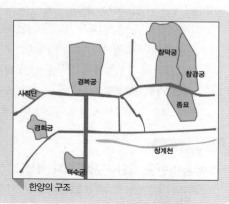
한양의 구조

(2) 소수 공신 중심의 정치 운영

① **정도전[7]**: 국왕 중심의 정치 체제를 지향한 **이방원과 갈등**을 빚었다.

　㉠ **통치 이념 확립**: 재상 중심의 정치를 주장하고, 민본적 통치 규범을 제시했다. **『조선경국전』** 에서 이러한 정치 구상을 남겼다. 또한 **『불씨잡변』**을 저술하여 불교 교리를 비판하였다.

　㉡ **외교 정책**: 명나라와 외교적 갈등[8]을 빚자 요동 정벌을 계획했으며, 이를 위해 작전도인 『진 도』를 제작하고 군사 훈련을 하였다.

　㉢ **저서**: 정도전의 저서는 『삼봉집』이라는 문집으로 총정리되었다.

『조선경국전』(1394)	『주례』를 참고하여 유교적 통치 규범을 마련한 법전으로, 『경국대전』에 영향을 주었다.
『경제문감』(1395)	재상 중심의 정치 체제를 주장하였다.
『불씨잡변』	불교 비판서로, 불교의 교리 자체를 비판하였다.
『학자지남도』	최초의 성리학 입문서로, 권근은 이를 토대로 『입학도설』을 저술하였다.
『고려국사』	편년체 사서로 고려의 역사를 서술하였다. 『고려사절요』 편찬에 영향을 주었다.
『진법』	『진도』와 함께 병사를 훈련시키는 데 적용시켰다.

② **조준**: 조선 최초의 관찬 법전인 **『경제육전』**을 편찬하였다. 이·호·예·병·형·공전의 육전으로 구 성되었으며, 『경국대전』 편찬 전까지 기본 법전의 역할을 하였다.

심화사료 百出

2014. 서울시 7급, 2013. 국가직 9급

정도전의 총재(재상) 정치[9]

임금의 직책은 한 사람의 재상을 정하는 데 있다 하였으니. 바로 총재(冢宰)를 두고 한 말이다. 총재는 위로는 임금을 받들고 밑으로는 백관을 통솔하여 만민을 다스리는 것이니 직책이 매우 크다.

ー 『조선경국전』

정도전의 불교 비판

과연 불씨의 설과 같다면 사람의 화복과 질병이 음양오행과는 관계없이 모두 인과응보에서 나오는 것이 되는데, 어찌하여 우 리 유가의 음양오행을 버리고 불씨의 인과응보설을 가지고서 사람의 화복을 정하고 사람의 질병을 진료하는 사람이 한 사람 도 없느냐. **불씨의 설이 황당하고 오류에 가득 차 족히 믿을 수 없다.**

ー 『불씨잡변』

---

[7] 삼봉(三峯) 정도전(1342~1398)
공민왕 때 성균관 박사가 되어 성리 학을 강의했으며, 우왕 때 이인임의 친원 외교에 반대했다가 전라도 나주 로 유배되었다. 이후 조선 건국에 적 극 참여했으며, 궁궐 안의 건물들과 도성 성문의 이름을 짓는 등 조선 초 창기에 문물 제도를 갖추는 데 크게 공헌하였다.

[8] 명나라와의 외교적 갈등
명나라는 태조의 즉위를 인정하는 금인·고명을 주지 않았으며, 조선의 외교 문서가 불손하다며 트집을 잡 았다. 이에 조선은 요동 정벌을 추진 했으며, 정도전은 이 과정에서 여진 족의 협조를 구하기도 하였다.

[9] 정도전의 재상 정치
국왕은 훌륭한 재상을 선택하여, 재 상에게 위로는 임금을 올바르게 인도 하고, 아래로는 백관을 통괄하고 만 민을 다스리는 중책을 부여해야 한다 고 주장하였다.

태조의 가계도

- 1대 태조 이성계
- 신의 왕후 한씨
  - 1. 이방우
  - 2. 이방과 (2대 정종)
  - 3. 이방의
  - 4. 이방간 — 2차 왕자의 난
  - 5. 이방원 (3대 태종)
  - 6. 이방연
- 신덕 왕후 강씨
  - 7. 이방번 — 1차 왕자의 난
  - 8. 이방석

❶ 박포(?~1400)

1차 왕자의 난 때 전공을 세웠으나 상이 작다고 불평하여 방원의 미움을 사 유배되었다. 이후 앙심을 품고 방간과 함께 2차 왕자의 난을 일으켰다.

❷ 삼군부의 변천 과정

세조 때 5위 도총부에 편입되었다. 이후 흥선 대원군 때 비변사 폐지에 따라 부활하여 군사 업무를 총괄하였다.

❸ 창덕궁

경복궁 동쪽에 위치한 궁궐로, 변고가 생겼을 때 왕이 옮겨 살 목적에서 건설되었다(이궁, 離宮). 임진왜란 때 불탔으나, 광해군 때 중건되었다. 조선 후기, 경복궁을 대신하여 법궁(도성 궁궐 중 으뜸이 되는 궁궐) 역할을 하였다.

❹ 6조 직계제와 의정부 서사제

▼ 6조 직계제

▼ 의정부 서사제

2. 정종(1398~1400)

(1) 왕자의 난 발생

① 1차 왕자의 난(1398) : 태조가 강씨 소생의 방석을 세자로 책봉하자 방원은 이에 불만을 품고 이복 형제인 방번·방석과 정도전, 남은 등을 제거하였다.

② 정종 즉위: 1차 왕자의 난 직후 태조는 스스로 왕위에서 물러나 태상왕(太上王)이 되고, 둘째 방과가 왕으로 즉위하였다. 정종은 다시 개경으로 천도하였다.

③ 2차 왕자의 난(1400, 박포❶의 난): 이방원과 동복 형제인 방간 사이에 권력 다툼이 일어났다. 방원은 방간을 제압하고 왕세자[왕세제(王世弟)]로 책봉되었다.

심화사료 百出

2022. 법원직 9급

이방원(정안공, 정안대군)의 세자 책봉

참찬문하부사 하륜 등이 청하였다. "**정몽주의 난**에 만일 정안공이 없었다면, 큰 일이 거의 이루어지지 못하였을 것이고, **정도전의 난**에 만일 정안공이 없었다면, 또한 어찌 오늘이 있었겠습니까? …… 정안공을 세워 세자를 삼으소서." 임금이 말하기를, "경(卿) 등의 말이 심히 옳다." 하고, 드디어 도승지에게 명하여 도당에 전지하였다. "…… **나의 동복 아우인 정안공은 개국하는 초에 큰 공로가 있었고**, 또 우리 형제 4, 5인이 성명을 보전한 것이 모두 정안공의 공이었다. 이제 명하여 세자를 삼고, 또 내외의 여러 군사를 도독하게 한다." — 「정종실록」

(2) 관제 개편 : 이방원의 주도로 추진되었다.

① 정치 개혁: 도평의사사를 의정부로, 의흥삼군부를 삼군부❷로 개편하였다.

② 사병 혁파: 공신이나 왕족이 소유한 **사병을 없애고**, 병권을 왕에게 집중시켰다.

관제의 변화

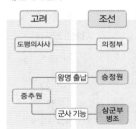

고려		조선
도평의사사	—	의정부
중추원	왕명 출납 —	승정원
	군사 기능 —	삼군부 병조

3. 태종(1400~1418) ☆

(1) 왕권 강화와 통치 체제 정비

① 왕권 강화

㉠ 공신·외척 제거: 왕자의 난을 통해 공신 세력을 제거했으며, 외척인 민무구·민무질 형제 등을 죽였다. 또한 태종은 종친과 외척의 정치 참여를 제한하여 왕권을 안정시켰다.

㉡ 한양 재천도(1405): 한양으로 재천도하여 창덕궁❸을 새로 건설하였다.

② 6조 직계제 실시: 6조에서 의정부를 거치지 않고 국왕에게 직접 보고하도록 한 제도이다. 왕권 강화를 위해 의정부의 권한을 약화시킨 것이다.

고등사료 百出

2019. 법원직 9급, 2017. 법원직 9급

6조 직계제❹(태종)

의정부의 모든 일을 나누어서 육조(六曹)에 돌렸다. …… "내가 일찍이 송도에 있을 때 정부(政府, 의정부)를 없애자는 의논이 있었으나, 지금까지 겨를이 없었다. …… 지난번에 좌정승이 말하기를 "중조(中朝, 중국의 왕조)에도 또한 승상부가 없으니, 마땅히 정부를 혁파해야 한다."고 하였다. 내가 곰곰이 생각해 보니, 모든 일이 내 한 몸에 모이면 진실로 재결(裁決)하기가 어렵겠으나, 그러나 이미 나라의 임금이 되어서 어찌 노고스러움을 피하겠느냐?" …… 처음에 임금이 정부(政府, 의정부)의 권한이 무거운 것을 염려하여 이를 개혁할 생각이 있었으나 정중히 여겨 서둘지 않았는데, 이 때에 이르러 단행하여 **정부(政府)의 관장하는 것은 오직 사대 문서(事大文書)와 무거운 죄수[重囚]를 다시 안핵(按覈)하는 것뿐이었다.** — 「태종실록」

③ 관제 개혁
　　㉠ 사간원: 낭사를 사간원으로 독립시켜 신권을 견제하였다.
　　㉡ 승정원: 승정원을 따로 두어 왕명 출납을 전담하도록 하였다.
④ 유향소 폐지: 지방 세력을 통제하고 중앙 집권을 강화하기 위해 **유향소를** 폐지하였다(1406).

(2) 경제 정책
① 양전 사업: 20년마다 토지를 측량하는 양전 사업을 실시하고 양안을 작성하였다.
② 호패법 실시: 3년마다 호적을 작성하고 16세 이상의 모든 남성에게 호패 착용을 의무화하였다.
③ 시전 설치: 종로에 대규모 상가인 시전을 조성하여 상인들에게 대여하였다.
④ 저화 발행: 사섬서를 두어 지폐인 저화를 발행하였다.

2017. 법원직 9급

고등사료 百出

호패법(號牌法)

남자 장정으로서 16세 이상이면 호패(號牌)를 착용한다. 2품 이상인 자는 뿔로 된 것으로 차게 하고 그 밖에 생원, 진사, 선비, 서리, 향리, 천민은 신분에 따라 다르게 나무로 된 것을 찬다. 서울에서는 한성부, 지방에서는 해당 관청에서 발급한다.　　　　ㅡ『경국대전』

호패

(3) 사회·문화 정책
① 신문고 설치: 대궐 밖에 신문고를 설치하여, 백성들이 억울함을 호소할 수 있게 하였다. 의금부에서 관리하였다.
② 양인 증가: 양인의 수를 늘리기 위해 노비변정 사업과 종부법❺을 실시하였다.
③ 서얼 차별: 서얼의 문과 응시를 제한하는 서얼차대법❻과 세 번 이상 혼인한 부녀자 자손의 관직 등용을 제한한 삼가금지법❼을 제정하였다.
④ 불교 사원 정리: 억불과 재정 확보를 위해 사원을 정리하고 사원전을 몰수하였다.

4. 세종(1418~1450) ☆☆
태종이 다진 안정된 왕권을 바탕으로 모범적인 유교 정치를 실현하고자 하였다.

(1) 정치 체제 정비
① 집현전의 육성: 학문과 정책을 연구했으며, 경연과 서연도 담당하였다.
② 사가독서제 실시: 학자들의 학문 재충전을 위해 유급 휴가 제도인 **사가독서제**❽를 실시하였다.
③ 유교 의례 장려: 국가 행사를 오례에 따라 거행하고 사대부에게 『주자가례』의 시행을 장려하였다.

(2) 왕권과 신권의 조화
① 의정부 서사제 실시(1436): 6조 직계제를 폐지하고 의정부에서 정책을 심의하게 하여 의정부의 역할을 중시하였다. 단, 인사와 군사에 관한 일은 6조에서 국왕에게 직접 보고하도록 하였다.
② 인재의 발굴❾
　　㉠ 청백리 재상 등용: 황희, 맹사성, 유관과 같은 청백리 재상을 등용하였다.
　　㉡ 유외잡직: 노비·장인·상인에게 하급 전문직으로 진출할 수 있는 기회를 제공하였다.

---

❺ 종부법(從父法)
양인 남자와 천인 여자 사이의 자녀는 아버지의 신분을 따라 양인이 되었다(일천즉천 ×).

❻ 서얼차대법
서얼은 높고 중요한 벼슬에 임용될 수 없도록 한 것이다(1415). 이후 서얼과 그 자손이 생원·진사시와 문과에 응시하지 못하도록 『경국대전』에 명시하였다.

❼ 삼가금지법
성종 때 반포된 『경국대전』에 삼가금지법이 실렸다. 그 내용은 '두번 혹은 세번 혼인한 부녀자들의 아들과 손자, 서얼의 자손들은 문과를 볼 수 없다.'라는 것이었다. 양반 여성들의 재혼을 제한한 것이다.

❽ 사가독서제(賜暇讀書制)
집현전 학사들을 비롯한 젊은 문신들에게 휴가를 주어 학문에 전념하게 한 제도이다. 성종 때 독서당 제도로 개편되었다.

❾ 인재 등용
세종은 천인이나 귀화인이라도 능력이 있으면 과감히 등용하였다. 천인 과학자 장영실을 우대했으며, 위구르족 출신의 설순을 집현전 학사로 등용하였다.

고등사료 音出

의정부 서사제[1](議政府署事制)

6조 직계제를 시행한 이후 일의 크고 작음이나 가볍고 무거움이 없이 모두 6조에 붙여져 의정부와 관련을 맺지 않고, 의정부의 관여 사항은 오직 사형수를 논결하는 일 뿐이므로 옛날부터 재상을 임명한 뜻에 어긋난다. …… **6조는 모든 직무를 먼저 의정부에 여쭈어 의논하고, 의정부는 가부를 헤아린 뒤에 왕에게 아뢰어 왕의 전지를 받아 6조에 내려보내어 시행한다.** 다만, **이조·병조의 제수, 병조의 군사 업무, 형조의 사형수를 제외한 판결 등은 종래와 같이 각 조에서 직접 아뢰어 시행**하고 곧바로 의정부에 보고한다. 만약 타당하지 않으면, 의정부가 맡아 심의, 논박하고 다시 아뢰어 시행토록 한다.

－「세종실록」

❶ 의정부 서사제

의정부가 6조로부터 국정에 관한 여러 일을 미리 보고받아 논의한 후 왕에게 아뢰는 것이었다. 세종 때 실시된 이 제도는 이후 조선 정치의 기본 운영 원리가 되었다.

9급 위 한국사

집현전

1. **변천**: 고려 인종 때 시강 기관으로 설치되었으나 충렬왕 이후 유명무실해졌다. 이후 조선 정종 때 재설치되어 세종 때 학문 기관으로 설치 및 확대되었다. 세조 때 폐지되었으나, 홍문관·규장각 등이 그 기능을 계승하였다.
2. **구성**: 전원이 문과 급제자 출신으로 특히 장원 급제자와 같은 최고의 인재들이 등용되었다. 대표적인 학자들로는 정인지, 신숙주, 양성지, 서거정 등이 있다.
3. **주요 임무**: 집현전의 학사들은 학문을 연구하고, 경연에 참여하여 국왕의 통치를 자문하였다.
4. **특장**: 집현전은 경복궁 수정전에 위치하였다. 이 건물은 근정전, 사정전과 가까운 거리에 있어 세종이 수시로 방문하여 학자들을 격려하였다. 집현전 학자들은 수백 종의 보고서와 많은 책을 편찬하였고, 이들의 연구 성과는 15세기 문물 제도 정비에 크게 기여하였다.

(3) 대외 정책

① 여진: 최윤덕을 파견하여 압록강 유역(4군)을 확보하고, 김종서를 파견하여 두만강 유역(6진)을 개척하여 현재의 국경선을 이루었다. 또한, 회유책의 일환으로 무역소를 통해 여진족과 교류하였다.

② 일본: 이종무를 파견하여 쓰시마 섬(대마도)을 정벌[2]하였다. 이후 3포(부산포·염포·제포)를 개항하고 계해약조를 체결하였다.

4군과 6진

❷ 쓰시마 정벌의 역사

박위	1389(고려 창왕)
이종무	1419(조선 세종)

(4) 공법 시행(1444)

① 배경: 세금 수취 과정에서 부정과 불공정 시비가 끊이지 않았다.

② 과정: 조정 신하와 지방의 촌민에 이르기까지 18만 명의 찬반을 묻고 10년간 시범 기간을 거친 뒤에 시행하였다.

③ 내용

전분 6등법	토지 비옥도에 따라 6등급으로 구분
연분 9등법	풍흉에 따라 전세 납부액을 9등급으로 구분(최고 20두~최하 4두)

(5) 형벌 제도 개선: 사형의 판결을 받은 자들에게 3심제를 적용하여, 억울하게 죽는 일이 없도록 하였다.

(6) 사회 정책

의창제를 실시하여 빈민을 구제하고, 관비의 출산 휴가를 늘려주었다. 또한 재인과 화척 등을 신백정이라 부르며 일반 양인으로 동화시키려 했으나 성과를 거두지는 못했다.

관비의 출산 휴가

옛적에 관가의 노비는 아이를 낳은 지 7일 후에 입역(立役)하였는데, 아이를 두고 입역하면 어린 아이에게 해로울 것이라 걱정하여 100일간의 휴가를 더 주게 하였다. 그러나 출산에 임박하여 일하다가 몸이 지치면 미처 집에 도착하기 전에 아이를 낳는 경우가 있다. **만일 산기에 임하여 1개월 간의 일을 면제하여 주면 어떻겠는가.** 가령 저들이 속인다 할지라도 1개월까지야 넘길 수 있겠는가. 상정소(詳定所)로 하여금 이에 대한 법을 제정하게 하라.

– 「세종실록」

(7) 민족 문화의 성장

① **훈민정음**: 우리말을 쉽게 표현할 수 있는 새로운 문자의 필요성을 느낀 세종은 오랜 기간 연구한 끝에 훈민정음을 만들어 반포하였다(1446).

② **칠정산**: 중국과 아라비아의 역법을 참고로 하여 칠정산이라는 새로운 역법을 만들었다. 우리나라 역사상 최초로 한양을 기준으로 천체 운동을 계산했다.

③ **인쇄술**: 밀랍으로 활자를 고정시키는 방법 대신 **식자판을 조립하는 방법**을 **창안**하였다. 또한 금속 활자인 갑인자 등을 주조하였다.

④ **과학 기술**: 천인 장영실을 중용해 측우기, 자격루, 앙부일구, 간의❸ 등을 제작하였다.

⑤ **음악**: 박연이 악곡과 악보를 정리하여 궁중 음악인 아악을 체계화하였다. 세종은 소리의 장단과 높낮이를 표현할 수 있는 **정간보**를 창안하였다.

⑥ **사고 정비**: 실록을 보관하는 **사고(史庫)**를 정비하였다.

⑦ **편찬 사업**: 『삼강행실도』, 『향약채취월령』, 『향약집성방』, 『의방유취』, 『농사직설』, 『총통등록』, 『신찬팔도지리지』 등을 편찬하였다.

解法 도움닫기 **문종과 단종**

문종(1450~1452)

1. **정치적 상황**: 세종의 건강이 악화되면서 세종은 학문 연구에만 전념하고 대신 세자(문종)가 정무를 보았다. 문종도 의정부 서사제를 중심으로 국정을 운영하였다.

2. **편찬 사업**: 『고려사』, 『고려사절요』, 『동국병감』(역대 전쟁사) 등을 편찬하였다.

단종(1452~1455)

1. **정치적 상황**: 문종이 재위 2년만에 죽고 어린 단종이 즉위하였다. 정치적 실권이 김종서, 황보인 등 재상에게 집중되어 왕권이 약화되었다. 수양 대군은 이런 상황에 불만을 품었다.

2. **계유정난❹(1453)**: 수양 대군이 정변을 일으켜 김종서 등을 제거한 후 정권을 장악했다(이징옥의 난❺).

3. **세조 즉위(1455)**: 단종이 수양 대군에게 양위하고 단종은 상왕이 되었다.

4. **세조 즉위에 대한 반발**: 사육신❻의 단종 복위 운동 등이 일어났다. 단종 복위는 실패로 돌아가 사육신은 처형당하고 단종은 노산군으로 격하된 후 영월로 유배되었다.

❸ **간의**

천체를 관측하는 기구이다.

❹ **계유정난(癸酉靖難)**

수양 대군은 김종서, 황보인 등이 몰래 안평 대군과 연결하여 반란을 도모했다고 하면서 이들을 제거하였다.

❺ **이징옥의 난(1453, 단종 1)**

김종서의 천거로 함길도 절제사가 된 이징옥을 수양 대군이 파면시키자 이에 반발하여 난을 일으켰다.

❻ **사육신(死六臣)과 생육신(生六臣)**

사육신은 단종의 복위를 도모하다가 실패하여 죽은 6명의 신하(박팽년, 성삼문, 이개, 하위지, 유성원, 유응부)를 말한다. 생육신은 수양 대군의 왕위 찬탈을 비관하여 벼슬을 버리고 절개를 지킨 6인으로 김시습, 원호, 이맹전, 조려, 성담수, 남효온이다.

5. 세조(1455~1468)

(1) 국왕 중심의 체제 강화

① 공신 책봉: 계유정난과 세조 즉위에 공을 세운 인물들을 공신으로 삼았다.

② 6조 직계제 부활: 왕권 강화를 위해 의정부 서사제를 폐지하고, 6조 직계제를 부활시켰다.

③ 집현전과 경연 폐지: 세조를 비판하는 언론 활동을 제한하기 위해 **집현전과 경연을 폐지**하였다.

④ 유향소의 폐지: 이시애의 난❶ 이후 유향소가 폐지되었다.❷

⑤ 군사 제도의 개편

   ⊙ 보법: 군역을 정군과 보인으로 고정시키는 보법을 시행하였다.

   ⓒ 중앙군: 5위제를 확립했으며, 5위 도총부에서 지휘권을 행사하였다.

   ⓒ 지방군❸: 지방군의 방어 체제를 **지역 단위의 방위 체제인 진관 체제**로 변경하였다.

⑥ 여진족 정벌: 신숙주, 남이 등을 보내 북쪽의 여진족을 토벌하여 북방을 안정시켰다.

❶ **이시애의 난**

1467년(세조 13) 세조의 정책에 반발한 이시애가 동북 지방인 함길도(함경도)에서 반란을 일으켰다.

❷ **유향소 폐지에 대한 이설**

충주의 백성이 고을 수령을 고소했는데, 유향소에서 수령을 고소한 사람을 억압하였다. 이 사실이 세조에게 알려져 유향소 폐지로 이어졌다는 기록이 있다.

❸ **지방군의 지휘 체계**

각 도의 관찰사는 병마(수군)절도사를 겸직하였다. 병마절도사와 수군절도사는 각각 육군과 수군을 통솔하는 최고 지휘관이었다.

고등사료 百出
2022. 법원직 9급, 2019. 법원직 9급, 2015. 경찰 1차

6조 직계제 부활

상왕(단종)이 나이가 어려 무릇 조치하는 바를 모두 의정부 대신에게 논의하게 하였다. **지금 내(세조)가 왕통을 계승하여 국가의 모든 일을 처리**하며, **우리나라의 옛 제도를 복구**하고자 한다. 지금부터 형조의 사형수를 제외한 **모든 서무는 6조가 각각 그 직무를 담당하여 직계**한다.

           — 「세조실록」

집현전과 경연의 폐지

세조가 명하기를, "**집현전을 없애고, 경연을 정지하며**, 거기에 소장하였던 서책은 모두 예문관에서 관장하게 하라."라고 하였다.

           — 「세조실록」

(2) 경제·사회 정책

① 직전법 시행: 현직 관료에게만 과전을 지급하고 수신전과 휼양전을 폐지하였다.

② 호패법과 호적 제도: 호패법을 다시 시행했으며, 호적 제도를 체계적으로 정비하였다.

③ 화폐 주조: 화살 모양의 화폐인 팔방통보를 만들어 비상시에 화살촉으로 사용하려고 하였다. 그러나 별로 효과를 거두지 못하였다.

④ 인지의와 규형: 토지 측량 기구인 인지의와 규형을 제작하였다.

(3) 문화 정책

① 『경국대전』 편찬 시작: 세법서인 『호전』과 형법서인 『형전』을 간행하였다.

② 불교 진흥: 간경도감을 설치하여 불교 경전을 간행하고, 원각사와 원각사지 10층 석탑을 세웠다.

6. 성종(1469~1494): 세종 때의 유교 통치를 모범으로 삼아 국가 체제를 정비하였다.

(1) 유교적 집권 체제의 완성[4]
① 『경국대전』 반포(1485): 조선의 통치 방향과 이념을 제시한 조선 최고의 종합 성문 법전이다.

② 홍문관[옥당] 설치: 집현전을 계승하여 학문을 연구하고 정책을 토론·심의하였다.

③ 언론 활동 강화: 김종직 등 사림 세력을 등용하여 주로 전랑과 3사의 언관직에 배치하였다. 경연[5]을 다시 열고 언론 활동을 강화하였다. 이는 유교 정치의 실현과 훈구 세력 견제를 위함이었다.

④ 독서당[6] 설치: 사가독서제를 계승한 독서당을 설치하고 인재를 양성하였다.

⑤ 성균관 정비: 성균관에 도서관인 존경각을 짓고 서적을 소장하게 하였다.

⑥ 유향소 부활: 성리학적 향촌 질서를 확립하기 위해 유향소를 부활하였다.

⑦ 도첩제 폐지: 도첩제를 폐지하여 승려로의 출가를 금지시켰다.

(2) 경제 정책
① 관수 관급제 실시: 국가가 수조권을 대행하여 토지에 대한 지배력을 강화하였다.

② 요역의 기준 확립: 토지 8결을 기준으로 정남 1인을 요역에 동원하였다.

(3) 문화 정책
① 편찬 사업: 『국조오례의』, 『동국통감』, 『동문선』, 『동국여지승람』, 『삼국사절요』, 『악학궤범』 등을 편찬하였다.

② 창경궁[7] 건립: 성종은 창경궁을 새로 건설했는데, 임진왜란 때 불타 광해군이 중건하였다. 창덕궁과 함께 동궐로 불렸으며, 조선 후기에는 중심 궁궐로 사용되었다.

심화사료 百出　　　　　　　2019. 국가직 9급, 2014. 사회복지직 9급, 2012. 지방직 9급

『경국대전』[8]
세조께서 일찍이 말씀하시기를 "우리 조종의 심후하신 인덕과 크고 아름다운 규범이 훌륭한 전장에 퍼졌으니 『경제육전』의 원전(元典)·속전(續典)과 등록이며, 또 여러 번 내린 교지가 있어, 법이 아름답지 않은 것이 아니지만, 관리들이 재주가 없고 어리석어 제대로 받들어 행하지 못한다. …… " …… **책이 완성되자 나누어 6권으로 만들어 바치니 『경국대전』이라고 이름을 내리셨다. 『형전』과 『호전』은 이미 반포하여 시행했으나 나머지 4전은 미처 교정을 못했는데, 갑자기 승하하시니 성상(성종)께서 선왕의 뜻을 이어 받들어 마침내 하던 일을 끝마치게 하고 널리 반포하였다.**
　　　　　　　　　　　　　　　　　　　　　　　　　　　　　　　　　　　– 『경국대전』 서문

대표 기출문제

밑줄 친 '왕'의 업적으로 옳은 것은?　　　　　　　　　　　　　　　　　2022. 지방직 9급

풍토에 따라 곡식을 심고 가꾸는 법이 다르니, 고을의 경험 많은 농부를 각 도의 감사가 방문하여 농사짓는 방법을 알아본 후 아뢰라고 왕께서 명령하셨다. 이어 왕께서 정초와 변효문 등을 시켜 감사가 아뢴 바 중에서 꼭 필요하고 중요한 것만을 뽑아 『농사직설』을 편찬하게 하셨다.

① 공법을 제정하였다.
② 한양으로 도읍을 옮겼다.
③ 『경국대전』을 완성하였다.
④ 조광조를 등용하여 개혁 정치를 실시하였다.

❹ 유교 체제의 완성
성종은 훈구 세력과 유교 원칙주의자인 사림 세력을 조화시켜 개국 초부터 추진하던 문물 제도 개혁을 마무리 지었다.

❺ 경연
경연은 고려 시대부터 존재했으며, 왕과 주요 관리들이 모여서 유교 경전을 공부하며 정책을 토론하였다. 홍문관 관원들은 경연관을 겸직하였다.

❻ 독서당(讀書堂)
성종 때 마포에 남호 독서당을 짓고, 중종은 두모포에 동호 독서당을 설치하였다.

❼ 창경궁
정희 왕후(세조비)·안순 왕후(예종비)·소혜 왕후(인수 대비, 성종 어머니)를 모시기 위해 창경궁을 건설하였다.

❽ 『경국대전』
이·호·예·병·형·공의 6전으로 구성되었는데, 행정법이 중심이었다.

해설
밑줄 친 '왕'은 세종을 일컫는다. ① 세종 때 공법을 시행하여 토지의 비옥도와 풍흉의 정도에 따라 조세를 부과하였다. ② 태조·태종 때의 일이다. ③ 조선 성종 때의 일이다. ④ 중종에 대한 설명이다.

정답 ①

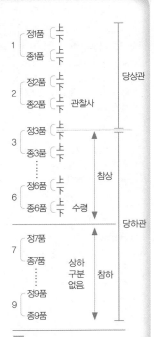

18품 30계(문반)

① **상피제(相避制)**

당상관은 상피제에 적용을 받지 않는 것이 원칙이었다. 그러나 상피제가 적용되는 경우도 있었다(관찰사).

② **고과제(考課制)·포폄제(褒貶制)**

고과는 근무 실태를 조사하는 것이고, 포폄은 관리들의 성적을 평가하는 것이다.

③ **행수(行守) 제도**

• 계고직비(階高職卑): 행(行)으로 표시 ⇒ 품계가 높은 사람이 낮은 관직에 임명될 경우
• 계비직고(階卑職高): 수(守)로 표시 ⇒ 품계가 낮은 사람이 높은 관직에 임명될 경우

④ **국왕의 무한 권력**

『경국대전』에는 국왕의 권한에 대해 구체적으로 규정하지 않았는데, 이는 국왕의 권한에 제한이 없음을 의미한다.

⑤ **『승정원일기』**

승정원의 하급 관원인 주서(注書)가 왕과 신하 간에 오고 간 문서와 국왕의 일과를 매일 기록하여 매달마다 책으로 엮은 것이다. 2001년에 유네스코 세계 기록 유산으로 등재되었다.

03 중앙의 정치 조직

1. 관리의 구분

(1) **직무**: 문반(동반), 무반(서반)으로 구성되었다.

(2) **품계**: 관리들은 품계에 따라 30등급(18품 30계)으로 구분되었다.

　① **당상관**: 정3품 통정대부 이상의 고급 관료로, 주요 정책을 결정하는데 참여했다. 의정부·6조 등 주요 부서의 책임자로 임명되었고, 순자법과 **상피제에도 얽매이지 않았다.**

　② **당하관**: 정3품 하계 이하의 중하급 관료로, 실무를 담당하였다.

　　㉠ **참상관**: 당하관 중 종6품 이상을 참상관이라 하였다. 특히 목민관인 수령은 참상관 이상만 임명될 수 있었다.

　　㉡ **참하관**: 정7품 이하 당하관은 참하관이라 하였다.

(3) **중앙과 지방**: 중앙 관직인 경관직과 지방 관직인 외관직으로 나뉘었다. 경관직은 의정부와 6조를 중심으로 편성되었고, 외관직에는 관찰사와 수령 등이 있었다.

2. 합리적인 인사 제도

(1) **상피제**① : 지방관이 출신지에 임명될 수 없게 하였고 친인척이 같은 지역·관청에 근무하는 것을 막았다. 친족이 과거에 응시할 때는 고시관이 될 수 없도록 하였다.

(2) **순자법**: 근무 일수를 기준으로 인사 이동과 승진을 정하는 인사법이다.

(3) **고과제와 포폄제**② : 관리의 근무 성적을 평가해 승진 또는 좌천의 자료로 삼았다.

(4) **행수 제도**③ : 관계와 관직이 일치하지 않은 경우에는 행수 제도로 보완하였다.

(5) **대가제**: 정3품 당하관 이상이 되면 별가된 품계를 아들, 사위, 조카 등에게 넘겨주는 제도이다.

(6) **음서제[문음]**: 고려의 음서와는 달리 공신과 2품 이상의 관원의 아들과 손자에게만 자격이 부여되었다. 그리고 임명되는 관직도 낮은 서리직에 불과했다.

3. 국왕권의 강화

(1) **국왕의 권한**④ : 정치적 실권은 의정부가 행사했으나, 최종적인 결정권은 국왕에게 있었다.

(2) **정책 회의**: 국왕은 여러 정책 회의에서 주요 신하들을 만나 국정을 논의·결정하였다. 대표적으로 매일 의정부·6조·3사 등 고위 관리들이 참여하는 상참(조회) 등이 있었다.

(3) **의금부**: 고려 말의 순군부를 개편한 **국왕 직속의 특별 사법 기관**이다. 왕명에 의해서만 반역 죄인을 심문할 수 있었다.

(4) **승정원**: 국왕의 비서 기관으로 **왕명의 출납**을 담당하였다. 도승지를 비롯한 6승지(정3품)가 있었는데, 이들은 각각 6조 중 한 관서를 담당하였다. 또한 주서(정7품)가 승정원의 일을 매일 기록하여 『승정원일기』⑤ 를 작성하였다.

(5) 6조: 왕의 명령과 정책을 집행하는 기관이다.

① 역할: 장관인 판서(정2품)는 의정부 정승들과 함께 국정을 논의하였다. 주요 실무는 정랑(5품)과 좌랑(6품)이 담당하였다. 이조와 병조의 정랑과 좌랑(합쳐서 전랑)^❻은 각각 **문관과 무관의 인사권**을 가지고 있었다.

② 속사와 속아문: 6조에는 담당 업무에 따라 속사와 속아문^❼이 소속되어 있었다.

고등사료 百出

2012. 법원직 9급

이조전랑

무릇 내외의 관원을 선발하는 것은 3공에게 있지 않고 오로지 이조에 속하였다. 또한 이조의 권한이 무거워질 것을 염려하여 **3사 관원의 선발은 판서에게 돌리지 않고 낭관에게 오로지 맡겼다.** 따라서 **이조의 정랑과 좌랑이 또한 3사의 언론권을 주관**하게 되었다. …… 이 때문에 전랑의 권한이 3공과 견줄만 하였다.

ㅡ「택리지」

❻ 이조전랑

이조전랑의 임명과 파면은 이조 판서라도 간여하지 못하였다. 또한 스스로 그 후임을 천거할 수 있었다.

❼ 속아문

조선의 정치 기구는 왕-의정부-6조-각 관청으로 체계가 세워졌다. 이중 중앙의 각 관청들은 6조에 배속(속아문)되어, 각 조의 지휘·감독을 받았다.

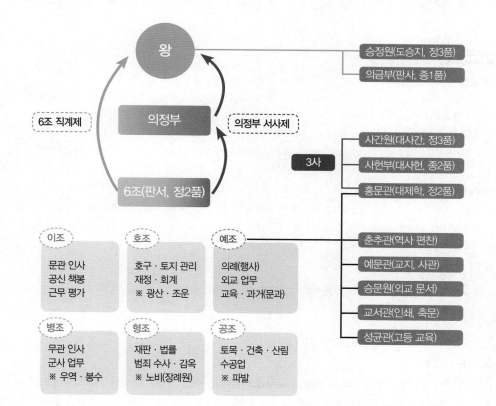

6조 직계제

의정부 서사제

이조	호조	예조
문관 인사 공신 책봉 근무 평가	호구·토지 관리 재정·회계 ※ 광산·조운	의례(행사) 외교 업무 교육·과거(문과)

병조	형조	공조
무관 인사 군사 업무 ※ 우역·봉수	재판·법률 범죄 수사·감옥 ※ 노비(장례원)	토목·건축·산림 수공업 ※ 파발

승정원(도승지, 정3품)
의금부(판사, 종1품)

3사
사간원(대사간, 정3품)
사헌부(대사헌, 종2품)
홍문관(대제학, 정2품)

춘추관(역사 편찬)
예문관(교지, 사관)
승문원(외교 문서)
교서관(인쇄, 축문)
성균관(고등 교육)

예조 〇〇〇 〇〇〇〇 의정부
병조 〇〇〇 〇〇〇〇 이조
형조 〇〇〇 〇〇〇〇 한성부
공조 〇〇 〇〇〇 호조
'한양도'에 나온 육조 거리

4. 신권을 통한 국왕권의 견제❶

(1) 의정부❷

① 특징: 중국에는 없었던 조선의 독자적인 관청이다.

② 역할: 국왕과 재상의 합의로 운영되는 최고 정무 기관이다. 영의정, 좌의정, 우의정의 3정승이 국정을 논의하고 결정하였다.

③ 정승: 주요 관청의 최고 책임자를 겸임했으며, 경연과 세자를 교육하는 서연의 책임을 맡았다.

(2) 삼사❸

① 권한: 삼사의 언론 활동은 여론을 형성하여 국가의 정책 결정에 영향을 미쳤다. 고위 관리나 국왕도 삼사의 언론 활동을 함부로 막을 수 없었다. 또한 정치를 비판하고 관리들을 감찰했으며 서경❹·간쟁·봉박 등의 권한을 행사하였다.

② 사헌부❺: 모든 관리의 부정과 비행을 감찰하며 탄핵하고 규찰하였다.

③ 사간원: 정책이나 잘못된 것에 대해 비판하는 간쟁 기관이다.

④ 홍문관[옥당]: 조정의 각종 문서와 서적을 관리하고 왕의 자문에 대비했으며, 경연을 주관하였다.

고등사료 百出

2021. 지방직 9급, 2015. 법원직 9급

삼사

- 사헌부 – 시정을 논하여 바르게 이끌고, 모든 관원을 살피며, 풍속을 바로잡고, 원통하고 억울한 일을 밝히며, 건방지고 거짓된 행위를 금하는 등의 일을 맡는다.
- 사간원 – 임금에게 간언하고, 정사의 잘못을 논박하는 직무를 관장한다.
- 홍문관 – 궁궐 안에 있는 경적(經籍)을 관리하고, 문서를 처리하며, 왕의 자문에 대비한다. 모두 경연(經筵)을 겸임한다.

　　　　　　　　　　　　　　　　　　　　　　　　　　　　　　　　　　　　　　　－「경국대전」

대간(대관과 간관)❻

대관은 마땅히 위엄과 명망이 우선되어야 하고, 탄핵은 뒤에 해야 한다. …… 천하의 득실과 백성들을 이해하고 사직의 모든 일을 간섭하고 일정한 직책에 매이지 않는 것은 홀로 재상만이 행할 수 있으며, 간관만이 말할 수 있을 뿐이니, 간관의 지위는 비록 낮지만 직무는 재상과 대등하다.

　　　　　　　　　　　　　　　　　　　　　　　　　　　　　　　　　　　　　　　－「삼봉집」

서경(署經)의 권한

무릇 관직을 받은 자의 고신(임명장)은 5품 이하일 때는 사헌부와 사간원의 서경을 고려하여 발급한다.

　　　　　　　　　　　　　　　　　　　　　　　　　　　　　　　　　　　　　　　－「경국대전」

---

5. 기타 관부

(1) 예문관: 예문관의 고급 관료는 임금의 교지를 작성하고, 하급 관원❼은 국무 회의에 사관으로 참석하여 회의록을 작성하였다. 이 기록을 사초라 하였는데 이를 토대로 훗날 실록이 편찬되었다.

(2) 승문원: 외교 문서 작성을 맡았다.

(3) 춘추관❽: 역사 자료를 편찬하는 기관이다. 각 관청에서 작성한 업무 일지인 『등록』을 모아 해마다 『시정기』를 편찬하였다. 실록이 편찬되면 이를 보관하는 업무도 맡았다.

(4) 교서관❾: 도서의 인쇄·반포 및 각종 제사 때 축문을 작성하였다.

(5) 한성부❿: 서울의 행정과 치안을 맡았고 사법 기관의 역할도 하였다. 장관은 정2품 판윤이었다.

왼쪽 여백 주석

❶ 기록을 통한 왕권 견제
국왕의 언행은 사관에 의해 낱낱이 기록되었다.

❷ 의정부(議政府)
'백관을 통솔하고 서정을 바르게 한다.'는 기능이 『경국대전』에 명시되어 있다.

❸ 삼사(三司)
조선 시대에는 3사가 언론의 기능을 수행한다고 하여 언론 3사라 하고, 3사의 관리를 언관이라 하였다. 벼슬은 높지 않았으나 학문과 덕망이 높은 사람이 주로 임명되어, 나중에 판서나 정승 등 고위 관직에 오르는 경우가 많았다. 이들은 청렴함과 강직함이 요구되었기 때문에 청요직이라고 불렸다.

❹ 서경권
사헌부와 사간원은 5품 이하의 관리를 임명할 때 신분, 경력 등을 조사하여 이를 승인하였다.

❺ 사헌부
발해의 중정대, 고려의 어사대와 같은 감찰 기구의 역할을 하였다.

❻ 대관과 간관(대간)
대관은 관리를 감찰하는 사헌부 관리고, 간관은 정책에 대한 간쟁을 하는 관리(이후 사간원)다.

❼ 한림(翰林)
정7품 이하 8명의 하급 관원들은 춘추관의 사관을 겸직하였다.

❽ 춘추관(春秋館)
전담 관원이 배치되지 않았다. 실무 담당자까지도 모두 타 관서의 관원이 겸임하는 특수한 부서였다.

❾ 교서관
140여 명의 수공업자들이 배치되었는데, 15세기에 전세계적으로 이만한 규모를 가진 출판소는 없었다.

❿ 한성부
조선 왕조 수도의 행정 구역 또는 수도를 관할하는 관청의 명칭이라는 두 가지 의미를 가지고 있었다.

04 지방의 행정 조직

1. 지방 제도의 특징

(1) **지방 제도의 일원화**: 양계와 특수 행정 구역인 향, 부곡, 소가 폐지[11]되어 8도와 일반 군현으로 통합되었다. 이에 따라 지방 행정이 일원화되었다.

(2) **완전한 중앙 집권**: 전국을 8도로 나누고, 그 아래에는 군현을 두었다. 정부는 모든 군현에 수령을 파견하여 지방에 대한 통치력을 강화하였다. 또한, 고을의 규모에 따라 지방관의 등급을 조정하였다.

2. 지방관

(1) **관찰사**[12][종2품, 감사 또는 방백]

각 도에 파견되어, **행정권·감찰권·사법권**을 장악하고 수령을 **지휘·감독**[13]하였다. 이들의 임기는 1년이었으며 (함길도와 평안도는 2년) 감영[14]에 머물렀다. 상피제가 적용되었고 문과 출신자가 우대되었다. 또한 **병마절도사**와 **수군절도사**를 겸임하여 군사권도 있었다.

(2) **수령**[15][목민관]

① **역할**: 도 아래에 부·목·군·현을 설치하고, 부윤·목사·군수·현령 등의 수령을 파견하였다. 이들의 임기는 **1,800일(5년)**이었다.

② **권한**: 왕의 대리인으로서 **지방의 행정과 사법, 군사권**을 가지고 있었다. 농업 장려, 교육 진흥, 세금 징수, 치안 유지 등의 업무를 수행하였다(수령 7사).

③ **수령 견제**: 수령을 감독하기 위해 관찰사에게 **감찰권**을 주었으며, 수시로 암행어사를 파견하였다.

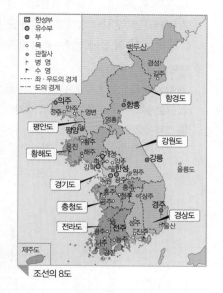

▣ 한성부
◎ 유수부
◉ 부
◍ 목
● 관찰사
▲ 병 영
┣ 수 영
--- 좌·우도의 경계
-·- 도의 경계

조선의 8도

고득사료 [頻出]

2023. 법원직 9급, 2017. 지방직 7급

수령 7사[16](수령의 주요 임무 규정)

임금이 말하기를, "이른바 칠사(七事)라는 것은 무엇인가?" 하니, 변징원이 대답하기를, "농상(農桑)을 성(盛)하게 하고, 학교(學校)를 일으키며, 사송(詞訟)을 간략하게 하고, 간활(奸猾)을 없애며(향리의 부정 방지), 군정(軍政)을 닦고, 호구(戶口)를 늘게 하며, 부역(賦役)을 고르게 하는 것이 바로 칠사입니다." 하였다.

– 「성종실록」

3. 유수부

개성부를 시초로, 후기에는 강화·광주·수원에도 유수를 두었다(정조 때 수원 유수의 설치로 4유수부 완성). 경관직이 다스린 중앙 직할 기구로 관찰사의 통제와 지휘를 받지 않았다. 또한 조선 후기의 유수관들은 비변사 회의에 참여하였다.

---

⑪ 특수 행정 구역 폐지
향·소·부곡을 폐지하여 일반 군과 현으로 승격시키거나 통폐합하였다.

⑫ 관찰사
고려 시대의 안찰사로부터 비롯되었다. 안찰사는 5도에 파견된 지방관으로, 임기는 6개월이었다. 이후 고려 말~조선 초기에 안렴사, 도관찰출척사 등으로 불렸다가 세조 때 관찰사라는 명칭으로 정착되었다.

⑬ 관찰사의 업무
수령의 비행을 견제했으며, 수령의 성적을 평가하여 중앙에 보고하였다.

⑭ 감영
관찰사가 거처하면서 업무를 처리하던 관청이다.

⑮ 수령
종6품 이상은 참상관이라 하며, 목민관(牧民官)인 수령에 임용될 수 있었다.

⑯ 수령 7사
조선 시대 수령을 평가하는 일곱 가지 기준(농사를 흥하게 함·인구 증가·학교 일으킴·군정을 바르게 함·부역을 균등하게 함·소송을 공정하게 함·교활하고 간사한 버릇을 그치게 함)

4. 면(面)·리(里)·통(統)

촌락 지배 방식으로 **면리제**❶가 확립되었다. 이에 따라 군현 밑에 면·리·통을 두고, 다섯 집을 1통으로 편제❷하였다. 또한 지방민 중에서 통주·이정·면장❸을 선임했는데 수령의 명령 집행, 인구 파악과 부역 징발이 이들의 주된 임무였다.

5. 향리(鄕吏)

(1) 역할

지방 관아에 소속되어 **행정 실무를 처리**하였다. 지방 관아는 중앙의 6조와 유사한 6방을 조직했으며, 향리는 6방의 업무를 담당하였다. 군역의 의무는 없지만, 유사시에는 **잡색군에 편입**되었다.

(2) 종류

① **경저리[경주인]** : 서울에 파견되어 중앙과 지방 사이의 연락 업무를 담당하였다.
② **영저리[영주인]** : 감영에 파견되어 **군현과 감영의 연락 사무를 담당**하였다.
③ **읍리** : 고을의 읍에 상주하면서 행정 실무를 처리하였다.

(3) 제약

① **지위 하락** : 고려 시대보다 지위가 낮아져, **수령을 보좌하는 아전으로 격하**되었다.
② **무보수**❹ : 국가로부터 향역의 대가로 토지나 녹봉을 지급받지 못했다.
③ **견제 정책** : 부민고소금지법❺과 원악향리처벌법❻을 제정했으며, 세력이 강한 향리는 다른 지역으로 이동시켰다. 또한 생원, 진사시 등 과거 시험에 응시하려면 반드시 소속 군현의 허락이 필요했다.

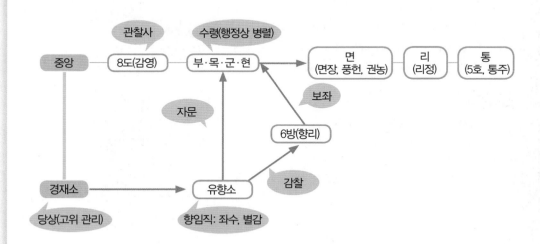

6. 유향소와 경재소

(1) 유향소

① 구성: 유향품관[7]들을 중심으로 한 **향촌 자치 기구**이다. 연로하고 덕망이 높은 자를 좌수로 삼고, 그 다음을 별감이라 하였다.

② 기능: 수령을 보좌하여 수령에게 자문을 해주거나 향리의 비리를 고발하였다. 자치 규약을 만들어 향촌의 풍속을 바로잡았으며, 향회를 소집하여 여론을 수렴하였다.

심화사료 百出

유향소

국가가 향소를 설치하고 향임을 둔 것은 수령을 중히 생각해서였다. 수령이란 임금의 나랏일에 대한 걱정을 나누어 어떤 지역의 사람을 다스리는 자이다. 그러나 수령은 임기가 정해져 있어 늘 바뀌고 있다. 늘 새사람이라는 것은 일을 함에 잘못을 저지르기 쉽다. 비록 백성의 일에 뜻을 둔다하여도 먼 곳까지 상세히 살필 겨를이 없다. 따라서 **각 고을에 명령을 내려, 충성스럽고 부지런하며 일을 잘 처리할 수 있는 사람을 골라 한 고을의 기강을 바르게 하고 일정한 임무를 주어 일을 하도록 한다.** 그런 뒤에야 왕은 수령을 눈과 귀로 삼고 백성들의 기둥으로 삼아 의지하게 만든다.　　　　　　　　　　－ 장현광. 「여헌선생문집」, '향사당기'

(2) 경재소

① 조직: 세종 때 서울에 경재소를 설치하고 그 지방 출신의 중앙 고관을 책임자로 두었다. 현직 관리에게 연고지의 유향소를 통제하게 한 것이다.

② 역할: 유향소와 정부 사이의 연락 기능을 맡았으며 향리 감독, 풍속 교화 등을 담당하였다.

③ 폐단: 중앙 고관들은 경재소를 통해 지방 유향소를 장악하고 향촌 사회를 수탈하였다.

④ 폐지: 임진왜란 이후인 선조 36년(1603)에 폐지되었다.

---

05 군역 제도와 군사 조직

---

1. 군역 제도

(1) **원칙**: 태종 이후 16~60세 이하의 모든 양인 남성은 군역을 부담하였다[양인개병제(良人皆兵制)].

(2) **편성**: 양인 남성은 현역 군인으로 일정 기간 교대로 복무하는 **정군**이 되거나, 정군을 경제적으로 지원(식량·의복 등 경비 부담)하는 **보인**(혹은 봉족)으로 편성되었다.

(3) **보법[8]의 시행**: 세조 때 정군과 보인을 고정시키는 보법을 제정하였다.

(4) **면제 대상**: 현직 관료와 향리 등은 군역을 면제받았고, **성균관·향교의 학생들**도 군역에서 제외되었다. 종친과 외척, 공신이나 고급 관료의 자제들은 고급 특수군에 편입되어 군역을 부담하였다. 노비는 원칙적으로는 군역의 의무가 없으나 특수군(잡색군)으로 편제되기도 하였다.

❼ 유향품관

향촌에 거주하는 품관, 여말선초의 첨설직(명예직 관리) 또는 전직 관리들이다. 향리층의 상층부로서 향촌 사회의 주도권을 장악하기 위해 유향소를 설치하였다.

✎ 유향소(留鄕所)의 변천

시기	내용
태종	유향소 혁파
세종	유향소 복설
세조	유향소 폐지
성종	유향소 부활
선조	경재소 혁파, 유향소의 명칭을 향소·향청으로 변경
조선 후기	수령의 부세 행정 자문 기관으로 성격 변화

❽ 보법

직접 군사 활동을 하는 정군(正軍)을 경제적으로 지원하기 위한 군역 제도이다. 정군 1명당 1보를 지급했는데, 양인 장정 2명을 1보[보인(保人), 봉족(俸足)]로 삼아 경제적으로 보조하도록 하였다.

보법(保法)

경성과 지방의 군사에 보인(保人)을 지급하는 데 차등이 있다. 장정 2인을 1보로 하고, 갑사(甲士)에게는 2보를 지급한다. 장기 복무하는 환관(宦官)도 2보를 지급한다. 기병, 수군은 1보 1정을 준다. 보병, 봉수군은 1보를 준다. 보인으로서 취재에 합격하면 군사가 될 수 있다. 보인에게 잡물을 함부로 거두거나(한 사람에게 달마다 면포 1필 이상을 거두지 못한다) 법을 어기고 보인을 함부로 부리면 가까운 이웃까지 군령으로 다스리고 본인은 강등하여 보인으로 삼는다. — 『경국대전』

2. 군사 조직

(1) 중앙군(5위)

① 구성: 세조 때 5위제로 확정되었다. 지휘 기관은 **오위도총부**였으며, 책임자는 문반(도총관)이 맡았다.

② 업무: 중앙에서는 궁궐과 도성을 수비하였다. 지방에서는 하급 지휘관이 되어 각기 분담된 지방의 병력을 다스렸다.

③ 병종

㉠ 특수병: 왕족·공신·고관의 자제들이 주로 소속되었으며, 품계와 녹봉을 받았다.

㉡ 갑사: 5위의 중심 병력으로, 간단한 무예 시험을 거쳐 **선발된 직업 군인**이었다. 무반직이어서 근무 기간에 따라 품계와 녹봉을 받았다.

㉢ 정군: 서울과 국경 요충지에서 일정 기간 교대로 복무하였다. 복무 기간에 따라 품계를 받기도 하였다.

❶ 부·통·여·대·오
오늘날 연대·대대·중대 등과 같은 부대 편성의 단위이다.

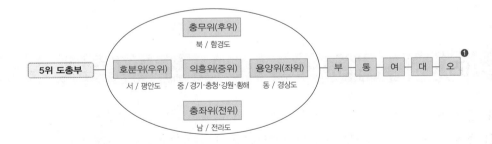

 9급 위등 한국사

병조의 속아문(소속 관청)

• 세자 익위사 : 왕세자를 모시고 호위하는 임무를 맡았다.
• 훈련원 : 군인들의 훈련, 무과 시험 등을 관장하였다.

내삼청

국왕을 가까이에서 호위하였다. **내금위**는 궁중에서 국왕의 호위와 궁성의 수비를 담당하였고, 우림위는 국왕의 시위를 맡았다. 또한, 겸사복은 정예 기병 중심의 친위병을 일컫는다.

(2) 지방군

① **구성**: 각 도에 육군 부대인 **병영**과 수군 부대인 **수영**을 두었다. 병영은 병마절도사가, 수영은 수군절도사가 지휘하였다(관찰사 겸직❷).

② **조선 초기**: 국방상의 요지인 영이나 진에 소속되어 복무하였다(영진군).

③ **세조 이후**: 지역 단위 방어 체제인 **진관 체제**를 실시하였다.

④ **기타 부대**: 노동 부대인 수성군,❸ 수군인 선군❹ 등이 있었다.

(3) 잡색군
세종 때 지역 수비를 보완하기 위해 만든 **일종의 예비군**이다. 서리, 신량역천인, 공·사노비, 잡학인 등이 소속되어 유사시에 대비하였다(농민 제외).

(4) 기타
조선 초기, 변란이 있을 때 나팔을 불어 도성 안의 관원들을 궁궐 앞에 모이게 하였다(취각령). 또한 갑사와 척석군(돌팔매꾼)이 광화문 앞에 모여 서로 싸우게 하는 군사 훈련을 실시하였다.

3. 교통과 통신: 지방의 정보를 파악하고, 중앙의 지시를 효과적으로 전달할 목적으로 실시되었다.

(1) 봉수제❺
국가의 위급 사태를 **연기와 불을 통해** 중앙까지 빠르게 전달하는 제도이다. 전국에 6백여 개의 봉수대가 설치·운영되었다.

(2) 파발제❻
선조 때 봉수제를 보완하기 위해 시행하였다. 말을 이용하거나 사람이 달려서 소식을 전달하는 제도로, 기발(25리마다 설치)과 보발(50리마다 설치)로 나뉘었다.

(3) 역원제
지방에 내려가는 관리들에게 **말과 숙소를 제공**한 제도이다. 역❼은 주요 도로에 약 30리마다 설치하였으며, 병조에서 관리하였다. 원(院)은 교통 요지에 둔 공공 여관으로, 공적 업무 수행자들에게 숙식을 제공하였다.

---

06 교육 제도와 과거 제도

1. 교육 기관

(1) 유학 교육

① **초등 교육**: 서당❽은 초등 교육을 담당하는 **사립 교육 기관**으로, 4학이나 향교에 입학하지 못한 선비와 평민의 자제가 교육을 받았다. 교육받는 자의 연령은 대개 8~9세부터 15~16세였다.

② **중등 교육**: 중앙에 4학(4부 학당)을, **지방에 향교**를 두었다.
　㉠ 4학(4부 학당): 서울에 설치된 4부 학당(중학, 동학, 남학, 서학)❾에서는 소학과 사서 등 유학의 경전을 공부하였다.

❷ 병마·수군 절도사

일반적으로 관찰사가 겸임하였다. 병마·수군 절도사를 따로 파견하는 지역도 있었다.

❸ 수성군(守城軍)

궁성과 도로 건축 등을 담당하였다.

❹ 선군(船軍, 수군)

고려 말기~조선 전기에 왜군을 막기 위하여 설치한 수군이다. 각지의 해안 방어를 담당하였다.

❺ 봉수제(烽燧制)

평시에는 1개, 적이 나타나면 2개, 적이 국경에 접근하면 3개, 국경을 넘어오면 4개, 접전을 하면 5개의 횃불을 올렸다.

❻ 3대 간선

종류	출발지
서발	평안도 의주(기발)
북발	함경도 경흥(보발)
남발	부산 동래(보발)

❼ 역(驛)

역이란 당시 교통 수단인 말을 탈 수 있는 곳인데, 역에 소속된 역마가 공문 전달과 공물 수송에 이용되었다.

❽ 서당의 교수 방법

서당의 교수 방법은 강(講)이 주된 것이었다. '강'이란 이미 배운 글을 소리 높여 읽고 그 뜻을 질의 응답하는 전통적인 교수 방법이다.

❾ 4부 학당

북부 학당은 1445년(세종 27)에 폐지되어 4부 학당만 존속하였다.

ⓒ 향교❶: 부·목·군·현에 각각 하나씩 설립되었으며, 학비는 없었다. 성현에 대한 제사와 유생의 교육, 지방민의 교화를 담당하였다.

입학 자격	• 원칙적으로 모든 양인 남자에게 입학 허용, 8세 이상의 남자가 입학(교생) • 교생❷의 정원은 군현의 인구 비율로 정해짐.
교육 과정	• 여름: 방학을 맞아 집에서 농사를 돌봄. • 겨울: 가을에 추수가 끝나면 기숙사인 재(齋)에 들어와 유학 경전 공부
평가	매년 두 번씩 시험을 치러 우등자는 생원·진사 시험의 초시를 면제해 주고 성적 미달의 낙강생은 군역을 지도록 함.

심화사료 百出

향교(鄕校)

국가에서 주·부·군·현(州府郡縣)에 문묘와 학교를 설치하지 않은 데가 없도록 하여, 수령을 보내어 제사를 받들게 하고, 교수를 두어 교도를 맡게 한 것은, 대개 교화(教化)를 펴고 예의를 강론하여 인재를 양성해서 문명(文明)한 다스림을 돕게 하려는 것이다.

— 양촌(권근) 선생 문집, 영흥부 학교기

③ 고등 교육: 성균관은 유학 교육만을 전담하는 중앙의 최고 교육 기관이다. 입학 자격은 생원, 진사를 원칙으로 하였다(특별 시험으로 입학하는 경우도 있었음).

(2) 교육 과정: 초등 교육 기관인 서당에서 한자와 초보적인 교육을 받은 후 향교나 4학에 진학하였다. 이들은 유학(幼學)이라고 불렸으며, 과거 시험에 응시할 자격이 주어졌다. 그 중에서 생원과 진사가 된 사람은 문과(대과)에 응시하거나 최고 학부인 성균관에 진학하였다.

(3) 기술 교육: 기술 교육은 잡학❸이라 불렸는데 해당 기술 관청에서 직접 교육을 담당하였다.

성균관(成均館)❹

1. **입학 자격**: 생원·진사 시험을 통해 입학하는 것(상재생)을 원칙으로 하였으나, 특별 시험인 승보시 등을 거쳐 입학하는 사람들(기재생)도 있었다.
2. **특혜**: 성균관 학생들은 알성시에 응시할 수 있었으며, 성적이 우수한 학생은 문과의 초시를 면제해 주었다.
3. **문묘**: 공자 외에도 중국과 우리나라의 역대 유학자들을 배향하였다(문묘 18현).❺

왕실의 유교 교육 - 경연(經筵)과 서연(書筵)

경연은 왕이 학문이 높은 신하들과 매일 유교 경전이나 역사책을 읽으면서 정책을 토론하는 제도이다. 고려 예종 때부터 도입되었으나 활발하지는 못하였고, 조선 시대에 들어와 비약적으로 발전하였다. 의정부 정승 이하의 고관들이 참여했는데, 경전을 읽고 해설하는 일은 홍문관 하급 관원들이 맡았다. 경연은 매일 하는 것이 원칙으로 하루에 두 번 혹은 세 번 가졌다.❻

왕세자는 성균관에 들어가 입학식을 치르고 나서 궁 안의 시강원(侍講院)에서 교육을 받았는데 이를 서연이라고 한다. 서연을 담당하는 서연관은 세자를 가까이 보필했기 때문에 특별한 대우를 받았다.

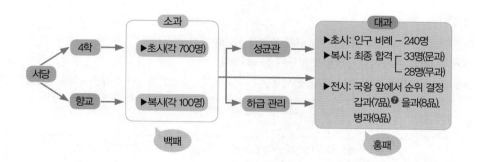

2. 과거 제도

(1) 응시 자격

천인을 제외한 양인 이상이면 응시가 가능[8]했다. 그러나 문과의 경우 탐관오리의 자제, 재가녀의 아들과 손자 그리고 서얼에게는 응시가 제한되었다. 그러나 무과와 잡과의 경우 제한이 없었다.

(2) 종류

과거[9]에는 문관을 뽑는 문과와 무관을 뽑는 무과, 기술관을 뽑는 잡과가 있었다.

(3) 문과[10]

예조에서 주관하였다. 3년마다 실시하는 정기 시험인 **식년시**가 있었고, 부정기 시험인 **별시**[11]로는 증광시, 알성시 등이 있었다.

① 소과(생진과, 사마시)

 ㉠ 종류: 4서 5경 등 경전을 시험보는 **생원과**와 문학적 재능을 평가하는 **진사과**가 있었다.

 ㉡ 절차

초시	각 도의 인구 비율로 배분하여 각각 700명 선발
복시	도별 안배를 없애고 성적순으로 진사와 생원을 각각 100명씩 선발

 ㉢ 합격자: 합격자에게는 흰 종이에 쓴 합격증을 주었는데 이를 **백패(白牌)**라고 한다. 소과 합격자는 성균관에 입학하거나 문과에 응시할 수 있었으며 하급 관리가 되기도 하였다.

② 대과

 ㉠ 응시 자격: 원칙적으로는 소과에 합격한 **생원·진사**가 시험을 볼 수 있었다. 그러나 점차 크게 제약을 두지 않았다.

 ㉡ 절차: 식년시에서는 **초시·복시·전시 3단계 시험**을 거쳤다. 초시에서 각 도의 인구 비례[12]로 뽑고, 복시에서 33명을 선발한 다음, 왕 앞에서 실시하는 전시에서 순위를 결정하였다.

초시	• 향시(8도) · 한성시(한성부) · 관시(성균관) • 각 도의 인구 비율에 따라 240인 선발
복시	지역과 상관없이 성적순으로 33인 선발
전시	갑과 3인 · 을과 7인 · 병과 23인 선발(갑과 3인 중 1등이 장원)

 ㉢ 합격자: 문과 합격자에게 주는 합격증은 붉은 종이에 써서 **홍패**라 불렀다.

❼ 갑과

갑과 1등인 장원은 종6품에 제수되었다. 갑과 2등은 방안, 3등은 탐화라 불리었다.

❽ 실제 과거 응시

경제적인 여건과 과거에 응시할 때 출신 성분을 따지는 절차로 인해 사실상 일반 상민들의 과거 합격은 매우 어려웠다.

❾ 관광(觀光)

과거에 응시하러 가는 것을 말한다. 빛은 임금을 의미하므로 합격하여 임금을 보겠다는 뜻이다.

❿ 문과

『경국대전』에 따르면 문과 시험 업무는 예조에서 주관하였다.

⓫ 부정기 시험(별시)

1. 증광시: 국가의 특별 경사
2. 알성시: 왕의 성균관 문묘 배알
3. 백일장: 시골 유생의 학업 권장

⓬ 과거 시험의 지역 할당제

『경국대전』에는 지역별 인구 비례에 따라 과거 합격자를 선발하는 지역 할당제가 명시되어 있었다. 이는 각 지역의 상황을 고려한 비교적 합리적인 조치였다.

(4) 무과❶

3년마다 실시하는 정기 시험인 식년시와 부정기 시험인 별시가 있었다.

① 응시 자격: 주로 서얼, 중인, 평민 등이 응시하였다.

② 절차: 식년시의 경우 **초시·복시·전시 3단계** 시험이 있었다. 생원·진사시 같은 소과는 **없었다.**

초시	· 서울(훈련원)과 각 도에서 실시, 활쏘기 시험 · 각 도의 인구 비율에 따라 190인 선발
복시	· 병조에서 실시, 4서 5경 · 무예 관련 서적 · 역사서 · 『경국대전』 중 일부를 시험 봄. · 28인 선발
전시	· 왕 앞에서 기보격구❷를 시험 · 갑과 3인 · 을과 5인 · 병과 20인 선발(장원 없음)

③ 합격자: 무과 전시의 합격자는 **홍패**를 받았다.

(5) 잡과

① 선발❸: 사역원·형조·전의감·관상감 등 여러 관서에서 일하는 기술관을 선발하였다.

② 절차: 3년마다 치러졌으며, 초시와 복시의 2단계 시험만을 거쳤다. 초시는 해당 아문의 주관 아래 시행되었고, 복시는 각 **아문과 예조**가 주관하였다.

③ 합격자❹: 잡과의 합격자는 **백패**를 받았다.

3. 기타 관리 임용법

(1) 취재

간단한 특별 채용 시험으로, 재주가 부족하거나 나이가 많아 과거 응시가 어려운 사람들을 대상으로 하였다. 주로 하급 실무직에 임용되었다.

(2) 천거

고위 관리가 학식과 덕망 높은 인물을 관직에 추천하였다. 대개 기존 관리를 대상으로 하였다. 벼슬하지 않은 사람이 천거되는 경우는 드물었다.

(3) 음서[문음]❺

음서의 혜택을 받는 대상도 고려 시대에 비하여 크게 줄어들었고, 고관으로 승진하기도 어려웠다.

대표 기출문제

조선 시대의 관청에 대한 설명으로 옳은 것은?   2022. 국가직 9급

① 사간원 – 교지를 작성하였다.
② 한성부 – 시정기를 편찬하였다.
③ 춘추관 – 외교 문서를 작성하였다.
④ 승정원 – 국왕의 명령을 출납하였다.

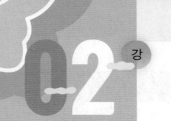

사림의 대두와 붕당의 형성

제1장 근세 정치 변화와 통치 체제의 정비

解/法 기출분석

구 분		2008~2017	2018	2019	2020	2021	2022	2023	2024
9급	국가직	• 사림(3) • 붕당 정치				조광조	기묘사화	• 붕당 정치 • 예송 논쟁	
	지방직	• 예송 논쟁(3) • 동·서 분당	효종		명종			• 붕당 정치 • 광해군	광해군
	법원직	• 사림(2) • 훈구와 사림 • 붕당 정치(5) • 광해군 • 예송 논쟁		붕당 정치		붕당 정치	• 붕당 정치 • 조광조	• 갑자사화 • 붕당 정치	붕당 정치

훈구와 사림

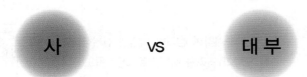

사 VS 대부

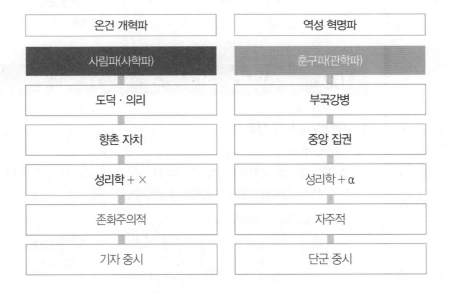

온건 개혁파	역성 혁명파
사림파(사학파)	훈구파(관학파)
도덕·의리	부국강병
향촌 자치	중앙 집권
성리학 + ×	성리학 + α
존화주의적	자주적
기자 중시	단군 중시

01 훈구와 사림

1. 훈구

(1) 형성

조선 건국, 계유정난 등에서 공을 세운 공신들이 훈구 세력❶을 형성하였다. 이들은 조선 전기에 고위 관직을 독점하며 정치적 실권을 장악하였다.

(2) 특징

관학파를 계승했으며, 사장(시와 글 쓰는 것)을 중시하였다. 성리학 이외에 불교·도교 등의 사상에도 포용적이었고, 과학과 실용 학문에도 관심을 두었다. 조선 전기의 각종 문물 제도 정비에 크게 기여하였다.

2. 사림

(1) 형성

고려 말 정몽주, 길재 등 **온건파 사대부를 계승**하였다. 이들은 조선 개창에 참여하지 않고 지방으로 내려갔다. 이후 **영남과 기호 지방**을 중심으로 학문을 연구하고 제자들을 양성하였다.

(2) 특징

경학❷을 중시하며 **성리학 이념**에 철저하였다. 또한 **도덕과 의리**를 바탕으로 하는 **왕도 정치**를 강조하였다. 대체로 중소 지주 출신❸으로 중앙 집권 체제보다는 **향촌 자치**를 내세웠다.

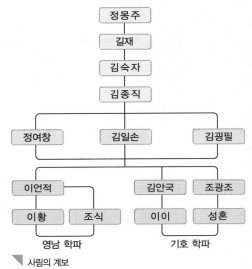

사림의 계보

❶ 훈구 세력

훈구 세력은 서해안의 간척 사업과 토지 매입을 통해 대토지를 소유했으며, 대외 무역과 공물의 방납에도 관여하여 경제적 이득을 취했다.

❷ 경학(經學)

사서오경 등 유교 경전을 연구하는 학문이다.

❸ 사림

훈구파가 전국에 대토지와 노비를 소유한 부재지주였던 것과 달리 사림파는 거주지를 중심으로 토지·노비를 소유하고 있었다. 따라서 사림파는 향촌의 안정이 본인 생활에 직결되는 것이었다.

---

02 사림의 정치적 성장과 사화

1. 사림의 정치적 성장

(1) 성장 및 활동

성종 때 훈구를 견제하기 위해 김종직과 그 문인들을 등용하였다. 이들은 과거를 통해서 중앙에 진출하여 주로 3사의 언관직과 전랑직에 임명되었다.

(2) 성종 이후 사림의 정치적 변화

연산군	중종	인종	명종
▶ 무오사화 조의제문 (김종직) ▶ 갑자사화 폐비 윤씨	조광조 1. 유교 정치 강화 2. 향촌 사회의 안정 3. 급진적 개혁 ▶ 기묘사화 주초위왕(走肖爲王)	장경 왕후	문정 왕후 ▶ 을사사화 대윤 vs 소윤 (윤임) (윤원형)

✎ 중종반정의 배경

✎ 을사사화의 배경

2. 4대 사화의 발생(훈구 세력과 사림 세력 간의 대립) ☆

(1) 무오사화(연산군 4년, 1498)

① **원인**: 연산군은 왕권 강화를 목적으로 사림들의 언론 활동을 억제하고자 하였다. 이 무렵 김종직의 「조의제문」[4]을 그의 제자 김일손이 사초에 넣었는데, 유자광 등 훈구 세력들은 세조를 비난하는 내용이라고 사림을 공격하였다.

② **결과**: 이미 죽은 김종직은 부관참시형을, 김일손은 능지처참형을 당했으며 다수의 사림 세력이 숙청되었다.

심화사료 百出

2014. 국가직 7급, 2013. 법원직 9급

「조의제문(弔義帝文)」

그날 밤 꿈에 키가 크며 화려하게 무늬를 놓은 옷을 입어 품위가 있어 보이는 선인이 나타나서 말했다. **"나는 초회왕의 손자 심이다. 서초패왕(항우)에게 죽음을 당하여 빈강에 빠져 잠기어 있다."** 말을 마치자 갑자기 사라졌다. 깜짝 놀라 잠을 깨어 생각해 보았다. '회왕은 남방 초나라 사람이고 나는 동이인이다. 땅이 서로 만리나 떨어져 있고 시대가 또한 천여 년이나 떨어져 있는데 내 꿈에 나타나는 것은 무슨 징조일까. 역사를 살펴보아도 회왕을 몰래 강물에 던졌다는 말은 없다. 아마 항우가 사람을 시켜 몰래 쳐죽여 시체를 물에 던졌던 것인지 알 수 없는 일이다.' **이제야 글을 지어 의제를 조문한다.**

무오사화(戊午士禍)

임금이 교지를 내렸다. "**김종직**[5]은 초야의 미천한 선비로 세조 조에 과거에 합격하였고, 성종 조에 이르러 경연관에 발탁하여 오래도록 시종(侍從)의 자리에 있었고, 끝에는 형조 판서까지 이르러 은총이 온 조정을 기울였다. …… 지금 **그 제자 김일손이 찬수한 사초 내에 부도한 말로 선왕조의 일을 터무니없이 기록하고, 또 그 스승 김종직의 '조의제문'을 실었다.** …… 그런데 뜻밖에 종직이 그 문도(門徒)들과 성덕을 속이고 논평하여 김일손으로 하여금 역사에 거짓을 쓰는 지경에까지 이르렀으니, 이 어찌 하루 아침저녁의 연고이겠느냐."

– 「연산군일기」

(2) 갑자사화(연산군 10년, 1504)

① **원인**: 훈구 세력 내부에서 왕을 지지하는 세력과 나머지 세력이 서로 갈등을 빚었다. 임사홍 등은 연산군에게 생모인 폐비 윤씨가 사약을 받고 죽은 것을 알렸다.

② **결과**: 폐비 사사 사건에 관여한 훈구 세력과 사림들이 제거되었다. 연산군은 이를 비판하는 여론을 막기 위해 관리들에게 신언패(慎言牌)를 차게 하였다. 결국 1506년 **중종반정**이 일어났고 연산군은 폐위되었다.

(3) 기묘사화(중종 14년, 1519)

① **원인**: 반정 공신(훈구)들을 견제하기 위해 중종은 **조광조**를 비롯한 사림들을 중용하였다.

② **조광조의 개혁 정치**

유교 정치 강화	• 성리학 중시: 불교, 도교와 관련된 행사를 폐지하고(**승과와 소격서 폐지**), 소학 교육을 장려하기도 하였다. • 언론의 강화: 언론 활동을 활성화하고 **경연을 강화**하였다.
향촌 사회 안정	• 제도 개혁: 토지 겸병의 금지를 주장하는 한편 방납의 폐단을 시정하기 위해 수미법을 건의하였다. 또한 왕실의 고리대 역할을 한 내수사 장리[6]의 폐지를 주장하였다. • 향약의 실시: 향촌 자치를 위해 향약의 시행을 주장하였다.
급진적 개혁	• 현량과 실시: 현량과를 통해 사림을 대거 등용하였다. • 위훈(僞勳) 삭제 사건: 중종반정 때 허위로 공신이 된 훈구 세력의 공신 칭호를 삭제하고 공신이 되어 받은 토지·노비를 몰수할 것을 주장하였다.

❹ 「조의제문」

항우가 폐위한 중국 초나라의 마지막 왕인 의제를 애도하는 글이다. 단종을 폐위한 세조를 항우에 비유하여 왕위 찬탈을 비판하였다. 이를 김종직의 제자 김일손이 사초에 실었다. 이것이 빌미가 되어 무오사화가 일어났다.

❺ 김종직

길재의 제자인 김숙자의 아들로, 세조 때 과거에 합격하여 관직에 진출하였다. 고려 말 정몽주·길재 등의 학풍을 이었으며, 정여창·김일손·김굉필·조광조가 그의 도학을 계승하였다. 또한 외가인 밀양에 서원이 세워져 봉사되었다(명칭이 덕성서원에서 예림서원으로 바뀜).

❻ 내수사

왕실 경비는 내수사에 소속된 토지와 노비로부터 얻는 수입으로 충당하였다. 그런데 내수사는 장리(長利)라고 불리는 고리대를 이용하여 왕실의 수입을 늘려갔다.

● 주초위왕 사건

남곤 등 훈구파는 조(趙)씨가 왕이
될 것이라는 의미의 '주초위왕(走肖
爲王)'이라는 문구대로 벌레가 잎을
파먹게 하여, 조광조와 그 일파들을
모함하였다.

❷ 현량과

천거된 인물의 성품, 재능, 학식, 행실
과 행적 등을 기록하여 의정부에 보
고하면 왕이 참석한 가운데 간단한
시험을 실시하고, 관리로 선발하였다.

정암 조광조

❸ 문정 왕후

명종의 어머니로, 중종의 계비(후처)
이다. 불교를 적극 지원하였다.

③ 결과: 급진적인 개혁 조치에 위기를 느낀 훈구 공신들은 **위훈 삭제 사건**을 계기로 **조광조**를 비롯한 사림 세력을 제거하는 기묘사화를 일으켰다(주초위왕 사건).❶

심화사료 頻出 　　　　　　　　　　　　　　　　　　　　　　2021. 국가직 9급, 2014. 법원직 9급

소격서 혁파

소격서는 본래 이단이며 예(禮)에도 어긋나는 것이니 비록 수명을 빌고자 해도 복을 얻을 수 없습니다. 소비가 많고 민폐도 커서 나라의 근본을 손상시키니 어찌 애석하지 않겠습니까.
　　　　　　　　　　　　　　　　　　　　　　　　　　　　　　　　　　　　　　ㅡ 「중종실록」

현량과❷ **실시**

지방에서는 감사와 수령이, 서울에서는 홍문관과 육경(六卿), 대간이 **등용할 만한 사람을 천거**하여, 대궐에 모아놓고 친히 대책으로 시험한다면 인물을 많이 얻을 수 있을 것입니다. 이는 이전에 우리나라에서 하지 않았던 일이요, 한(漢)나라 **현량과**의 뜻을 이은 것입니다.
　　　　　　　　　　　　　　　　　　　　　　　　　　　　　　　　　　　　　　ㅡ 「중종실록」

조광조의 시

임금 사랑하기를 / 어버이 사랑하듯이 하고 / 나라를 내 집안 근심하듯이 했노라.

밝은 해가 이 땅을 비추고 있으니 / 내 붉은 충정을 밝혀 비추리라.

(4) 을사사화(명종 즉위년, 1545, 대윤과 소윤의 대결)

　① 원인: 인종이 죽고 명종이 즉위하자 문정 왕후가 수렴청정하였다. 이에 따라 인종의 외척인 윤임(대윤)과 명종의 외척인 윤원형(소윤)이 대립하였다.

　② 전개 및 결과: 윤원형의 소윤이 대윤(윤임) 세력을 몰아내는 과정에서 윤임을 지지하던 사림의 일부가 피해를 입었다. 이후 문정 왕후❸와 외척들이 정국을 주도하였다.

(5) 사화 이후

　중앙 정계에서 밀려난 사림 세력은 **서원**과 **향약**을 기반으로 향촌 사회에서 꾸준히 세력을 확대하였다. 이후 선조 때부터 다시 중앙 정계로 대거 진출하여 정치 주도권을 장악하였다.

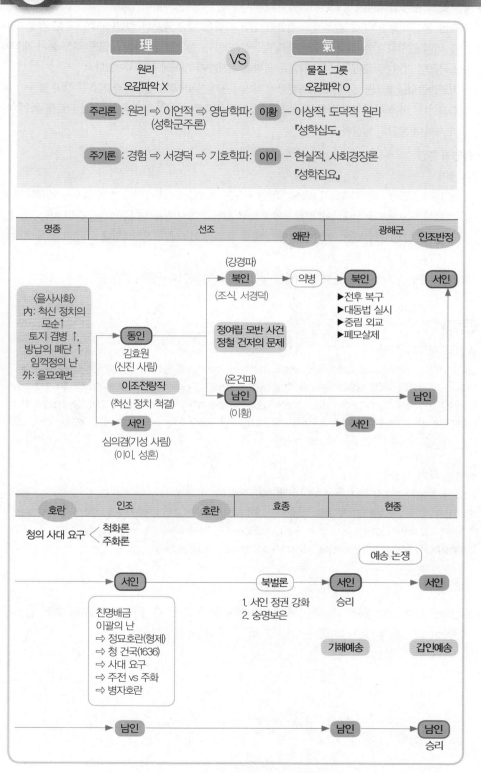

理	VS	氣
원리		물질, 그릇
오감파악 X		오감파악 O

주리론 : 원리 ⇨ 이언적 ⇨ 영남학파 : 이황 – 이상적, 도덕적 원리
(성학군주론) 『성학십도』

주기론 : 경험 ⇨ 서경덕 ⇨ 기호학파 : 이이 – 현실적, 사회경장론
『성학집요』

명종	선조	왜란	광해군	인조반정

(강경파)
북인 → 의병 → 북인 ▶전후 복구 ▶대동법 실시 ▶중립 외교 ▶폐모살제
(조식, 서경덕)

서인

〈을사사화〉
內: 척신 정치의 모순↑
토지 겸병 ↑,
방납의 폐단 ↑
임꺽정의 난
外: 을묘왜변

동인
김효원
(신진 사림)

이조전랑직
(척신 정치 척결)

정여립 모반 사건
정철 건저의 문제

(온건파)
남인 → 남인
(이황)

서인 → 서인
심의겸(기성 사림)
(이이, 성혼)

호란	인조	호란	효종	현종

청의 사대 요구 〈 척화론
주화론

예송 논쟁

서인 → 북벌론 → 서인 → 서인
1. 서인 정권 강화 승리
2. 숭명보은

친명배금
이괄의 난
⇨ 정묘호란(형제)
⇨ 청 건국(1636)
⇨ 사대 요구
⇨ 주전 vs 주화
⇨ 병자호란

기해예송   갑인예송

남인 → 남인 → 남인
승리

1. 선조(1567~1608) ☆

(1) 동·서인의 분당(을해당론, 1575)

① 척신 정치의 청산❶: 중앙 정계로 진출한 신진 사림은 명종 때부터 정권에 참여해 온 기성 사림과 외척 정치의 잔재 청산을 둘러싸고 갈등을 빚었다. 심의겸 등 기성 사림은 척신 정치 개혁에 소극적인 반면, 김효원 등 신진 사림은 원칙에 철저하여 개혁에 적극적이었다.

② 이조전랑직을 둘러싼 갈등❷: 이조전랑의 임명 문제를 둘러싸고 심의겸과 김효원 간의 갈등이 격화되었다. 이에 따라 심의겸을 중심으로 한 기성 관료를 서인,❸ 김효원 등 신진 관료를 동인❹이라 칭하며 붕당이 발생하였다.

(2) 동인의 분열

① 계기

㉠ 정여립 모반 사건(기축옥사, 1589): 동인에 속한 정여립은 대동계라는 비밀 결사를 조직하고 역모를 도모했으나 실패하였다. 정철의 주도로 사건을 조사하면서 다수의 동인들이 처형되었다.

㉡ 정철❺의 건저의 사건: 서인인 정철이 세자 책봉을 선조에게 건의하였다. 이것이 문제가 되어 정철은 관직에서 물러났다.

② 결과: 동인은 서인(정철)에 대한 처벌을 놓고 강경파인 북인과 온건파인 남인으로 나뉘었다.

고등사료 百出

2012. 법원직 9급

동인과 서인의 분당

김효원이 알성 과거에 장원으로 합격하여 (이조)전랑의 물망에 올랐으나, 그가 윤원형의 문객이었다 하여 심의겸❻이 반대하였다. 그 후에 (심의겸의 동생) 심충겸이 장원 급제하여 전랑으로 천거되었으나, 외척이라 하여 효원이 반대하였다. 이때, 양편 친지들이 각기 다른 주장을 내세우면서 서로 배척하여 동인, 서인의 말이 여기서 비롯하였다. 효원의 집이 동쪽 건천동에 있고 의겸의 집이 서쪽 정동에 있기 때문이었다. 동인의 생각은 결코 외척을 등용할 수 없다는 것이었고, 서인의 생각은 의겸이 공로가 많을뿐더러 선비인데 어찌 앞길을 막느냐는 것이었다.

－「연려실기술」

정여립 모반 사건

적신(賊臣) 정여립은 널리 배우고 많이 기억하여 경전(經傳)을 통달하였으며 의논이 과격하며 드높아 바람처럼 발하였다. 이이(李珥)가 그 재간을 기특하게 여겨 맞이하고 소개하여 드디어 청현직에 올려서 이름이 높아졌더니, 이이가 죽은 뒤에 정여립은 도리어 그를 비방하니 임금이 미워하였다. 정여립은 벼슬을 버리고 전주에 돌아가 나라에서 여러 번 불러도 나가지 않고, 항곡(鄕曲)에서 세력을 키워 가만히 역적을 도모하다가 일이 발각되자 자살하였다.

－「연려실기술」

---

(3) 임진왜란 이후 정치 상황
임진왜란 때 정인홍·곽재우 등 북인들은 광해군과 더불어 분조❼를 이끌고 항전하였다. 왜란 이후 광해군이 즉위하자 북인❽이 권력을 장악하였다.

---

❶ 척신 정치
외척 세력이 정권을 주도하였는데 이를 척신 정치라 하였다.

❷ 이조전랑(吏曹銓郞)
이조의 정랑과 좌랑 등 실무자를 일컫는 말로, 삼사 등 청요직의 인사 임명권과 후임자 천거권을 가지고 있었다.

❸ 서인
이이와 성혼의 문인들이 가담하였다.

❹ 동인
이황과 조식, 서경덕의 학문을 계승한 사람들을 중심으로 서인보다 먼저 형성되었다.

❺ 정철
명종 때 과거에 급제한 이후 이조전랑, 대사헌 등을 역임하였다. 선조의 총애를 받았으나, 서인의 영수로 정쟁에 깊이 관여하였다. 이 때문에 출사와 낙향을 반복하였다.

❻ 심의겸
명종의 왕비인 인순 왕후의 동생이다.

✎ **16세기 말 사회 혼란**
율곡 이이는 16세기 말의 사회 혼란을 '중쇠기'로 인식하고 담과 지붕이 무너진 가옥에 비유하였다. 이에 따라 위로부터의 개혁, 경장을 주장했으나 뜻을 이루지 못하였다.

❼ 분조(分朝)
원 조정의 대칭 개념으로, 임시 조정을 뜻하는 말이다. 임진왜란이 일어나자 세자로 책봉된 광해군은 분조의 책임자가 되었다.

❽ 북인의 분열
광해군을 추종하는 대북(大北)과 영창 대군을 따르는 소북(小北)으로 나누어졌다.

2. 광해군(1608~1623)[9] ☆

(1) 전후 복구 사업

① 경제 재건: 양안과 호적을 정비했으며, 방납의 문제를 해결하기 위해 **대동법**을 실시하였다.

② 궁궐 재건: 전란 중에 훼손된 창덕궁, 창경궁 등의 궁궐을 수리했으며, **경운궁·경덕궁**[10] 등의 궁궐을 추가로 건설하였다. 또한 소실된 사고를 5대 **사고**로 재정비하였다.

(2) 실리적 중립 외교

① 배경: 누르하치가 여진족을 통합하고 후금을 건국하였다(1616). 후금이 명에게 전쟁을 선포하자, 명은 조선에 원군을 요청[11]하였다.

② 내용: 광해군은 **강홍립**을 도원수로 삼아 1만 3,000명의 군대를 이끌고 명을 지원하되 적극적으로 나서지 말고 **상황에 따라 대처하도록 명령**하였다.

③ 결과: 조·명 연합군이 후금에게 패하자, 강홍립은 항복하였다. 이후에도 명의 원군 요청은 계속되었지만, 광해군은 이를 적절히 거절하면서 후금과 친선을 꾀하였다(중립 외교).

(3) 광해군의 몰락

① 북인의 정권 장악: 북인(대북)은 서인과 남인을 정치권에서 배제하였다.

② 폐모살제(1613): 광해군과 북인 정권은 이복동생인 영창 대군을 죽이고 계모인 인목 대비를 서궁(경운궁)에 유폐시켰으며 반대 세력들을 제거하였다(계축옥사).

③ 인조반정(1623): 서인은 광해군이 **명**을 배신하고 폐모살제했다는 명분으로 인조반정을 일으켰다.

3. 인조(1623~1649)

(1) 서인과 남인의 공존: 인조반정을 주도한 서인은 권력을 장악하였다. 이후 서인은 남인과 연합하여 정국을 운영함에 따라 **상호 비판적인 공존** 체제를 이루었다.

(2) 군사 정비: 총융청, 수어청, 호위청,[12] 정초군 등의 새로운 부대를 설치하였다. 서인은 이들 군영을 장악하여 권력 유지를 위한 군사적 기반으로 삼았다.

(3) 산림[13]**의 여론 주재**: 산림은 조선 후기, 향촌에서 학문적 권위와 덕망을 갖추고 존경을 받던 인물들로, 인조 대부터 국가 운영 및 국왕과 세자 교육에 관여하였다. 송시열 등이 대표적이다.

(4) 소현 세자의 죽음: 청나라에 볼모로 잡혀갔던 소현 세자는 서양 문물을 견문하고, 장차 청나라와 교류하고자 하였다. 그러나 귀국한 지 두 달여 만에 갑자기 세상을 떠났다. 인조는 반청 의식이 강한 둘째 봉림 대군(효종)을 세자로 정하였다.

4. 효종(1649~1659)

(1) 산림 등용: 송시열·송준길 등 충청도 지역의 서인계 산림을 대거 등용했으며, 허적·허목·윤선도 등 남인들도 중용하였다. 한편, 김자점 등 친청파 신하들을 몰아냈다.

(2) 경제 정책[14]: 김육의 건의로 **대동법을 충청·전라도까지 확대 시행**하였다. 또한, 설점수세제를 처음으로 실시하여 민간의 광산 개발을 허용하였다.

(3) 북벌 운동의 전개: 청에게 당한 수모를 설욕하기 위해 송시열, 이완 등을 중심으로 적극적인 북벌 운동을 계획하고 **어영청을 2만여 명으로 확대**하였다. 또한 하멜[15]이 가져온 조총의 기술을 활용하여 서양식 무기를 제조하였다.

(4) 나선 정벌: 청과 러시아 사이에 국경 분쟁이 일어나자 청은 조선에 지원군을 요청하였다. 이에 조선은 **조총 부대를 영고탑으로 파견**하였다.

---

❾ 조선사 시기 구분

국정 교과서에서는 임진왜란을 기준으로 전기, 후기로 나눈다. 하지만 서술상의 일관성을 위해 광해군부터 예송 논쟁까지 근세(조선 전기)에 포함하여 서술했음을 알려둔다.

❿ 경덕궁(서궐)

조선 후기의 이궁(離宮) 역할을 담당하였으며, 영조 때 경희궁으로 명칭이 바뀌었다.

⓫ 명의 원군 요청

조선은 임진왜란 때 명으로부터 받은 도움을 나라가 망할 위기에서 구해주었다고 하여 재조지은(再造之恩)이라고도 불렀다. 이러한 상황에서 조선은 명의 출병 요구를 거절할 수도, 후금을 배척할 수도 없는 입장이었다.

⓬ 호위청(扈衛廳)

조선 시대 궁성을 경호하기 위하여 설치하였던 군영으로, 인조 원년(1623)에 호위 4청을 설치한 것이 시초이다.

⓭ 산림(山林)

재야에서 붕당의 여론을 주도하는 지도자이다.

⓮ 경제 정책

양척동일법을 제정하여 토지를 측량하는 자를 통일하였다.

⓯ 하멜

네덜란드 동인도 회사 소속으로 1653년 일본 나가사키로 가던 도중 제주도에 표류해왔다. 이후 하멜은 네덜란드로 돌아가 『하멜 표류기』로 알려진 기행문을 발표했다.

❶ 남인의 병권 장악

현종 재위 중반 이후 남인은 훈련별대라는 새로운 부대를 창설하여 병권을 장악하고자 하였다.

❷ 예송 논쟁의 주요 쟁점

서인은 효종이 적장자가 아니라는 근거를 들어 왕과 사대부에게 같은 예가 적용되어야 한다고 주장하였다. 반면, 남인은 왕에게는 일반 사대부와 다른 예가 적용되어야 한다는 입장이었다.

❸ 윤휴

남인인 윤휴는 효종이 왕통을 이었으면 적장자로 보아야 하므로 3년복을 입어야 한다고 주장하였다.

❹ 송시열

서인인 송시열은 체이부정(효종은 왕위를 이은 적자지만 정통성을 잇는 장자가 아님)을 내세워 기년복을 입어야 한다고 주장하였다.

5. 현종(1659~1674) ☆

(1) 정치 상황: 재위 초반에는 서인이, 2차 예송 이후에는 남인❶이 정권을 주도하였다.

(2) 예송 논쟁❷

　① **원인**: 인조의 장남인 소현 세자의 사후에 소현 세자의 맏아들이 아니라 인조의 차남인 봉림 대군(효종)이 왕으로 즉위하였다. 이를 배경으로 **효종의 왕위 계승에 대한 정통성**과 관련하여 현종 때 두 차례의 예송 논쟁이 발생하였고 서인과 남인의 대립이 격화되었다.

구분	서인	남인
주장	왕사동례(王士同禮)	왕사부동례(王士不同禮)
성격	신권 강화	왕권 강화
예서	『주자가례』, 『가례집람』	고례(『예기』, 『주례』, 『의례』)

　② **1차 예송(기해예송, 1659)**: 효종에 대한 인조의 계비인 자의 대비(조대비)의 복상 기간이 문제가 되었다. 윤휴,❸ 허목 등 남인은 3년설을, 송시열❹ 등 서인은 1년설을 주장하였다. **서인의 주장이 채택되어 서인의 우세가 지속되었다.**

　③ **2차 예송(갑인예송, 1674)**: 효종비인 인선 왕후가 죽자 자의 대비의 상복 기간을 놓고 다시 논란이 벌어졌다. 이때 남인은 1년설(기년설)을, 서인은 9개월설(대공설)을 주장하였다. 현종이 예조에 명하여 자의 대비의 복제를 기년복으로 바꿀 것을 지시하면서 **남인이 정권을 주도하게 되었다.**

심화사료 百出

2023. 국가직 9급, 2016. 지방직 9급, 2016. 법원직 9급, 2015. 경찰 2차, 2011. 지방직 9급 2010. 법원직 9급

예송 논쟁

- 효종은 임금이셨으니 새 어머니인 인조 임금의 계비는 돌아가신 효종에 대해 3년 상복을 입어야 합니다. **임금의 예는 보통 사람과 다릅니다.**
- 효종은 형제 서열상 차남이셨으니 새 어머니인 인조 임금의 계비는 돌아가신 효종에 대해 1년복만 입어야 합니다. **천하의 예는 모두 같은 원칙에 따라야 합니다.**
- 상소하여 아뢰기를, "신이 좌참찬 송준길이 올린 차자를 보았는데, 상복(喪服) 절차에 대하여 논한 것이 신과는 큰 차이가 있었습니다. 장자를 위하여 3년을 입는 까닭은 위로 '정체(正體)'가 되기 때문이고 또 전중(傳重: 조상의 제사나 가문의 법통을 전함)하기 때문입니다. …… 무엇보다 중요한 것은 할아버지와 아버지의 뒤를 이은 '정체'이지, 꼭 첫째이기 때문에 참최 3년복을 입는 것은 아닙니다."라고 하였다. ─ 기해예송 당시 허목의 상소
- 기해년의 일은 생각할수록 망극합니다. 그때 저들이 효종 대왕을 서자처럼 여겨 대왕대비의 상복을 기년복(1년 상복)으로 낮추어 입도록 하자고 청했으니, 지금이라도 잘못된 일은 바로잡아야 하지 않겠습니까? ─『현종실록』

대표 기출문제

조선 시대 붕당의 상황에 대한 설명으로 옳지 않은 것은?

2023. 지방직 9급

① 선조 대 ─ 사림이 동인과 서인으로 분열하였다.

② 광해군 대 ─ 북인이 집권하였다.

③ 인조 대 ─ 남인이 정권을 독점하였다.

④ 숙종 대 ─ 서인이 노론과 소론으로 갈라졌다.

해설

③ 인조 때 인조반정을 주도한 서인이 권력을 장악했는데, 이들은 남인과 연합하여 정국을 운영했다.
① 선조 때의 일이다. ② 광해군 때의 일이다. ④ 숙종 때의 일이다.

정답 ③

조선의 대외 관계와 양난의 극복

제1장 근세 정치 변화와 통치 체제의 정비

解/法 기출분석

구 분		2008~2017	2018	2019	2020	2021	2022	2023	2024
9급	국가직	• 임진왜란 • 병자호란							병자호란
	지방직	• 대외 관계(3) • 양난 사이의 시기 구분 • 임진왜란	임진왜란	임진왜란				곽재우(의병)	
	법원직	• 정유재란 • 양난 사이의 시기 구분 • 북벌론					임진왜란		대외 관계

解法
요람

조선의 대외 관계

사대 외교 ──── **명**   **여 진** ┬ **강경책** – 4군 6진 설치
• 자주적 실리 외교 └ **회유책** – 무역소 설치
• 경제 · 문화 외교

사대교린

선진 문물 전파 ── **류큐, 시암, 자와**   **일 본** ┬ **강경책** – 쓰시마섬 정벌
└ **회유책** – 3포 개항, 계해약조

양난의 전개

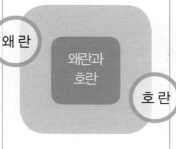

왜 란

호 란

왜란과
호란

1. 배경
- 조선의 국방력 약화
- 도요토미 히데요시의 일본 통일(정명가도)

2. 왜란의 시작
- 왜군의 침략: 부산진(정발), 동래성(송상현)
- 충주 탄금대 전투(신립) ⇒ 선조 파천

3. 전세의 변화
- 옥포 해전(최초 승리), 사천 전투(거북선 최초)
- 한산도 대첩(이순신)
- 진주 대첩(김시민)
- 평양성 탈환(조 · 명 연합군)
- 행주 대첩(권율)

4. 휴전 – 훈련도감과 속오군 설치, 조총 제작

5. 정유재란 – 직산 전투, 명량 대첩, 노량 해전

1. 원인 – 친명배금, 이괄의 난

2. 정묘호란
- 후금의 침략(광해군 보복)
- 용골산성(정봉수), 의주(이립)
- 화의(형제 관계)

3. 후금 ⇒ 청

4. 병자호란
- 청의 군신 관계 요구
- 주전파(김상헌) vs 주화파(최명길)
- 청 태종의 침입 ⇒ 인조의 남한산성 피난
- 삼전도의 굴욕, 화의(군신 관계)

5. 북벌론(효종): 서인 주도, 송시열, 어영청
- 효종: 1차 북벌론(서인)

조선 초기의 대외 관계

❶ 요동 정벌 계획

1차 왕자의 난으로 정도전, 남은 등이 제거되고, 태조도 하야하면서 요동 정벌 계획은 중단되었다.

❷ 표전(表箋)

중국의 황제 등에게 국왕의 이름으로 올린 외교 문서이다. 표전문은 그 격식과 용어가 까다로워서 외교 문제를 야기하기도 하였다.

❸ 종계변무(宗系辨誣) 문제

조선 왕조는 여러 번 내용 정정을 요청했으나 번번이 실패하였는데 선조 때 유홍의 활약으로 해결되었다.

01 조선 전기의 대외 관계

1. 조선의 외교 원칙

화이관이라는 세계관에 바탕을 두고 **사대교린**(큰 나라는 섬기고 이웃나라와 평화롭게 교류함)을 기본 정책으로 삼았다.

2. 명나라와의 대외 관계

(1) 태조: 양국 간 긴장 고조

① 요동 정벌 계획**❶**: 태조는 즉위 후 북방 지역에 관심을 보였다. 이에 정도전, 남은 등이 중심이 되어 군비를 비축하고 진도를 제작하는 등 요동 정벌을 비밀리에 준비하였다.

② 고명(誥命) 문제: 건국 직후 여러 차례 고명을 요청했으나, 명은 태조의 즉위를 인정하는 고명(임명장)과 인신(도장)을 주지 않았다.

③ 표전**❷** 문제: 명은 요동 정벌의 주도자인 정도전을 '조선의 화근'이라고 하였다. 정도전이 지은 표전문의 글귀가 불손하다는 구실로 정도전을 명으로 압송할 것을 요구했다.

④ 종계변무 문제**❸**: 명나라는 『대명회전』에서 이성계를 이인임의 아들이라고 잘못 기록하였다.

(2) 태종: 태종이 즉위하면서 양국은 **우호 관계를 회복**하였다.

① 사대 외교: 명나라의 사신을 맞기 위해 서대문 밖에 모화루를 세웠다(세종 때 모화관으로 개칭).

② 사민 정책의 시작: 요동 정벌은 중단했지만, 삼남 지방의 주민들을 북방으로 이주시켜 압록강 이남 지역을 개발하였다.

(3) 사절의 파견

① 목적: 정치적으로는 국제 지위 확보를 위한 **자주적 실리 외교**이다. 경제적으로는 실리적 공무역의 성격도 있었다.

② 내용: 조선은 사신을 통해 조공을 바치고 명은 이에 답하여 회사품을 보냈다. 사신들을 따라간 일행들이 물건을 사고 파는 사무역도 진행되었다.

③ 사절단 파견: 조선은 태조 때부터 명나라에 1년에 3차례에 걸쳐 사절단을 파견하였다. 그 횟수가 많다고 판단한 명나라는 3년에 1차례만 파견할 것을 요구하였다. 그러나 조선은 명나라에 1년에 수차례 정기 사절단인 조천사를 파견하였고, 이외에도 수시로 파견하였다.

사대 외교(조공·책봉 체제)

중국 중심의 세계 질서에 조선 등 주변 국가들을 참여시키는 한편, 내치와 외교는 자주적으로 수행할 수 있게 한 것이다. 중국과 주변국은 형식상 황제인 천자와 제후 관계를 맺고, 새 왕이 즉위하면 중국 황제의 승인을 받는 절차를 거쳐 인신(印信, 도장)과 고명(誥命, 임명장)을 받았다. 이는 전통적인 외교 형식이며, 내정 간섭이나 종속 관계를 의미하는 것은 아니었다.

3. 여진과의 대외 관계

(1) **교린 정책**: 국경의 안정을 위해 강경책과 회유책을 병행하였다.

(2) **강경책**

① **4군❹ 6진**: 세종 때 압록강 방면에 **최윤덕**을 파견해 여진족을 토벌하였고 이후 **4군**을 두었다. 또한 **김종서**를 함경도 관찰사로 임명하여 두만강 유역에 6진을 개척하였다. 이에 따라 압록강과 두만강을 경계로 하는 오늘날의 국경선을 확정지었다.

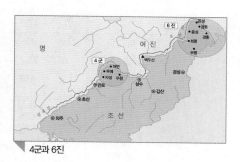

4군과 6진

② **사민 정책**: 4군과 6진 설치 이후 조선은 새로 개척한 압록강·두만강 지역에 삼남 지방의 주민들을 이주·정착시키는 사민 정책을 실시하였다.

③ **무력 토벌**: 국경을 침범하거나 약탈을 자행하는 경우에는 군대를 동원하여 토벌하였다.

(3) **회유책**

① **귀순 장려**: 여진족을 우리 백성으로 만들기 위해 관직을 주거나 정착을 위한 토지를 제공하였다.

② **토관 제도❺**: 토착민을 토관으로 임명하여 민심을 수습하고자 하였다.

③ **무역소 설치**: 국경 지대인 경성·경원에 무역소를 두고 식량과 의류 등을 교역하게 하였다. 또한 사신이 머물 수 있도록 유숙소❻를 설치하였다.

4. 일본과의 대외 관계

(1) **강경책**: 조선은 왜구 격퇴를 위해 성능이 우수한 전함을 만들고 화약 무기를 개발하였다. 세종 원년인 1419년에 **이종무**를 보내 왜구의 근거지인 **쓰시마(대마도) 정벌**을 단행하였다.

(2) **회유책**

① **배경**: 조선의 토벌과 교역 중단에 위기를 느낀 대마도주가 토산품을 바치면서 교역을 요청❼하였다.

② **삼포 개항(1426)**: 부산포(동래), 염포(울산), 제포(진해)의 3포를 개항하여 교역을 허락하였다.

③ **계해약조(1443)**: 세종은 대마도주와 계해약조를 체결하여 교역량을 제한하였다(세견선은 1년에 50척으로, 세사미두는 200석으로 규정).

---

❹ 4군

4군은 유지가 어려워 단종~세조 때 폐지되었다. 조선 후기에 4군 복설 운동이 일어나 19세기에 다시 설치되었다.

❺ 토관 제도(土官制度)

세종 때 실시한 관리 임명 제도이다. 4군 6진 개척으로 두만강 일대의 영토를 차지한 후, 이 지역은 상피제를 적용하지 않고 토착민을 지방관으로 임명하여 자치를 허용하였다.

❻ 유숙소

- 태평관: 명의 유숙소
- 동평관: 일본의 유숙소
- 북평관: 여진의 유숙소
- 회동관: 명에 있었던 조선의 유숙소

❼ 일본과의 무역

일본은 지방 분권적인 사회였기 때문에 조선 정부는 막부(중앙 정부)를 비롯하여 각 지방의 영주들을 통해 일본과 교류하였다. 일본이 진헌물을 바치고 조선 정부가 회사물을 내리는 조공의 형식으로 이루어졌다.

❖ 조선과 일본 관계사 총정리

국왕	특징	연도	내용
세종	쓰시마 섬 정벌	1419	이종무를 파견하여 대대적인 공격을 감행, 대마도주의 항복을 받아냄.
	3포 개항	1426	대마도주의 요청으로 3포에 한해 제한적인 무역 허용: 부산포(동래), 염포(울산), 제포(진해)
	계해약조	1443	무역량 제한, 세견선 50척, 세사미두 200석
중종	삼포왜란	1510	임시 기구로 비변사 설치하여 군국 기무를 전담
	임신약조	1512	제포만 개항, 세견선 25척, 세사미두 100석
	사량진 왜변	1544	임신약조를 파기(일본과 무역 단절), 왜인의 내왕을 금함.
명종	정미약조	1547	• 사량진 왜변 이후 쓰시마 도주의 사과와 간청으로 인해 단절된 국교를 재개 • 일본의 내왕과 무역을 허가하되 조약 위반시 벌칙 조항 강화(세견선 25척)
	을묘왜변	1555	• 왜인들이 세견선이 줄어든 것에 불만을 품고 제주, 전라도 지역 등을 침탈함. • 국교 일시 단절, 비변사 상설 기구화(청사 설치)
선조	임진왜란	1592	비변사의 권한 강화(최고 기구화)
광해군	기유약조	1609	국교 재개, 부산포만 개항, 세견선 20척, 세사미두 100석

02 임진왜란

1. 배경

(1) 조선

　① **국방력 약화**: 장기간 평화와 **군역**의 문란으로 국방력이 약화되었다.

　② **북로남왜**: 16세기 들어 북쪽에서는 여진족이 자주 국경을 침범했고, 남쪽에서는 3포왜란·을묘 왜변 등의 변란이 일어나 일본과의 외교 관계가 단절되었다.

　③ **국론 분열**: 정세 파악을 위해 일본에 사신을 보냈다. 그러나 조정의 의견이 일치되지 않아 적절한 대책을 마련하지 못하였다(서인−일본 경계, 동인−민생 안정 우선).

(2) **일본**: 16세기 말 **도요토미 히데요시**는 전국 시대의 혼란을 수습하고 **일본을 통일**하였다. 이후 그는 대륙 침략을 결정하고 **정명가도❶**를 내세우며 조선을 침략하였다.

2. 왜란의 발발

(1) **왜군의 침략**: 1592년 4월 왜군이 **부산진 동래성**을 침략하면서 전쟁이 시작되었다. 이때 부산첨사 정발과 동래부사 **송상현**이 부산과 동래에서 상륙하는 왜군을 맞아 사투를 벌였으나 패배하였다.

(2) **왜군의 북상❷**: 상주에서 이일을 격파한 왜군이 한양을 향해 북상하자 당황한 조정은 도순변사 **신립**을 파견하였지만 **충주 탄금대**에서 **패배**하였다(4월 말). 이후 선조는 북쪽으로 **파천**을 단행하였다.

❶ **정명가도(征明假道)**

"명나라를 칠 것이니 조선은 길을 비켜달라."는 내용이다. 일본은 이를 명분으로 조선을 침략하였다.

❷ **왜군의 북상**

4월 말 왜군이 서울 근교에 육박하자 선조는 의주를 향해 피난길을 떠났다. 5월 서울에 들어온 왜군은 평안도와 함경도로 나누어 진군하여 6월에 평양과 함경도까지 점령하고 왕자 임해군과 순화군을 포로로 삼았다.

3. 해전의 승리

(1) **일본의 수륙 병진**: 왜군은 육군이 북상하면 수군이 서남해로 물자를 조달하는 전략을 구사하였다.

(2) **이순신의 활약**

① **군사력의 정비**: 전라도 좌수영의 수군절도사인 **이순신**은 수군을 훈련시키고 거북선을 개량하는 등 왜군의 침략에 대비하였다.

② **과정**

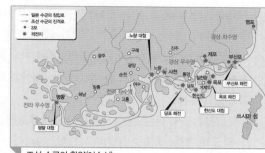

조선 수군의 활약(이순신)

거북선

⊙ **옥포 해전**: 왜선 30여 척을 격파하여 최초로 승리를 거두었다.

ⓛ **사천 해전**: 거북선이 최초로 사용된 전투였다.

ⓒ **당포 해전**: 왜선 21척을 격침시켰다.

ⓔ **한산도 대첩**: 학익진법을 이용하여 적선 100여 척을 격파하였다.

③ **의의**: 곡창 지대인 **전라도를 방어**하고 왜군의 보급로를 차단하여 전세를 역전하는 데 큰 역할을 하였다.

학익진도

4. 의병의 항쟁

(1) **주요 의병장**

① **고경명**: 전라도 담양과 금산 등지에서 의병을 일으켜 싸우다가 금산에서 전사하였다.

② **곽재우❸**: 경상도 의령에서 의병을 일으켰으며 진주 대첩에 참전하였다.

③ **정인홍**: 경상도 합천에서 의병을 일으켜 성주에 침입한 왜군을 물리쳤다.

④ **조헌**: 충청도 옥천에서 의병을 일으켜 청주를 수복하였으나 금산에서 전사하였다.

⑤ **휴정(서산 대사)**: 묘향산에서 의병을 일으켰다.

⑥ **유정(사명 대사)**: 금강산에서 의병을 일으켰으며, 평양 전투에서 공을 세웠다. 1604년 왕명으로 일본에 가서 강화를 맺고 조선인 포로 3,000여 명을 데리고 귀국하였다.

⑦ **정문부**: 함경도에서 활동하였으며 가토 기요마사가 거느린 왜군들을 크게 무찔렀다. 이를 기념하여 1707년 숙종 때 북관대첩비❹를 건립하였다.

(2) **의병의 활동**

① **조직**: 전직 관리와 사림, 승려, 농민 등이 향토 방위를 위해 자발적으로 일어나 싸웠다. 전란이 장기화되면서 산발적으로 일어난 일부 의병 부대는 관군에 편입되기도 하였다.

② **전술**: 익숙한 지리를 활용한 기습 작전을 구사하여 적은 병력으로 일본군에 타격을 주었다.

❸ 곽재우

홍의(紅衣) 장군으로 불렸고, 의령과 합천 등 여러 고을을 수복하여 왜군의 호남 진출 저지에 기여하였다.

❹ 북관대첩비

러·일 전쟁 당시 일본이 가져가 야스쿠니 신사에 보관되어 있었다. 수차례에 걸친 반환 요구 끝에 2005년에 한국에 반환되었다가 2006년에 북한에 전달하였다.

제4막 근세 사회의 발전

5. 전란의 극복

(1) **전세의 전환**: 수군·의병의 활약과 명나라 지원군의 합류로 전세가 반전되기 시작하였다.

　① **진주 대첩❶**: 1592년 10월 김시민이 진주성에서 일본군을 물리쳤다.

　② **평양성 탈환(1593)**: 조·명 연합군은 평양성을 탈환하였으나 왜군을 추격하는 과정에서 **벽제관 전투에서 패배**하였다. 이에 평양으로 후퇴한 명은 왜군과 화의를 맺고자 하였다.

　③ **행주 대첩(1593)**: 행주산성에서 고립되었던 **권율**은 왜군과의 격전에서 크게 승리하였다. 행주 대첩은 한산도 대첩, 진주 대첩과 함께 **왜란의 3대 전투**로 평가받고 있다.

　④ **한성 회복**: 행주 대첩 이후인 1593년 4월 한성에 주둔하던 왜군이 철수하자, 조·명 연합군이 한성에 들어왔다. 10월에는 의주로 피난했던 **국왕 일행이 한성으로 돌아왔다.❷**

(2) **휴전 회담**: 조·명 연합군의 반격에 기세가 꺾인 왜군은 경상도 일대로 물러나 휴전을 제의하였다.

　① **전열의 재정비**

　　㉠ **군제 개편**: 훈련도감을 설치하여 군대의 편제를 바꾸었고, 지방에는 **속오군**을 편성하였다.

　　㉡ **군비 확충**: 화포를 개량하고 **조총**도 제작하여 무기의 약점을 보완하였다.

　② **휴전 회담의 결렬**: 휴전 회담은 명과 왜 사이의 의견 차이로 결렬❸되었다.

6. 정유재란(1597): 3년간에 걸친 회담이 결렬되자 왜군이 다시 침략하였다.

(1) **칠천량 해전(1597. 7.)**: 이순신 대신 삼도수군통제사가 된 원균은 칠천량에서 일본에 대패하였다.

(2) **직산 전투(1597. 9.)**: 조·명 연합군은 북상 중이던 왜군을 직산(천안)에서 격퇴하였다.

(3) **해전의 승리**

　① **명량 대첩(1597. 9.)**: 칠천량 해전 직후 이순신이 삼도수군통제사로 복귀하였다. 이순신은 12척의 함선을 이끌고, 300여 척의 적선을 명량(울돌목)에서 대파하였다.

　② **노량 해전(1598)**: 이순신이 전사한 전투로, 노량 앞바다에서 철수하는 왜군에 일격을 가하였다.

❶ **진주 대첩(1차 진주성 전투)**
진주 대첩은 진주 목사 김시민 휘하의 군민이 왜군과 맞서 싸워 이긴 전투로, 이때 김시민은 전사하였다. 1593년 왜군이 다시 진주성을 공격(2차 진주성 전투)함에 따라 결국 진주성은 함락되었다.

❷ **선조**
한양에 돌아온 선조는 월산 대군의 집(광해군 때 경운궁)을 행궁으로 삼았다.

❸ **휴전 회담 결렬**
· 명의 주장: 도요토미를 일본 왕으로 봉하고 입공을 허락한다는 조건을 제시하였다.
· 왜의 주장: 명의 황녀를 왜왕의 후비로 삼을 것, 조선 영토의 일부를 할양할 것, 조선의 왕자와 대신을 인질로 삼을 것을 제시하였다.

심화사료 百出　　　　　　　　　　　　　2015. 법원직 9급, 2014. 경찰간부

부산진 전투
적선이 바다를 덮어오니 **부산 첨사 정발**은 마침 절영도에서 사냥을 하다가, 조공하러 오는 왜라 여기고 대비하지 않았는데 미처 진(鎭)에 돌아오기도 전에 적이 이미 성에 올랐다. 이튿날 **동래부**가 함락되고 **부사 송상현**이 죽었다.　　　ㅡ「선조실록」

탄금대 전투
왜적이 복병을 설치하여 우리 군사의 후방을 포위하였으므로 우리 군사가 크게 패하였다. 삼도순변사 **신립**은 포위를 뚫고 달천의 월탄가에 이르러, "전하를 뵈올 면목이 없다." 하고 빠져 죽었다.　　　ㅡ「선조실록」

명량 해전
벽파정 뒤에 **명량**(전라도 진도와 해남 사이에 위치한 해협)이 있는데 숫자가 적은 수군으로서는 명량을 등지고 진을 칠 수 없었다. 이에 여러 장수들을 불러 모아 말하기를, "반드시 죽고자 하면 살고 살려고 하면 죽는다."고 하였다.　　　ㅡ「난중일기」

▼ 비격진천뢰

7. 왜란의 영향

(1) 국내적 영향

① **정치**: 왜란 중에 척계광의 『기효신서』를 참고하여 **훈련도감과 속오군이 편성**되었고, 비변사가 최고 기구의 역할을 하였다.

② **경제**: 경복궁 등 궁궐과 관청들이 불탔으며 수많은 인명 피해가 발생하였다. 국가 재정도 크게 악화되었다. 한편 일본에서 담배, 고추, 호박, 토마토 등이 전래되었다.

③ **사회**: 납속책과 공명첩이 대량으로 발급되면서 **신분제의 동요**를 가져왔다. 또한 왕실 서얼 출신인 이몽학이 난을 일으키는 등 각지에서 민란이 일어났다.

(2) 국제적 영향: 조선과 일본, 그리고 명이 전쟁을 치르는 동안 **여진족**❹이 급속히 **성장**하여 동아시아의 정세가 크게 변하였다. 이후 여진족은 **후금**을 건국하여 명과 조선을 위협하였다.

❹ 명나라의 여진족 견제

임진왜란 당시, 건주의 여진족이 왜적을 무찌르는데 2만 명의 병력을 지원하겠다고 하였다. 그러나 명나라는 만약 이를 허락한다면 명과 조선의 병력, 조선의 산천 형세를 여진족이 파악할 것을 우려하여 거절하였다.

❖ **주요 전투 일지**

시기	내용
1592년	• 4월: 부산진(정발) · 동래성(송상현) 전투, 충주 탄금대 전투(신립) • 5월: 옥포 해전(첫 승리), 사천 해전(거북선 최초 사용) • 6월: 왜군의 평양 점령 • 7월: 한산도 대첩(이순신), 승병(휴정) • 10월: 진주 대첩(김시민)
1593년	• 1월: 평양성 탈환(유성룡), 벽제관 전투에서 명나라 군대 패배 • 2월: 행주 대첩(권율) • 6월: 진주성 함락(논개), 휴전 제의 • 10월: 선조 일행의 한성 복귀
1594년	• 2월: 훈련도감 설치 • 11월: 속오군 편성
1596년	7월: 이몽학의 난
1597년	• 1월: 정유재란 발발 • 7월: 칠천량 해전(원균 전사) • 9월: 직산 전투, 명량 대첩
1598년	• 8월: 도요토미 사망, 일본군 철수 • 11월: 노량 해전(이순신 전사)

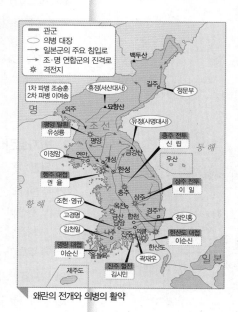

왜란의 전개와 의병의 활약

---

03 정묘호란과 병자호란

1. 인조반정(1623)

광해군의 **중립 외교** 정책과 **계축옥사**는 반정의 빌미가 되었다. 결국 서인이 주도한 반정으로 인조(능양군)가 옹립되고 광해군은 폐위되었다.

심화사료 百出

2015. 법원직 9급, 2014. 서울시 7급

인조반정

(인조 원년 3월) 우리나라가 중국 조정을 섬겨 온 것이 2백여 년이다. 의리로는 군신이며 은혜로는 부자와 같다. **임진년에 입은 은혜는 만세토록 잊을 수 없는 것이다.** …… 광해군은 배은망덕하여 천명을 두려워하지 않고 속으로 다른 뜻을 품고 오랑캐에게 성의를 베풀었다. 기미년 오랑캐를 정벌할 때는 은밀히 장수를 시켜 동태를 보아 행동하게 하였다. 끝내 전군이 오랑캐에게 투항함으로써 추한 소문이 사해에 펼쳐지게 하였다.

– 『인조실록』

2. 정묘호란(1627, 후금)

(1) 원인

① **친명배금**: 인조의 친명배금 정책은 후금을 자극하였다.

② **가도 사건**: 명나라 **모문룡**의 부대가 평안도 가도에 주둔하여 긴장 관계가 조성되었다.

③ **이괄의 난**[1]: 이괄이 평안북도에서 반란을 일으켜 서울까지 점령하였다. 이에 인조는 **공주로 피**난갔으나 진압되었다. 이후 그 잔당들이 **후금**에 투항하였다.

(2) 경과: 광해군의 복수를 하겠다는 명분으로 후금이 침입하였고, 이에 **철산 용골산성의 정봉수**와 의주의 이립 등이 적을 맞아 싸웠다.

(3) 결과: 강화도로 피난간 조선 정부는 후금과 화의[2]를 체결하여 형제 관계를 맺었다.

2017. 국가직 9급(하), 2015. 법원직 9급

고급사료 百出

정묘호란의 발발

정주 목사 김진이 아뢰기를, "금나라 군대가 이미 선천·정주의 중간에 육박하였으니 장차 얼마 후에 안주에 도착할 것입니다."고 하였다. 임금께서 묻기를, "**이들이 명나라 장수 모문룡을 잡아가려고 온 것인가**, 아니면 전적으로 우리나라를 침략하기 위하여 온 것인가?" 하니, 장만이 아뢰기를, "듣건대 **홍태시란 자가 매번 우리나라를 침략하고자 했다고 합니다.**" 하였다. — 「인조실록」

3. 병자호란(1636, 청)

(1) 원인: 후금은 국호를 **청**으로 바꾸고 황제를 칭하며 조선에 **군신 관계를 요구**하였다.

(2) 주전파와 주화파의 대립

① **주전파**: **김상헌**을 중심으로 삼학사(윤집, 홍익한, 오달제) 등은 의리와 명분을 내세워 **끝까지** 항전할 것을 주장하였다.

② **주화파**: **최명길** 등은 화의를 통해 **외교적으로 해결**하자는 주화론을 제기하였다.

(3) **병자호란의 발발**: 조선의 국론이 주전으로 기울자 청 태종은 대군을 이끌고 조선을 침입하였다.

(4) 경과: 청 군대의 빠른 남진으로 강화도로 들어가지 못한 왕과 대신들은 **남한산성으로 피난**하여 항전하였다. 결국 인조는 45일간의 농성을 풀고 1637년 1월 청 태종에게 삼배구고두(三拜九叩頭)의 예를 취하며 항복하였다(**삼전도의 굴욕**). 이후 이 자리에 삼전도비[3]가 건립되었다.

(5) 결과: 청과 **군신 관계를 맺고** 명과의 관계를 단절하였다. 또한 소현 세자[4]와 봉림 대군, 김상헌, 삼학사[5] 등이 인질로 끌려갔다.

4. 영향

(1) **국토의 황폐화**: 청군의 침입은 기간이 짧았고, 왜란에 비해 상대적으로 침략 지역이 한정적이었다. 그러나 서북 지역은 약탈과 살육으로 황폐화되었다.

(2) **반청 사상(북벌론)의 대두**: 청과 군신 관계를 맺자 큰 충격을 받은 조선인들은 청에 대한 적개심을 키웠고, 이후 북벌론으로 이어졌다. 복수설치(오랑캐에 당한 수치를 씻음)를 목표로 삼았다.

---

❶ 이괄의 난

인조반정 이후 공신 책봉 과정에서 불만을 품은 이괄이 반란을 일으켰다.

❷ 정묘약조의 주요 내용

1. 후금과 형제의 맹약을 맺는다.
2. 조약 체결 이후 후금 군대는 즉시 철수한다.

호란의 전개

❸ 삼전도비

원래 이름은 '삼전도 청태종 공덕비'다. 비문의 내용은 청의 요구에 따라 쓰여졌는데 이경석의 글이 채택되어 비석을 세웠다.

❹ 소현 세자

소현 세자는 청의 문물뿐 아니라 아담 샬을 통해 서양 문물도 적극적으로 수용하였다. 귀국할 때는 아담 샬의 소개로 망원경, 자명종, 천주교 등 서양 물건을 가지고 들어왔다.

❺ 삼학사

윤집·홍익한·오달제 등 주전파 학자들로, 청나라 심양에 끌려가 죽임을 당하였다.

소현 세자와 심양관

병자호란 후 청은 조선의 세자와 왕자 1인을 인질로 삼아 심양에 두었다. 청은 심양에 있는 세자와 조선 조정을 압박해 조선과의 외교 교섭에서 유리한 결과를 얻어내려 하였다. 그러나 심양관의 세자 일행은 수동적인 볼모의 역할만 한 것이 아니라 조선 조정의 입장을 청에 전달하고 조선의 피해를 줄이기 위해 계속 노력하였다. 소현 세자는 특히 포로의 속환·쇄환 문제에 적극 개입했으며 그 외에 징병 문제, 사신 왕래와 공물 문제 등을 처리하였다.

고등사료 頻出　　　2024. 국가직 9급, 2024. 법원직 9급, 2017. 국가직 9급(하), 2015. 법원직 9급, 2010. 지방직 7급

윤집의 주전론

화의가 나라를 망친 것은 어제 오늘의 일이 아니고 옛날부터 그러하였으나 오늘날처럼 심한 적은 없었습니다. 명나라는 우리나라에 있어서 부모의 나라이고 노적은 우리나라에 있어서 부모의 원수입니다. 신하된 자로서 부모의 원수와 형제의 의를 맺고 부모의 은혜를 저버릴 수 있겠습니까. 더구나 임진년의 일은 조그마한 것까지도 모두 황제의 힘이니 우리나라가 살아서 숨 쉬는 한 은혜를 잊기 어렵습니다. …… **차라리 나라가 망할지언정 의리는 저버릴 수 없습니다.⑥** …… 지난날 성명께서 크게 분발하시어 의리에 의거하여 화의를 물리치고 중외에 포고하고 명나라에 알리시니, 온 동토(東土) 수천 리가 모두 크게 기뻐하여 서로 고하기를 '우리가 오랑캐가 됨을 면하였다.'고 하였습니다.

— 「인조실록」

최명길의 주화론

화친을 맺어 국가를 보존하는 것보다 차라리 의를 지켜 망하는 것이 옳다고 하였으나 이것은 신하가 절개를 지키는 데 쓰이는 말입니다. …… 자기의 힘을 헤아리지 아니하고 경망하게 큰소리를 쳐서 오랑캐들의 노여움을 도발, 마침내는 백성이 도탄에 빠지고 종묘와 사직에 제사 지내지 못하게 된다면 그 허물이 이보다 클 수 있겠습니까. …… 늘 생각해 보아도 **우리의 국력은 현재 바닥나 있고 오랑캐의 병력은 강성합니다. 정묘년(1627)의 맹약을 아직 지켜서 몇 년이라도 화를 늦추고, 그동안을 이용하여 인정을 베풀어서 민심을 수습하고 성을 쌓으며, 군량을 저축하여 방어를 더욱 튼튼하게 하되** 군사를 집합시켜 일사불란하게 하여 적의 허점을 노리는 것이 우리로서는 최상의 계책일 것입니다.

— 「지천집」

항복을 권유하는 청 태종

홍서봉·김신국·이경직 등을 오랑캐 진영에 파견하였다. 홍서봉 등이 한의 글을 받아 되돌아왔는데, 그 글에, "대청국(大淸國)의 황제는 조선의 관리와 백성들에게 알린다. 짐이 이번에 정벌하러 온 것은 원래 죽이기를 좋아하고 얻기를 탐해서가 아니다. 본래는 늘 서로 화친하려고 했는데, 그대 나라의 군신(君臣)이 먼저 불화의 단서를 야기시켰기 때문이다. …… 그 뒤 10년 동안 그대 나라 군신은 우리를 배반하고 도망한 이들을 받아들여 명나라에 바치고, 명나라 장수가 투항해 오면 군사를 일으켜 길을 막고 끊었으며, …… 이는 특별히 명나라를 도와 우리를 해치려고 도모한 것이다. ……" 하였다. 상이 즉시 대신 이하를 인견하고 이르기를, "앞으로의 계책을 어떻게 세워야 하겠는가?"

— 「인조실록」, 34권, 인조 15년 1월 2일 기사

병자호란 당시 항복하기 직전의 상황(1637년 1월)

최명길이 마침내 국서(國書)를 가지고 비국(비변사)에 물러가 앉아 다시 수정을 가하였는데, 예조 판서 김상헌이 밖에서 들어와 그 글을 보고는 통곡하면서 찢어 버리고, 왕에게 아뢰기를, "명분이 일단 정해진 뒤에는 적이 반드시 우리에게 군신(君臣)의 의리를 요구할 것이니, 성을 나가는 일을 면하지 못할 것입니다. 그리고 한번 성문을 나서게 되면 또한 북쪽으로 행차하게 되는 치욕을 면하기 어려울 것이니, …… 이성(二聖, 인조와 소현 세자)이 마침내 겹겹이 포위된 곳에서 빠져나오게만 된다면, …… 다시 더 깊이 생각하소서." 하였다.

— 「인조실록」

⑥ **대명의리론**

병자호란 이후, 숭정처사(崇禎處士), 대명거사(大明居士)를 자처하며 관직을 거부하고, 은둔 생활을 하며 명에 대한 의리를 지키려는 이들도 있었다.

04 북벌론과 나선 정벌

1. 북벌론의 대두

(1) 북벌론❶ 추진(효종)

서인 송시열·송준길·이완 등을 등용하여 **어영청 확대·남한산성 복구** 등 북벌을 추진하였다. 숙종 때에도 남인의 주도 아래 2차 북벌이 추진되었다.

(2) 한계 및 변화

① 한계: 서인 정권은 북벌을 정권 유지 수단으로 **이용**했으며, 남인을 견제하는 장치로도 활용하였다.

② 변화: 효종 사후 북벌은 쇠퇴하고 대신에 18세기에 이르러서는 **북학 운동**이 등장하였다.

2022, 서울시 9급

고등사료 頻出

송시열의 북벌론

우리나라는 실로 신종 황제의 은혜를 입어 다시 존재하게 되었고 백성은 거의 죽었다가 다시 소생하였으니, 우리나라의 나무 한 그루와 풀 한 포기와 백성의 터럭 하나하나에도 황제의 은혜가 미치지 않은 곳이 없습니다. 그런즉 오늘날 크게 원통해 하는 것이 온 천하에 그 누가 우리와 같겠습니까?

— 기축봉사(효종 즉위년에 송시열이 올린 상소문)

2. 나선 정벌

(1) 원인: 조선에서 북벌 운동이 한창일 때, 시베리아 지방까지 러시아 세력이 진출하였다.

(2) 경과: 청과 러시아 사이에 국경 충돌이 일어나자 **청의 요청**으로 효종 때 변급, 신유를 필두로 하여 두 차례(1654, 1658)에 걸쳐 수백 명의 **조총 부대**를 영고탑(지금의 지린성) 일대에 파병하였다.

❶ 북벌론 추진 상황

대외적으로는 청과 군신 관계를 맺었으나, 내부적으로는 국방을 강화하며 청에 대한 북벌을 준비하였다.

조선의 나선 정벌

05 동남아시아와의 대외 관계

조선은 류큐(오키나와),❷ 태국, 자바 등의 나라들과 문물을 교류하였다. 조선 정부는 조공 혹은 진상의 형식으로 토산품을 받고, 의복 재료·문방구·서적·불종·불상 등을 회사품으로 주었다.

❷ 류큐(유구)와의 교역

고려 말에 왕국을 건설한 류큐는 고려 및 조선 정부에 적극적으로 사신을 파견했으며, 불경 등 불교 문화재를 회사품으로 받아가서 불교 문화 발전에 이바지하였다. 류큐는 17세기 초, 일본의 사쓰마번에게 정복되기 전까지 조선과 교류하였다.

대표 기출문제

다음 자료에 나타난 상황과 관련 있는 사건은?

2019, 지방직 9급

경성에는 종묘, 사직, 궁궐과 나머지 관청들이 또한 하나도 남아 있는 것이 없으며, 사대부의 집과 민가들도 종루 이북은 모두 불탔고 이남만 다소 남은 것이 있으며, 백골이 수북이 쌓여서 비록 치우고자 해도 다 치울 수 없다. 경성의 수많은 백성들이 도륙을 당했고 남은 이들도 겨우 목숨만 붙어 있다. 굶어 죽은 시체가 길에 가득하고 진제장(賑濟場)에 나아가 얻어먹는 자가 수천 명이며 매일 죽는 자가 60~70명 이상이다.

— 성혼, '우계집'

[해설]

제시된 자료는 성혼이 임진왜란 때의 피해 사실을 기록한 내용이다. 임진왜란 때 경복궁을 비롯한 궁궐과 관청들이 불탔으며 많은 수의 인명 피해 등이 있었다.

[정답] ②

① 병자호란   ② 임진왜란

③ 삼포왜란   ④ 이괄의 난

2 CHAPTER

근세의 경제 · 사회 · 문화

解 · 法 · 기 · 출 · 진 · 맥

9급 국가직

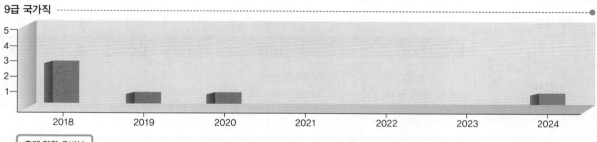

출제 경향 오버뷰 매년 1~3문제씩 출제되었으나, 3년간 출제되지 않다가 2024년에 출제됨. 조선 전기의 서적 편찬

9급 지방직

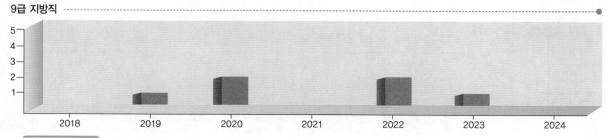

출제 경향 오버뷰 2년에 1번꼴로 1~2문제 이상씩 출제됨. 성리학, 문화재

9급 법원직

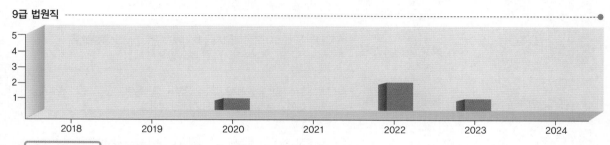

출제 경향 오버뷰 거의 2년에 1번꼴로 출제되고 있음. 토지 제도, 신분 제도, 이황

01강 근세의 경제

 解/法 기출분석

구분		2008~2017	2018	2019	2020	2021	2022	2023	2024
9급	국가직	토지 제도(2)							
	지방직	• 토지 제도(3) • 수취 제도							수취 제도
	법원직	• 토지 제도(2) • 수취 제도(2) • 상업						경제 상황	

 解法 요람

수취 제도

	내 용
전세(租)	생산량의 1/10 ⇨ 연분 9등법(풍흉) (1결: 약 미곡 30두)　　전분 6등법(비옥도)
역(庸)	• 군역: 양인 개병(정군/보인) ⇨ 보법(세조) ⇨ 대립 / 방군수포제(군역 문란) 　⇨ 군적수포제(세금화) ⇨ 경제 부담 가중(농민의 수 감소, 각종 비리 만연) • 요역: 토지 8결당 1명(6일 이내), but 임의 징발 많음.
공납(調)	상공 · 별공 · 진상: 전세보다 큰 부담 방납의 폐단 ⇨ 수미법 주장(조광조, 이이, 유성룡)

토지 제도

	시기	내 용
과전법	고려 공양왕	• 전 · 현직 관리에게 경기 지방에 한해 지급(최고 150결~최하 10결) • 죽거나 반역을 하면 반환. 수신전 · 휼양전 · 공신전은 세습 허용
직전법	세 조	• 현직 관리에게만 수조권 지급(지급 토지의 부족), 수신전, 휼양전 몰수 • 수조권자(전주)의 과다 수취로 인한 폐해 발생
관수 관급제	성 종	• 직전법하에서 지방 관청에서 그해 생산량을 조사하여 거두고, 관리에게 지급 • 수조권의 대행을 통해 국가의 토지 지배권 강화
현물 녹봉제	16세기 중엽 이후	• 직전법 폐지, 수조권 지급 제도가 소멸되고 관리들은 녹봉만 받게 됨. • 양반 관료의 토지 소유욕 자극, 농장 확산(지주 전호제 강화)

01 수취 체제의 확립과 문란

1. 국가 재정❶

(1) 운영: 토지 대장인 양안❷과 인구 대장인 호적을 작성하였고 이를 근거로 전세, 역 등을 부과하였다.

(2) 종류: 토지에 부과되는 조세, 집집마다 부과되는 현물세인 **공납**, 정남의 노동력을 징발하는 **역(군역, 요역)❸**이 있다. 이외에도 염전, 광산, 어장에서 걷은 세금이나 상인, 수공업자 등이 내는 세금 등이 있었다.

(3) 용도: 군량미나 구휼미로 비축하거나 각종 경비·관리의 녹봉 등으로 지출하였다.

2. 조세(租稅, 전세): 토지 소유자인 지주는 국가에 조세를 납부할 의무가 있었다.

(1) 조선 초기: 1/10세, 약 30두❹(1결❺당 생산량 300두, 한전은 수전의 1/2)를 납부하였다.

(2) 답험 손실법❻
  ① 내용: 농사의 작황을 조사하여 수확량의 1/10인 약 30두에서 **손실에 비례하여 전세를 감면**하였다. 과전법 실시부터 세종 때 공법 제정 이전까지 시행되었다.
  ② 폐단: 토지의 비옥도는 고려되지 않았고 풍흉을 조사하는 과정에서 과잉 부과, 중간 수탈이 자행되었다.

(3) 공법(1444, 세종 26): 토지 비옥도와 풍흉의 정도에 따라 조세 액수를 조정하였다.
  ① 전분 6등법❼
    ㉠ 내용: 토지의 비옥도에 따라 여섯 등급으로 나누었다. 토지의 등급에 따라 길이가 다른 자를 사용하여 기본 수세 단위인 결(結)의 실제 면적을 토지 등급마다 다르게 하였다(수등이척법).
    ㉡ 변화: 효종 이후 모든 전지의 양전척을 통일하는 양척동일법이 시행되었다.
  ② 연분 9등법
    ㉠ 내용: 지역 단위로 풍흉에 따라 9등급으로 나누어 최고 20두에서 최저 4두를 수취하였다.
    ㉡ 변화: 16세기 이후 4~6두로 고정적으로 징수하는 것이 관례화되었다.

고등사료 百出

2022. 법원직 9급, 2017. 지방직 9급, 2011. 국가직 9급, 2011. 지방직 7급

공법(貢法)
- 국왕이 말했다. "나는 일찍부터 공법을 시행해 여러 해의 평균을 파악하고 **답험(踏驗)의 폐단을 영원히 없애려고** 해왔다. **신하들부터 백성까지 두루 물어보니** 반대하는 사람은 적고 찬성하는 사람이 많았으므로 백성의 뜻도 알 수 있다." ─「세종실록」
- 지금부터는 **전척(田尺)으로 측량한 매 1결**에 대하여 상상(上上)의 수전에는 몇 석을 파종하고 한전에서는 무슨 곡종 몇 두를 파종하여, **상상년**에는 수전은 몇 석, 한전은 몇 석을 수확하며, **하하년**에는 수전은 몇 석, 한전은 몇 석을 수확하는지, …… 위와 같이 조사하여 보고토록 합니다. ─「세종실록」
- 모든 토지는 6등급으로 나누며, **20년마다 한 번씩 토지를 다시 측량하여 양안을 만들어** 호조, 각 도, 각 고을에 각각 보관한다. …… 항상 계속하여 경작되고 있는 토지는 정전(正田)이라 칭하고, 때로는 경작하고 때로는 휴경하는 토지는 속전(續田)이라 부른다. ─「경국대전」

---

❶ 예산 제도 도입

세조 때부터 지출을 먼저 정하고 그에 따라 수입을 정하는 회계 제도를 도입하였다.

❷ 양안

토지 소유자와 논밭의 위치 등 상세한 정보를 기록하여 전세 부과의 기준이 되었다.

❸ 역(군역, 요역)

교대로 번상해야 하는 군역과 1년에 일정한 기간 노동에 종사해야 하는 요역이 있었다.

❹ 두(斗)

1두는 1.5L 페트병 4개 정도(6리터)이다.

❺ 결(結)

1결은 곡식 300두를 생산할 수 있는 면적을 의미한다.

❻ 답험 손실법(踏驗損實法)

공전의 답험은 지방관이 했지만, 사전의 경우 수조권을 받은 개인이 농사의 작황을 직접 조사함에 따라 자의적으로 판단할 가능성이 높았다.

❼ 전분 6등법(田分六等法)

1444년 전제 상정소에서 완성된 법으로, 서로 다른 면적이라도 수확량이 같으면 동일한 전세를 수취하였다.

✎ 연분 9등법(年分九等法)

등급		수조액
상	상년	20두
	중년	18두
	하년	16두
중	상년	14두
	중년	12두
	하년	10두
하	상년	8두
	중년	6두
	하년	4두

~1392 전일 ▶▶

- 1102 해동통보 발행
- 1309 소금 전매제 시행
- 1363 문익점, 원에서 목화씨 전래
- 1391 과전법 시행

Now Event ▶▶
- 1405 사원전, 사원 노비 몰수
- 1412 시전 설치
- 1424 조선통보 주조
- 1429 『농사직설』 편찬
- 1444 전분 6등법, 연분 9등법 시행

9급 위 한국사

수등이척과 양척동일

1. **수등이척법(隨等異尺法)**: 등급에 따라 각기 다른 자를 사용하여 1결당 면적을 달리함.

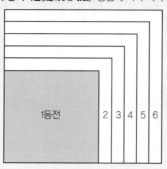

등급	실제 면적	
1등전	38무	2,753.1평
2등전	44.7무	3,246.7평
3등전	54.2무	3,931.9평
4등전	69.1무	4,723.5평
5등전	95무	6,897.3평
6등전	152무	11,035.5평

▼ 전분 6등법에서의 1결당 실제 면적

2. **양척동일법(조선 후기)**: 양전하는 자의 길이를 통일하고, 그 등급에 따라 세액을 달리하는 차등 수조 방식
   ① 종래의 1등급 자인 주척 4자 7치 7푼을 1자[尺]로 정하여 사방 100척을 1등전의 1결로 정함.
   ② 토지 등급마다 비율을 달리하여 결의 면적을 환산: 1등전의 1결을 100, 2등전은 85, 3등전은 70, 4등전은 55, 5등전은 40, 6등전은 25의 비율

3. 공납(貢納)

중앙 관청에서 각 군현에 물품과 액수를 할당하면, 군현은 이를 집집마다 거두었다.

(1) 유형

① **상공**: 매년 정기적으로 중앙에서 징수하였다.

② **별공**: 수요가 발생할 때마다 수시로 거두었다.

③ **진상**: 궁궐에서 필요로 하는 물품을 '예헌'[1]의 방식으로 상납하였다.

(2) 폐단

① **부담**: 공물은 납부[2]하는 과정이 번거롭고 부담도 컸다. 또한 공물의 생산량이 일정하지 않아 납부 기준에 맞는 품질과 수량을 맞추기 어려우면 다른 곳에서 구입하여 납부하였다.

② **폐단**
   ㉠ **불산과세(不産課稅)**: 그 지역에서 생산되지 않는 물품을 공물로 내게 하였다.
   ㉡ **방납**[3]: 공납을 방해하여 이익을 취하는 행위이다. 관청의 서리가 공물을 대신 내고 그 대가를 챙겼다.
   ㉢ **인징과 족징**: 도망간 농민의 공물을 이웃이나 친척에게 대신 내게 하였다.

❖ **방납의 개혁안**

인물	내용
조광조	국가 경비의 감축과 방납의 폐단을 근절시키고자 **수미법**을 주장하였다.
조식	서리망국론을 통하여 방납에서 나타나는 서리들의 폐단을 지적하고 시정할 것을 주장하였다.
이이 · 유성룡	이이는 『동호문답』에서 방납의 폐단을 지적하고 공납의 수취 방식을 현물에서 쌀로 바꿀 것을 주장(수미법)하였다. 유성룡도 임진왜란 중에 수미법을 건의하였다.

❶ 예헌(禮獻)

국가의 기념일이나 경사 때 중앙과 지방의 책임자가 국왕에게 축하의 뜻으로 토산물을 바치는 것을 말한다.

❷ 공물의 납부

공물은 현물로 징수했기 때문에 운반과 저장에도 어려움이 많았다.

❸ 방납(防納)

지방에서 상납한 공물에 대해 관청의 서리 등은 여러 가지 트집을 잡아 되돌려 보냈다. 이후, 서리 등은 공물을 대신 내고 그 대가를 많이 챙겼다.

• 1466 직전법 실시 　　• 1470 관수 관급제 실시 　　• 1541 군적 수포제 실시 　　• 1556 직전법 폐지

▶▶ 후일 1556~1863
• 1608 대동법 실시
• 1635 영정법 실시
• 1678 상평통보 주조
• 1750 균역법 실시

심화사료 百出

방납의 폐해

김개가 아뢰기를 "신이 지난번 전라도에 있을 때 들은 바로는 '사다새의 살을 약으로 사용하므로 전라도 바닷가 7읍에서 번갈아 진상한다.' 하였습니다. …… 지금은 생산되지 않은 지 오래되었습니다. 진상할 차례가 돌아오면 백성들에게 그 값을 징수하여 평안도 산지에 가서 사옵니다. 또는 서울 상인이 가지고 있으면 먼저 바치고 그 고을에서 값을 받기도 합니다." 하였다. — 『명종실록』

조식의 서리망국론(胥吏亡國論, 1568)

조식이 상소를 올렸다. "지금처럼 서리가 나라를 마음대로 하는 것은 들어보지 못하였습니다. **지방 토산물의 공납을 일체 막아서 공납을 바칠 때 본래 값의 일백 배가 되지 않으면 받지도 않습니다.** 백성들이 이기지 못하여 세금을 못 내고 도망하는 자가 줄을 이었으니 어찌 주현 백성들의 공납을 간사한 아전들이 나누어 갖게 되리라고 생각이나 하였으며 전하께서 이들이 방납한 물자에 의지하게 되리라 생각이나 하였겠습니까?" — 『선조실록』

이이의 수미법 건의

해주의 공물법을 보면, **토지 1결마다 쌀 한 말을 징수하고 관청은 스스로 물품을 마련**하여 서울에 바치기 때문에 백성들은 쌀을 낼 줄만 알지 다른 폐단은 거의 듣지 못하게 되었다. 이것은 오늘날 백성을 구하는 참으로 좋은 법이 될 수 있다. 만약 **이 법을 사방으로 넓혀 행한다면 방납의 폐단은 머지않아 저절로 개혁될 것이다.** — 『율곡 전서』

4. 군역(軍役)[4]

16세 이상 60세 이하의 양인 남자에게 모두 군역을 부과하는 **양인 개병제**를 실시하였다.

(1) 군역의 변질(방군수포제·대립제)

16세기 이후 다른 사람을 사서 군역을 대신하게 하는 대립이 나타났으며, 군역에 복무해야 할 사람에게 **포를 받고 군역을 면제**해 주는 방군수포가 성행하였다.

(2) 군적수포제[5]의 시행(1541, 중종 36)

① 내용: 군역의 변질에 대응하여 정부는 군역 대상자에게 1년에 2필의 군포를 징수하는 것을 법제화하였다.

② 결과: 군역이 농민의 직접 입역(立役)에서 물납(物納)으로 전환되는 계기가 되었다.

5. 요역(徭役)

국가에서 백성의 노동력을 무상으로 강제 동원하는 제도이다.

(1) 국초: 가호를 기준으로 정남의 수를 고려하여 뽑았다. 이후 토지 면적도 고려하였다.

(2) 성종: 토지 8결에 한 사람씩 부역하게 하고 1년의 요역 일수를 6일 이내로 한정하였으나(8결작부제), 임의 징발은 여전히 많았다.

[4] 군역
양반·서리·향리 등은 관청에서 일하기 때문에 군역을 부과하지는 않았다.

[5] 군적수포제(軍籍收布制)
정부는 납부받은 군포로 군인을 고용하였다. 그러나 징수 체계가 일원적이지 않아 5군영뿐 아니라 중앙의 관청이나 지방의 감영, 병영이 각각 군포를 배당받아 거둠으로써 양인 장정은 이중, 삼중의 군역을 부담하였다. 또한 실무를 담당한 수령과 아전들의 농간과 횡포가 극심하였다.

6. 16세기 수취 제도의 문란

(1) 전세: 지주가 내야할 전세를 소작인에게 대신 내도록 강요하는 경우가 많아졌다.

(2) 공납: 하급 관리나 상인 등이 공물을 대신 내고 그 대가를 챙기는 **방납**이 나타났다.

(3) 군역❶: 군포 부담의 과중과 군역 기피 현상으로 도망하는 자가 늘어나면서 군적도 부실해졌다. 각 군현에서는 남아 있는 사람에게 그 부족한 군포를 부담시키자, 남은 농민도 생활이 더욱 어려워졌다.

(4) 환곡❷: 빈민 구제를 위한 **환곡**이 고리대로 변질되어 **국가 재정을 보충하는 수단**이 되었다.

(5) 결과: 농민 생활이 악화되어 각 지방에서 유민이 증가했으며, 유민 중 일부는 도적이 되었다. 명종 때 황해도와 경기도 일대에서 활동한 백정 출신인 **임꺽정**이 대표적인 인물이었다.

2020. 지방직 9급

심화사료 百出

임꺽정의 난(명종)

임꺽정은 양주 백정으로, 성품이 교활하고 날래고 용맹스러웠다. 그 무리 수십 명이 함께 다 날래고 빨랐는데, 도적이 되어 민가를 불사르고 소와 말을 빼앗고, 만약 항거하면 몹시 잔혹하게 사람을 죽였다. 경기도와 황해도의 아전과 백성들이 임꺽정 무리와 은밀히 결탁하여, 관에서 잡으려 하면 번번이 먼저 알려주었다.

– 이긍익, 「연려실기술」

7. 조운(漕運) 제도

지방에서 거둔 조세는 강, 바다를 이용해 수도로 운반하였다.

(1) 운영
  ① 과정: 충남·전라·황해도 지방의 세곡은 해로를 통해서, 충북·강원(한강)·경상 지방 일부(낙동강·남한강)의 세곡은 수로를 통해 보내졌다.
  ② 보관
    ㉠ 조창: 지방의 조세를 임시 보관하는 창고로, 각 군현의 강가나 바닷가에 설치하였다.
    ㉡ 경창❸: 조창의 조세는 수도의 경창(현재의 용산·서강)으로 운반되었다.

(2) 특징
  ① 수상 교통 발달: 산지가 많은 자연환경으로 인해 육상 교통이 발전하지 못하여 일찍부터 수상 교통에 의존하였다.
  ② 잉류 지역의 존재: 평안도와 함경도는 조세를 서울로 운송하지 않고 보관했다가 군사비나 사신 접대비로 사용하였다(제주는 자체 경비).

---

❶ 역의 종류

역역은 부과 대상에 따라 신역(身役)과 호역(戶役)으로 나누어진다. 신역은 국가가 개별적으로 사람을 강제 징발하는 것으로 군역이 이에 해당된다. 호역은 가호를 기준으로 부과하는 것으로, 요역이 여기에 해당된다.

❷ 환곡

환곡은 곡물을 구하기 어려운 봄이나 흉년에 곡물을 빌려주고 가을에 돌려받는 제도이다. 곡물 보관시 자연 감소분 보충, 운영 비용 마련 등의 명분을 내세워 이자를 받았다. 이 이자가 환곡 문란의 근본적인 이유가 되었다.

조운선 모형

❸ 경창(京倉)

· 광흥창(좌창): 관리들의 녹봉 지급
· 풍저창(우창): 중앙 경비 충당
· 군자창: 군량미 충당

조선의 조운 제도

02 토지 제도의 변천

1. 과전법의 시행(1391, 공양왕 3)

(1) 배경

고려 말 전시과의 붕괴·농장의 확대 등 모순을 시정하고, 신진 사대부의 경제적 기반을 마련하기 위해 실시되었다.

(2) 내용

① 규정: 경기 지방의 토지에 한하여 **최고 150결**에서 **최하 10결**까지 전지만을 지급하였다. 과전은 소유권이 아닌 **수조권**[4]을 지급한 것으로 원칙적으로는 죽거나 반역을 하면 국가에 반환하도록 규정하였다. 또한 민생 안정을 위해 병작제를 엄격히 제한하였다.

② 특징

　㉠ 세습 가능 토지: 수신전, 휼양전,[5] 공신전 등의 이름으로 세습이 가능하였다.

　㉡ 지급 대상의 확대: 관료뿐만 아니라 향리,[6] 역리 등을 포함하여 서리와 장인·군인·학생들에게까지 수조권의 지급을 확대·적용하였다. 한편, 지방의 유력자들에게는 군전[7]을 지급하였다.

③ 과전법의 변화: 관리에게 줄 토지가 부족하게 되자 태종 때 과전의 1/3을 하삼도(충청, 전라, 경상)로 이급하였다. 그러나 세종 때 과전의 결수를 축소하고 공해전을 정리하여 하삼도에 이급한 과전을 다시 경기로 환원하였다.

④ 수조권자가 받는 조세

공전·사전을 막론하고 수조권자에게 바치는 조는 매 1결당 10분의 1조인 약 30두(斗)로 하였다.

⑤ 수신전과 휼양전

수신전은 관리가 죽으면, 그 부인에게 남편의 과전을 상속하게 한 토지이다. 휼양전은 관리와 부인 둘 다 죽고 그 자녀가 어릴 경우, 자녀가 아버지의 과전을 상속하게 한 토지이다.

⑥ 향리에 대한 토지 지급

과전법에서는 향리 이하 잡색의 직역인에 이르기까지의 직역전을 설정한다는 원칙을 세웠으나, 세종 27년(1445)부터 향리들은 외역전을 더 이상 지급받지 못하였다.

⑦ 군전(軍田)

과전법에서는 지방의 한량관에게 원래 그들이 보유하고 있던 토지의 다소에 따라 5결 또는 10결의 군전을 지급하도록 규정하였다. 그러나 실제로는 그들이 가지고 있던 토지 중에서 5결 또는 10결을 제외한 나머지 토지를 몰수한 조처였다.

고등사료 頻出　　　2013. 지방직 9급

과전법(科田法)의 시행

- (전하께서) 국내의 토지를 몰수하여 국가에 귀속시키고 식구를 헤아려 토지를 나누어 주어서 **옛날의 올바른 전제(田制)를 회복**하려 한 것인데. 당시 구가(舊家) 세족(世族)들이 자기들에게 불리하기 때문에 입을 모아 비방하고 원망하면서 온갖 방해를 하여 백성들로 하여금 지극한 정치의 혜택을 입지 못하게 하였으니 어찌 한스러운 일이 아니겠는가. 그러나 뜻을 같이 하는 2~3명의 대신과 함께 전 시대의 법을 강구하고 현실에 알맞은 것을 참작하여 **국내의 토지를 측량하여 파악한 다음 토지를 결수로 계산하여 …… 이르기까지 모두 토지를 분배**해 주었다. ─ 「조선경국전」
- 경기는 **사방의 근본**이니 마땅히 **과전**을 설치하여 사대부를 우대한다. 무릇 경성에 거주하여 왕실을 시위(侍衛)하는 자는 직위의 고하에 따라 과전을 받는다. 토지를 받은 자가 죽은 후, 그의 아내가 자식이 있고 **수신**하는 자는 남편의 과전을 모두 물려받고, 자식이 없이 수신하는 자의 경우는 반을 물려받는다. 부모가 모두 사망하고 그 자손이 유약한 자는 **휼양전**으로 아버지의 과전을 전부 물려받고, 20세가 되면 본인의 과에 따라 받는다. ─ 「고려사」

解法 도움닫기　고려의 전시과와 조선의 과전법 비교

구분	전시과	과전법
공통점	• 관리에게 직역에 대한 대가로 지급되었으며 과등에 따라 수조권만 차등 지급되었다. • 사망 시 반납하는 것이 원칙이었다.	
차이점	시정 전시과 110결~33결 경정 전시과 100결~17결	최고 150결에서 최하 10결 (직전법 110결~10결)
	전지와 시지 모두 지급	전지만 지급
	전 국토가 지급 대상	경기 지방에 한정

토지의 종류

토지명		특징
과전(科田)		과전법하에서 1과(150결)~18과(10결)에 따라 관료들에게 준 토지로, 소유권이 아닌 수조권을 지급하였다.
공신전(功臣田)	세습 가능	공신에게 지급된 토지로, 조선 후기까지 존재하였다.
별사전(別賜田)		외교에 공을 세우거나 반역을 고발한 준공신에게 지급된 토지이다.
수신전		과전을 받은 관리가 죽었을 때, 재혼하지 않는 부인에게 남편의 과전을 상속했다.
휼양전		과전을 받은 관리 부부가 다 죽고 자녀가 어릴 경우, 그 자녀에게 아버지의 과전을 상속하도록 하였다.
궁방전(宮房田)	면세전	왕실이나 궁가에 급여한 토지로 면세의 특권을 가지고 있었다.
궁장토(宮莊土)		왕실이 직접 소유한 토지이다.
역둔토(驛屯土)		역의 경비와 군대의 둔전을 합친 형태로 군대 비용을 충당하기 위한 토지이다.
관둔전❶(둔전)		지방의 행정 기관의 운영 경비를 보조하기 위해 설정한 토지이다.
사원전(寺院田)		사원에 지급되었으며 면세와 면역의 특권이 있었다.
학전(學田)		성균관과 4학, 향교에 지급한 토지로 각급 교육 기관에 지급하였다.
공해전(公廨田)		중앙 관청의 경비 조달을 위하여 지급된 토지이다.

❶ 관둔전(官屯田)
세조 때 전국 관둔전의 면적이 종전의 두 배로 늘어났으며, 평안도에는 역둔전을 따로 설치하였다.

2. 직전법(1466, 세조 12)

(1) 배경: 세습되는 토지가 늘어나면서 새로 관리가 된 사람들에게 지급할 토지가 부족해졌다.

(2) 내용: 수신전과 휼양전을 몰수하고, **현직 관료**에게만 수조권을 지급하였다.

(3) 결과: 수조권은 재직 기간 동안만 지급되었다. 그래서 관리들이 조세를 거둘 때 과다 수취하는 경우가 많았다.

고등사료 百出

직전법(職田法)의 시행

이 제도를 실시하면 조정의 신하는 토지를 받지만, **벼슬에서 물러난 신하와 공경대부의 자손들은 1결의 토지도 가질 수 없게 됩니다.** …… 관리와 농민이 다른데, 만약 녹봉을 받지 못한다면 서민과 다를 바 없을 것입니다. ― 「세조실록」

3. 관수 관급제(1470, 성종 원년)

(1) 배경: 수조권을 가진 관료가 세금을 과도하게 거두는 일이 많아졌다.

(2) 내용: 지방 관청에서 그해의 생산량을 조사하여 거두고, 관리에게 나누어 주는 방식으로 수취 방법을 바꾸었다.

(3) 결과: 관청에서 관리 대신 수조권을 행사하면서 **국가의 토지 지배권**이 강화되었다. 관리들의 수조권 행사가 금지되면서 관리들이 수조권을 빌미로 토지와 농민을 지배하는 일도 사라졌다.

고등사료 百出

관수 관급제

대왕대비가 전지하기를, "사람들이 직전(職田)이 폐단이 있다고 많이 말하기에 대신에게 의논하니, 모두 말하기를, '우리나라 사대부의 봉록(俸祿)이 박하여 직전을 갑자기 혁파할 수 없다' 하므로, 나도 또한 그렇게 여겼는데, 지금 들으니 조정 관원이 그 세(稅)를 지나치게 거두어 백성들이 심히 괴롭게 여긴다 한다. ……" 하였다. 한명회 등이 아뢰기를, "**직전의 세(稅)는 관에서 거두어 관에서 주면(官收官給)** 이런 폐단이 없을 것입니다. ……" 하였다. 전지하기를, "**직전의 세는 소재지의 관리로 하여금 감독하여 거두어 주게 하고, ……**" 하였다.

– 「성종실록」

4. 직전법의 폐지

(1) 폐지: 16세기 중엽에는 직전법이 사실상 폐지되어 관리는 오직 녹봉만 받게 되었다. 직전법의 폐지에 따라 토지 지배 관계에서는 소유권만 남게 되었다.

(2) 결과: 토지의 사적 소유와 병작반수에 입각한 지주제는 더욱 확산되었다. 양반 관료와 지방 세력들은 매매, 겸병, 개간 등의 방법을 통하여 대규모의 토지를 사유화(농장)하였다.

03 농업

1. 농본주의 경제 정책

(1) 배경

조선은 재정 확보와 민생 안정을 위해 농업을 국가 경제의 기본으로 삼았다.

(2) 농업 정책

① 농경지 확대: 토지 개간을 장려하여 개간한 토지에는 일정 기간 면세의 혜택을 주었다. 토지 개간과 양전 사업❷의 실시에 따라 경지 면적이 증가하였다.

② 농업 기술 발달: 저수지, 보 등 수리 시설을 보수·확충하였다. 또한 새로운 농업 기술과 농기구를 개발하였다. 이러한 농업 기술의 성과를 정리하여 「농사직설」·「금양잡록」 등의 농서를 편찬하였다.

❷ 양전 사업

조선은 국초부터 군현 단위로 20년마다 양전을 실시하여 1/10의 조세를 거두었다. 이는 「경국대전」에서 법제화되었다.

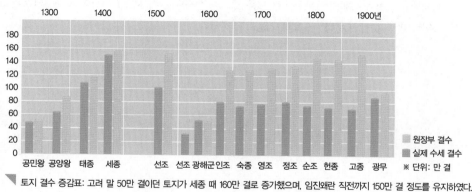

토지 결수 증감표: 고려 말 50만 결이던 토지가 세종 때 160만 결로 증가했으며, 임진왜란 직전까지 150만 결 정도를 유지하였다.

성리학적 경제관

· 검소한 것은 덕(德)이 함께하는 것이며, 사치는 악(惡)이 큰 것이니, 사치스럽게 사는 것보다는 차라리 검소해야 할 것이다.

· 우리나라에서는 이전에 공상(工商)에 관한 제도가 없어, 백성들 중 게으르고 놀기 좋아하는 자들이 수공업과 상업에 종사
하였기 때문에 농사를 짓는 백성들이 줄어들었으며, **말작(末作, 상업)이 발달하고 본실(本實, 농업)이 피폐해졌다.** 이것을
염려하지 않을 수 없다.

— 「조선경국전」

2. 농업의 발달

(1) 시비법❶의 발달

시비법이 발달하여 밑거름과 뒷거름을 주었다. 이에 따라 휴경지가 점차 소멸하고, 매년 농사를 지
을 수 있게 되었다.

(2) 밭농사 발달(2년 3작의 윤작법)

밭농사에서 조·보리·콩을 돌려 짓는 2년 3작의 윤작법이 널리 행해졌다.

(3) 벼농사 발달

① **직파법❷**: 직접 논·밭에 파종하여 수확할 때까지 한 장소에서 자라게 하는 농법이다. 조선 전기
에는 주로 직파법이 이용되었다.

② **이앙법(모내기법)**: 못자리에서 모를 키워 물이 채워진 논에 옮겨 심는 방법이다.

  ㉠ 실시: 조선 전기 남부 지방을 중심으로 이앙법이 점차 보급되어 벼와 보리의 2모작이 가능해
    졌다. 그러나 정부는 봄 가뭄에 따른 피해를 우려하여 이앙법을 금지시켰다.

  ㉡ 장점: 잡초가 감소하여 노동력이 절약되고, 단위 면적당 수확량이 증가하였다.

(4) 농기구 개량과 수리 시설 정비

쟁기, 낫, 호미 등 농기구가 개량되었으며, 각종 수리 시설을 보수·확충하였다. 또한 수차(물레방아)
를 이용하여 저수지 물을 논에 대는 기술도 개선되었다.

(5) 가을 갈이 농사법의 보급

가을 추수 이후에 지력을 회복하고 병충해를 방지하기 위해 빈 농지를 갈아엎는 농사법이다.

(6) 목화 재배

① 전래: 고려 공민왕 때 문익점이 원나라에서 목화씨를 가져와 목화 재배가 시작되었다.

② 확대: 조선 전기 목화의 재배는 함경도를 제외한 **전국으로 확대**되어 의생활이 개선되었다. 또한
목화로 만든 옷감인 **무명❸**은 **화폐 기능**도 겸하였다.

❶ 시비법

논·밭에 비료를 주는 것으로, 지속
적인 토지 사용에 따른 지력 회복을
위한 것이다.

❷ 직파법(直播法)

· 수경법(물사리): 물을 댄 논에 직
  접 종자를 뿌리는 방식으로 이앙
  법과 함께 시행되다가 점차 사라
  지기 시작하였다.

· 건경법(건사리): 물이 없는 논에
  종자를 뿌리고 일정 정도 자란 다
  음 물을 대주었다. 주로 수경법이
  불가능한 조건에서 시행되었다.

❸ 무명

배의 돛으로 사용되기도 하였다.

04 양반 지주와 농민의 생활

1. 양반의 경제 기반

양반의 경제 기반은 과전, 녹봉,[4] 그리고 자신이 소유한 토지와 노비 등이 있었다.

2. 양반 지주[5]의 토지 경작 방식

(1) 노비를 통한 직접 경작

양반은 자기 소유의 토지를 노비에게 경작시켰다. 이때 **작개지**의 수확은 양반에게 돌아가고 **사경지**의 수확은 노비가 차지하였다.

(2) 소작농을 통한 간접 경작

농민들에게 소작을 주어 생산량을 절반씩 나누었다(병작반수).

3. 양반의 노비 소유[6]

(1) 재산으로서의 소유

구매, 노비의 자녀 출산, 노비와 양인과의 혼인 등의 방법을 통해 자신이 소유한 노비의 수를 늘렸다.

(2) 노비의 업무

양반은 노비에게 가사 일을 돌보게 하거나 옷감을 짜게 하였다. 또한 외거 노비는 주인과 따로 살면서 주인 소유의 토지를 경작했는데, 매년 신공(몸값)으로 포와 돈을 바쳐야 했다.

4. 농민의 생활

(1) 지주제의 확대와 농민의 몰락

많은 농민들은 지주제의 확대와 더불어 자연재해, 고리대, 세금 부담 등의 이유로 소작농이 되었다. 소작농이 된 농민들은 지주에게 소작료로 수확의 반 이상을 내야 했기 때문에 경제적으로 더욱 열악해져 도적·유망민 등이 되기도 하였다.

(2) 정부의 대책

① **구황 방법 제시**: 정부는 구황 대책으로 『구황절요』(중종), 『**구황촬요**』(명종) 등을 간행·보급하고 도토리·나무 껍질 등을 가공하여 먹을 수 있는 방법을 제시하였다.

② **통제 강화**: 호패법, 오가작통법 등을 통해 농민의 유망을 막고 통제를 강화하였다.

05 수공업

1. 관영 수공업

(1) 운영

공장안[7]에 등록된 기술자들은 중앙 관청(경공장)과 지방 관청(외공장)에 배속되었다. 이들은 정부에서 필요한 물품인 의류·활자·화약·무기·문방구 등을 제작하였다.

④ 녹봉

현직 관리가 국가로부터 받은 현물 급여이다. 연 4회 혹은 매월마다 지급되었다.

⑤ 양반 지주

양반 소유의 토지는 비옥한 토지가 많았던 경상·전라·충청도 지역에 집중되어 있었고 규모가 커서 농장의 형태를 이루고 있었다.

⑥ 양반의 노비 소유

조선 전기 양반들은 10여 명에서 많게는 300여 명이 넘는 노비를 보유하고 있었다.

⑦ 공장안

관청에 등록된 장인들의 명단이다. 경공장과 외공장으로 나누어 등록되었다.

(2) 처우

근무하는 동안에는 식비 정도만 지급되었다. 대신 관청에 동원되는 기간 이외에 만든 제품이나 자신의 책임량을 초과한 생산품에 대해서는 세금을 내고 개인적으로 판매할 수 있었다.

(3) 관영 수공업 쇠퇴

관영 수공업은 16세기에 들어와 **부역제의 해이**와 상업의 발달로 **점차 쇠퇴**하였다.

2. 민영 수공업

(1) 민영 수공업: 주로 농기구나 양반의 사치품을 생산하여 판매하였다.
(2) 가내 수공업: 무명, 명주,❶ 모시, 삼베 등의 직물을 생산하였다. 목화 재배가 확대되면서 무명 생산이 점차 증가하였다.

❶ 명주

명주는 누에에서 뽑은 실로 만든 옷감이다. 명주 중에서 두껍고 광택이 나는 옷감을 비단이라고 하였다.

06 상업

1. 상업 정책

(1) 상업 규제(농본억상 정책)

정부는 검소한 생활을 강조하는 유교적 경제관에 따라 상업을 말업으로 간주하여 통제하였다.

(2) 화폐 발행

정부는 저화(태종)❷, 조선통보(세종) 등을 만들어 유통시키려 하였으나 실패하였다. 물건을 사고팔 때에는 여전히 **쌀과 무명을 화폐처럼 사용**하였다.

❷ 저화(楮貨)

고려 말, 조선 초에 발행된 지폐로 조선 초 1401년(태종 1) 4월에 하륜의 건의로 사섬서를 설치, 이듬해 1월에 저화 2천 장을 발행하였다.

2. 시전과 경시서

(1) 시전

① 설치: 태종 때 종로와 남대문 일대에 2,600여 칸에 달하는 **시전**을 만들어 상인들에게 대여하였다.
② 시전 상인: 개경에 있던 시전 상인을 한양으로 이주시켜 장사하게 하고 점포세와 상세를 거두었다. 시전 상인은 관청에 물품을 공급하는 대신에 **특정 상품에 대한 독점 판매권**을 부여받았다.
③ 육의전: 명주·종이·어물·모시·삼베·무명을 파는 여섯 점포가 가장 번성했는데, 이를 육의전이라 불렀다.

(2) 경시서❸

불법적인 상행위를 통제하기 위하여 고려 시대와 마찬가지로 **경시서**(세조 때 평시서로 개칭)를 두었다.

❸ 경시서(京市署, 이후 평시서)

고려 문종 때 개경의 시전을 관할하기 위하여 설치하였다. 조선도 경시서를 설치하여 물가의 조절 및 상인들의 감독, 세금 등에 관한 업무를 담당하게 하였다. 이후 화폐의 유통과 도량형에 관한 업무도 관장하였다.

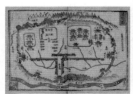

서울의 시전(市廛)

고등사료 百出

시전의 설치

태종 14년 7월 시전에 좌우 행랑 8백여 칸을 처음 만들었다. 혜정교(지금의 종로 1가)에서 창덕궁 입구에 이르기까지 외방의 놀고 먹는 자, 승려 무리들을 모아 양식을 주어 일을 시켰다.

– 「태종실록」

3. 난전(亂廛)

전안(시전 상인의 명단)에 등록되지 않은 상인, 또는 그러한 상행위를 통칭한다. 조선 전기에는 시전의 독점 판매 특권으로 인해 난전이 크게 발달하지 못하였다.

4. 장시(場市)

(1) 장시의 발달

① 발생: 장시(장문)는 15세기 말 전라도에서 발생하였다.

② 확대: 장시는 16세기 중엽에 이르러 전국적으로 확대되었다. 일부 시장은 정기 시장으로 정착되어 갔다.

(2) 보부상

보부상은 정부에 세금을 내고 허가를 받아 활동하였다. 이들은 시장(장시)을 중심으로 봇짐이나 등짐을 지고 다니며, 일용 잡화·농수산물·수공업 제품 등을 판매하였다. 점차 행상단이라는 조직을 만들기도 하였다.

보부상(褓負商)
짚신에 감발차고 패랭이 쓰고
곰무니에 짚신차고 이고 지고
이 장 저 장 뛰어가서
장돌뱅이들 동무들 만나 반기며
……
다음 날 저 장에서 다시 보세.

심화사료 百出

2013. 국가직 9급

장시의 등장

• 경인년(1470) 흉년 때 전라도 **백성이 서로 모여들어 점포를 열어 장문(場門 : 시장)**이라 칭하고, 사람들이 이에 의지하여 목숨을 유지하였다.
　　　　　　　　　　　　　　　　　　　　　　　　　　　　　　　　　 – 「성종실록」

• 시강관 박수문이 아뢰기를, "장시는 근년부터 생기기 시작하여 시장이 열리는 날에는 남녀 간에 고기와 술을 마련하여 시장에서 팔아 이익을 취하고 있으니, **근본(根本)을 버리는 폐가 이보다 더한 것은 없습니다.**" 하니, 왕이 이르기를, "장시의 어떤 일을 어떤 사람은 편리하다고 한다. 그러나 과연 이것은 **말(末)을 추구하는 것이다.**"
　　　　　　　　　　　　　　　　　　　　　　　　　　　　　　　　　 – 「중종실록」

5. 대외 무역

조선은 기본적으로 **주변 국가와의 무역을 통제**하였다. 국경 부근의 사무역도 엄격하게 단속하였다.

(1) 명나라: 명과는 사신이 왕래하는 과정에서 공무역과 사무역이 이루어졌다.

① 수출품: 금, 은, 인삼, 말, 화문석, 종이, 도자기 등이었다.

② 수입품: 비단, 서적, 약재, 문방구 등이었다.

(2) 여진: 여진과는 국경 지역에 설치한 **무역소**를 통하여 교역하였다.

(3) 일본: 동래에 설치한 왜관을 중심으로 무역하였는데, 식량과 농기구, 옷감 등이 수출되었다.

대표 기출문제

과전법과 그 변화에 대한 설명으로 옳지 않은 것은?

2015. 국가직 9급

① 수신전, 휼양전을 죽은 관료의 가족에게 지급하였다.
② 공음전을 5품 이상의 관료에게 주어 세습을 허용하였다.
③ 세조 대에 직전법으로 바꾸어 현직 관리에게만 수조권을 지급하였다.
④ 성종 대에는 관수 관급제를 실시하여 전주의 직접 수조를 지양하였다.

해설
② 고려 시대의 일이다.
① 과전법에 대한 설명이다. ③ 세조는 불법적으로 과전이 세습되고 신진 관료에게 분급될 토지가 부족해지자 직전법으로 바꾸어 현직 관리에게만 수조권을 지급하였다. ④ 성종은 관수 관급제를 실시하여 지방 관청에서 그해의 생산량을 조사하여 거두고, 관리에게 나누어 주었다.

정답 ②

02강 근세의 사회

解/法 기출분석

구분		2008~2017	2018	2019	2020	2021	2022	2023	2024
9급	국가직	향약							
	지방직	신분 제도(3)					서얼		
	법원직	신분 제도					유향소		

양천제와 반상제

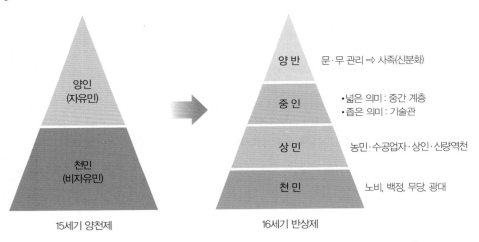

문·무 관리 ⇒ 사족(신분화)

• 넓은 의미 : 중간 계층
• 좁은 의미 : 기술관

농민·수공업자·상인·신량역천

노비, 백정, 무당, 광대

15세기 양천제   16세기 반상제

향촌 사회 운영

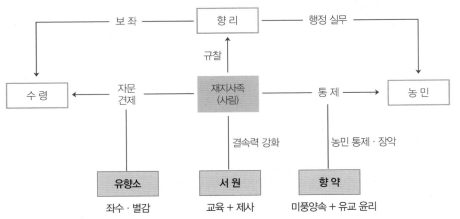

유향소 — 좌수·별감
서원 — 교육 + 제사
향약 — 미풍양속 + 유교 윤리

01 조선의 신분 제도

1. 양천 제도(15세기)

조선은 양인과 천민으로 구분하는 **양천 제도**를 법제화하였다.

(1) 양인[1]

자유민으로 조세·공납·역을 부담하였다. 과거 응시 자격이 있어 관직 진출에 제한이 없었다.

(2) 천민

비자유민이다. 국역의 의무는 없지만, 개인이나 국가에 소속되어 각종 천역을 담당하였다.

2. 반상 제도(16세기 이후)

(1) 양반의 신분화

양반은 본래 문반과 무반 등 현직 관료들을 부르는 명칭이었다. 점차 사회 계층과 신분에 대한 명칭으로 변화하였고, 현직 관료뿐 아니라 관직을 가질 수 있는 인물과 가문을 포괄하는 용어로 자리 잡았다.

(2) 신분의 분화와 반상 제도의 정착

16세기 이후 **지배층인 양반과 피지배층인 상민을 구별하는 반상 제도**가 일반화되었다. 양인은 경제력과 가문의 차이에 따라 양반·중인·평민 등의 계층으로 나뉘어 **양반·중인·상민·천민의 4신분제**가 정착되었다. 그러나 반상제는 사회 통념상의 제도로, **양천제처럼 법제화되지는 않았다.**

3. 양반(兩班)

(1) 의미의 변화

양반은 본래 **문반과 무반을 아우르는 관료의 명칭**이었다. 그러나 16세기 이후 문·무반 관료뿐만 아니라, 사족이라 하여 그 가족이나 가문까지 포함하는 개념으로 확대되었다.

(2) 특권 유지

① 기득권 유지: 기득권 유지를 위해 문반·무반 이외에 향리·서리 등 하급 지배층은 중인으로 격하시켰다. 또한, 정실 소생의 자녀만 인정하고 첩에서 난 자녀들은 **서얼로 격하·차별**[2]하였다.

② 특권의 제도화: 조선은 각종 법률과 제도로 양반의 신분적 특권을 제도화하였는데, 특히 **양반은 각종 국역을 면제받았다.**

③ 정치·경제적 여유: 과거를 통해 주요 관직을 차지했으며, 많은 토지와 노비를 소유한 **지주층**으로 풍요로운 생활을 하였다. 이들은 생산에는 종사하지 않는 대신 현직·예비 관료로 활동하거나 유학자로서의 소양과 자질을 닦는 데 힘썼다.

❶ 양인층의 증가

조선은 조세와 국역을 담당하는 양인층을 늘려 국가 기반의 안정을 추구하였다. 이 과정에서 고려 말~조선 초에는 많은 노비들이 해방되고, 양인의 지위도 향상되었다.

❷ 서얼(庶孽) 차별

성리학적 질서가 보급되어 처·첩의 구분이 엄격해짐에 따라 재산 상속과 관직 진출에서 심한 차별을 받았다.

사사건건 1392~1603

~1392 전일 ▶▶
• 956   광종, 노비안검법 실시
• 963   제위보 설치
• 986   의창 설치
• 1112 혜민국 설치

Now Event ▶▶
• 1398 양전 실시
• 1401 신문고 설치
• 1402 호패법 실시

• 1451 사창제 실시
• 1470 사창제 폐지

• 1500 과부 재혼 금지

• 1519 향약 실시

4. 중인☆: 넓은 의미로는 양반과 상민의 중간 신분 계층을 뜻하고, 좁은 의미로는 기술관만을 의미한다.

(1) **구분**

　① **중인**: 직역을 세습하고, 같은 신분끼리 혼인하였다. 또한 관청 가까운 곳에 거주하며 하급 관직을 역임하였다. 이들은 '위항인'❶이나 '여항인'❷이라고 불렸다.

　　㉠ **기술관**: 좁은 의미의 중인으로, 잡과에 합격한 역관, 의관 등을 지칭한다. 특히 역관❸은 사신을 수행하면서 무역에 관여하여 많은 재산을 모으기도 하였다.

　　㉡ **서리·향리**: 서리는 중앙 관청의 하급 관리였으며, 향리는 지방 관청에 소속되어 행정 실무를 담당하고 수령을 보좌하였다.

　② **서얼**: 서얼은 중인과 같은 신분적 대우를 받아 중서라고도 불렸다. 문과에 응시하는 것이 금지되었고, 주로 무과·잡과에 응시하여 무관이나 기술관이 되었다. 또한, 승진하는데 제한❹이 있었다.

(2) **지위**: 양반에게 차별을 받았지만, 전문 기술을 가졌으며 행정 실무를 담당하였기 때문에 상민보다 지위가 높았다.

5. 상민(常民)

(1) **의미**: 평민·양민으로 불렸으며, 농민과 상인·수공업자 등이 이 신분에 속하였다.

(2) **의무**: 생산에 종사하는 계층으로, 국가는 이들로부터 세금을 거두어 재정을 확보하였다.

(3) **신분 상승**: 상민이 과거에 응시하는 것은 **법적으로 가능했다.** 그러나 시간과 비용이 많이 드는 과거에 응시하기는 쉽지 않았다.

(4) **구분**

　① **농민**: 상민의 대부분을 차지하며, 조세·공납·역을 부담하였다.

　② **수공업자(공장)**: 대부분 관청에 소속되어 물품을 생산하였다.

　③ **상인**: 시전 상인, 행상 등은 국가의 통제 아래 상업 활동을 하였다. 농본억상 정책으로 인해 **상인은 농민보다 낮은 대우를 받았다.** 그러나, 상인·수공업자는 하급 기술관직인 유외잡직❺에 진출할 수 있었다.

　④ **신량역천**❻: 양인이면서 수군, 역졸, 봉수군 등과 같은 **천역을 담당하였다.** 이들을 신량역천 또는 칠반천역이라고 하였다.

❖ **조선의 신분 제도**

신분 구분		특징
양천제(良賤制) (15세기)	양인(자유민)	문반과 무반의 관리, 기술관, 서리, 향리, 농민, 상인 등
	천민(비자유민)	노비(공·사노비): 매매, 상속, 증여 대상
반상제(班常制) (16세기 이후)	양반 [문반(文班)과 무반(武班)]	• 지위 강화(교육, 과거, 관직, 토지 독점) • 사족(士族)의 의미 ⇒ 신분 세습, 신분적 개념화
	중인	• 넓은 의미: 중간 신분 계층(향리, 서얼, 서리, 군교 등) • 좁은 의미: 기술관(역관, 의관 등)
	상민	농민·수공업자·상인·신량역천
	천민	노비, 백정, 광대, 무당, 창기 등

---

❶ **위항인(委巷人)**

위항은 좁고 지저분한 거리를 뜻하는 말로, 위항인이란 바로 그런 좁은 골목에 사는 중인층들을 부르는 말이다.

❷ **여항인(閭巷人)**

벼슬을 하지 않는 일반 백성들을 이르는 말이다. 위항인과 함께 중인층을 일컬어 부르는 용어였다.

❸ **역관**

사역원에서 외국어를 교육받았으며 주로 외교 업무에 종사하였다.

❹ **한품서용(限品敍用)**

기술관·서얼은 정3품까지, 토관·향리는 정5품까지, 서리 및 기타는 정7품까지 승진할 수 있었다. 양반만이 승진의 제한없이 정품까지 오를 수 있었다.

❺ **유외잡직(流外雜織)**

공조, 교서관, 조지소, 도화서 등 관청에 소속된 하급 기술직 관리들을 말한다.

❻ **신량역천(身良役賤)**

수군, 조례(관청의 잡역 담당), 나장(형사 업무 담당), 일수(지방 고을 잡역), 봉수군(봉수 업무), 역졸(역에 근무, 조졸(조운 업무) 등 힘든 일에 종사한 일곱 가지 부류를 말한다.

• 1543 주세붕, 백운동 서원 세움.   • 1560 이황, 도산 서원 세움.   • 1577 이이, 해주 향약 실시   • 1600 공명첩 발급
                                                                    • 1603 경재소 혁파

▶▶ 후일 1603~1863
• 1608 경기도에 대동법 실시
• 1785 추조 적발 사건
• 1791 신해박해
• 1811 홍경래의 난

6. 천민(賤民): 법제적으로 노비만 천민, 천민의 대부분을 차지하는 것도 노비

(1) 노비[7]

① **노비의 지위**: 노비는 재산으로 취급되어 **매매, 상속, 증여**의 대상이 되었다. 그러나 주인이 함부로 죽이거나 처벌하는 것은 법적으로 금지되었다. 부모 중 한쪽이 노비일 때, 그 소생 자녀도 자연히 노비가 되는 제도가 일반적으로 시행되었다(**일천즉천, 一賤則賤**).

② **노비의 구분**: 국가에 속한 공노비와 개인에게 속한 사노비가 있었다.

㉠ **공노비[8]**: 주로 관청에 소속되어 관청의 잡무 처리와 물품 제작에 참여했다. 또한, 유외잡직으로 불리는 하급 기술관직에 진출할 수 있었다.

입역 노비(선상 노비)	소속된 관청에 일정 기간 동안 무상으로 노동력 제공
납공 노비	지방에 거주하면서 농사를 짓고 매년 50%의 병작료와 신공(몸값) 납부

㉡ **사노비**

솔거 노비	주인과 같이 살거나 근처에 거주하면서 직접적인 노동력 제공
외거 노비	• 주인과 따로 살면서 노동력 대신에 신공 납부, 재산 소유 가능 • 주인으로부터 사경지를 받아 그 수확을 본인이 차지하여 재산 축적 가능

(2) 기타

① **종류**: 백정, 무당, 창기, 광대 등도 천민으로 천대를 받았다. 이들은 법적으로 양인으로 분류되었으나, 노비와 같은 천민 취급을 받았다.

② **백정(白丁)**: 백정은 본래 고려 시대의 농민층을 일컫는 말이다. 조선 초기 이후 일반 농민층은 평민·양민 등으로 불렸다. 그리고 백정이라는 용어는 주로 **도살업·유기 제조업·육류 판매업** 등에 종사하던 천민을 지칭하는 데 사용되었다.

심화사료 百出

2022. 지방직 9급

서얼의 정치적 진출 제한 비판
서얼의 과거 응시와 벼슬을 제한한 것은 우리나라의 옛 법이 아니다. 그런데 『경국대전』을 편찬한 뒤부터 이들을 금고(禁錮)하였으니, 아직 백 년이 채 되지 않았다. 또한 다른 나라에 이러한 법이 있다는 말은 듣지 못했다. 경대부(卿大夫)의 자식인데 오직 **어머니가 첩이라는 이유**만으로 대대로 이들의 벼슬길을 막아, 비록 훌륭한 재주와 쓸만한 자질이 있어도 이를 발휘할 수 없게 하였으니, 참으로 안타깝다.
– 어숙권, 『패관잡기』

중인에 대한 차별
성종 13년 4월 신해 사헌부 대사헌 채수가 아뢰었다. "어제 전지를 보니 통역관, 의관을 권장하고 장려하고자 능통하고 재주가 있는 자는 동서 양반에 발탁하여 쓰라고 특별히 명령하셨다니 듣고 놀랐습니다. 무릇 벼슬에는 높고 낮은 것이 있고 직책에는 가볍고 무거운 것이 있습니다. **무당, 의관, 약사, 통역관은 사대부의 반열에 낄 수 없습니다. …… 의관, 역관 무리는 모두 미천한 계급 출신으로서 사족이 아닙니다.**"
– 『성종실록』

재인과 화척의 칭호를 백정[9]으로 개명
병조에서 이르기를, "재인과 화척(禾尺)은 본시 양인으로서, 업이 천하고 칭호가 특수하여, 백성들이 다 다른 종류의 사람으로 보고 그와 혼인하기를 부끄러워하니, 진실로 불쌍하고 민망합니다. 비옵건대, 칭호를 백정(白丁)이라고 고쳐서 평민과 서로 혼인하고 섞여서 살게 하며, ……" 하니, 그대로 따랐다.
– 『세종실록』

---

[7] **노비**
조선 시대에 주인과 노비 사이에는 유교적 군신 관계가 적용되었다. 이는 고려 시대에 비해 노비의 인격이 높아졌음을 의미한다.

[8] **공노비**
공노비들 중에서는 궁중에서 음악을 연주하고, 정원을 가꾸고, 요리를 하고, 의복을 제조하는 등의 기술을 가진 자들이 많았다.

[9] **신백정**
세종 대 재인과 화척 등을 신백정이라 부르며 일반 양인으로 동화시키려 했으나 성과를 거두지 못하였다.

제4편 근세 사회의 발전

1. 사회 제도 운영

(1) **환곡 제도**: 의창, 상평창에서 환곡 제도를 실시하여 농민들을 구제하였다.

　① **의창**: 고려의 의창을 계승한 것이다. 그러나 기금 고갈로 중종 때 폐지되었다.

　② **상평창**: 원래 물가 조절 기구로 설치되었다. 의창이 폐지되자 의창의 업무를 담당했으며, 원곡의 10%[**모곡(耗穀)**]를 이자로 받았다. 이후 이 이자는 **고리대로** 변질되어 갔다.❶

(2) **사창제(社倉制)**: 향촌 사회를 안정시키기 위해 지방의 양반 지주들이 자치적으로 운영한 것이다. 세종 때 대구에서 시험 실시하여 문종 때 제도화되었다. 이후 폐단이 많아지자 성종 때 폐지되었다.

2. 의료 시설

(1) **3의사**: 내의원, 전의감, 혜민국을 3의사라 칭했으며, 활인서를 추가하여 4의사라고도 하였다.

　① **내의원**: 조선 시대에 왕의 약을 조제하던 관청이다. 국왕을 비롯한 왕족의 치료를 주로 하였다.

　② **전의감**: 의료 행정을 담당한 관청으로, 의학 교육과 의관 선발, 관리의 치료 등을 하였다.

　③ **혜민국**: 서민 환자의 구제와 약재 판매를 담당하였고 의녀❷를 교육하였다. 이후 세조 때 혜민서로 개칭되었다.

(2) **동·서 대비원**: 수도권에 거주하는 서민 환자의 진료와 약재 판매를 담당하였다.

(3) **동·서 활인서**: 동·서 대비원을 계승한 것으로 조선 후기에 혜민서로 이속되었다. 도성 인근에 설치되어 서민 환자의 치료와 함께 유랑자의 수용과 구휼을 담당하였다.

(4) **제생원**: 지방민의 구호 및 진료를 담당하였다.

1. 형법과 민법

조선 시대에는 『경국대전』, 『대명률』❸ 등의 법전에 의해 형벌과 민사에 관한 사항을 규율하였다.

(1) **형법(刑法)**: 형벌에 관한 사항은 대부분 『대명률』의 적용을 받았다.

　① **형벌의 종류**: 형벌은 태·장·도·유·사❹의 5종이 기본으로 시행되었다.

　② **중대 범죄 처벌**: 범죄 중에서 가장 무겁게 취급된 것은 유교 윤리를 어긴 **반역죄와 강상죄**❺였다. 범인의 가족까지 함께 처벌하는 **연좌제가 적용**되었다. 심한 경우에는 범죄가 발생한 고을의 호칭이 강등되고, 고을의 수령은 낮은 근무 성적을 받거나 파면되기도 하였다.

(2) **민법(民法)**

　① **처리 주체**: 재판권을 가지고 있는 관찰사와 수령 등 지방관이 처리하였다.

　② **소송 내용**: 토지와 노비 등 소유권 분쟁이 주를 이루었다. 초기에는 노비 관련 소송이 많았으나, 이후 남의 묘지에다 자기 조상의 묘를 쓰는 데에서 발생하는 **산송(山訟)**이 주류를 이루었다.

---

❶ 환곡(還穀)의 세금화

조선 후기에 들어와 환곡은 지방의 재정을 메우는 방법으로 이용되어 사실상 세금과 다를 바 없었다. 19세기 삼정의 문란 중 환곡의 폐해가 가장 심각하였다.

❷ 의녀

조선 시대에 부인들의 질병을 진료하기 위해 두었던 여자 의원이다. 태종 때 의녀 제도를 처음 만들었으며, 세종 때 의녀의 수를 확대하였다.

❸ 『대명률(大明律)』

명나라 때 지어진 형벌에 관한 기본 법전이다.

❹ 태(笞)·장(杖)·도(徒)·유(流)·사(死)

태형	볼기를 치는 매질(10~50대)
장형	곤장형(60~100대)
도형	징역을 살며 강제 노동
유형	• 섬이나 변방으로 유배 • 유배지가 멀수록 중죄인
사형	교수형과 참수형

❺ 강상죄(綱常罪)

삼강오륜과 같은 유교 윤리를 어긴 죄

2. 사법 기관

(1) **특징**: 사법 기관은 행정 기관과 명확히 구분되지 않았다.

(2) **운영**

① **중앙**: 의금부(국왕 직속, 역모죄 관장), 사헌부, 형조(재판 기관, 사법 행정 감독), 한성부(전국의 토지·가옥·노비의 소송 처리), 장례원(노비 소송 담당) 등의 관청이 있었다.

② **지방**: 관찰사와 수령은 발령받은 지역에서 사법권을 행사하였다. 또한, 포도청이 있어 죄인 심문, 도둑 체포, 순찰(치안 유지·화재 예방 목적) 등을 하였다.

(3) **합리적 재판 제도의 운영**

재판에 불만이 있을 때는 상부 관청에 소송을 제기할 수도 있었다. 또한 **신문고**❻나 징을 쳐서 임금에게 직접 호소하는 방법도 있었으나, 일반적으로 시행되지는 않았다.

고급사료 ^{頻出}

신문고 제도

의정부에서 상소하기를 "서울과 외방의 고할 데 없는 **백성이 억울한 일을 소재지의 관청에 고발하여도 소재지의 관청에서 이를 다스려 주지 않는 자는 나와서 등문고를 치도록 허락하소서.** …… 그 중에 사사로이 (남에게) 원망을 품어서 감히 무고를 행하는 자는 반좌율(反坐律)을 적용하여 참소하고 간사하게 말하는 것을 막으소서." 하여 그대로 따르고, **등문고를 고쳐 신문고(申聞鼓)라 하였다.**

– 「태종실록」

---

04 향촌 사회❼의 조직과 운영

1. 사족의 향촌 지배

(1) **향안**: 사족(지방 양반)의 명단으로, 향안에 이름을 올려야 그 지역의 양반으로 인정받았다.

(2) **향회**: 향안에 이름이 기록된 사족들로 구성된 자치 기구이다. 이를 통해 사족들의 결속을 다지고 지방민을 통제하였다. 또한 향회의 운영 규칙을 **향규**라고 하였다.

2. 유향소❽

(1) **설립**: 지방의 유향품관들이 조직한 향촌 자치 기구이다. **수령을 보좌**하고 **향리를 규찰**하며 향촌 사회의 풍속을 바로잡고자 하였다.

(2) **변화**: 태종 때 중앙 집권 정책의 일환으로 유향소를 혁파하였다. 세종 때 부활했으며 세조 때 폐지되었다가 성종 때 다시 설치되었다. 왜란 이후, 수령의 업무를 보조하는 기구로 변질되어 향청 또는 향소라고 불렸다.

(3) **경재소**: 중앙 정부가 현직 관료로 하여금 연고지의 유향소를 통제하게 하는 제도로서, 중앙과 지방의 연락 업무를 맡았다. 임진왜란 이후 1603년(선조 36)에 폐지되었다.

❻ 신문고(申聞鼓)

1401년(태종 1) 백성들의 억울한 일을 해결할 목적으로 대궐 밖에 설치한 북이다. 그러나 북을 함부로 치면 매우 큰 벌을 받았고, 북을 칠 수 있는 사건의 종류가 매우 제한되어 있어서 실제로는 크게 이용되지 않았다. 연산군 때 폐지되었으나 1771년(영조 47) 영조가 다시 부활시켰다. 태종 때는 의금부가 관할하였고 영조 때는 병조에서 주관하였다.

❼ 향촌(鄕村)

향촌은 중앙과 대비되는 개념이다. 향(鄕)은 행정 구역상 군현의 단위를 말하며, 촌(村)은 중앙에서 지방관이 파견되지 않은 촌락이나 마을을 의미한다.

❽ 유향소(留鄕所)

좌수와 별감을 선출하여 자율적으로 규약을 만들고, 수시로 향회를 소집하여 여론을 수렴하였다.

3. 향약

(1) **성격**: 전통적 공동 조직에 삼강오륜을 중심으로 한 유교 윤리를 결합시킨 자치 조직이다. 여기에 어려운 일을 당하면 서로 돕는 미풍양속을 계승하였다. 이러한 특징들은 '덕업상권', '과실상규', '예속 상교', '환난상휼'의 4대 덕목❶에 반영되었다.

(2) **실시 및 확산**: 중종 때 조광조가 향약의 실시를 주장한 이래로 전국적으로 보급❷되었다. 이황은 영남 지방에서 도덕 중심의 향약(예안향약)을, 이이는 기호 지방에서 경제적 상부상조에 역점을 둔 향약(해주향약, 서원향약)을 만들어 보급하였다.

(3) **조직과 운영**

① 조직: 신분과 관계없이 향민 전원을 강제적으로 편성하였다. 임원은 사족 중에서 임명되었는데, 회장인 **도약정**과 부약정·약정·**직월** 등이 있었다. 농민들은 향약의 하부 구성원이 되었다.

② 운영: 향약의 윤리 규범은 사족과 농민 사이에 차별적으로 적용되었다. 또한 향약을 어기면 제재를 가하고 동리에서 추방할 수 있었다.

(4) **역할**: 질서 유지와 치안을 담당하는 등 향촌의 자치 기능을 맡았다. 또한 백성에게 성리학적 윤리를 확산시키는 데 크게 기여하였다.

(5) **부작용**: 사족들은 향약을 통해 농민을 통제·장악했기 때문에 농민들이 지방관보다 더 두려워했으며, 지방 유력자가 주민을 수탈하는 배경을 제공하기도 하였다.

---

❶ **향약의 4대 덕목**
- 덕업상권(德業相勸): 좋은 일은 서로 권장한다.
- 과실상규(過失相規): 잘못한 일은 서로 규제한다.
- 예속상교(禮俗相交): 올바른 예속을 서로 나눈다
- 환난상휼(患難相恤): 재난과 어려움을 서로 돕는다.

❷ **향약(鄕約)의 보급**
사림 세력들은 여씨향약을 한글로 번역하여 전국에 보급하고(김안국, 여씨향약 언해본 간행), 점차 우리나라의 실정에 맞는 향약을 만들어 군·현이나 마을 단위로 시행하였다.

고등사료 百出   2013. 국가직 9급, 2013. 서울시 9급

향약의 성립
이제부터 우리 고을 선비들이 하늘이 부여한 본성을 근본으로 하고 국가의 법을 준수하며 집에서나 고을에서 각기 질서를 바로잡으면 나라에 좋은 선비가 될 것이요, …… 진실로 이를 알지 못하고 올바른 것을 어기고 예의를 해침으로써 우리 고을 풍속을 무너뜨리는 자는 바로 하늘의 뜻을 거역하는 백성이다. **벌을 주지 않으려 해도 주지 않을 수 있겠는가. 이것이 바로 오늘날 부득이 향약을 세우는 까닭이다.**

— 「퇴계집」

해주향약 입약 범례문
무릇, 뒤에 향약에 가입하기를 원하는 자에게는 반드시 먼저 **규약문**을 보여 몇 달 동안 실행할 수 있는가를 스스로 헤아려 본 뒤에 가입하기를 청하게 한다. 가입을 청하는 자는 반드시 단자에 참가하기를 원하는 뜻을 자세히 적어서 모임이 있을 때에 진술하고, 사람을 시켜 **약정(約正)**에게 바치면 약정은 여러 사람에게 물어서 좋다고 한 다음에야 글로 답하고, 다음 모임에 참여하게 한다.

— 「율곡전서」

해주향약(이이)

4. 서원

(1) **설립**: 중종 때 풍기 군수 **주세붕**[3]이 백운동 서원(최초의 서원)을 설립하였다. 명종 때 **이황**의 건의로 소수 서원(최초의 사액 서원)으로 사액을 받았다. 이후 여러 지역에 서원이 건립되어 명망있는 유학자들을 제사지냈다.

(2) **사액 서원**: 국가로부터 서적과 토지, 노비 등을 지원받고 세금과 부역도 면제받았다. 사액을 받는다는 것은 국가에 의한 공인을 의미하기 때문에 서원에 대한 사회적 지위를 한층 높여주었다.

(3) **기능**

① **제사 기능**: 이름난 선비나 공신을 제사지내고, 그들의 덕행을 추모하였다.

② **교육 기관**: 사립 교육 기관으로, 유생들이 학문을 닦고 연구하였다.

③ **향촌 교화**: 유교 윤리를 보급하고 봄과 가을에 향음주례[4]를 시행하기도 하였다.

④ **여론 형성**: 사림들이 모여 여론을 형성했으며, 붕당의 형성에도 많은 영향을 끼쳤다.

(4) **부작용**: 서원의 권한이 강화되면서 지방민에 대한 수탈 등의 부작용이 나타났다.

심화사료 百出

2019. 국가직 9급

서원(書院)

우리나라 교육 방법은 중국 제도를 따라 **중앙에는 성균관과 사학(四學)이 있고, 지방에는 향교가 있습니다.** 진실로 좋은 일이지만 서원이 설치되었다는 말은 들은 바가 없습니다. 이것은 우리 동방의 큰 결점입니다. **주세붕이 처음 서원을 세울 때** 세상에서는 의심하였습니다. 주세붕은 뜻을 더욱 가다듬어 많은 비웃음을 무릅쓰고 비방을 물리쳐 지금까지 누구도 하지 못했던 장한 일을 이루었습니다. …… **최충, 우탁, 정몽주, 길재, 김종직, 김굉필 같은 이가 살던 곳에 서원을 건립하게 될 것입니다.**

— 「퇴계집」

---

5. 17세기 예학의 발달(예학의 시대)

(1) **배경**: 17세기에는 성리학의 학문적 연구가 심화되면서 예학이 크게 발달하였다. 양난으로 신분 질서가 흐트러진 상황에서 유교적 질서를 회복하려는 지배층의 입장이 반영된 것이다.

(2) **발전**: 김장생이 『가례집람』[5] 등을 편찬하면서 예학을 이론적인 학문으로 정립하였다.

(3) **폐단**: 관혼상제의 의례에 대한 붕당 간의 입장 차이가 정치적 대립의 구실(예송 논쟁)이 되기도 하였다.

6. 보학의 발달

(1) **보학**: 종족의 내력을 기록한 족보를 통해 혈통 관계를 정립시키는 학문인 보학이 발달하였다.

(2) **족보의 활용**: 족보를 통해 가문 내부의 결속[6]을 다지고 자신들의 신분적 우월성을 강조하였다.

고득사료 百出

2017. 국가직 9급(하), 2009. 지방직 7급

족보의 의미

내가 생각건대, 옛날에는 종법이 있어 대수(代數)의 차례가 잡히고 적자와 서자의 자손이 구별지어져 영원히 알 수 있었다. 종법이 없어지고서는 족보가 생겨났는데, **무릇 족보를 만듦에 있어 반드시 그 근본을 거슬러 어디서부터 나왔는가를 따지고 그 이유를 자세히 적어 그 계통을 밝히고, 친함과 친하지 아니함을 구별하게 된다.** 이로써 종족 간의 의리를 두터이 하고 윤리를 바르게 할 수 있었다.

— 「안동 권씨 성화보」[7] 서문

---

❸ 주세붕

주세붕은 안향(성리학의 최초 전래)의 고향인 경상도 백운동에 회헌사를 세우고, 이후 교육 시설을 더해서 백운동 서원을 건립하였다.

❹ 향음주례(鄕飮酒禮)

향촌의 선비나 유생이 학덕과 연륜이 높은 이를 주된 손님으로 모시고 술을 마시며 잔치를 하는 의례(儀禮) 중 하나이다. 이러한 의식을 통해 연장자를 존중하는 질서와 겸손의 예법을 익혔다.

백운동 서원(소수 서원)

❺ 「가례집람」

「가례」를 증보·해설한 책이다. 예절의 내력과 여러 해석에 일관성이 있어야 할 필요성을 절감하여 다양한 견해를 절충한 것으로 이후 가례의 준칙으로 사용되었다.

❻ 족보의 역할

족보를 통해 가족 간의 위계질서를 파악하고, 적자와 서자의 자손을 구별할 수 있게 되었다.

❼ 「안동 권씨 성화보」

현존하는 족보 중 가장 오래된 것으로, 15세기 성종 때 편찬되었다. 서문은 안동 권씨의 외손인 서거정이 작성하였다. 「문화 류씨 가정보」와 함께 조선 전기의 대표적인 족보이다.

7. 촌락의 구성과 운영

(1) **촌락**: 향촌을 구성하는 기본 단위로써 자연촌으로 존재하면서 동(洞), 리(里)로 편제되었다.

(2) **운영**: 자연촌 단위의 몇 개의 리(里)를 면으로 묶은 **면리제**를 실시하였다.

(3) 촌락의 농민 조직

① **두레**: **여러 사람이 힘을 모아 공동 작업**을 하는 **공동 노동체**이다. 삼한 때부터 존재했다.

② **향도**: 고대 시대부터 존재하였다. 신앙적 특징과 공동체 조직의 성격을 함께 띠고 있었다. **임진왜란 이후** 향도는 단순히 상여를 메는 사람인 **상두꾼**으로 잔존하게 되었다.

대표 기출문제

밑줄 친 '이들'에 해당하는 것은? 2022. 지방직 9급

<u>이들</u>의 과거 응시와 벼슬을 제한한 것은 우리나라의 옛 법이 아니다. 그런데 『경국대전』을 편찬한 뒤부터 <u>이들</u>을 금고(禁錮)하였으니, 아직 백 년이 채 되지 않았다. 또한 다른 나라에 이러한 법이 있다는 말은 듣지 못했다. 경대부(卿大夫)의 자식인데 오직 어머니가 첩이라는 이유만으로 대대로 이들의 벼슬길을 막아, 비록 훌륭한 재주와 쓸만한 자질이 있어도 이를 발휘할 수 없게 하였으니, 참으로 안타깝다.

① 향리 ② 노비
③ 서얼 ④ 백정

해설
③ 제시된 자료의 밑줄 친 '이들'은 서얼을 일컫는다. 양반의 첩에게서 태어난 서얼은 양반 정실의 자녀보다 차별을 받았다. 이들은 문과에 응시하는 것이 금지되었고, 관직 진출에도 제한이 있어 정3품까지만 승진할 수 있었다.

정답 ③

민족 문화의 융성

解/法 기출분석

구 분		2008~2017	2018	2019	2020	2021	2022	2023	2024
9급	국가직	• 조선 전기의 문화(2) • 회화 • 유네스코 문화유산 • 세종 대의 문화	• 혼일강리역대국도 지도 • 중종 대의 문화 • 해외 견문록	서적 편찬 (성종)	조선 전기 문화				성종 대의 문화
	지방직	• 세종 대의 문화 • 의궤(2) • 훈민정음 • 자기(2) • 예술(2) • 해외 유출 문화재 • 한양의 구조		서적 편찬	• 덕수궁 • 유네스코 세계 유산			세종 대의 문화	
	법원직	• 세종 대의 문화(2) • 과학 기술 • 역사서(고려사)					농서 편찬		

근세 문화 총정리

	15세기	16세기
지배층	훈구 : 부국강병, 중앙 집권	사림 : 의리와 도덕, 향촌 자치
성리학	성리학 + α	성리학 + X (Only 성리학)
역사	자주적(『고려사』, 『고려사절요』, 『동국통감』)	존화주의적(『기자실기』, 『동몽선습』)
과학	과학 기술↑: 훈민정음, 측우기, 자격루, 『칠정산』, 『농사직설』 등	과학 기술 천시로 인한 쇠퇴, 심성론(수기) 중시
윤리서	『삼강행실도』, 『국조오례의』	『이륜행실도』, 『동몽수지』
건축	궁궐, 관아, 성문, 학교 건축 중심	서원 건축 중심(옥산 서원, 도산 서원)
공예	분청사기(실용과 검소)	백자(사대부의 취향)
미술	독자적 화풍: 무로마치 미술에 영향 몽유도원도(안견), 고사관수도(강희안)	다양한 화풍: 산수화, 사군자 유행 초충도(신사임당), 송하보월도(이상좌), 모견도(이암), 묵죽도(이정), 월매도(어몽룡)

사사건건 그날 1392~1603

~1392 전일 ▶▶
• 1145 『삼국사기』 편찬
• 1234 금속 활자로 『상정고금예문』 간행
• 1314 만권당 설치

Now Event ▶▶
• 1402 혼일강리역대국도지도 제작
• 1403 주자소 설치
• 1420 집현전 정비
• 1441 측우기 제작
• 1443 훈민정음 창제
• 1469 『경국대전』 완성

01 한글 창제

1. 한글 창제 배경

(1) 한자 사용의 불편함
고유 문자가 없어서 우리말을 자유롭게 표현할 수 없었기 때문에, 누구나 배우기 쉽고 쓰기 좋은 우리의 문자가 필요하였다.

(2) 통치의 안정성 확보
백성들을 교화하고, 국가의 통치 이념을 널리 알려 통치의 안정성을 높이고자 하였다.

2. 훈민정음 반포와 보급

(1) 창제: 세종은 한글 창제를 위해 궐내에 정음청이라는 임시 기구를 설치하였다. 이후 한글 28자를 만들고 1446년 훈민정음❶을 반포하였다.

(2) 문자의 체계와 편리성: 글자들은 발음 기관의 모양을 기본으로 삼아 만들어졌다. 또 누구나 쉽게 배우고 쓸 수 있으며, 웬만한 소리는 거의 다 표현할 수 있는 매우 뛰어난 문자이다.

(3) 한글로 편찬된 서적들: 불경·농서·윤리서·병서 등이 한글로 번역되거나 편찬되었다.
  ① 『용비어천가』: 세종 때 왕조의 정통성을 널리 알리기 위해 만든 서사시로, 조선의 창업 과정을 찬양하였다. 한글로 엮어진 최초의 작품이다.
  ② 『월인천강지곡』: 세종이 부처님의 덕을 기리며 지은 찬가이다.
  ③ 『석보상절』: 세종 때 수양 대군(훗날 세조)이 왕명으로 석가의 일대기를 찬술한 불경 언해서이다.
  ④ 『월인석보』: 세조 때 『월인천강지곡』과 『석보상절』을 합본한 서적이다.
  ⑤ 『훈몽자회』: 16세기 중종 때 최세진이 편찬한 한자 학습 서적이다. 한자를 각 항목으로 나누어 한글로 음과 뜻을 달아서 '한글의 작명서'라는 별칭이 붙었다.

(4) 행정 실무: 서리를 채용할 때 훈민정음을 시험 보게 했으며, 훈민정음을 행정 실무에 이용하게 하였다. 그러나 잘 시행되지 못하였다.

❶ 『훈민정음해례』(1446)
『훈민정음해례』는 훈민정음 창제의 동기와 목적을 밝히고 창제의 과정과 원리 및 실제적인 사용법에 대해 설명하였다. 1997년 10월 유네스코 세계 기록 유산으로 등재되었다.

훈민정음 언해본

심화사료 百出

2013. 경찰 2차

훈민정음

계해년(1443, 세종 25) 겨울에 우리 전하께서 정음(正音) 28자를 처음으로 만들어 예의(例義)를 간략하게 들어 보이고 명칭을 '훈민정음'이라 하였다. 물건의 형상을 본떠서 글자는 고전(古篆)을 모방하고, 소리에 인하여 음(音)은 칠조(七調)에 합하여 삼극의 뜻과 이기의 정묘함이 구비되어 포괄되지 않은 것이 없어서, 28자로써 전환하여 다함이 없이 간략하면서도 요령이 있고 자세하면서도 통달하게 되었다. 그런 까닭으로 지혜로운 사람은 아침나절이 되기 전에 이를 이해하고, 어리석은 사람도 열흘 만에 배울 수 있게 된다. 이로써 글을 해석하면 그 뜻을 알 수가 있으며, …… 바람 소리와 학의 울음이든지, 닭 울음소리나 개 짖는 소리까지도 모두 표현해 쓸 수 있게 되었다.

– 『세종실록』

02 역사서와 통치 기록

1. 15세기의 역사서

조선은 왕조의 정통성에 대한 명분을 내세우기 위해 국가적 차원에서 역사서의 편찬에 힘썼다.

(1) 『고려국사』❷ : 태조 때 정도전은 『고려국사』를 편찬하여 고려 시대의 역사를 정리하고 조선 건국의 정당성을 밝혔다.

(2) 『동국사략』 : 태종 때 권근이 서술한 것으로, 단군 조선부터 삼국 시대까지 고대사를 정리하였다.

(3) 『고려사』❸ : 고려 시대의 역사를 정리한 기전체 사서이다. 고려 국왕들을 본기가 아닌 세가로 분류했으며, 우왕·창왕을 열전으로 격하시켜 폐가입진의 명분을 강조하였다.

(4) 『고려사절요』 : 문종 때 김종서 등이 편찬한 편년체 사서로, 군주에게 교훈을 줄 목적으로 편찬되었다.

(5) 『삼국사절요』❹ : 성종 때인 1476년 노사신·서거정 등이 편찬한 편년체 사서로, 단군 조선으로부터 삼국의 멸망까지를 다루었다.

(6) 『동국통감』❺ : 성종 때인 1485년 서거정 등이 고조선~고려 말까지의 역사를 정리한 편년체 통사로, 단군을 민족의 시조로 인식하였다.

심화사료 [빈出]

『고려사(高麗史)』의 편찬

임금이 말하기를, "…… 고려 실록에 기록되어 있는 천변과 지괴를 정사(正史)에 기록하지 않은 것은, 전례에 의하여 다시 첨가하여 기록하지 말고, 또 그 군왕의 시호는 아울러 실록에 의하여 태조 신성왕, 혜종 의공왕이라 하고, 묘호와 시호도 그 사실을 인멸하지 말 것이며, 그 태후, 태자와 관제(官制)도 또한 모름지기 고치지 말고, ……"라고 하였다. ― 「세종실록」

『고려사(高麗史)』 서문

대개 지난 시기 흥망이 앞날의 교훈이 되기에 이 역사책을 편집하여 올리는 바입니다. …… 이 책을 편찬하면서 범례는 사마천의 『사기』에 따랐고, 기본 방향은 직접 왕에게 물어서 결정하였습니다. **'본기'라고 하지 않고 '세가'라고 한 것은 대의명분의 중요함을 보인 것입니다. 신우, 신창을 세가에 넣지 않고 열전으로 내려놓은 것은 왕위를 도적질한 사실을 엄히 밝히려 한 것입니다.** ― 「고려사」

『고려사절요(高麗史節要)』 서문

김종서 등은 삼가 새로 『고려사절요』를 정서해 올립니다. …… 사마천의 『사기』를 조술(祖述)하여 어기지 않은 것은 그 규모(規模)가 크고 넓어서 저술할 내용이 잘 갖추어져 있기 때문입니다. 그러나, 글이 번잡하고 읽기 어려운 결점을 면할 수 없으니, 이것이 서로 장점·단점이 있어서 사가(史家)가 한쪽만을 버릴 수 없는 것입니다. 고려는 …… 마침내 어둡고 나약해서 스스로 멸망에 이르고 말았으니, …… ― 「고려사절요」

『동국통감(東國通鑑)』 서문

일찍이 세조께서, **"우리 동방에는 비록 여러 역사책이 있으나 장편으로 되어 귀감으로 삼을 만한 것이 없다."**라고 말씀하시고, 관리들에게 명하여 편찬하게 하셨지만 제대로 이루어지지 못하였습니다. 주상께서 그 뜻을 이어받아 **서거정** 등에게 편찬을 명하셨습니다. …… 이 책을 지음에 명분과 인륜을 중시하고 절의를 숭상하며, 난신을 성토하고 간사한 자를 비난하는 것을 더욱 엄격히 하였습니다. ― 「동국통감」

---

❷ 『고려국사(高麗國史)』

『고려국사』는 이후에 편찬된 『고려사절요』의 모태가 되었다.

❸ 『고려사』

1449년(세종 31)에 편찬을 시작해 1451년(문종 1)에 완성되었다. 우왕과 창왕을 신돈의 자식으로 간주(신우, 신창)하여 조선 건국의 정당성을 강조하였다.

❹ 『삼국사절요(三國史節要)』

『삼국사기』에 빠진 고조선사를 보완했으며, 『삼국유사』의 내용을 많이 인용하였다. 그러나 단군 신화는 기록하지 않았다.

❺ 『동국통감』의 구성

삼국기, 신라기, 고려기, 외기(상고사를 외기로 처리하여 평가 절하)로 구성되었다.

❶ 기자동래설

중국 고대 은나라 사람인 기자가 동쪽으로 와서 조선의 지배자가 되었다는 학설이다. 기자는 조선에 와서 정전제 등을 실시했다고 전해진다. 기자동래설을 통해 중국과 동등한 문명국임을 자부하였다.

❷ 『동국사략(東國史略)』

삼국을 대등한 국가로 해석한 『동국통감』과 달리 신라 통일의 의미를 크게 부각시키고, 고조선과 고구려의 중심지를 한반도에 비정하였다. 이색, 이숭인, 정몽주 등 성리학자들을 재평가하였다.

❸ 『동몽선습(童蒙先習)』

삼강오륜을 설명하고, 이어 중국의 역사와 우리나라의 역사(단군~조선 시대)를 약술하였다.

2. 16세기의 역사서

존화주의적 역사 의식을 반영한 역사서들이 편찬되면서 기자 조선이 중요하게 다루어졌다.

(1) **『기자실기』**: 선조 때인 1580년 **이이가 편찬**한 존화주의적 성격의 사서로, 기자의 행적을 정리하고 기자❶를 공자와 같은 성인으로 추앙하였다. 단군보다 **기자를 중시**한 역사 의식이 반영된 것이다.

(2) **『동국사략』❷**: 16세기 초에 박상이 『동국통감』을 바탕으로 저술한 책이다. 단군 조선으로부터 고려 말까지의 역사를 정리했으며, 역성혁명을 반대한 사대부를 칭송하였다.

(3) **『동몽선습』❸**: 중종 때 박세무가 저술하였다. 『천자문』을 익힌 뒤에 배우는 초등 역사 교재로, 삼강 오륜의 윤리를 설명하고 중국과 우리나라의 역사를 약술하였다.

심화사료 頻出   2010. 지방직 7급

사림의 역사관

물론 단군께서 제일 먼저 나시기는 하였으나 문헌으로 상고할 수 없다. 삼가 생각하건대 **기자께서 우리 조선에 들어와서 그 백 성을 후하게 양육하고 힘써 가르쳐 주어** 머리를 틀어 얹는 오랑캐의 풍속을 변화시켜, 문화가 융성하였던 제나라와 노나라 같 은 나라로 만들어 주셨다.

– 『기자실기』

解法 도움닫기   조선 시대의 단군 인식 변화

조선을 세운 사대부들은 단군을 민족의 시조로 여기며, 중국에서 첫 나라를 세웠던 요임금과 대등한 군주로 인 식하였다. 또한, 강화도 참성단에서 거행되던 초제도 계속 시행되었다. 그러나 16세기 사림이 중앙 정계에 진출하 면서 단군에 대한 인식은 일시적으로 약화되었다. 당시 사림은 유교 경전인 『논어』에 현인으로 등장하는 기자가 우리 민족에게 선진 문물을 가르쳤다는 내용을 받아들여, 단군보다는 기자를 민족의 시조로 이해하고자 하였 다. 하지만 17세기 이후 이러한 분위기에 비판적인 움직임이 나타나고 문헌의 고증 등을 통해 단군 조선이 다시 정통으로 인정받게 되었다.

3. 통치 기록

❹ 『각사등록(各司謄錄)』

1577년(선조 10)부터 1910년까지 지방 관아의 등록을 모아서 편찬한 사료 집이다.

(1) **『등록』**: 각 관청에서 날짜에 따라 기록한 **업무 일지**이다. 중앙은 물론 지방 관아❹에서도 작성하였다.

(2) **『시정기』**: 춘추관은 관청별 업무 일지인 **등록을 모아** 시정기를 정기적으로 편찬하였다.

(3) **『승정원일기』**: 승정원의 주서가 왕과 신하 간에 오고간 문서와 국왕의 일과를 매일 기록하여 보름 또 는 한 달 간격으로 1권씩 편찬하였다. 임진왜란·이괄의 난 등으로 **인조 이전의 기록은 소실**되었다.

(4) **사초(史草)**: 예문관의 **사관(史官)**들이 작성한 회의록으로, **실록 편찬의 기본 자료**였다.

(5) **『국조보감』**: 역대 국왕의 업적 가운데 모범이 될 만한 내용을 실록에서 뽑아 만들었다. 편년체로 기 록했으며, 세조 때 **처음 편찬**하였다.

(6) **조보**: 조정의 소식과 관리의 인사 발령을 알려준 **신문**이다.

4. 『조선왕조실록』

(1) 실록의 내용

실록의 편찬은 고려 시대에도 있었으며, 조선 시대에는 『태조실록』부터 『철종실록』까지 역대 왕의 실록이 **편년체**로 편찬되었다. 광해군과 연산군은 일기(日記)로 표시되었고, 편찬된 실록을 수정·개수하는 경우도 있었다. 1997년 유네스코 세계 기록 유산에 등재되었다.

(2) 편찬 과정 ❺

국왕이 죽은 후 **춘추관**을 중심으로 **실록청**을 설치하였다. 사초와 각 관청의 문서를 모아 편찬 작업을 하였다. 국왕도 사초의 내용을 볼 수 없었다. 이는 권력자의 개입을 방지하기 위한 조처였다.

(3) 편찬 자료

사관이 왕의 말과 행동을 기록한 **사초**를 바탕으로, 춘추관 『시정기』 『승정원일기』 등 각종 행정 기관의 기록과 개인 문집 등을 모아 실록이 편찬되었다. 이후에는 『조보』, 『비변사등록』, 『일성록』 등의 자료가 추가되었다.

(4) 보관과 관리

① **사고(史庫)**: 4대 사고(춘추관, 충주, 전주, 성주)에 보관하였으나, 임진왜란 때 전주 사고본을 제외하고 소실되었다. 왜란 후 전주 사고본은 강화도 정족산 사고로 이관하고, 이를 바탕으로 4부를 더 만들어 춘추관·오대산 등에 보관하였다.

② **포쇄**: 책에 바람을 쐬게 하는 것으로, 책의 부식을 막아 오랫동안 보존하기 위함이었다. 실록은 포쇄를 매우 엄격히 하였는데, 3년에 한 번씩 전임 사관이 파견되어 절차에 따라 시행하였다.

5. 의궤 ❻

'의식의 궤범'이란 뜻으로, 국가나 왕실에서 거행한 주요 행사를 기록과 그림으로 남긴 책이다. 2007년 국내본 의궤에 한하여 유네스코 세계 기록 유산에 등재되었다.

(1) 편찬 과정: 왕실의 주요 행사가 있을 때 행사를 주관하는 도감을 설치한다. 행사가 끝난 후 **의궤청**을 만들고, 도감에서 작성한 등록과 반차도 ❼ 등의 그림 자료를 종합·정리하여 의궤 ❽ 를 편찬하였다.

(2) 보관: 청색·녹색 비단으로 표지를 꾸민 어람용 1부 별도 제작하고, 나머지는 관련 관청에 나누어 보관하였다. 현존하는 의궤는 모두 조선 후기에 제작된 것으로, 왜란 이전의 의궤는 남아있지 않다.

(3) 특징: 『화성성역의궤』 등 일부 의궤를 제외하고 대부분 필사본으로 제작되었다. 행사의 주요 내용을 상세하게 기록했기 때문에 사료적 가치가 매우 높다.

---

❺ 편찬 과정
초초 ⇒ 중초 ⇒ 정초의 과정을 거쳐 철저하게 고증하였다. 마지막 세초를 통해 비밀을 유지하고 종이를 다시 사용하였다.

❻ 가례도감 의궤
조선 왕실 혼례의 주요 행사와 여기에 필요한 물품들의 수량 명단 등이 기록되었다. 조선 전기부터 제작됐지만, 현재 1627년 소현 세자의 의궤부터 1906년 순종의 의궤만이 남아있다.

❼ 반차도(班次圖)
왕실 행사 전에 예행 연습의 용도로 만든 그림이다. 참여 인원과 물품을 미리 그려서 실제 행사 때 최대한 잘못을 줄이기 위한 목적으로 제작되었다. 반차도는 행사 이후에는 의궤 제작에 이용되었다.

❽ 외규장각 의궤
조선 정조 때 강화도에 외규장각이 완성되어 궁중의 어람용 도서를 보관하였다. 병인양요(1866) 때 강화도에 침범한 프랑스가 약탈했다가 2011년에 국내에 반환되었다.

9급 위 한국사

조선의 사고(史庫)

조선 전기의 4대 사고		조선 후기의 5대 사고	
춘추관(본)	임진왜란으로 소실	춘추관(본)	호란을 거치면서 소실
성주 사고(본)	임진왜란으로 소실	오대산 사고(본)	일제 강점기에 일본에서 가져갔다가 관동 대지진으로 소실
전주 사고(본)	임진왜란 후 전주 사고본을 바탕으로 실록 5질 편찬	적상산 사고(본)	한국 전쟁 중 북한에서 가져감.
		정족산 사고(본)	서울대 규장각에서 보관 중
충주 사고(본)	임진왜란으로 소실	태백산 사고(본)	정부기록보존소에서 보관 중

오대산 사고

1. 지도

(1) 혼일강리역대국도지도[1](1402)

  ① 제작[2] : 태종 때 이회가 만들었으며, 지도의 발문은 권근이 썼다.

  ② 특징: 아라비아의 영향을 받은 원나라 세계 지도(혼일강리도, 성교광피도)에 우리나라와 일본의 지도를 덧붙여 제작하였다. 유럽·아프리카·중국 등이 그려져 있으며, 아메리카 대륙은 빠져 있다.

  ③ 의의: 필사본이 일본에 있는데, 현존하는 세계 지도 중 동양에서는 가장 오래된 것이다.

(2) 팔도도: 태종 때 이회에 의해 처음으로 만들어진 전국 지도와 세종 때 정척이 만든 팔도도 두 개가 있다.

(3) 동국지도: 세조 때 양성지·정척 등이 실측 지도인 동국지도를 제작하였다.

(4) 조선방역지도: 16세기 명종 때 제작된 지도이다. 만주와 대마도까지 그려져 있다.

2. 지리서

(1) 『신찬팔도지리지』: 세종 때 제작되었다(1432). 각 도별로 지리지를 편찬했으나 현존하지는 않는다.

(2) 『세종실록지리지』: 『신찬팔도지리지』를 축소하여 단종 때 편찬한 것이다. 군현 단위로 연혁·인물·고적·토지·호구·물산 등 60여 항목을 기록하였다.

(3) 『팔도지리지』: 성종 때 양성지에 의해 제작되었는데, 군사적 사항이 더 상세하게 조사·기록되었다.

(4) 『동국여지승람』: 성종 때 노사신 등이 편찬하였다. 군현의 연혁·지세·인물·풍속 등이 자세히 수록되어 있다.

(5) 『신증동국여지승람』: 『동국여지승람』을 보충한 것으로, 중종 때 편찬되었다.

(6) 『해동제국기』: 세종 때 일본에 다녀왔던 신숙주가 성종의 명령에 따라 완성한 견문록이다(1471, 성종). 일본의 지세와 국정, 외교 관계 등을 기록하고 있다.

(7) 『표해록』: 최부가 중국에 표류했던 경험을 담아 성종 때 책으로 편찬하였다(1488).

❶ 혼일강리역대국도지도(混一疆理歷代國都之圖, 일본 류코쿠 대학 소재)

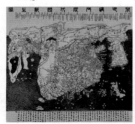

중화 사상이 반영되어 중국이 지도의 중심에 위치하였고 중국과 한국을 실제보다 크게 그렸다. 또한 하늘은 둥글고 땅은 네모지다는 천지관도 반영되었다.

❷ 제작

중국에서 수입한 성교광피도(이슬람의 영향을 받아 제작)와 혼일강리도를 기초로 하고, 우라나라(태종 때의 팔도도)와 일본을 추가하였다.

조선방역지도

04 윤리·의례서와 법전의 편찬

1. 윤리·의례서의 편찬

(1) 15세기

① 『삼강행실도』: 세종이 설순에게 명하여 편찬하였다. 모범이 될 만한 충신, 효자, 열녀 등의 행적을 그림으로 그리고 설명을 붙인 책이다.

② 『효행록』: 고려 후기에 편찬된 효행에 관한 기록을 세종 때 설순 등이 개정한 책이다.

③ 『오륜록』: 세조 때 편찬된 유교 윤리 의례서이다.

④ 『국조오례의』[3]: 국가의 여러 행사에 필요한 의례(오례)를 정비하여 **성종** 때 편찬하였다.

> **고등사료** 百出 2019. 서울시 7급, 2017. 지방직 9급(하), 2017. 경찰 2차, 2012. 국가직 7급
>
> **『삼강행실도』 서문**
> 천하의 떳떳한 다섯 가지가 있는데 삼강이 그 수위에 있으니, 실로 삼강은 경륜의 큰 법이요 일만 가지 교화의 근본이며 원천입니다. …… '간혹 훌륭한 행실과 높은 절개가 있어도, 풍속 습관에 옮겨져서 보고 듣는 자의 마음을 흥기시키지 못하는 일도 또한 많다. 내가 그 중 특별히 남달리 뛰어난 것을 뽑아서 **그림과 찬을 만들어** 중앙과 지방에 나누어 주고, ……'고 하시고 …… 중국으로부터 우리 동방에 이르기까지 고금의 서적에 있는 것을 찾아보지 않은 것이 없이 하여 **효자·충신·열녀로 뚜렷이** 기술할 만한 사람 각각 110명을 뽑아서 전면에는 그림을 그리고 후면에는 그 사실을 기록했으며, 아울러 시(詩)까지 써 놓았다. …… 충신과 열녀의 시도 문신들로 하여금 나누어 짓게 하여, 편찬이 끝나자 **삼강행실도**란 이름을 내리고 주자소(鑄字所)로 하여금 발간해서 영구히 전하게 하였다.
> ― 『삼강행실도』
>
> **『국조오례의』 서문**
> 우리 세종(世宗) 장헌대왕(莊憲大王)에 이르러서는 문치(文治)가 태평에 도달하여, 마침 천재일우(千載一遇)의 기회를 맞이하였다. 이에 예조 판서 신 허조(許稠, 1369~1439)에게 명하여 **여러 제사의 차례 및 길례 의식을 상세히 정하도록 하고, 또 집현전 유신들에게 명하여 오례 의식을 상세히 정하도록 하셨다.**
> ― 『국조오례의』

(2) 16세기: 사림은 『소학』[4]과 『주자가례』의 보급과 실천에 힘썼다.

① 『이륜행실도』: 중종 때 사림들이 중심이 되어 제작된 서적으로, 연장자와 연소자, 친구 사이에서 지켜야 할 윤리를 강조하였다.

② 『동몽수지』: 송나라의 주자가 지은 아동용 윤리서이다. 우리나라에서는 **중종** 때 간행되었다.

> **심화사료** 百出 2018. 국가직 9급
>
> **중종 때 김안국이 올린 상소**
> 지금 성상께서 풍속을 변화시킴에 뜻을 두시므로, 신이 그 지극하신 의도를 본받아 완악한 풍속을 변혁하고자 하는데, …… **『이륜행실』**은 신이 전에 승지(承旨)로 있을 때 개간을 청하였습니다. 삼강(三綱)이 중요함은 비록 어리석은 사람들도 모두 알거니와, **붕우 형제(朋友兄弟)의 윤리**에 대해서는 보통 사람은 알지 못하는 이가 있기 때문에 신이 『삼강행실도』에 의하여 유별로 뽑아 엮어서 개간하였습니다.
> ― 「중종실록」

✎ **5례와 4례**

5례(국가)	4례(민간)
• 길례(제사)	• 관례
• 가례(관례·혼례)	• 혼례
• 빈례(사신 접대)	• 상례
• 군례(군사 의식)	• 제례
• 흉례(상례)	

❸ **『국조오례의(國朝五禮儀)』**
제사 의식인 길례, 관례와 혼례 등의 가례, 사신 접대 의례인 빈례, 군사 의식에 해당하는 군례, 상례 의식인 흉례의 오례를 정리한 책이다.

▲ 『삼강행실도(三綱行實圖)』

❹ **『소학』**
중국의 수양서로, 일상 생활의 예의 범절, 수양을 위한 격언, 충신과 효자의 공적 등을 모은 책이다.

2. 법전

(1) 『조선경국전』(태조, 1394): 정도전이 개인적으로 편찬한 법전으로 치국의 기준을 서술하였다.

(2) 『경제육전』: 태조 때 조준이 기존의 법전들을 통합하여 편찬하였다. **최초의 통일된 관찬 성문 법전**이다.

(3) 『경국대전(經國大典)』

① 편찬: 세조 때 편찬을 시작❶하여 성종 때 완성되었다. 국가를 운영하는 핵심 법전이었다.

② 구성: 『이전』, 『호전』, 『예전』, 『병전』, 『형전』, 『공전』의 6전❷으로 구성되었다. 각 전마다 필요한 항목으로 나누어 분류하였다.

❖ 조선의 법전

15세기	태조	『조선경국전』	정도전	여말선초의 조례를 정리한 최초의 법전
		『경제육전』	조준	여말선초의 조례를 정리한 최초의 통일된 성문 법전
	성종	『경국대전』	최항 노사신	• 국초의 여러 법전을 토대로 명의 『대명회전』을 참고하여 편찬된 조선의 기본 법전, 최초의 종합 성문 법전 • 이전, 호전, 예전, 병전, 형전, 공전의 6전 체제
18세기	영조	『속대전』	김재로	『경국대전』 보완, 추가 법령
	정조	『대전통편』	김치인	『경국대전』과 『속대전』을 통합, 법령 추가
19세기	고종	『대전회통』	조두순	『대전통편』과 그 후의 법령을 보완 ⇨ 최대 규모의 법전
		『육전조례』	조두순	『대전회통』에 미비된 시행 규례를 보완

**9급
위
한국사**

법전 편찬 원칙

• 조종성헌준수(祖宗成憲遵守): 법은 경솔하게 개정·폐지할 수 없다는 원칙이다. 원전(元典)의 조문을 그대로 두고, 조문 밑에 고쳐야 할 내용에만 각주를 달았다.

• 법전·법령집 구분: 영구히 시행해야 할 경구지법(經久之法)은 전(典), 편의에 따라 시행해야 할 권의지법(權宜之法)은 록(錄)으로 구분하였다.

---

05 천문·역법·의학·농서 ☆

1. 조선 전기의 과학 기술

조선 전기의 집권층은 부국강병과 민생 안정을 위하여 과학 기술이 중요하다고 인식하였다. 과학 기술은 국가적 지원을 받아 크게 발전할 수 있었다.

2. 천문학과 각종 과학 기구의 발명

(1) 천문학

① 중요성: 천문학은 농업과 관련이 깊었으며, 유교적 관점에서 하늘의 변화는 왕의 통치를 평가하는 것으로 여겨져 중요시되었다.

② 천문도 제작: 태조 때 고구려의 천문도를 바탕으로 **천상열차분야지도**(하늘을 여러 구역으로 나누고 별자리를 표시)를 돌에 새겼다.

옆단 주석

❶ 『경국대전』

세조 때 양성지의 건의로 육전상정소가 설치되면서 편찬이 시작되어, 성종 때 반포되었다.

❷ 6전

이전	관청과 관리 업무
호전	세금, 토지 제도 등
예전	교육, 과거, 외교
병전	군사 관련 업무
형전	형벌, 재판, 상속
공전	도로, 교통, 건축

✎ 『대전통편』과 『대전회통』의 구성

원(原)	『경국대전』 법령
속(續)	『속대전』 추가 법령
증(增)	『대전통편』 추가 법령
보(補)	『대전회통』 추가 법령

천상열차분야지도
(天象列次分野之圖)

③ 혼의(혼천의): 천체의 운행과 그 위치를 측정하던 천문 관측 기구이다.

④ 간의: 세종 때 경복궁 경회루 북쪽에 간의대라는 천문대를 만들고 간의 등 천문 기구를 설치하여 천체를 관측하였다.

혼의(渾儀)

(2) 역법[칠정산]

① 배경: 우리나라와 중국은 서로 위치가 달라 중국의 역법을 그대로 사용할 수 없었고, 기존 역법은 오차도 많았다. 이에 세종은 정인지·정초 등에게 우리 고유의 역법서를 만들라고 명하였다.

② 특징: 이순지 등이 만든 『칠정산』은 원의 수시력과 아라비아의 회회력을 참고로 한 역법서이다. 우리나라 역사상 **최초로 서울을 기준으로 천체 운동을 정확하게 계산**하였다.

③ 구성

　㉠ 내편: 원의 수시력을 바탕으로 **서울을 기준으로 삼아 작성한 달력**이다. 천체 운동과 서울의 밤·낮 길이 등이 비교적 정확하게 기록되어 있다.

　㉡ 외편: 아라비아의 회회력을 번역·해설한 것이다.

심화사료 百出

『칠정산』

왕께서 **정흠지, 정초, 정인지** 등에게 명하여 중국 역법을 연구하여 묘리를 터득하게 하였다. 자세히 규명되지 않는 것은 왕께서 몸소 판단을 내리시어 모두가 분명히 밝혀지게 되었다. 또 태음통궤(달의 운행 도수를 추산하는 법을 기록한 책)와 태양통궤(태양의 도수를 추산하는 법을 기록한 책)를 중국에서 얻었는데 그 법이 이것과 약간 달랐다. **이를 바로잡아서 내편을 만들었다.**

　　　　　　　　　　　　　　　　　　　　　　　－ 『칠정산』 내편 서문

(3) 시간 측정 기구

물시계인 자격루❸와 해시계인 앙부일구 등이 만들어졌다. 자격루는 천인 출신 과학 기술자 장영실이 제작한 것으로, **정밀 기계 장치와 자동 시보 장치를 갖춘** 뛰어난 물시계였다.

❸ 자격루(自擊漏)

세종은 경복궁 경회루의 남쪽 부근에 보루각을 설치하여 물시계인 자격루를 두었다.

심화사료 百出　　　　　　　　　　　　　　　　　　　　　　2013. 법원직 9급

앙부일구

앙부일구를 **혜정교와 종묘 앞에 처음으로 설치**하여 해 그림자를 관측하였다. 집현전 직제학 김돈이 명을 짓기를, '…… 구리를 부어서 그릇을 만들었는데, 모양이 가마솥과 같다. 지름에는 둥근 송곳을 설치하여 북에서 남으로 마주 대하게 했고, 움푹 파인 곳에서 (선이) 휘어서 돌게 했으며, 점을 깨알같이 찍었는데, 그 속에 도(度)를 새겨서 반주천(半周天)을 그렸다.

(4) 강우량 측정 기구

① 수표: 청계천의 범람을 계기로 세종 때 서운관에서 나무로 된 수표를 만들어 하천의 수위를 측정하였다. 이후 성종 때 돌로 된 수표를 제작하였다.

② 측우기: 세종 때인 1441년 **세계 최초로 측우기를 만들어** 전국 각지의 강우량을 측정하였다.

앙부일구(仰釜日晷)

解法 도움닫기　**세종 때 과학 기술의 발전**

- **이천**: 천문 기구를 만들고, 금속 활자인 갑인자 제작을 주도하였다.
- **장영실**: 천인 출신으로, 측우기·자격루·앙부일구·혼천의·갑인자 등의 제작에 참여하였다.
- **이순지**: 천문 역법 사업의 책임자로, 중국과 서역의 천문학을 연구하여 독자적인 역법서인 칠정산을 편찬하였다.

(5) 토지 측량 기구

세조 때 원근(遠近)을 측량하는 인지의와 토지의 고저(高低)를 측정하는 규형을 제작하여 토지 측량과 지도 제작에 활용하였다.

측우기(測雨器)

3. 의학

(1) 『향약채취월령』[세종 13년(1431)]

왕명으로 유효통·노중례 등이 간행한 의약서로, 수백 종의 국산 약재를 소개하였다.

(2) 『향약집성방』[세종 15년(1433)]

『향약채취월령』을 더욱 발전시켜, 향약 의학의 전통을 확립하였다. 700여 종의 국산 약재와 1천 종에 가까운 질병 치료법을 소개하였다.

(3) 『의방유취』[세종 27년(1445)]

왕명으로 의관 전순의 등에 의해 편찬된 동양 최대의 의학 백과사전이다.

4. 농업 관련 서적의 편찬

(1) 배경

농업 기술이 크게 발전함에 따라, 우리의 실정에 맞는 농법을 정리한 농서❶가 필요해졌다.

(2) 『농사직설』[세종 11년(1429)]❷

① 편찬: 정초 등이 왕명을 받아 편찬하였다. 중국의 농서와 농법을 참고❸하고, 조선의 노농(老農)들의 실제 경험담을 토대로 우리 실정에 맞는 독자적인 농법을 정리하였다.

② 의의: 우리의 전통적인 농업과 기술을 본격적으로 정리한 최초의 농서로써, 권농관의 지침서가 되었다.

심화사료 百出

2022. 지방직 9급, 2017. 국가직 9급(하), 2016. 국가직 7급, 2010. 전문연구원

『농사직설』

지금 우리 왕께서도 …… 여러 지방의 풍토가 같지 않아 심고 가꾸는 방법이 지방에 따라서 차이가 있기 때문에 옛 글의 내용과 모두 같을 수가 없었다. 이에 각 도의 감사들에게 명령하시어, **주·현의 노농(老農)을 방문하여 그 땅에서 몸소 시험한 결과를 자세히 듣게 하시었다.** 또 신 **정초(鄭招)**에게 명하시어 말의 순서를 보충케 하시고, 신 종부소윤 변효문(卞孝文) 등이 검토해 살피고 참고하게 하여, …… 한 편의 책을 만들었다.

― 『세종실록』

(3) 『금양잡록』❹

성종 때 강희맹❺이 저술한 농서이다. 금양(시흥)을 중심으로 경기 지방의 농사법을 정리하고, 81종의 곡식 재배법을 자세히 설명하였다.

(4) 원예서: 강희안은 『양화소록』❻을 저술하였다.

---

❶ 『농서집요』

태종 때 편찬된 농서로, 『농상집요』의 주요 내용을 뽑아 번역한 책이다. 현재 전해지는 『농서집요』는 16세기에 다시 편찬된 책이다.

❷ 『농사직설(農事直說)』

실제 농민들의 경험을 바탕으로 씨앗 저장법, 시비법, 토질 개량법, 모내기법 등의 농법을 소개하였다.

❸ 중국의 농서·농법 참고

『농사직설』은 중국의 농서인 『농상집요』 등을 참고하여 중국의 선진적인 농법을 받아들였다.

❹ 『금양잡록(衿陽雜錄)』

조선 후기 효종 때, 신속은 『금양잡록』을 기본으로 삼고, 여기에 『농사직설』, 『사찬요초』 등을 합하여 『농가집성』을 저술하였다.

❺ 강희맹

강희안의 동생으로, 세종부터 성종 때까지 6대에 걸쳐 관직 생활을 하였다. 또한 『동문선』·『동국여지승람』·『국조오례의』·『경국대전』 등의 편찬에도 참여하였다.

❻ 『양화소록(養花小錄)』

사람들이 즐겨 키우던 꽃과 나무들의 재배법과 이용법을 설명하였다.

06 인쇄술의 발달과 병서 편찬

1. 활자 인쇄술의 발달

(1) 태종

주자소를 설치하고 구리로 **계미자**를 주조하였다(1403).

(2) 세종

① 금속 활자 주조: 갑인자, 경자자 등이 주조되었다. 갑인자는 글자 모습이 아름답고 인쇄에 편리하게 만들어졌다.

② 식자판 창안: 종전에는 밀랍으로 활자를 고정시키는 방법을 사용해왔다. 세종 때 밀랍 대신 식자판을 조립하는 방법을 창안하여 인쇄 능률을 두 배로 올렸다.

2. 제지술의 발달

제지술의 발달로 종이의 생산량이 크게 늘어났다. 태종 때 종이를 전문적으로 생산하는 관청인 조지소[7]를 설치하고 다양한 종이를 대량으로 생산하였다. 이에 수많은 서적이 인쇄되었다.

3. 병서의 편찬

(1) 『**진도**』: 태조 때 정도전이 제작한 작전도로, 독특한 전술을 소개하였다.

(2) 『**총통등록**』: 세종 때 화약 무기의 제작과 그 사용법을 정리한 서적이다.

(3) 『**역대병요**』: 세종 때 수양 대군, 이석형 등이 편찬에 참여하여 동양 전쟁사를 정리하였다.

(4) 『**동국병감**』: 문종 때 김종서[8]가 주도하여 고조선에서 고려 말까지의 전쟁사를 정리하였다.

(5) 『**병장도설**』: 군사 훈련의 지침서로 사용되었다.

4. 무기 제조 기술의 발달

(1) 화약 무기의 발달

① 무기 제조: 군기감에서 주로 제작했으나, 지방 군현에서도 제작하는 일이 많았다. 최무선의 아들인 최해산은 태종 때 관리로 특채되어 화약 무기를 제조하였다.

② 대포: 대포의 사정 거리가 최대 1,000보에 이르러, 종전보다 4~5배 가량 늘어났다.

③ 화차[9]: 수레 위에 신기전이라는 화살 100개를 설치하였다. 심지로 불을 붙여 쏘는 일종의 로켓포로, 사정 거리가 약 1km에 달하였다. 다양한 종류의 화차가 만들어져 전국에 배치되었다.

(2) 병선 제조 기술

태종 때에는 거북선을 만들었고, 작고 날쌘 비거도선이라는 전투선을 제조하였다.

(3) 16세기 이후

기술을 천시하는 사람이 정치를 주도하면서 무기 제조 기술은 쇠퇴하기 시작했다.

제4단원
근세 사회의 발전

[7] 조지소
세종 때 조지소를 조지서로 개칭하였다(세조라는 이설도 있다).

[8] 김종서
김종서는 『동국병감(東國兵鑑)』 뿐만 아니라 『고려사』, 『고려사절요』의 편찬에도 참여하였다.

[9] 화차

『조선왕조실록』에는 화차를 이용하여 화약이 달린 화살을 연속 발사할 수 있어 적이 숨어 있을 만한 곳에 신기전을 쏘면 겁에 질려 스스로 항복하였다고 기록되어 있다.

▲ 비거도선

1. 15세기(국초): 사원 위주의 고려 건축과는 달리 궁궐, 관아, 성문, 학교 등이 건축의 중심이 되었다.

(1) 궁궐 건축

① **양궐 체제❶**: 국왕이 머무는 중심 궁궐인 법궁(法宮)과 유사시 옮겨가서 업무를 할 수 있는 이궁(離宮)을 동시에 유지하였다.

② **구성**: 『주례』의 양식에 따라 경복궁의 좌측(동쪽)에 **종묘,❷** 우측(서쪽)에 **사직❸**을 두었고(**좌묘우사**), 왕이 정무를 보는 외전❹의 북쪽에 왕과 왕비의 생활공간인 내전을 두었다(전조후침). 또한 궁궐의 북쪽에는 후원❺을 두었으며, 세자가 기거하는 동궁과 궐내 관청도 두었다.

③ **경복궁(태조)**: 한양에 도성을 건설하면서 처음 만든 궁궐로, 임진왜란 때 화재로 소실되었다가 19세기 흥선 대원군에 의해 중건되었다.

④ **창덕궁(태종)**: 경복궁의 이궁으로 지어진 궁궐로, 조선 후기에는 경복궁이 중건될 때까지 법궁 역할을 담당하였다. 1997년 유네스코 세계 문화유산으로 지정되었다.

⑤ **창경궁(성종)**: 3대비❻의 노후를 위해 태종의 처소였던 수강궁을 확장하여 만들었다.

解法 도움닫기 **경운궁(조선 후기의 궁궐)**

> 성종의 형인 월산 대군의 집이 있던 곳이다. 임진왜란 이후 선조가 임시 거처로 사용하다가 광해군 때부터 경운궁이라 하였다. 순종 즉위 이후, 덕수궁(고종이 거주)으로 이름을 바꿨다.

(2) 성문

① **숭례문**: 도성의 정문인 숭례문은 고려의 건축 기법보다 발전된 **조선 건축을 대표**하고 있다.

② **개성의 남대문·평양의 보통문**: 고려 시대 건축의 단정하고 우아한 모습을 지니면서 조선 시대 건축으로 발전해 나가는 **과도기적 형태**를 보이고 있다.

숭례문

개성 남대문

평양 보통문

(3) 불교 건축

① **무위사 극락전**: 무위사 극락전은 검박하고 단정한 특징을 지니고 있다.

② **해인사 장경판전**: 해인사에 장경판전을 지어 팔만대장경을 보관하였다. 전·후면 창의 위치와 크기가 서로 다른데 이는 통풍의 원활, 방습의 효과 등을 위해서이다.

③ **원각사지 10층 석탑**: 세조 때 대리석으로 만든 대표적인 조선의 석탑이다.

무위사 극락전

해인사 장경판전

원각사지 10층 석탑

---

❶ 양궐 체제의 변천

구분	법궁	이궁
전기	경복궁	창덕궁 창경궁
후기	창덕궁 창경궁	경희궁

❷ 종묘(宗廟)

조선 시대 역대의 왕과 왕비 및 추존(追尊)된 왕과 왕비의 신주(神主)를 모신 왕가의 사당이다. 1995년 유네스코에 의해 세계 문화유산으로 지정되었다.

❸ 사직(社稷)

사(社)는 토지신(土地神), 직(稷)은 곡신(穀神)을 상징하는 것으로, 사직은 국토와 곡식의 번창을 기원하는 제사 및 그 장소를 말한다.

❹ 외전(外殿)

외전의 앞마당을 조정(朝廷)이라 불렀는데, 정조 때부터 품계석이 놓였다.

❺ 후원(後園)

궁궐 북쪽에 있어서 북원(北園) 혹은 아무나 못 들어간다고 해서 금원(禁園)으로 불렸다.

❻ 3대비(大妃)

세조 비 자성대왕대비(정희왕후), 예종 비 인혜대비(안순왕후), 성종의 모후이자 덕종 비 인수대비(소혜왕후)

창덕궁 돈화문

2. 16세기

(1) **서원 건축**: 16세기에는 서원[7]이 많이 세워졌다. 사찰의 가람 배치 양식과 주택 양식이 실용적으로 결합되었다. 자연과의 조화 추구, 선비의 기품과 검소, 소박함이 잘 드러난다.

(2) **대표 서원[8]**: 경북 영주의 소수 서원, 경주의 옥산 서원, 안동의 도산 서원·병산 서원 등이 있다.

옥산 서원

도산 서원

08 공예

1. 도자기 공예

궁중에서 금·은 그릇 대신 도자기를 쓰게 되면서 분청사기와 백자가 유행하였다. 특히 사용원 분원이 있는 경기도 광주와 경상도 고령의 생산품이 최고로 인정받았다.

(1) **분청사기(15세기)**

① **특징**: 고려 말에 등장한 분청사기는 조선 전기에 유행하였는데, 청자에서 백자로 넘어가는 과정을 보여 준다. 청자에 흰 흙을 칠한 것으로, 안정된 그릇 모양과 소박하고 천진스러운 무늬가 어우러져 정형화되지 않은 멋을 보여 주고 있다. 궁중이나 관청에서 널리 사용되었다.

② **생산 감소**: 16세기부터 백자가 본격적으로 생산되면서 분청사기의 생산이 점차 줄어들었다.

(2) **백자(16세기)**

16세기부터는 백자가 널리 유행하였다. 백자는 흰 흙으로 그릇의 형태를 만들고 투명한 백색 유약을 입혀 구운 도자기다. 청자보다 깨끗하고 담백하며 순백의 고상함을 풍겨 선비의 취향[9]과 어울렸다.

분청사기 조화 어문편병

분청사기 철화 어문병

순백자

2. 기타 공예

(1) **목공예·돗자리 공예**: 장롱, 문갑 같은 목공예 분야와 돗자리 공예 분야에서도 재료의 자연미를 그대로 살린 기품 있는 작품이 생산되었다.

(2) **화각 공예**: 쇠뿔을 쪼개어 무늬를 새긴 화각 공예, 그리고 자개 공예도 유명하였다.

(3) **기타**: 수와 매듭에서도 부녀자의 섬세하고 부드러운 정취를 살린 뛰어난 작품이 만들어졌다.

❼ 서원

교육 공간인 강당을 중앙에 두고, 좌우에 기숙사인 재(齋)를 배치했으며, 선현의 위패를 모신 사당을 두었다.

❽ 주요 인물을 배향한 서원

주요 인물	서원(지역)
안향	소수서원(영주)
정몽주	숭양서원(개성)
김종직	예림서원(밀양)
이언적	옥산서원(경주)
조식	덕천서원(합천)
이황	도산서원(안동)
이이	자운서원(파주)
류성룡	병산서원(안동)

❾ 백자 문양

선비들의 지조와 절제된 감정을 담으려는 사군자와 모란 등이 유행하였다.

1. 15세기 그림

(1) **특징**: 15세기 그림은 도화서에 소속된 화원의 그림과 관료이자 문인인 선비의 그림으로 나눌 수 있다. 이들은 중국 역대 화풍을 수용하여 우리의 **독자적인 화풍**을 개발하였다. 15세기 조선의 그림은 일본 무로마치 시대의 미술에 많은 영향을 주었다.

(2) **대표적인 작가와 작품**

① **안견**: 화원 출신인 안견은 역대 화가들의 기법을 체득하여 독자적인 경지를 개척하였다. '**몽유도 원도**'는 안평 대군이 꿈속에서 본 무릉도원을 그린 것으로, 자연스러운 현실 세계와 환상적인 이상 세계를 대각선적인 운동감을 활용하여 구현하였다.

❶ 몽유도원도(夢遊桃源圖)
현재 일본 덴리(天理) 대학에 소장되어 있다.

몽유도원도(안견)

② **강희안**: 문인 화가인 강희안의 대표작인 '**고사관수도**'는 수면을 바라보며 무념무상에 빠진 인물의 내면 세계를 간결하고 과감한 필치로 표현하였다.
③ **신숙주**: 신숙주는 『화기』를 써서 안평 대군의 소장품을 소개하였다.

고사관수도(高士觀水圖)

2. 16세기 그림

(1) **특징**: 16세기에는 **다양한 화풍**이 발달하였다. 특히, 선비의 정신 세계를 사군자로 표현한 문인화가 유행하였다.

(2) **대표적인 작가와 작품**

① **이상좌**: 노비 출신으로 화원이 된 이상좌의 대표작인 '**송하보월도**'는 소나무의 강인한 생명력을 표현하였다.
② **이암**: 이암은 꽃과 새, 강아지, 고양이 등 동물의 모습을 주로 그렸다. 대표적으로 '화조묘구도' 와 '모견도' 등이 있다.
③ **신사임당**: 신사임당은 섬세하고 정교한 화법으로 유명하였다. 대표작으로 '**초충도**' 등이 있다.
④ **조선 중기 3절**: **황집중**은 포도, **이정**은 대나무, **어몽룡**은 매화를 잘 그린 것으로 유명하였다.

송하보월도(松下步月圖)

화조묘구도(이암)

모견도(이암)

초충도(신사임당)

묵포도도(황집중)

풍죽도(이정)

월매도(어몽룡)

3. 글씨

서예는 양반이라면 누구나 터득해야 할 **필수 교양**이었기 때문에 뛰어난 서예가들이 많이 나타났다.

(1) **안평 대군**: 송설체를 따랐으나 자신의 개성을 살려 활달한 기풍의 서체로 유명하였다.

(2) **양사언**: 흘림체인 초서에 뛰어났으며 커다란 글자에 능했다.

(3) **한호(한석봉)**: 왕희지체를 본받고 고유의 예술성을 가미하였다. 그의 **석봉체**로부터 국가의 문서를 다루는 사자관체가 창출될 만큼 영향이 컸다. 또한 **한호**가 쓴 **천자문**은 일반인들에게도 유행하였다.

한호의 글씨

🔟 음악과 무용

1. 조선의 음악

음악을 백성을 교화하는 수단으로 여겼고, 각종 의례와 관련되었기 때문에 중요시하였다.

(1) **태조**: 정도전이 지은 '문덕곡', '신도가' 등의 가곡을 궁중에서 연주하였다.

(2) **세종**: 박연에게 악기를 개량하거나 만들게 하였고, 스스로 **여민락** 등 악곡을 짓고 소리의 장단과 높낮이를 표현할 수 있는 **정간보**를 창안하였다. 아울러 아악을 체계화함으로써 아악이 궁중 음악으로 발전하게 하였다.

(3) **성종**: 성종 때에 **성현**❶은 『**악학궤범**』❷을 편찬하여 음악의 원리와 역사, 악기, 무용, 의상 및 소도구까지 망라하여 정리하였다. 이는 전통 음악의 유지와 발전에 큰 도움이 되었다.

(4) **16세기 이후**: 16세기 중엽 이후에는 민간에서도 당악과 향악을 속악으로 발전시켜 가사, 시조, 가곡 등 우리말로 된 노래를 연주하는 데 활용하였다.

2. 조선의 무용

(1) **궁중 무용**❸: 궁중과 관청의 의례에서는 음악과 함께 춤이 따랐다. 행사에 따라 매우 다양하였다.

(2) **민간**: 농악무, 승무 등 전통춤을 계승했으며, 산대놀이(탈춤)와 꼭두각시 놀음(인형극)도 유행하였다.

❶ 성현
성현은 『악학궤범』뿐 아니라 연주법과 악곡을 합친 합자보(合字譜)도 만들었다.

❷ 『악학궤범』

이 책에는 정읍사, 동동, 처용가, 정과정 등이 한글로 수록되어 있다.

❸ 나례(儺禮)
잡귀를 몰아내는 가면극인 나례를 연말 행사 또는 외국 사신을 위해 선보였다.

1️⃣1️⃣ 문학

1. 15세기의 문학

건국 주체 세력은 주로 질서와 격식을 중시하는 악장과 한문학을 통하여 왕조의 개창을 찬양하고, 우리 민족의 자주 의식을 드러냈다.

(1) 『**동문선**』❹: 성종 때 서거정, 노사신 등이 왕명으로 편찬하였다. 삼국 시대부터 조선 초기까지의 역대 시(詩)·부(賦)·사(辭)·문(文)을 133권으로 정리했으며, **자주적 의식**을 보여 준다.

❹ 『동문선(東文選)』(1478)
『동문선』 편찬 이후 중종 때 내용을 보완하여 『속동문선』이 편찬되었다.

심화사료 百出   2014. 지방직 7급, 2013. 법원직 9급, 2012. 지방직 9급

『동문선』 서문
우리 동방의 문(文)은 송(宋)과 원(元)의 문도 아니고 한(漢)과 당(唐)의 문도 아니며 바로 우리나라의 문입니다. 마땅히 중국 역대의 문과 나란히 천지의 사이에 행하게 하여야 합니다. …… 전하께서는 …… 신 서거정 등에게 명해 제가(諸家)의 작품을 뽑아 한 질을 만들게 하셨습니다. 저희들은 전하의 위촉을 받아 **삼국 시대로부터 지금에 이르기까지 시(詩), 부(賦), 사(辭), 문(文) 등 여러 문체를 수집하여** 이 중 문장과 이치가 순정하여 교화에 도움이 되는 것을 취하고 분류하여 130권을 편찬해 올립니다. …… 우리 동방의 문은 삼국 시대에서 비롯하여 고려에서 번성하였고 아조(我朝)에 와서 극(極)에 이르렀습니다. 천지 기운의 성쇠와 관계된 것을 또한 알 수 있습니다.

– 「동문선」

(2) 악장과 시조

악장은 궁중의 공식 행사 때 음악에 맞춰 부르던 가사로, 「용비어천가」·「월인천강지곡」 등이 유명하다. 시조도 많이 창작되었는데 김종서와 남이는 패기넘치는 시조로, 길재·성삼문은 충절을 강조한 시조로 유명하다.

(3) 설화 문학(패관 문학)

일정한 격식이 없이 보고 들은 이야기를 기록한 것으로, 대표적인 작품으로는 서거정의 『필원잡기』[5]와 성현의 『용재총화』[6] 등이 있다.

(4) 소설

설화 작품에 허구적인 요소를 가미하여 소설이 창작되었다. 최초의 소설로는 세조 때 김시습에 의해 저술된 『금오신화』[7]가 있다.

2. 16세기의 문학

사림 세력이 사회를 주도하면서부터는 흥취와 정신을 중시하는 경향이 강해졌다.

(1) 한시와 시조

16세기의 한시들은 높은 격조를 보여 주면서, 순수한 인간 본연의 감정을 표현하였다.

(2) 가사 문학

① 정철: 「사미인곡」, 「속미인곡」, 「관동별곡」[8] 등의 뛰어난 한글 가사를 지었다.

② 송순: 「면앙정가」 등의 작품을 통해 자연을 예찬했으며, 시조에도 뛰어났다.

(3) 설화 문학(패관 문학)

어숙권의 『패관잡기』,[9] 작자 미상의 「전우치전」,[10] 임제의 「원생몽유록」[11] 등이 있다.

(4) 문학의 저변 확대

여성이나 서얼 출신의 문인들이 등장하였다. 여류 문인으로는 신사임당, 황진이, 허난설헌 등이 있었다. 신사임당은 시·글씨·그림에 두루 능하고, 허난설헌은 한시, 황진이는 시조로 유명하였다.

---

[5] 『필원잡기』

서거정이 역사에 누락된 사실과 시중에 떠돌던 이야기들을 소재로 서술한 수필집이다.

[6] 『용재총화』

성현이 당시 음악·문화·시·회화·인물평·사화(史話) 등의 글을 모은 수필집이다.

[7] 『금오신화』

김시습이 지은 한문 단편 소설집으로, 유서 깊은 도시들을 배경으로 남녀 간의 애정, 민중 속에 전승되어 온 고유의 생활 감정 등을 묘사하였다.

[8] 『관동별곡』

강원도 관찰사를 지내면서 금강산을 비롯한 관동 8경의 뛰어난 경치와 그에 대한 감상을 표현하였다.

[9] 『패관잡기』

서얼 출신인 어숙권은 『패관잡기』를 통해 문벌 제도와 적서 차별의 폐단을 폭로하였다.

[10] 『전우치전』

도술을 소재로 하고 있으며 민생고를 고발하고 있다.

[11] 『원생몽유록』

선조 때 임제가 지은 계유정난을 소재로 한 한문 단편 소설이다. 단종과 사육신의 연회에 간 꿈 이야기를 통해 세조를 은유적으로 비판하였다.

대표 기출문제

밑줄 친 '왕'의 재위 기간에 편찬된 서적으로 옳은 것은?

2024. 국가직 9급

- 왕은 집현전을 계승한 홍문관을 설치하고 중단되었던 경연을 다시 열었다.
- 왕은 훈구 세력을 견제하기 위해 사림 세력을 등용하였다.

① 대전통편
② 동사강목
③ 동국여지승람
④ 훈민정음운해

해설

제시된 자료는 조선 성종 때 추진된 정책들을 나열한 것이다. ③ 조선 성종 때 편찬된 서적으로는 '국조오례의', '동국여지승람', '동국통감', '동문선' 등이 있다.
① '대전통편'은 정조 때 편찬된 법전이다. ② '동사강목'은 정조 때인 1788년에 안정복이 저술한 역사서이다. ④ '훈민정음운해'는 영조 때 신경준이 편찬한 책이다.

정답 ③

04강 성리학의 발달과 불교

 解/法 기출분석

구 분		2008~2017	2018	2019	2020	2021	2022	2023	2024
9급	국가직	• 이황 • 이이	성리학						
	지방직	• 학파와 학설 • 이황 • 이황·이이					이이		
	법원직	• 이황 • 성학군주론			이황				

解法 요람

이황과 이이

이 황   VS   이 이

이 ≒ 기 4단 ≒ 7정	이 = 기 4단 = 7정
이기호발설(理氣互發說) 기뿐만 아니라 이도 발동한다.	기발이승일도설(氣發理乘一途說) 발하는 것은 기뿐이다.
사단칠정론: 사단과 칠정은 별개	사단칠정론: 칠정이 사단을 포함
근본주의적이고 이상주의적	현실적이고 개혁적
「성학십도」, 「주자서절요」, 「전습록변」	「성학집요」, 「동호문답」, 「격몽요결」
예안향약(안동)	해주향약(해주), 서원향약(청주)

01 조선의 불교

1. 억불 정책❶

(1) 태조: 도첩제를 실시하여 승려가 되고자 하는 자의 출가를 제한하였다.

(2) 태종: 사원을 대폭 정리하여 전국에 242개의 절만 남겼다. 또한 사원의 토지와 노비를 몰수하였다.

(3) 세종: 교단을 정리하면서 선종과 교종 두 종파에 각각 18개씩의 절만 인정하였다.

(4) 성종: 도첩제를 폐지하여 출가를 금지하였다.

(5) 중종: 조광조의 건의로 승과를 폐지하였다.

2. 신앙으로서의 명맥 유지❷

(1) 세종❸: 경복궁 안에 사찰인 내불당을 설치하였다. 또한, 『월인천강지곡』과 『석보상절』을 편찬하였다.

(2) 세조: 간경도감을 설치하여 불교 경전을 한글로 번역하였다. 원각사와 원각사 10층 석탑을 건립하였다.

(3) 명종: 모후인 문정 왕후의 지원 아래 보우가 중용되고 승과가 부활하기도 하였다.

(4) 16세기 후반: 임진왜란 때 휴정(서산 대사) 등 승병이 크게 활약하였다.

02 도교와 민간 신앙

1. 조선의 도교❹

(1) 명맥 유지: 제천 행사가 국가의 권위를 높이는 기능이 있어 명맥을 이어갈 수 있었다.

　① 소격서 설치: 일월성신에 대한 제사인 초제를 주관하였다.

　② 초제❺: 단군이 제천했다는 강화도 마니산 등지에서 시행되어 민족 의식을 높여주었다.

　③ 원구단(圓丘壇): 세조 때 왕권 강화의 수단으로 원구단에서 제천 행사를 자주 거행하였다.

(2) 16세기 이후: 중종 때에는 조광조의 건의로 소격서가 폐지되고 제천 행사도 중단되었다.

2. 풍수지리설과 도참사상, 기타 민간 신앙

(1) 풍수지리설과 도참사상

　① 조선 초기: 풍수지리설과 도참사상이 조선 초기 이래로 중시되어 한양 천도에 반영되었다.

　② 조선 중기 이후: 양반 사대부의 묘지 선정 문제인 산송(山訟) 문제에도 영향을 미쳤다.

(2) 기타 민간 신앙

　① 단군 사당 건립: 세종 때 평양에 단군 사당(숭령전)을 건립하여 명의 사신이 참배하도록 하였다.

　② 삼성사 건립: 구월산에 환인·환웅·단군을 모시는 삼성사를 건립하였다.

❶ 조선의 불교 탄압

조선은 숭유억불 정책에 따라 불교를 억압하였다. 사원이 소유한 토지와 노비를 회수하여 국가 재정을 확충하였다. 그 결과 불교의 사회적 위상이 약화되었고, 불교는 깊은 산속으로 들어가 세력을 유지하였다.

❷ 신앙으로 명맥 유지

조선 시대, 사원에 대한 통제는 강하였으나 사람들의 신앙에 대한 욕구는 완전히 억제하지 못하였기에 불교는 명맥을 유지할 수 있었다.

❸ 세종

무학의 제자인 기화(己和)를 총애하여 유불 일치를 강조하는 『현정론(顯正論)』을 쓰게 하였다.

『석보상절』

❹ 도교 억압

도교 사원인 도관이 대폭 정리되고, 도교 행사도 줄어들었다.

❺ 마니산 초제

단군이 하늘에 제사를 지냈다는 믿음과 도교 신앙이 결합되어 민족 의식을 높이는 역할을 하였다.

구월산 삼성사(三聖祠)의 삼성전

❶ 수기치인(修己治人)

자기의 몸과 마음을 닦은 후에 백성들을 다스린다는 내용으로, 사대부가 갖추어야 할 덕목이다.

1. 성리학

성리학은 인간의 심성과 우주의 원리 문제를 철학적으로 탐구하는 신유학이다. 사대부들은 성리학의 핵심 원리인 수기(修己)와 치인(治人)❶을 정치와 생활에 적용하였다.

2. 성리학의 정착

(1) 관학파(훈구파)

정도전, 권근❷ 등은 성리학에만 국한하지 않고, 한·당 유학, 불교, 도교 등을 포용하였다. 특히 『주례』❸를 국가의 통치 이념으로 중요하게 여겼다.

❷ 성리학 입문서

정도전은 성리학 입문서인 『학자지남도』를 저술하였으며, 권근도 이 책을 근간으로 『입학도설』을 저술하였다.

(2) 사학파(사림파)

① 학문적 전통: 조선의 건국 이후 재야로 물러난 길재(온건파 사대부)의 학통을 계승하였다.

② 특징: 형벌보다는 교화에 의한 통치를 강조하였으며, 당시의 사회 모순을 성리학적 이념과 제도의 실천으로 극복해 보려고 하였다. 또한 성리학 이외의 사상에는 배타적인 입장을 취하였다.

❸ 『주례(周禮)』

주나라의 제도를 기록한 유교 경전

✎ 훈구파와 사림파

관학파⇒훈구파	사학파⇒사림파
15세기	16세기
사장 중시	경학 중시
단군 중시 자주적 역사관	기자 중시 존화주의적 사관
패도 인정	왕도 정치

3. 조선 성리학의 발달

16세기 사림들은 주자 성리학을 독자적으로 발전시켰다(이기론❹ 중심).

4. 조선 성리학의 선구자

(1) 서경덕과 조식

① 서경덕: 이와 기를 일원적으로 보는 기일원론의 선구자로, 일평생 처사로 지냈다. 그는 독자적인 유기 철학을 수립하여 이보다는 기를 중심으로 세계를 이해❺하였다. 우주를 무한하고 영원한 기로 보는 '태허설'을 제기했으며, 불교와 노장 사상에 대해 개방적인 태도를 보였다.

② 조식: 처사로 지냈으며, 경(敬)과 의(義)를 근본으로 하는 실천적 성리학풍을 강조하였다. 또한 절의를 중시했으며, 노장 사상에 포용적이었다.

(2) 이언적: 기보다는 이를 중심으로 자신의 이론을 전개하여 후대에 큰 영향을 끼쳤다.

❹ 이기론

세상에 존재하는 모든 현상은 이와 기로 구성되어 있다고 보았다. '이'는 인간의 심성을 포함한 모든 사물의 생성 변화를 가능하게 하는 원리이고, '기'는 '이'의 원리가 현실로 구체화되는 데 필요한 현상적 요소로 이해된다. 어느 것을 중시하느냐에 따라 주리론과 주기론으로 구분된다.

❺ 서경덕의 이기론

서경덕은 현상 세계를 떠난 진리는 존재할 수 없다는 입장에서 '이'보다 실재적인 '기'를 중심으로 세계를 설명하였다.

5. 성학군주론(聖學君主論)

(1) 등장 배경: 연산군 대의 경험을 통해 사림은 사대부의 수기치인을 군주에게 적용하였다.

(2) 내용

① 이언적: 중종에게 올린 '일강십목소'에서 성학군주론을 당면한 실천 과제로 제안하였다.

② 이황❻: 선조에게 바친 『성학십도』에서 군주의 주관적 노력에 따라 성학을 성취할 수 있으므로 군주 스스로 성학을 따를 것을 권유하였다(소극적).

③ 이이: 이이는 『성학집요』를 통해 각각의 사안에 맞닥뜨렸을 때 수행해야 할 객관적 기준을 제시하였다. 현명한 신하가 성학을 군주에게 가르쳐 기질을 변화시켜야 한다고 주장하였다.

❻ 이황의 성학군주론

왕 스스로가 인격과 학식을 수양하기 위해 부단히 노력해야 한다는 점을 강조하였다.

일강십목소(一綱十目疏)

대저 정치하는 요령은 그 강이 하나 있고 그 목이 10개가 있습니다. **강이란 것은 체이니 정치를 하는 본령이오, 목이란 것은 용이니 정치를 마련하는 법입니다.** ······ **일강이란 무엇을 이름인가. 군주의 마음가짐입니다.** 서정의 번잡함과 만민의 수효가 많음도 치란휴척의 기틀은 군주의 마음에 근본하지 않는 것이 없습니다. 그런 까닭으로 군주의 마음이 바르면 만사가 다스려지고 인심이 순하여 화기가 돌며, 군주의 마음이 바르지 못하면 만사가 배루되고 인심이 순하지 못하여 악기가 올 것이니 필연적인 이치입니다.

– 『회재집』

이황의 『성학십도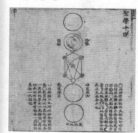(聖學十圖)』

판중추부사 신 이황은 삼가 두 번 절하고 아뢰옵니다. 신이 가만히 생각하옵건대, 도(道)는 형상이 없고 하늘은 말이 없습니다. ······ 후세의 임금은 천명(天命)을 받고 왕위에 올랐으니, 책임이 지극히 중하고 큼이 어떻겠습니까. 그러나 스스로 다스리는 수단은 한 가지도 이러한 엄격함이 없었습니다. ······ 바라옵건대 밝으신 임금께서는 이러한 이치를 깊이 살피시어, 먼저 뜻을 세워 "노력하면 나도 순임금처럼 될 수 있다."라고 생각하십시오. ······ **이제 이 도(圖)와 해설을 만들어 겨우 열 폭밖에 되지 않는 종이에 풀어 놓았습니다만,** 이것을 생각하고 익혀서 평소에 조용히 혼자 계실 때에 공부하소서. 도(道)가 이룩되고 성인이 되는 요체와 근본을 바로잡아 나라를 다스리는 근원이 모두 여기에 갖추어져 있사오니, 오직 전하께서는 이에 유의하시어 여러 번 반복하여 공부하소서.

– 『성학십도』

이이의 『성학집요(聖學輯要)』

올해 초가을에 비로소 저는 책을 완성하여 그 이름을 『성학집요』라고 하였습니다. 이 책에는 **임금이 공부해야 할 내용과 방법, 정치하는 방법, 덕을 쌓아 실천하는 방법**과 백성을 새롭게 하는 방법이 실려 있습니다. 또한 작은 것을 미루어 큰 것을 알게 하고 이것을 미루어 저것을 밝혔으니, 천하의 이치가 여기에서 벗어나지 않을 것입니다. 따라서 이것은 저의 글이 아니라 성현의 글이옵니다.

– 『율곡전서』

❼ 『성학십도』

퇴계 이황이 선조에게 성리학의 기본 이념을 10개의 그림으로 정리하여 올린 책이다. 1~5번째 그림은 우주의 원리와 만물의 근원을, 6~10번째 그림은 수양과 실천에 관한 내용을 설명하고 있다.

6. 이황과 이이 ☆

(1) 이황

① 학풍❽: 도덕적 행위의 근거로서 인간의 심성을 중시하고, 근본적이며 이상주의적인 성격이 강하였다.

② 철학적 특징

　㉠ 주리론 집대성: 이언적의 주리론을 발전시켜 우주 만물의 보편적 원리가 이이며, 모든 사물의 현상이 기라고 보았다. 따라서 기는 이의 발현이며 이를 떠나서는 아무것도 없다고 보았다.

　㉡ 이기이원론(理氣二元論): 만물의 존재가 이와 기 두 요소로 이루어졌다고 설명하면서, 이와 기는 서로 의존적이지만 섞일 수 없는 다른 것이라고 하였다.

　㉢ 이존기비(理尊氣卑): 이는 존귀한 것으로 절대적 선을 뜻하며, 기는 비천한 것으로 인식하였다.

　㉣ 이기호발설❾: 사단과 칠정을 각각 이의 발현과 기의 발현으로 구분하였다. 기에 대한 이의 우위를 분명히하고, 인간의 순수 심성의 발현인 사단을 중시하였다.

③ 저서

　㉠ 『성학십도』: 선조에게 지어 바쳐 경연의 교재로 사용되었다. 성리학의 요체를 도표와 곁들여 설명했으며 왕이 지켜야 할 왕도 정치의 규범을 체계화하였다.

　㉡ 『주자서절요』: 이황이 주자의 『주자대전』 중에서 중요한 부분을 뽑아서 편찬한 책이다.

　㉢ 『전습록변』: 왕수인의 『전습록』을 비판하고 양명학을 이단으로 간주하였다.

　㉣ 『이학통록』: 송·원 이래의 성리학을 학자들 중심으로 정리하였다.

이황

❽ 학풍

이황의 학설은 유성룡, 김성일, 정구, 장현광 등 영남학자들에게 계승되었다.

❾ 이기호발설(理氣互發說)

이는 착하고 보편적이지만, 기는 착한 것과 악한 것이 섞여 있어 비천한 것으로 보았다. 또한 4단(四端)은 이에서 발생하고, 7정(七情)은 기에서 발생하기 때문에 4단은 좋은 것이지만 7정은 다소 부정적으로 보았다.

④ **일본에 영향**: 이황의 사상은 조선뿐만 아니라 **일본 성리학 발전에 큰 영향**을 미쳐, 일본에서는 그를 '동방의 주자'라고 부르기도 하였다.

(2) 이이

① **학풍**: 기의 역할을 강조하여 **현실적이며 개혁적인 성격**을 가지고 있었다. 16세기 조선 사회의 모순을 극복하는 방안으로 통치 체제의 정비와 수취 제도의 개혁 등 다양한 개혁 방안을 제시하였다.

② **철학적 특징**

㉠ **일원론적 이기이원론(理氣二元論)**: 우주의 본체는 이와 기로 구성되었다는 것을 인정하면서 이와 기는 공간적으로나 시간적으로나 분리할 수 있는 것이 아니라고 보았다. 따라서 **이와 기는 별개의 것이 아니라 하나로 연결되어 있다**고 여겼다.

㉡ **기발이승일도설**: 이(理)는 홀로 발현할 수 없고 오직 기(氣)가 발현할 때 그 위에 올라타고 나올 수 있다는 주장으로, **발하는 것은 기(氣)뿐**이라고 보았다.

㉢ **이통기국론❶**: 만물의 보편성과 특수성을 모두 강조한 것으로, 이(理)는 **사물이 두루 통하는 보편성**이고 기(氣)는 사물의 성질을 제한하는 **특수성**이라고 주장하였다.

㉣ **이기지묘론**: 이와 기는 현실적으로는 분리할 수 없다는 것으로 물질 세계(기, 氣)를 개혁해야 관념 세계(이, 理)도 바로잡을 수 있다고 보았다. 이를 바탕으로 이이는 변법경장을 주장❷하고, 경제가 안정되어야 도덕이 피어날 수 있다고 주장하였다.

③ **저서**

㉠ **『성학집요』**: 이이가 제왕의 학문을 위해 선조에게 지어 바친 책으로, **현명한 신하의 적극적인 역할**을 중시하였다.

㉡ **『동호문답』❸과 『만언봉사』**: 수취 제도의 개혁 등 다양한 개혁 방안을 제시하였다.

㉢ **『격몽요결』**: 『소학』에 대한 저서로, 학문을 시작하는 이들을 위한 기본 교재로 저술되었다.

㉣ **『기자실기』**: 우리 역사에서 **기자의 행적을 주목**하고, 왕도 정치가 기자에서 시작되었다고 평가하였다.

㉤ **시무 6조계**: 10만 양병설을 주장했지만 받아들여지지 않았다.

이이

❶ **이통기국론(理通氣局論)**

이(理)에 해당하는 영원한 가치는 변할 수 없지만 그것을 구현하는 구체적인 방법은 시대적인 상황에 따라 변할 수 있다고 주장하였다.

❷ **이이의 변법경장(變法更張)**

16세기 중반 이후 사회가 혼란하자, 이이는 나라의 정신과 문화를 다시 바로잡아서 국가를 재정비하자는 경장론을 주장했는데, 이를 위해서는 현실 세계를 구성하는 기가 중요하다고 보았다.

❸ **『동호문답(東湖問答)』**

선조 때 이이가 동호 독서당에서 공부하면서 쓴 정치 개혁안이다.

9급 위 한국사

『성학집요』

성학집요는 대학의 본뜻에 의거하여 성현의 말씀을 인용하고 설명한 것으로, 왕과 사대부가 지켜야 할 왕도 정치의 규범을 체계화하였다. 이 책은 통설(通說), 수기(修己), 정가(正家), 위정(爲政), 성현도통(聖賢道統)으로 구성되어 있는데, 성리학의 정치 이론서인 『대학연의』를 보완함으로써 조선의 사상계에 널리 영향을 미쳤다.

사단칠정 논쟁

사단(四端)은 인간의 본성에서 우러나오는 도덕적 능력으로, 인·의·예·지를 일컫고, 칠정(七情)은 인간의 자연적인 감정[기쁨(희 喜), 노여움(노 怒), 슬픔(애 哀), 두려움(구 懼), 사랑(애 愛), 미움(오 惡), 욕망(욕 慾)]을 일컫는다. 사단칠정 논쟁은 16세기 이황과 기대승이 편지 왕래를 통해 벌인 논쟁으로 시작되었다. 사단과 칠정이 발현될 때 이와 기의 관계에 대해 토론한 것으로, 조선 성리학의 중심적인 연구 과제가 되었다.

이황의 이기호발

4단과 7정이 다 같이 하나의 정감이지만 4단은 인의예지라는 본성에서 발동해서 나오고, 7정은 기질에서 발동해 나온다. ······ **4단은 이치가 발동하여 기운이 따라오는 것이고(理發而氣隨之), 7정은 기운이 발하여 이치가 타고 올라오는 것이다(氣發而理乘之).**

– 「퇴계집」

이이의 이통기국, 기발이승

이(理)는 형체가 없고 기(氣)는 형체가 있으며, 이는 작용이 없고 기는 작용이 있다. ······ **이는 두루 통하고 기는 국한되며(理通氣局), 이는 작용이 없고 기는 작용이 있기 때문에 기가 발하며 이가 타는 것이다(氣發理乘).**

– 「율곡집」

이이의 이기지묘론(理氣之妙論)

이(理)와 기(氣)는 논리적으로 구분할 수 있지만 현실적으로 분리시킬 수 있는 것은 아니며, 모든 사물에 있어 이는 기의 주재 역할을 하고 기는 이의 재료가 된다는 점에서 양자는 불리(不離)의 관계에 있다. ······ 일물(一物)이 아닌 까닭에 일이면서 이요, 이물(二物)이 아닌 까닭에 이이면서 일이다.

– 「율곡집」

이이의 사회 개혁 주장

예로부터 나라의 역사가 중기에 이르면 인심이 반드시 편안만 탐해 나라가 점점 쇠퇴한다. 그때 현명한 임금이 떨치고 일어나 천명을 연속시켜야만 국운이 영원할 수 있다. **우리나라도 200여 년을 지내 지금 중쇠(中衰)에 이미 이르렀으니,** 바로 천명을 연속시킬 때이다.

– 「율곡전서」

대표 기출문제

밑줄 친 '저'에 대한 설명으로 옳은 것은?

2022. 지방직 9급

올해 초가을에 비로소 <u>저</u>는 책을 완성하여 그 이름을 「성학집요」라고 하였습니다. 이 책에는 임금이 공부해야 할 내용과 방법, 정치하는 방법, 덕을 쌓아 실천하는 방법과 백성을 새롭게 하는 방법이 실려 있습니다. 또한 작은 것을 미루어 큰 것을 알게 하고 이것을 미루어 저것을 밝혔으니, 천하의 이치가 여기에서 벗어나지 않을 것입니다. 따라서 이것은 <u>저</u>의 글이 아니라 성현의 글이옵니다.

① 예안향약을 만들었다.
②「동호문답」을 저술하였다.
③ 백운동 서원을 건립하였다.
④ 왕자의 난 때 죽임을 당했다.

이황의 사상 배경

이황의 사상은 사림이 구체제를 비판하며 훈구 세력과 싸우던 시기를 바탕으로 하고 있다. 따라서 이황은 유교적 이상 정치의 실현, 도덕 수양의 근거가 되는 심성론 정립에 힘썼다.

이이의 사상 배경

이이의 사상은 사림이 중앙 정계로 대거 진출하여 개혁을 실시하던 시기를 바탕으로 하고 있다. 따라서 이황보다 이이는 상대적으로 기를 강조하며 여러 가지 개혁안을 제시하였다.

제4막
근세 사회의 발달

해설

제시된 자료는 이이가 저술한 「성학집요」와 관련된 내용이다. ② 이이는 「동호문답」을 저술하여 당대의 현실 문제를 문답식으로 논하였다.
① 이황에 대한 설명이다. 이황은 예안향약을 만들었고, 이이는 해주향약과 서원향약을 만들어 보급하였다.
③ 주세붕에 대한 설명이다. ④ 정도전, 남은 등에 대한 설명이다.

정답 ②

PART

5

근대 태동기의
변화

근대 태동기의 정치

CHAPTER 1

01강 _통치 체제의 개편
- ❶ 정치 구조의 변화
- ❷ 군사 제도의 변화

02강 _붕당 정치의 변질과 탕평 정치
- ❶ 붕당 정치의 변질
- ❷ 탕평 정치의 전개

03강 _세도 정치와 조선 후기 대외 관계
- ❶ 세도 정치의 전개
- ❷ 세도 정치기의 권력 구조와 폐단
- ❸ 청과의 관계
- ❹ 일본과의 관계

解·法·기·출·진·맥

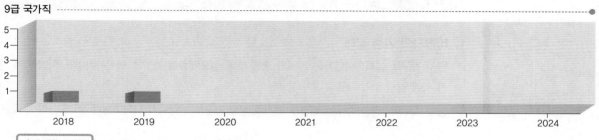

9급 국가직

| 출제 경향 오버뷰 | 최근 5년간 출제되고 있지 않음. 영조, 정조 |

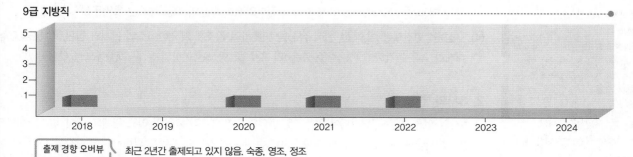

9급 지방직

| 출제 경향 오버뷰 | 최근 2년간 출제되고 있지 않음. 숙종, 영조, 정조 |

9급 법원직

| 출제 경향 오버뷰 | 거의 매년마다 1문제 이상씩 출제되고 있음. 숙종, 영조, 정조 |

통치 체제의 개편

解/法 기출분석

구분		2008~2017	2018	2019	2020	2021	2022	2023	2024
9급	국가직	정치 구조의 변화							
	지방직	군사 제도							
	법원직	비변사	훈련도감						

01 정치 구조의 변화

1. 비변사의 기능 확대

(1) **임시 기구로 설치**: 비변사는 16세기 중종 초에 삼포왜란을 계기로 여진족과 왜구의 침략에 대비하기 위해 임시 회의 기구로 설치되었다.

(2) **상설 기구화**: 명종 때 을묘왜변을 계기로 상설 기구로 운영되기 시작하였다. 이에 따라 창덕궁 앞에 청사를 두었다.

(3) **최고 기구화**: 선조 때 **임진왜란**을 거치면서 외교·재정·사회·인사 문제 등 거의 모든 행정을 총괄하는 최고 기구가 되었다. 이에 따라 의정부와 6조 중심의 행정 체계는 유명무실[1]해졌다.

(4) **구성원**: 임진왜란 이후 전·현직 정승을 비롯하여 공조를 제외한 5조의 판서와 참판, 각 군영 대장, 대제학, 4유수(강화, 개성, 광주, 수원)의 유수관, 당상관 이상의 문무 고관 등으로 확대되었다.

2. 3사의 변질

3사의 언론 기능도 변질되어 공론[2]을 반영하기보다는 각 붕당의 이해 관계를 대변하였다. 이조와 병조의 전랑들도 자천권 등의 권한을 이용하여 자기 붕당의 세력을 확대하는데 앞장섰다.

---

❶ 의정부·6조 체제의 변질
의정부와 6조는 비변사에서 결정된 내용을 집행하는 기구로 위상이 하락하였다. 의정부의 3정승은 비변사에서 협의된 내용을 왕에게 알리는 처지가 되었다.

❷ 공론
붕당 내부에서 형성된 여론을 일컫는다.

❸ 지변사재상
비변사는 설치 초기에는 지변사재상을 중심으로 군사 문제를 처리하는 임시 기구였다. 3정승과 관찰사를 역임했던 종2품 이상의 관원들이 지변사재상이 되었다.

심화사료 百出

2022. 서울시 9급, 2018. 서울시 9급(상), 2014. 경찰 1차

비변사의 기능 강화

효종 5년 11월 김익희가 상소하였다. …… 재신(宰臣)으로서 이 일을 맡은 사람을 지변사재상[3]이라고 불렀습니다. 그러나 이것은 일시적인 전쟁 때문에 설치한 것으로서 국가의 중요한 모든 일들을 참으로 다 맡긴 것은 아니었습니다. 그런데 오늘에 와서는 큰 일이건 작은 일이건 중요한 것으로 취급되지 않는 것이 없는데, 정부는 한갓 헛 이름만 지니고 육조는 모두 그 직임을 상실하였습니다. **명칭은 '변방의 방비를 담당하는 것(備邊)'이라고 하면서 과거에 대한 판하(判下)나 비빈(妃嬪)을 간택하는 등의 일까지도 모두 여기를 경유하여 나옵니다.**

－「효종실록」

02 군사 제도의 변화

1. 군사 제도 개편의 배경

5위제는 16세기 이후 군역의 대립제가 일반화되면서 제대로 운영되지 못하였다. 이후 임진왜란을 겪으면서 조정은 새로운 군사 제도의 개편을 모색하였다.

2. 중앙군 – 5군영

(1) **훈련도감**(선조, 왜란 중): 훈련도감[4]은 왜군의 조총에 대항하기 위하여 **포수, 사수, 살수의 삼수병**으로 편제되었다. 이들은 장기간 근무를 하고 일정한 급료를 받는 **상비군**으로서, 의무병이 아닌 **직업 군인**의 성격을 가진 군인이었다.

(2) **어영청**(인조~효종): 이괄의 난을 계기로 **인조** 때 어영군이 편성되었고, 이후 효종의 북벌 계획에 따라 어영청으로 정비·강화되었다. **이완**을 어영대장으로 삼아 **북벌 계획의 본영(本營)** 구실을 하였다.

(3) **총융청**(인조): 수도 외곽의 경비를 위해 서울 북쪽에 **북한산성**을 중심으로 설치하였다.

(4) **수어청**(인조)[5]: **남한산성**을 중심으로 수도를 방위하기 위해 설치된 군영이다.

(5) **금위영**(숙종)[6]: 금위영은 **국왕을 호위**하고 **수도를 방위**하는 군영으로 설치되었다. 이로써 5군영 체제가 갖추어졌다.

심화사료 百出

2018. 법원직 9급, 2012. 국가직 7급

훈련도감(訓鍊都監)의 설치

선조 26년(1593) 10월 국왕의 행차가 서울로 돌아왔으나 성 안은 타다 남은 건물 잔해와 시체로 가득하였다. 굶주림에 시달린 사람들은 인육(人肉)을 먹기도 하고, 외방에는 곳곳에서 도적들이 일어났다. 이때에 **상(上)께서 도감(都監)을 설치**하여 군사를 훈련시키라고 명하시고 나를 도제조(都提調)로 삼으시므로, 나는 청하기를 "**당속미(唐粟米) 1천 석을 군량으로 하되 한 사람당 하루에 2승(升)을 준다** 하여 군인을 모집하면 응하는 자가 사방에서 모여들 것입니다."라고 하였다. …… 얼마 안 되어 수천 명을 얻어 **조총(鳥銃) 쏘는 법과 창, 칼 쓰는 기술**을 가르치고 초관(哨官)과 파총(把摠)을 세워 그들을 거느리게 하였다. 또 당번을 정하여 궁중을 숙직하게 하고 국왕의 행차가 있을 때 이들로써 호위하게 하니 민심이 점차 안정되었다. – 유성룡, 「서애집」

3. 지방군

(1) 방어 체제의 변화

① 배경: 지역 단위 방위 체제였던 진관 체제는 작은 규모의 전투에는 유리했지만, 대규모의 적이 침입할 때는 효과가 없었다.

② 제승방략 체제: 16세기 후반, 을묘왜변 이후 제승방략 체제가 수립되었다. 각 지역의 병력을 한 곳에 집결시키고, 중앙에서 파견된 장수가 지휘하게 하는 방어 체제였다.

③ 조선 후기의 지방군: 임진왜란 때 제승방략 체제가 효과를 거두지 못하자, 다시 진관을 복구하였다. 또한 속오법에 따라 군대를 편성하였다(속오군).

✎ **5군영**

훈련도감
어영청 ┐
금위영 ┘ ← 서울의 수비·방어

총융청
수어청 ┐
    ┘ ← 수도 외곽의 수비·방어

❹ **훈련도감**

종래 5위가 맡았던 기능을 대신하여 수도 방위와 국왕 호위의 중요한 임무를 담당하였다.

❺ **수어청(守禦廳)의 변화**

정조 때 장용영의 설치와 함께 수어청을 남한산성으로 옮기면서 사실상 폐지되었고, 광주유수의 직권 아래 들어가게 되었다.

❻ **금위영(禁衛營)**

병조 판서 김석주의 건의에 따라 병조 산하의 정초군(기병)과 훈련도감의 별대를 통합하여 설치하였다.

✎ **조선 후기 군사 훈련**

조선 후기에는 조총이 군대의 주요 무기로 사용되었다. 이에 따라 부대의 집단적인 훈련이 중시되었고, 조총으로 무장한 보병이 군대의 주축을 이루었다.

심화사료 百出

제승방략(制勝方略) 체제의 문제점

을묘왜변 이후 김수문이 전라도에서 처음으로 도내의 여러 읍을 순변사·방어사·조방장·도원수와 본도 병사·수사에게 소속시키니 여러 도에서 이를 본받았다. …… 이리하여 **한번 위급한 일이 있으면 반드시 멀고 가까운 곳의 군사를 모두 동원하여 빈 들판에 모아놓고 1,000리 밖에서 오는 장수를 기다리게 하였다.** 그러므로 장수는 아직 때맞추어 이르지 않았는데, 적은 이미 가까이 오게 되니 군심이 동요하여 반드시 궤멸하는 도리밖에 없다. — 유성룡의 상계

❶ 속오군의 훈련

인조 때 영장을 임명하여 속오군의 조직·훈련 등을 맡긴 영장제가 실시되었다. 이에 따라 지방 수령이 장악해왔던 군사권의 일부가 분리되어 무관 출신인 영장에게 주어졌다(전담영장제). 지방 수령의 반발·재정 문제 등으로 효종 이후 전담영장제는 없어지고 수령이 속오군의 병력 관리와 훈련을 맡게 되었다(겸영장제).

(2) 속오군❶

① 설치: 선조 27년(1594) 유성룡의 건의를 계기로 속오군을 일부 지역에 처음 설치하였고, 이후 전국으로 편성되었다.

② 편제: 위로는 양반에서부터 아래로는 노비에 이르기까지 편제되어, 평상시에는 생업에 종사하면서 향촌 사회를 지키다가 적이 침입해 오면 전투에 동원되었다.

③ 한계: 양반이 노비와 함께 편제되는 것을 기피함에 따라 점차 상민과 노비들만 남게 되었다.

심화사료 百出

속오군의 변질(속대전에 천예군이라 기록)

지금 **속오군**이라는 것은 **사노(私奴) 등 천인들로 구차하게 숫자만을 채웠으며**, 어린아이와 늙은이들을 섞어 대오를 편성하였다. 전립(戰笠)은 깨지고 전복(戰服)은 다 찢어졌으며, 100년 묵은 칼은 녹슬어 자루만 있고 날은 없으며, 3대를 내려오도록 정비하지 않은 총은 화약을 넣어도 소리가 나지 않는다. — 「목민심서」

❖ 조선의 지역 방위 체제 변천

방어 체제	내용	문제점
진관 체제 (15세기 세조)	지역 단위의 방위 체제, 각 도의 병영 아래 몇 개의 거진을 설치(거진의 수령이 그 지역 군대 통솔)	적의 침입 규모가 클 때는 효과 없음.
제승방략 체제 (을묘왜변 이후)	유사시에 지정된 방어 지역에 각 지역의 병력을 동원(중앙에서 파견되는 장수가 지휘)	일차 방어선이 무너지면 그 뒤를 막을 방법이 없음.
진관 복구·속오군 체제 (임진왜란 이후)	진관을 다시 복구하고, 속오법에 따라 지방군을 편제(부족한 병력을 공·사천민 장정으로 보충)	양반들의 회피

대표 기출문제

다음 관청에 대한 설명으로 옳지 않은 것은?

중앙과 지방의 군국 기무를 모두 관장한다. …… 도제조(都提調)는 현임과 전임 의정이 겸임한다. 제조는 정수가 없으며, 왕에게 아뢰어 차출하되 이조·호조·예조·병조·형조의 판서, 훈련도감과 어영청의 대장, 개성·강화의 유수(留守), 대제학이 예겸(例兼)한다. 4명은 유사당상(有司堂上)이라 부르고 부제조가 있으면 예겸하게 한다. 8명은 팔도구관당상(八道句管堂上)을 겸임한다. — 「속대전」

① 삼포왜란 중에 상설화되었다.
② 흥선 대원군 집권 시기에 사실상 폐지되었다.
③ 본래 외적의 침입에 대비한 임시 기구였다.
④ 임진왜란을 계기로 군사 및 정무 전반을 관할하였다.

해설

제시된 자료는 비변사의 구성원에 관련된 내용이다. ① 비변사는 삼포왜란 때 설치되었으며, 명종 때 을묘왜변을 계기로 상설 기구로 운영되기 시작하였다. ②③④ 비변사에 대한 설명들이다.

정답 ①

붕당 정치의 변질과 탕평 정치

제1장 근대 태동기의 정치

 解/法 기출분석

구 분		2008~2017	2018	2019	2020	2021	2022	2023	2024
9급	국가직	• 이인좌의 난 • 영조(3) • 정조(2)	정조	영조					
	지방직	• 숙종 • 영조 • 영·정조(4) • 정조(2)			숙종	정조	영조	붕당 정치(숙종)	
	법원직	• 숙종(3) • 영조(3) • 정조(2)		정조	영조	환국·탕평 정치	영·정조		정조

解法
요람

붕당 정치의 변질

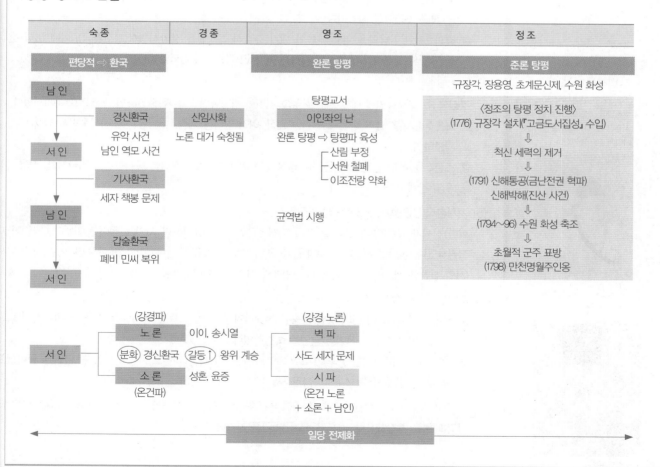

사사건건 그날 1592~1863

~1592 전일 ▶▶
• 1402 호패법 실시
• 1510 삼포왜란
• 1555 을묘왜변
• 1592 임진왜란

Now Event ▶▶
• 1609 기유약조
• 1623 인조반정
• 1624 이괄의 난
• 1636 병자호란
• 1658 나선 정벌
• 1659 예송 논쟁
• 1680 경신환국
• 1689 기사환국
• 1694 갑술환국

01 붕당 정치의 변질

1. 숙종(1674~1720)

(1) 붕당 정치의 변질❶

숙종 때 집권 붕당의 급격한 교체로 정국이 전환되는 **환국**이 발생하였다. 이로써 특정 붕당이 정권을 독점하는 **일당 전제화의 추세**가 대두되었고 붕당 정치가 변질되기 시작하였다.

(2) 숙종 재위 초반의 정치 상황

허적·윤휴 등 남인 정권이 수립되었다. 이들은 (2차) 북벌을 추진하며 병권을 장악❷하고자 하였다. 이에 따라 도체찰사를 부활하고, 대흥산성 축조 등의 정책이 추진되었다.

(3) 경신환국(庚申換局, 1680) – 서인 집권

① 전개
㉠ **유악 사건**: 남인의 영수 허적이 집안 잔치에 왕실 물품인 유악(기름 장막)을 멋대로 쓴 사실이 드러나 물의를 빚었다.
㉡ **남인 역모 사건(삼복의 변)**: 허적의 서자 허견이 복창군·복선군·복평군(삼복)과 결탁하여 역모를 꾸몄다는 사건이다.
② 결과: 서인이 남인을 역모로 몰아 대거 축출하고 정권을 장악하였다(경신환국). 이때 허적·윤휴 등 남인의 핵심적인 인물들이 사사되고, **서인 정권이 수립**되었다.

(4) 서인의 분열❸

경신환국 이후 남인에 대한 처벌을 놓고 서인이 강경파인 노론과 온건파인 소론으로 분리되었다.
① **노론**: 송시열, 남인 탄압에 **강경한 입장, 이이의 학통 계승,** 대의명분을 내세우면서 민생 안정을 강조하였다.
② **소론**: 윤증, 남인 탄압에 **온건한 입장, 성혼의 사상 계승,** 실리를 중시하면서 적극적인 북방 개척을 주장하였다.

(5) 기사환국(己巳換局, 1689) – 남인 집권

희빈 장씨가 낳은 왕자(경종)를 세자로 책봉하는 것에 반대하던 **서인(노론)이 몰락**하고, **남인이 재집권**하였다. 이때 **송시열과 김수항** 등 노론의 핵심 인물들이 처형되었다. 또한 이후 인현 왕후 민씨(서인 집안)가 폐위되고, 희빈 장씨(남인계와 연결)가 왕비로 책봉되었다.

(6) 갑술환국(甲戌換局, 1694) – 서인 집권

① 전개: 노론이 **폐비 민씨 복위 운동**을 전개하자, 남인이 이를 탄압하였다. 그러나 폐비 사건을 후회하고 있던 숙종은 오히려 **남인을 숙청**하였다.
② 결과: 폐비 민씨(인현 왕후)가 복위되었고, 중전 장씨는 희빈으로 강등되었다. 남인은 **몰락**했으며, 다시 **서인(노론과 소론)이 집권**하였다.

(7) 무고의 옥(1701): 장희빈이 인현 왕후를 저주했다는 사실이 드러나 사약을 받았다. 이후 **노론**은 세자의 폐위를 주장했으나, 소론은 세자(경종)를 지지하였다.

---

❶ 붕당 정치 변질의 사회·경제 배경

향촌 사회에서 지주제와 신분제가 동요되면서 양반 중심의 향촌 지배가 어려워졌고, 상품 화폐 경제가 발달하면서 정치 집단 사이에 상업적 이익에 대한 관심이 높아져 이를 독점하려는 경향이 등장하게 되었다. 이러한 상황은 붕당 정치를 변질시키는 요인이 되었다.

❷ 남인의 병권 장악

현종 대에 남인이 주도하여 훈련별대를 창설하였다. 이후 숙종 재위 초반에 한꺼번에 18,000여 명의 무과 합격자를 뽑아 군사 훈련을 강화했다.

❸ 회니시비(송시열vs윤증)

윤선거(윤증의 아버지)의 묘비 내용을 송시열이 무성의하고 비판적으로 쓴 사건이 계기가 되어 윤증과 송시열 사이에 갈등이 커졌다.

우암 송시열

명재 윤증

- 1712 백두산정계비 건립
- 1721 신축옥사
- 1744 『속대전』 완성
- 1750 균역법 실시
- 1791 신해박해
- 1798 장용영 설치
- 1801 신유박해
- 1811 홍경래의 난
- 1862 진주 농민 봉기

▶▶ 후일 1863~1900
- 1866 병인박해, 병인양요
- 1871 신미양요
- 1876 강화도 조약
- 1894 동학 농민 운동, 갑오개혁

(8) 경제 정책

① 배경: 17세기~18세기 초반, 전 세계적으로 소빙기로 불리는 냉해가 계속되었다. 조선도 흉년과 질병 등으로 인구가 감소하는 등 어려운 상황을 맞이했다.

② 정책: 대동법을 경상도·황해도 지방까지 확대했으며(1708), 삼남 지방에 대한 양전 사업을 완료하였다. 또한 **상평통보를 법화로 제정하고 전국적으로 유통**시켰다.

(9) 장길산의 난[4](1697): 황해도 구월산을 무대로 활약해 오던 광대 출신 장길산이 승려 세력과 함께 봉기하였다.

(10) 대내 정책[5]: 창덕궁 안에 대보단을 설치하여 명나라 신종의 제사를 지냈다. 이순신 사당에 현충이 라는 호를 내리고, 의주에 강감찬 사당을 건립하였다. 노산군의 지위가 회복되어 단종이라는 묘호를 받았다.

(11) 대외 정책: 안용복 사건[6]을 계기로 일본 막부와 울릉도 귀속 문제를 확정했으며, 백두산정계비를 세워 청과의 국경을 정하였다(1712).

④ 장길산의 난

서울의 일부 서얼 및 중인들은 장길 산 부대와 연결되어 새 왕조를 세우 려다 발각되었다.

⑤ 숙종 때의 인재 등용

서북인을 무인으로 대거 등용하고, 중인과 서얼을 수령에 등용하도록 조처하였다.

⑥ 안용복 사건

숙종 때 안용복이 울릉도와 독도에 출몰하는 왜인을 쫓아내고 일본 당 국과 담판하여 우리의 영토임을 승 인받았다.

숙종 말년, 노·소론의 갈등(왕위 계승을 둘러싼 대립)
- 병신처분(1716): 노론과 소론이 대립하고 있던 회니시비에 숙종이 직접 관여하여 송시열이 옳다고 판정하였다.
- 정유독대(1717): 숙종이 노론 영수 이이명과 독대를 하여 소론이 반발하였다.

2. 경종(1720~1724)

(1) 노·소론의 대립: 경종이 즉위하자 그를 지지하던 소론이 집권하였다. 이후 노론은 연잉군[7](영조)의 세제(世弟) 책봉을 주장하였고 이에 따라 경종은 연잉군을 세제로 책봉하였다.

(2) 신임사화[8](1721~1722): 2년에 걸쳐 소론이 노론을 역모로 몰아 제거한 사건이다.

① 신축옥사(1721): 소론은 연잉군의 대리청정을 요구한 노론 4대신(이건명, 김창집, 이이명, 조태채)을 탄핵하여 유배를 보냈다.

② 임인사화(1722): 목호룡의 고변 사건(경종 시해 음모)[9]을 빌미로 **노론이 대거 숙청**되었다.

3. 결과

(1) 붕당 정치의 말폐 현상: 국왕이 환국을 통해 직접 정치 세력을 교체하는가 하면, 상대당에 대한 보복으로 사사가 빈번해졌다. 또한 정쟁의 초점도 왕위 계승 문제에 맞춰지게 되었다.

(2) 서원과 사우의 남설: 중앙 정계에서 밀려난 양반들은 **문중 중심의 서원과 사우**를 세웠다.

(3) 탕평론[10]의 대두: 숙종 때 박세채에 의해 탕평론이 처음으로 대두되었다. 그러나 숙종의 탕평은 구호에만 그쳤으며, 오히려 편당적인 인사 관리로 일관하여 환국을 초래했다.

⑦ 연잉군

숙종의 둘째 아들이며, 어머니는 무 수리 출신인 숙빈 최씨이다.

⑧ 신임사화(辛壬士禍)

신축옥사와 임인사화를 일컫는 것으 로, 노론 측 입장이 반영된 용어이다.

⑨ 목호룡의 고변 사건

소론 강경파 목호룡 등이 노론을 탄 핵하는 과정에서 노론이 경종을 제 거할 음모를 꾸며왔다고 고변하였다.

⑩ 탕평론

탕평(蕩平)이란 『상서(尙書)』의 「황극 설(皇極說)」 "無偏無黨 王道蕩蕩 無 黨無偏 王道平平(무편무당 왕도탕 탕 무당무편 왕도평평)"에서 나온 말 로서, 군주의 정치가 치우침이 없고 지극히 공정하며 올바른 지경에 이 른 것을 의미한다.

고득사료 頻出

2011. 경북교행

붕당 정치의 폐해

신축·임인년(1721,1722) 이래로 조정에서 노론, 소론, 남인의 삼색(三色)이 날이 갈수록 더욱 사이가 나빠져 서로 역적이라는 이름으로 모 함하니, …… **서로 혼인을 하지 않을 뿐만 아니라, 다른 당색(黨色)끼리는 서로 용납하지 않는 지경**에까지 이르렀다. —이중환, 「택리지」

1. 영조(1724~1776) ⭐⭐

(1) 집권 초기 상황

① **탕평 교서의 발표**: 영조는 즉위 초 **탕평 교서**를 발표하여 정국의 혼란을 수습하고자 하였다.

② **이인좌의 난(1728)**

　㉠ 배경: 소론과 남인의 일부 강경파는 경종의 사망에 의혹을 제기하며, 영조의 정통성을 부정하였다.

　㉡ 전개: **이인좌**는 소론·남인 세력 등을 규합하여 **청주**에서 대규모 반란을 일으켰다.

(2) 탕평 정치

① **완론 탕평**: 당파의 시비를 가리지 않고 어느 당파든 온건하고 타협적인 인물을 등용하였다. 이들을 탕평파(붕당을 없앨 것에 동의)로 육성하여 정국을 운영하였다.

② **붕당의 기반 약화❶**

　㉠ **서원 철폐**: 산림의 존재를 인정하지 않았고, 서원을 붕당의 근거지로 여겨 대폭 정리하였다.

　㉡ **이조전랑❷의 권한 약화**: 이조전랑의 **자천권❸**과 **통청권❹**을 없앴다. 그러나 자천권은 정조 대에 가서야 완전히 폐지되었다.

③ **완론 탕평의 한계❺**: 붕당 정치의 폐단을 근본적으로 해결한 것이 아니라, **강력한 왕권으로 붕당 사이의 다툼을 일시적으로 억누른 것**에 불과했다. 또한, 탕평책을 추진하면서 **오히려 노론 세력이 강화**되었다.

영조

❶ 한림의 회천권 혁파

한림(현직 사관)이 자신의 후임을 뽑는 제도를 폐지하고, 후임자를 충원할 때 최종적으로 왕이 낙점하였다.

❷ 이조전랑

이조의 실무 관료인 정랑(5품)과 좌랑(6품)을 통칭하는 말이다.

❸ 자천권(自薦權)

이조전랑이 자신의 후임자를 추천할 수 있도록 한 권리이다.

❹ 통청권(通淸權)

삼사의 당하관 이하 관직에 대한 인사 추천권이다.

❺ 완론 탕평의 한계

영조는 탕평파를 자신의 외척으로 끌어들여 정국 안정을 도모하였는데, 이로 인해 외척 세력의 힘이 강해지는 문제점이 드러나기도 하였다. 정조는 영조의 탕평책이 척신 세력을 키우는 폐해를 낳았다고 생각하였다.

심화사료 百出
2018. 경찰 3차, 2013. 서울시 9급

영조의 탕평 교서

붕당의 폐해가 요즈음보다 심각한 적이 없었다. 처음에는 예절 문제로 분쟁이 일어나더니, 이제는 한쪽이 다른 쪽을 역적으로 몰아붙이고 있다. …… 우리나라는 땅이 좁고 인재도 그리 많은 것이 아닌데, 근래에 들어 **인재를 등용할 때 같은 붕당의 인사들만 등용**하고자 하며, 조정의 대신들이 서로 상대 당을 공격하면서 반역인가 아닌가로 문제를 집중하니 모두가 동의할 수 있는 정책이 나오지 못하고, 정책의 옳고 그름을 판단하기 어렵다. …… 이제 유배된 사람들의 잘잘못을 다시 살피도록 하고, **관리의 임용을 담당하는 관리들은 탕평의 정신을 잘 받들어 직무를 수행**하도록 하라.

　　　　　　　　　　　　　　　　　　　　　　　　　　　　　　　－「영조실록」

탕평비문

원만하여 편벽되지 않음은 곧 군자의 공정한 마음이고, 편벽되어 원만하지 않음은 바로 소인의 사사로운 마음이다.

이인좌의 난(1728, 영조 4)

적(賊)이 청주성을 함락시키니, 절도사 이봉상과 토포사 남연년이 죽었다. 처음에 적 권서봉 등이 양성에서 군사를 모아 청주의 적괴(賊魁) 이인좌와 더불어 군사 합치기를 약속하고는 청주 경내로 몰래 들어와 거짓으로 행상(行喪)하여 장례를 지낸다고 하면서 상여에다 병기(兵器)를 실어다 고을 성 앞 숲 속에다 몰래 숨겨 놓았다.

　　　　　　　　　　　　　　　　　　　　　　　　　　　　　　　－「영조실록」

탕평비

(3) 집권 중·후반 상황

① 나주 괘서 사건(1755)^❻: 소론인 윤지 등이 나라를 비방하는 글을 나주 객사에 붙였는데 곧 발각되어 서울로 압송·처형되었다.

② 임오화변(1762): 영조가 사도 세자를 뒤주에 가두어 죽였다. 이후 정계는 시파와 벽파로 나누어졌다.

시파	사도 세자를 동정하는 세력. **세손(정조)을 지지**함. 남인과 소론 그리고 노론의 일부
벽파	사도 세자의 죽음을 찬성한 세력. 영조를 지지한 노론 강경파들이 다수

(4) 영조의 업적^❼

① 균역법(1750)의 시행: 군역 부담을 완화하기 위해 군포를 1필로 줄였다.

② 군영 정비: 훈련도감·금위영·어영청이 도성을 나누어 수도를 방위하는 체제를 갖추고, 이를 『수성윤음』으로 반포하였다.

③ 사회·문화 정책
  ㉠ 형벌 제도 개선: 가혹한 형벌을 폐지^❽하고 사형수에 대한 삼심제를 엄격하게 시행하였다.
  ㉡ 『속대전』 편찬: 『속대전』을 편찬하여 법전 체계를 정비하였다.
  ㉢ 언로 확대^❾: 신문고를 부활시키고, 호포제 시행을 위해 창경궁 홍화문에 나아가 백성들에게 의견을 묻기도 하는 등 궁 밖에 자주 나가서 직접 민의를 살폈다.
  ㉣ 청계천 준설: 서울 시민의 자발적인 협조를 얻어 **청계천을 준설**^❿하여 도시를 재정비하였다.
  ㉤ 노비종모법: 양인의 수를 늘리기 위해 노비는 어머니의 신분을 따르도록 하였다.
  ㉥ 노비공감법: 노비에게 부과된 신공을 반으로 줄였다.
  ㉦ 기로과: 60세 이상의 노인에게만 응시 자격을 준 과거 시험으로, 영조 때 처음 실시되었다.

심화사료 百出

2022. 지방직 9급, 2016. 경찰 1차, 2012. 법원직 9급

영조 대왕 시책문

적전(籍田)을 가는 쟁기를 잡으시니 근본을 중시하는 거동이 아름답고, **혹독한 형벌을 없애라는 명을 내리시니** 살리기를 좋아하는 덕이 성대하였다. …… **정포(丁布)를 고루 줄이신 은혜**로 말하면 천명을 받아 백성을 보전할 기회에 크게 부합되었거니와 위를 덜어 아래를 더하며 어염세(魚鹽稅)도 아울러 감면되고, 여자·남자가 기뻐하여 양잠·농경이 각각 제자리를 얻었습니다.

– 『영조실록』

영조의 주요 업적

팔순 동안 내가 한 일을 만약 나 자신에게 묻는다면
첫째는 탕평책인데, 스스로 '탕평'이란 두 글자가 부끄럽다. / 둘째는 균역법인데, 그 효과가 승려에게까지 미쳤다.
셋째는 청계천 준설인데, 만세에 이어질 업적이다! / 넷째는 옛 정치의 뜻을 회복하여 여종의 공역을 없앴다.
다섯째 서얼들을 청요직에 등용하니 유자광 이후 처음이다. / 여섯째 예전 법전을 개정해 『속대전』을 편찬했다.

– 『어제문업(御製問業)』

---

④ 편찬 사업

속대전	『경국대전』 이후의 법전을 모아 재정리한 것으로, 『경국대전』 시행 이후의 변화된 사회상을 반영
속오례의	성종 때 편찬한 『국조오례의』를 보완. 조선 후기 왕실의 각종 의례를 정리
속병장도설	『병장도설』을 보완한 무예·병법 관련 서적
동국여지도	신경준이 왕명으로 편찬한 지도(조선 전도), 모눈으로 선을 구획한 채색 지도
동국문헌비고	최초의 관찬 한국학 백과사전으로 홍봉한^⓫에 의해 편찬. 조선의 문물 제도를 분류·정리(13분야 100권)

❻ 나주 괘서 사건
임인옥사에 연루되어 나주로 귀양을 갔던 윤지가 나주 목사 등과 모의하여 노론을 제거하고자 하였다.

❼ 영조의 재정 개혁
왕실과 중앙 관청들의 재정 용도를 규정하였다(탁지정례).

❽ 형벌 제도 개선
죄를 추궁하여 심문할 때 부모·형제·부인을 함께 잡아 가두는 것을 금지하였다.

❾ 언로의 확대
백성들이 행차 도중 왕을 직접 만나 억울한 일을 호소하는 것을 상언 또는 격쟁이라 하였다.

❿ 청계천 준설 사업
영조는 청계천의 범람을 막고 홍수에 대비하기 위해서 준설 작업을 추진하였다. 약 60일 동안 약 21만 명의 인원이 동원되어 일자리를 만들어 주었다. 이와 같이 서울을 재정비했으며, 서울의 번영을 과시하기 위해 많은 지도를 제작하였다.

⓫ 홍봉한
영조의 탕평 정책을 지지해 왕의 총애를 받았다. 딸(혜경궁 홍씨)이 세자빈으로 간택되어 사도 세자와 혼인하였다. 이복동생인 홍인한은 노론 벽파에 가담하여 세손(정조)을 공격했으나, 그는 세손을 보호하였다.

정조

❶ 규장각(奎章閣)
규장각은 창덕궁과 강화도 두 곳에 설치되어 전자를 내각, 후자를 외각이라 불렀다. 본래 역대 왕들이 지은 글 등을 관리하는 왕실 도서관으로 설치되었으나, 정조는 젊은 학자들을 학사(學士)로 임용하여 문한(文翰) 비서실, 과거 시험 주관 등 여러 기능을 부여하였다.

❷ 검서관
규장각에서 실무를 담당하는 관리였다. 특별히 서얼 출신들을 채용하였다.

❸ 장용영(壯勇營)
서울과 수원에 내영과 외영을 설치하였다.

❹ 만천명월주인옹(萬川明月主人翁)
백성을 만천(강물)에, 군주인 자신을 명월(달)에 비유하여 모든 백성에게 임금의 은혜가 닿게 하는 지고지순한 정치를 펼치고자 하였다.

▲ 시흥환어행렬도(始興還御行列圖)
혜경궁 홍씨의 회갑연을 화성에서 치루고 서울로 올라오는 장면을 그린 그림이다.

2. 정조(1776~1800) ☆☆

(1) 탕평 정치

① 준론 탕평: 국왕이 직접 각 붕당의 주장이 옳은지 그른지를 명백히 가리는 정책을 펼쳤다.

② 인재 등용: 영조 때 세력을 키웠던 척신과 환관 등을 제거하고, 그동안 권력에서 배제되었던 소론과 남인 계열을 중용하였다. 또한, 능력 있는 인재를 등용하여 왕권을 뒷받침하였다.

(2) 왕권 강화 정책

① 규장각❶ 설치(1776): 창덕궁 안에 규장각을 세우고 수만 권의 조선 서적과 중국 서적(청나라에서 『고금도서집성』수입)을 보관하였다. 젊은 학자들을 학사로 임용했으며, 박제가·서이수·유득공·이덕무 등 서얼들을 검서관❷으로 발탁하였다.

② 장용영❸ 설치: 친위 부대인 장용영을 설치하여 국왕이 주요 병권을 장악하고자 하였다.

③ 초계문신제의 시행: 37세 이하의 당하관 관리 중에서 유능한 인사를 선발하여 일정 기간 규장각에서 재교육하는 초계문신 제도를 실시하였다. 이는 정조가 초월적 군주로 군림하면서 스승의 입장에서 신하를 양성하겠다는 의지를 보인 것이다.

심화사료 百出

2019. 경찰 2차, 2018. 국가직 9급, 2014. 국가직 9급

초계문신제(抄啓文臣制)
내각에서 초계문신의 강제절목을 올렸다. 절목의 내용은 이러하다. 이제 이 문사들을 선발하여 강제를 시험하는 것은 대개 인재를 양성하려는 성의에서 나온 것이 아니겠는가? …… 강제 인원은 반드시 문신으로서 과원에 분관된 사람들 가운데 참상이나 참외를 막론하고 정부에서 상의하여 37세 이하로 한하여 초계한다.
- 『정조실록』

만천명월주인옹자서
만천명월주인옹(萬川明月主人翁)은 말한다. …… 달은 하나뿐이고 물의 종류는 1만 개나 되지만, 물이 달빛을 받을 경우 앞 시내에도 달이요, 뒤 시내에도 달이어서 달과 시내의 수가 같게 되므로 시냇물이 1만 개면 달 역시 1만 개가 된다. 그러나 하늘에 있는 달은 물론 하나뿐인 것이다. …… 그러나 그 물의 원뿌리는 달의 정기(精氣)다. 거기에서 나는, **물이 세상 사람들이라면 달이 비춰 그 상태를 나타내는 것은 사람들 각자의 얼굴이고, 달은 태극인데 그 태극은 바로 나라는 것을 알고 있다.**
- 『홍재전서』

④ 군주도통론: 군주로서 성리학의 적통을 이어받았다는 주장이다. 또한 초월적 군주를 표방하면서 기존에 사용하였던 '홍재'라는 호를 대신하여 만천명월주인옹❹이라는 호를 사용하였다.

⑤ 산림무용론: 정조는 산림의 정치적 폐단과 학문적 허구성을 지적했다.

⑥ 화성 건설(수원): 수원으로 사도 세자의 무덤을 옮기고 '현륭원'이라 하였으며, 팔달산 밑에 새로운 성곽 도시로 '화성'을 세웠다. 정조는 화성을 종합 도시로 계획하고, **정치적·경제적·군사적 기능**을 부여하였다.

ㄱ 화성 축조와 운영: 정조는 자신의 정치적 이상을 담아 화성을 건설하였다. 정약용은 거중기를 만들어 화성을 쌓는 데 이용하였다. 또한 대유둔전(국영 농장)을 두어 화성 성곽 유지 보수에 사용하였다.

ㄴ 화성 행차: 정조는 현륭원 참배를 명목으로 자주 화성에 행차하였다. 행차의 편의를 위해 신작로와 배다리(정약용 제작)를 만들었다.

⑦ 수령의 권한 강화: 수령이 군현 단위의 향약을 직접 주관하게 하여 지방 사족의 향촌 지배를 억제하였다.

▲ 배다리(주교)

(3) 경제·사회·문화 정책❺

① 신해통공(1791): 통공 정책을 실시하여 육의전을 제외한 시전 상인의 금난전권을 폐지하였다. 이는 재정 확보와 상공업 진흥을 위해 자유로운 상행위를 허락한 것이다.

② 공장안 폐지: 수공업자들은 장인세만 부담하면 자유롭게 제품을 생산할 수 있게 되었다.

③ 제언❻절목(1778): 이앙법의 확산으로 수리 시설이 중요해짐에 따라 제언절목을 제정하였다.

④ 신해박해(1791): 전라도에 사는 천주교 신자 윤지충이 조상의 신주를 불태운 사건으로, 윤지충을 비롯한 관련자들이 처벌받았다(진산 사건). 윤지충은 남인에 속했기 때문에 노론은 남인을 중용한 정조를 공격하였다.

⑤ 문체반정❼(문체순정): 패관잡문, 소설의 문체 등 신문체를 배척하고 순정고문으로 환원시키려는 문풍 개혁 정책이다. 노론을 견제하기 위한 정치적 의도였다.

⑥ 중국과 서양 기술 수용: 정조는 계지술사❽를 내걸고 전통 문화를 계승하면서 중국과 서양의 과학 기술을 수용하고자 하였다.

⑦ 활자 주조: 활자·인쇄 방면에도 관심을 가져 한구자,❾ 생생자, 정리자 등을 주조하였다.

⑧ 편찬 사업❿

『대전통편』	『속대전』 이후 통치 체제 정비	『존주휘편』	대명의리론 정리
『탁지지』	호조(재정 담당 관청)의 사례 정리	『무예도보통지』	무예 훈련 교범서
『춘관통고』	예서를 집대성	『규장전운』	음운서(소리·문자 연구)
『추관지』	형률에 관한 법령집	『일성록』	국왕의 동정과 국정 기록
『동문휘고』	조선 외교 문서 정리	『홍재전서』	정조 개인 문집
『홍문관지』	홍문관 역사 정리	『규장각지』	규장각 직제 설명
『증보(정)문헌비고』	『동국문헌비고』 증보	『오륜행실도』	『삼강행실도』와 『이륜행실도』를 통합

심화사료 百出

2012. 지방직 9급

『무예도보통지』

『무예도보통지』가 완성되었다. …… 곤봉 등 6가지 기예는 척계광의 『기효신서』에 나왔는데 …… 장헌 세자가 정사를 대리하던 중 기묘년에 명하여 죽장창 등 12가지 기예를 더 넣어 도해(圖解)로 엮어 새로 신보를 만들었고, 상(上, 정조)이 즉위하자 명하여 기창 등 4가지 기예를 더 넣고 또 격구, 마상재를 덧붙여 모두 24가지 기예가 되었는데, **검서관 이덕무·박제가**에게 명하여 …… 주해를 붙이게 했다.

— 『홍재전서』

❖ 영조와 정조

영조	구분	정조
완론 탕평	탕평	준론 탕평
이조전랑 약화, 군영 정비, 산림 부정	왕권 강화	규장각, 장용영, 초계문신제
『속대전』	법전	『대전통편』
서원 철폐	재지 사족 ↓	향약을 수령이 주관
균역법, 악형 금지, 청계천 준설, 노비종모법	사회, 경제	신해통공, 공장안 폐지, 제언절목, 수원 화성

❺ 『자휼전칙』
흉년을 당해 걸식하거나 버려진 아이들의 구호 방법을 규정한 법령집으로, 정조 때 전국에 반포하였다.

❻ 제언(堤堰)
농업 용수를 저장·관리하는 수리 시설을 뜻한다.

❼ 문체반정(文體反正, 문체순정)
문체반정은 자유롭게 발전하는 문학의 양상을 권력으로 억압하여 발전을 퇴보시켰다는 비판도 있다.

❽ 계지술사(繼志述事)
조상의 뜻을 계승하면서 부분적으로 새로운 것을 가미한다는 뜻이다.

❾ 한구자
한구자는 숙종 때 김석주가 개인적으로 만든 동활자이다. 이후 정조 때 국가 차원에서 다시 한구자를 주조하였다.

❿ 편찬 사업
정조 때 왕명으로 『해동농서』(서호수)와 종합 무예서인 『무예도보통지』가 편찬되었다.

『무예도보통지』

『일성록(日省錄)』

『일성록』(존현각일기, 1752~융희 1910, 총 2,327권, 국보 제153호)

국왕의 동정과 국정을 기록한 일기로, **정조가 세손 시절부터 기록한 것**이다. 국가의 의례에 이용된 문장, 과거의 답안, 신하들의 상소문 등을 종류별로 모아 책으로 엮게 하였고, 그 뒤로도 계속 증보하도록 명령하였다. 매일 기록의 끝에는 편찬자의 관직과 이름을 기재하여 책임 소재를 분명히 하였다. 취사선택과 첨삭이 이루어졌던 실록보다 1차 사료로서 가치가 있다. **『일성록』은 2011년 유네스코 세계 기록 유산에 등재**되었다.

『화성성역의궤』(1801년 순조 때 발간)

정조의 명으로 편찬된 『화성성역의궤』에는 기본 계획부터 동원된 기술자의 종류와 이름 및 종사 일수까지 **화성 축조와 관련된 모든 사실이 기록**되어 있다. 『화성성역의궤』를 비롯한 **『조선왕조의궤』는 2007년 유네스코 세계 기록 유산에 등재**되었다.

『원행을묘정리의궤』❶

정조는 부모님의 회갑을 기념하여 1795년 화성 행차를 성대히 거행하였다. 이 행차가 끝난 뒤에는 행차에 관련된 일정, 비용, 참가자 명단, 행차 그림 등을 기록하여 원행을묘정리의궤(1797)로 편찬하고, 김홍도 등 화원을 시켜 대형 병풍 그림으로도 제작하였다.

❶ 『원행을묘정리의궤』
정조가 화성에 행차한 기록이 『원행을묘정리의궤』에 남아있다.

밑줄 친 '왕'의 재위 기간에 있었던 사실로 옳은 것은?   2021. 지방직 9급

왕은 노론과 소론, 남인을 두루 등용하였으며 젊은 관료들을 재교육하기 위해 초계문신제를 시행하였다. 또 서얼 출신의 유능한 인사를 규장각 검서관으로 등용하였다.

① 동학이 창시되었다.
②『대전회통』이 편찬되었다.
③ 신해통공이 시행되었다.
④ 홍경래의 난이 발생하였다.

해설
제시된 자료는 조선 후기 정조의 업적들을 설명하고 있다. ③ 정조 때 육의전을 제외한 시전 상인의 금난전권을 폐지하는 통공 정책(1791)을 실시하였다(신해통공).
① 철종 때의 일이다. ② 『대전회통』은 흥선 대원군 때 편찬되었다. ④ 홍경래의 난은 순조 때 발생하였다.

정답 ③

세도 정치와 조선 후기 대외 관계

제1장 근대 태동기의 정치

解/法 기출분석

구 분		2008~2017	2018	2019	2020	2021	2022	2023	2024
9급	국가직	• 세도 정치(3) • 통신사							
	지방직	• 세도 정치 • 대외 관계							
	법원직	대외 관계							세도 정치

세도 정치의 전개

| 순조 | 정순 왕후 김씨 | 1801 공노비 해방, 신유박해(시파 탄압), 장용영 혁파(1802) |
| | 안동 김씨 김조순 | 1811 홍경래의 난 : 서북인 차별 |

| 헌종 | 풍양 조씨 조만영 | 1839 기해박해 |
| | | 1846 병오박해 |

| 철종 | 안동 김씨 김문근 | 1860 동학 창시(최제우) |
| | | 1862 임술민란 ⇒ 삼정이정청의 설치 |

세도 정치의 권력 구조와 모순

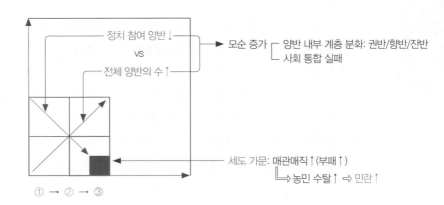

철종 어진(복원)

01 세도 정치의 전개

1. 순조(1800~1834)-안동 김씨

(1) **정순 왕후 수렴청정**: 순조가 11세의 나이로 즉위하자 **노론 집안의 정순왕후 김씨(영조의 계비)**가 수렴청정을 하였다. 정조 때 중용되었던 소론·남인은 쫓겨나고 **노론**이 정권을 잡았다.

(2) **신유박해(1801)**: 수많은 천주교도들을 처형했으며, 천주교를 믿는다는 이유로 남인과 시파 세력들도 정계에서 축출되었다.

(3) **장용영 혁파(1802)**: 정조 때 핵심 군영이었던 장용영을 혁파❶하고 장용영 소속의 군사와 관원은 5군영에 소속시켰다. 이에 따라 군영의 중심이 다시 훈련도감으로 이동하였다.

(4) **기타 정책**: 서영보·심상규 등이 왕명으로 재정과 군정의 주요 내용을 모은 『만기요람』을 편찬하였다. 또한, 중앙 관청에 소속되어 있던 **6만여 명의 공노비**를 해방시켰다.

(5) **왕권 회복 노력**: 정순왕후 사망 이후 순조의 장인인 **김조순을 중심으로 안동 김씨** 세력이 정권을 장악하였다. 순조는 왕권 강화를 위해 **효명 세자**❷에게 대리청정을 맡겼으나, 22세의 나이로 요절하면서 실패하였다.

2. 헌종(1834~1849)-풍양 조씨

효명 세자의 아들로 8세에 즉위하였다. 이에 **조만영**을 중심으로 풍양 조씨가 득세하였다.

3. 철종❸(1849~1863)-안동 김씨

헌종이 후사 없이 죽자 몰락 왕족인 철종(강화도령)이 왕이 되었다. 김문근을 중심으로 한 **안동 김씨**가 득세하였는데 흥선 대원군이 집권하기 전까지 지속되었다.

02 세도 정치기의 권력 구조와 폐단

1. 정치

(1) **세도 정치**❹: 왕실과 혼인을 맺은 일부 외척 가문이 권력을 독점한 것을 세도 정치라고 한다.

(2) **권력의 집중**: 세도 가문들은 비변사를 비롯한 주요 관직을 독점하고, 훈련도감 등 군영의 지휘권을 장악하였다. 그 결과 의정부와 6조·3사 등이 본래 기능을 상실하고 왕권은 점차 약화되었다.

(3) **정치 기강의 문란**: 세도 정치 시기에는 세도 가문을 견제할 집단이 없었다. 이에 따라 부정부패가 심화되었다. 세도 가문과 결탁하지 않으면 과거에 급제할 수 없었고, 매관매직도 공공연히 이루어졌다.

(4) **수탈 강화**: 정치 기강의 문란은 백성에 대한 수탈로 이어졌다. 돈을 주고 관직을 산 관리들은 수취 제도를 악용하여 백성들을 착취하였다.

2. 사회·경제

삼정이 문란⁵해지고 총액제⁶의 실시로 관리들의 수탈은 더욱더 심해졌다. 여기에 잇따른 자연재해까지 겹쳐 농촌 사회의 불만이 극에 달해, 농민들의 저항도 급격하게 늘어났다. 대표적으로 **홍경래의 난(1811)**과 **임술 농민 봉기(1862)** 등이 있다.

3. 문화

세도 명문가들은 오랫동안 서울에 살면서 **세련된 도시 귀족의 체질**을 지녔다. 그러나 권력을 잡은 후 차츰 **고증학**에 치우치는 등 개혁 의지를 상실하였다.

심화사료 百出

2014. 국가직 9급

세도 정치기 민란(홍경래의 난)

보잘 것 없는 나, 소자(순조)가 어린 나이로 어렵고 큰 유업을 계승하여 지금 12년이나 되었다. 그러나 나는 덕이 부족하여 위로는 천명(天命)을 두려워하지 못하고 아래로는 민심에 답하지 못하였으므로, 밤낮으로 잊지 못하고 근심하며 두렵게 여기면서 혹시라도 선대왕께서 물려주신 소중한 유업이 잘못되지 않을까 걱정하였다. 그런데 지난번 **가산(嘉山)의 토적(土賊)이 변란을 일으켜 청천강 이북의 수많은 생명이 도탄에 빠지고** 어육(魚肉)이 되었으니 나의 죄이다.

– 「비변사등록」

---

03 청과의 관계

1. 북벌 정책의 추진

병자호란 이후 조선은 **표면상 청나라와 사대 관계**를 맺고 사신 왕래⁷ 등 교류를 활발하게 하였다. 한편으로 청에 대한 적개심이 여전히 남아 있어 **효종과 숙종 때 북벌 정책을 추진**하기도 하였다.

2. 북학론의 대두

청나라는 국력이 크게 신장되고 문화 국가로서의 면모를 갖추어 나갔다. 이후 학자들 중에도 청을 무조건 배척하지만 말고 우리에게 이로운 것은 배우자는 북학론을 제기하는 사람들이 나왔다.

3. 청과의 국경 문제

조선인 일부가 두만강을 건너 인삼을 캐거나 사냥을 하는 경우가 있었기 때문에 청과 국경 분쟁이 일어났다. 이에 **조선과 청의 두 나라 대표가 백두산 일대를 답사**하고 국경을 확정하여 **정계비를 세웠다(1712).**

9급 위 한국사

조선 후기, 북방 지역의 영토 확보 노력

조선은 세종 때 4군 6진을 설치하였으나 세조는 4군을 폐지하였다(폐4군). 양난 이후 조선은 북방 지역에 다시 관심을 보였다. 숙종 말년에는 남구만의 노력으로 폐4군의 일부를 복설하여 압록강 연안이 본격적으로 개발되기 시작하였다. 이후 고종 때인 1869년 자성군과 후창군을 세워 폐4군 지역의 행정 구역을 완전히 복구하였다.

측면 주석

❺ 삼정의 문란

조선 후기에는 전세 수취 제도인 전정, 군포 징수 제도인 군정, 구휼 제도인 환곡(삼정)의 문란이 극심했다. 세금의 항목과 액수는 법으로 정해져 있었지만 관리들은 새로운 항목을 만들어 정해진 양의 몇 배 이상을 거두었다. 환곡도 고리대 형식으로 운영되어 백성의 부담을 가중시켰다.

❻ 총액제

전세에 있어서는 비총제, 군포에 있어서는 군총제, 환곡에 있어서는 환총제를 실시하였다.

❼ 연행사(燕行使)

조선 전기 명에 파견된 사신을 '천조(天朝)에 조근한다'는 뜻의 조천사(朝天使)로 불렸다. 그러나 청에 가는 사신은 '연경(燕京)에 다녀온다'는 뜻의 연행사(燕行使)로 불렸다. 이는 청을 중화로 인정하지 않으려는 조선의 반청 의식이 담겨 있는 표현이다.

백두산정계비

폐4군 복구

04 일본과의 관계

1. 일본과의 관계 개선: 임진왜란 이후 조선은 일본과의 외교 관계를 단절하였다.

(1) 국교 재개 배경

   ① 일본: 에도 막부는 경제적인 어려움을 해결하고 선진 문물을 받아들이기 위하여 쓰시마의 도주를 통하여 조선에 국교 재개를 요청해 왔다.

   ② 조선: 선조는 유정(사명 대사)을 일본에 보내 조선인 포로 수천여 명을 데려왔다.

(2) 기유약조(광해군, 1609): 일본과 기유약조를 맺어 제한된 범위 내에서 교섭을 허용하였다(세사미두 100석, 세견선 20척). 또한 부산진 근처에 다시 왜관❶을 설치하였다(1607).

2. 통신사의 파견

(1) **배경**: 일본은 에도 막부의 쇼군(將軍)이 바뀔 때마다 그 권위를 국제적으로 인정받기 위하여 조선에 사절의 파견을 요청해 왔다.

(2) **전개와 특징**: 조선과 일본의 국교 관계는 조선이 한 단계 높은 위치에서 진행됐기 때문에 일본 사신은 서울이 아니라 동래의 왜관에서 실무를 보고 돌아갔다. 조선은 1607년부터 1811년에 이르기까지 12회에 걸쳐 일본에 통신사❷를 파견하였다.

(3) **역할**: 통신사는 외교 문서인 **서계**를 휴대하고 인삼, 삼베, 붓, 먹 등을 예물로 가지고 갔다. 공식적인 외교 사절인 통신사는 조선의 선진 문화를 일본에 전파하는 역할을 하였다.

(4) **국교의 단절**: 18세기 후반에 일본에서 반한적인 국학 운동❸이 일어났다. 이 영향을 받아 1811년의 통신사(쓰시마 섬에서 업무를 보고 귀국) 파견을 마지막으로 일본과의 교류는 막을 내렸다.

심화사료 百出

2008. 국가직 9급

조선 통신사의 파견

일본 사람이 우리나라의 시문을 구하여 얻은 자는 귀천현우(貴賤賢愚)를 막론하고 우러러보기를 신선처럼 하고 보배를 여기기를 주옥처럼 하지 않음이 없어, 비록 가마를 메고 말을 모는 천한 사람이라도 조선 사람의 해서(楷書)나 초서(草書)를 두어 글자만 얻으면 모두 손으로 이마를 받치고 감사의 성의를 표시한다.

─「해유록」

3. 울릉도와 독도: 삼국 시대 이래 우리의 영토였으나, 일본 어민이 자주 이곳을 침범하여 충돌이 빚어졌다.

(1) **안용복의 활약**: 숙종 때 안용복은 울릉도에 출몰하는 일본 어민들을 쫓아내고, 일본에 건너가 울릉도와 독도가 조선의 영토임을 확인받고 돌아왔다.

(2) **울릉도의 경영**: 일본 어민의 침범이 계속되자, 19세기 말에 조선 정부에서는 적극적으로 울릉도 경영에 나섰다. 울릉도에 군을 설치하고 독도까지 관할하였다.

---

❶ **왜관의 위치 변경**

부산포 왜관을 대신하여 선조 말년, 부산진 근처인 두모포에 왜관을 설치하였다. 그러나 두모포 포구는 배를 정박하기에는 협소했기 때문에 숙종 때 초량으로 왜관을 옮겼다. 1876년 강화도 조약 이후 일본 공사관이 초량 왜관에 설치된다.

❷ **통신사**

12회 비정기 사절단으로 파견되었는데, 이전에 세종 때부터 파견된 8회까지 포함하면 총 20회 파견되었다. 그러나 일반적으로 1607~1811년동안 12회 파견된 사절단을 통신사라 부른다.

❸ **국학 운동**

18세기 후반, 일본에서는 일본 고유의 정신으로 돌아가자는 국학 운동이 확산되었다. 이에 따라 통신사에 대한 반대 여론도 커져갔다.

2 근대 태동기의 경제 · 사회 · 문화

CHAPTER

解·法·기·출·진·맥

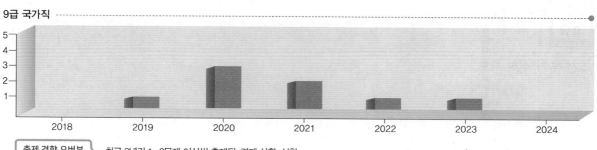

9급 국가직

출제 경향 오버뷰 · 최근 3년간 1~2문제 이상씩 출제됨. 경제 상황, 실학

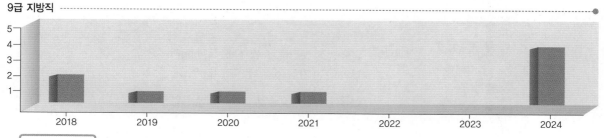

9급 지방직

출제 경향 오버뷰 · 거의 매년 1~4문제 이상 출제되고 있음. 수취 제도, 실학

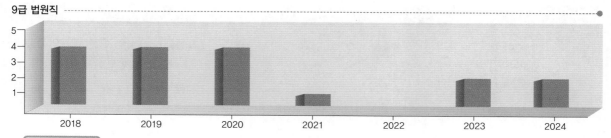

9급 법원직

출제 경향 오버뷰 · 거의 매년 1~4문제 이상 출제되고 있음. 대동법, 경제 상황, 실학

01 강

근대 태동기의 경제

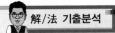

解/法 기출분석

구분		2008~2017	2018	2019	2020	2021	2022	2023	2024
9급	국가직	• 대동법(2) • 경제 정책 • 도결				대외 무역		대동법	
	지방직	• 대동법(3) • 균역법 • 경제 정책(2) • 삼정의 문란 • 무역 • 화폐							균역법과 영정법
	법원직	• 수취 제도(3) • 영정법 • 대동법(3) • 균역법 • 경제 상황 전반(6)	• 대동법 • 이앙법	• 대동법 • 19세기 경제		경제 상황			균역법

解法
요람

조선 후기 수취 제도

| 전세(租) | 영정법 4두 / 1결(풍흉에 관계없이), 농민 부담 증가 |

| 역(庸) | 균역법 1년 2필 ⇨ 1년 1필(절충안, 감포론)
　　　　+ 결작, 선무군관포, 선박세 · 어장세 · 염세 |

| 공납(調) | 대동법 납부 방식: 토산물 ⇨ 쌀, 삼베, 목면, 동전
　　　　부과 기준: 가호 ⇨ 토지(12두 / 1결)

　선혜청　　　　공인　　　　상공업
　　설치　　　　등장　　　　발달 |

조선 후기 농법의 변화

농업 기술의 변화	경영 방식의 변화	농민의 계층 분화
이앙법 (모내기법)	광작	┌ 임노동자(빈농): 머슴, 광산 · 포구의 품팔이, 난전 │　　　　　　　　　　⇨ 타 산업 종사자 └ 경영형 부농, 서민 지주

장점 ┌ 생산력 × 4배 이상 증가
　　　└ 노동력 × $\frac{1}{4}$ 이하로 감소

단점 가뭄 취약
　　　⇨ 정부 금지 vs 농민 저수지 축조

01 전세의 정액화(영정법)

1. 조선 후기, 수취 제도[1]의 개편

두 차례 전란을 겪으면서 토지가 황폐해지고, 양안(토지 대장)이 소실되어 재정 수입이 크게 줄었다. 이에 정부는 **재정 확보와 민생 안정**을 위해 수취 제도의 개혁을 추진하였다. 또한, 전세의 수입 원을 확보하기 위해 토지 개간을 장려하고 **양전 사업**[2](양안에서 빠진 토지 조사)을 실시하였다.

2. 영정법의 시행(인조, 1635)

(1) 배경
15세기 말부터 **연분 9등법이 유명무실화**되어 최저 세율인 4~6두를 징수하는 것이 관례화되었다.

(2) 시행
정부는 연분 9등법 대신 영정법을 실시하여 풍년이건 흉년이건 관계없이 **전세를 토지 1결당 미곡 4두로 고정**[3]시켰다. 이에 따라 전세의 비율이 이전보다 다소 낮아졌다.

(3) 폐단
농민의 대다수인 소작농에게는 큰 도움이 되지 못했다. 전세를 납부할 때 여러 명목의 수수료, 운송비, 자연 소모에 대한 보충 비용 등이 농민에게 부과되어 오히려 경제적 부담[4]이 증가하였다.

3. 양척동일법[5](효종, 1653)

양난 이전에는 전분 6등법에 따라 토지의 등급에 따라 양전하는 자[尺]를 달리하였다(수등이척). 그러나 효종 때부터 **토지를 측량하는 자를 통일**하고, 1등전 1결을 기준으로 삼아서 수확량을 계산하였다. 이는 토지 측량의 편의를 도모하기 위함이었다.

❶ 조선 후기 전세(토지 1결 기준)
대동세 12두, 결작 2두, 전세(영정세) 4두, 삼수미세 2.2두

❷ 양전 사업
『경국대전』에는 20년마다 시행하는 것으로 되어 있다. 그러나 양반 관료·지주 등의 반대로 정기적이고 전국적인 양전 사업은 제대로 실시되지 않았다. 그나마 삼남을 중심으로 한 양전 사업이 선조, 광해군, 인조, 숙종 때 실시되었다.

❸ 영정법(永定法)의 수취액
한국사 교과서에서는 지역 간 차이를 고려하여 '1결당 4~6두 징수하였다.'고 표현하고 있다.

❹ 영정법 실시 후 농민 부담
영정법 실시 후 농민에게 전가된 각종 수수료와 운송비, 보충 비용 등은 전세액보다 훨씬 많아 때로는 전세액의 몇 배가 되기도 하였다.

❺ 양척동일법(量尺同一法)
양전 실시 과정에서 토지 등급에 따라 길이가 다른 자를 사용할 때 발생하는 복잡함과 불편함을 없애기 위해 측량하는 자를 통일하였다.

심화사료 百出

2008. 법원직 9급

영정법 실시의 배경
백성의 근심은 재해를 살피는 것이 밝지 않고 등분을 정하는 것이 공평하지 않은 데 있습니다. 감사가 수령을 뽑아 보내어 답험하게 하면 수령은 길만 따라가서 위관에게 맡기고 위관은 서리에게 맡깁니다. …… 수령은 많이 거두어들이는 데에 힘쓰므로 **흉년이 들어도 흉년이 아니라고 하고 곡식이 조금만 잘되어도 아주 잘되었다고 하여 그 등급을 높입니다.** 애달픈 백성들은 어디에 호소하겠습니까?

－ 『중종실록』

영정법의 실시
인조 갑술(1634, 인조 12)에 양전을 한 뒤에 마침내 **시년상하의 법(연분 9등법)을 혁파**하였다. 삼남 지방은 처음에 각 등급으로 결수를 정하고 조안에 기록하였다. 영남은 상지하(上之下)까지만 있게 하고, 호남과 호서 지방은 중지중(中之中)까지만 있게 하며, 나머지 5도는 모두 **하지하(下之下)로 정하여** 전례에 의하여 징수한다. **경기·삼남·해서·관동은 모두 1결에 전세 4두를 징수한다.**

－ 『만기요람』

사사건건 그날 1592~1863

~1592 전일 ▶▶
• 1412 시전 설치
• 1429 『농사직설』 편찬
• 1444 전분 6등, 연분 9등법
• 1470 관수 관급제 실시

Now Event ▶▶
• 1608 대동법 경기도에 실시 • 1635 영정법 실시 • 1651 설점수세제 실시 • 1662 제언사 설치

02 공납의 전세화(대동법) ★★

1. 배경

공납은 가호 단위로 부과되어 농민에게 큰 부담이 되었으며, 여기에 **방납의 폐단**까지 더해져 사회 문제가 되었다. 이를 개선하기 위해 이이, 유성룡 등이 공물을 쌀로 거두자는 수미법을 주장하였다.

2. 대동법의 실시❶

❶ 대동법(大同法)의 실시 목적
임진왜란을 겪으면서 정부의 재정 상태가 더욱 악화되자, 국가 재정을 보완하고 농민의 부담을 경감시키기 위해 대동법을 실시하였다.

(1) 내용

초기에는 토지 1결당 8두씩 1년에 두 번 납부하였으나 나중에는 **토지 1결당 12두**로 고정되었다. 이에 따라 공물 납부 방식이 집집마다 부과하는 것에서 **토지의 결수에 따라 쌀**, 삼베나 무명(목면), 동전 등으로 납부하는 것으로 바뀌었다.

(2) 시행 과정: 토지를 기준으로 대동세를 걷었기 때문에 양반 지주들이 반발하였다. 이로 인해 전국적으로 확대되기까지 약 100년이 걸렸다.

① **광해군(1608)**: 이원익, 한백겸 등의 주장에 따라 선혜의 법이라 하여 **경기도에서 시범적으로 시행**되었다.

② **인조(1624)**: 조익의 주장에 따라 강원도까지 확대·실시되었다.

③ **효종(1651)**: 김육의 건의로 대동법을 **충청·전라도**까지 확대·시행하였다.

④ **숙종(1708)**: 허적의 주장에 따라 1678년 경상도에서 실시하였다. 이후 1708년에 황해도에서 실시되면서 **함경도와 평안도를 제외한 전국**에서 실시되었다.

대동법의 징수와 운송

(3) 운영

❷ 선혜청
종전에 궁방과 관청별로 무계획적으로 행해지던 공물 조달이 선혜청으로 일원화되었다.

① **선혜청❷ 신설**: 선혜청은 징수한 쌀·베 등을 **공인**들에게 공가로 지급하고 왕실과 관청에 필요한 물품을 공급하게 하였다.

② **유치미와 상납미**: 대동미는 중앙의 선혜청에 올려보내는 상납미와 지방에 남겨놓은 유치미로 나누어 사용되었다. 그러나 점차 상납미의 비중이 커지면서 지방 재정에 문제가 발생했다.

3. 대동법의 결과 및 영향

(1) 공납의 전세화: 기존에 집집마다 거두던 공물을 토지 결수에 따라 토지 소유자에게 부과[3]하여 가호 단위의 공납이 전세화되는 결과를 가져왔다.

(2) 조세의 금납화 경향 등장: 동전(화폐)으로도 대동세를 납부하게 함으로써 조세의 금납화에 기여하고, 나아가 화폐의 유통을 촉진시켰다.

(3) 공인의 등장: 대동법이 실시되면서 **공인이 등장**하여 관청에서 공가를 미리 받아 물품을 사서 납부하였는데, 이로 인해 **상품 화폐 경제**[4]가 한층 발전하였다.

(4) 교환 경제의 활성화: 농민은 대동세를 내기 위하여 토산물을 장시에 내다 팔아 쌀, 베, 동전을 마련하였다. 따라서 장시의 확대와 유통 경제의 활성화에 기여하였다.

(5) 진상과 별공의 잔존: 대동법의 시행으로 상공은 없어졌다. 그러나 왕에게 바치는 진상이나 별공은 여전히 남아 현물 징수가 완전히 폐지되지는 않았다.

❸ 대동법 실시 결과

토지가 없거나 적은 농민에게 과중하게 부과되던 공물 부담은 없어지거나 어느 정도 경감되었다.

❹ 상품 화폐 경제의 발전

대동법 실시로 상인 자본의 규모가 커져서 전국적인 독점적 도매상인인 도고가 등장하게 되었다. 도고란 자본의 축적을 이룬 대상인으로, 조선 후기 상품의 매점매석을 통하여 이윤의 극대화를 노리던 상인이나 상인 조직을 말한다.

심화사료 百出

2023. 국가직 9급, 2019. 서울시 9급, 2018. 법원직 9급, 2017. 경찰 2차, 2013. 지방직 9급, 2011. 법원직 9급, 2009. 법원직 9급

방납의 폐단

지방에서 토산물을 공물로 바칠 때, (중앙 관청의 서리가) **공납을 일체 막고 본래 값의 백배가 되지 않으면 받지도 않습니다.** 백성이 견디지 못하여 세금을 못 내고 도망하는 자가 줄을 이었습니다. — 「선조실록」

대동법의 시행

• 임진왜란 이후에 우의정 유성룡도 역시 미곡을 거두는 것이 편리하다고 주장하였으나, 일이 성취되지 못하였다. 1608년에 이르러 **좌의정 이원익의 건의로 대동법을 비로소 시행**하여, 민결(民結)에서 미곡을 거두어 서울로 옮기게 하였다. — 「만기요람」

• "토지 1결마다 2번에 걸쳐 8두씩 거두어 본청에 수납하고, 본청은 그 때의 물가 시세를 보아 **쌀로써 공인에게 지급**하여 수시로 물건을 납부하게 하소서."라고 하니, 임금(광해군)이 이에 따랐다. — 「광해군일기」

• 처음 경기도에서 실시되자 토호와 방납인들은 그동안 얻었던 이익을 모두 잃게 되었다. 그래서 온갖 수단을 다 동원하여 왕에게 폐지할 것을 건의했으나, 백성들이 이 제도가 편리하다고 하였기 때문에 계속 실시하기로 하였다. — 「열조통기」

대동법 실시 반대 상소

지방에서 온 사람이 "백성이 모두 한꺼번에 납부하는 것을 고통스럽게 여긴다."라고 하였습니다. 대체로 먼 지방은 경기와 달리 부자들이 가진 땅이 많습니다. 10결을 소유한 자는 10석을 내고 20결을 소유한 자는 20석을 내야 합니다. 이렇게 하면 **땅이 많으면 많을수록 더욱 고통스럽게 여길 것은 당연합니다.** …… 대가(大家)와 거족(巨族)이 불편하게 여기며 원망을 한다면, 어려운 시기에 심히 걱정스러운 일이라 할 것입니다. — 「인조실록」

대동법 확대 실시 상소

김육이 아뢰었다. "…… 대동법(大同法)은 역(役)을 고르게 하여 백성을 편안케 하니 실로 시대를 구할 수 있는 좋은 계책입니다. …… 다만 탐욕스럽고 교활한 아전이 그 명목이 간단함을 싫어하고 모리배(牟利輩)들이 방납(防納)하기 어려움을 원망하여 반드시 헛소문을 퍼뜨려 교란시킬 것입니다. …… **호서에는 미처 시행하지 못하였습니다. 지금 마땅히 이 도에서 시험해야 하는데,** …… **이 법의 시행을 부호들이 좋아하지 않습니다.** 국가에서 영(令)을 시행하는 데 있어서 마땅히 소민(小民)들의 바람을 따라야 합니다. — 「효종실록」

1. 배경

(1) 납포군의 증가

5군영의 성립으로 모병제가 제도화되자, 양인 장정들은 1년에 2필의 군포를 내는 **납포군**이 되었다.

(2) 군역의 폐단

① **중복 징수**: 5군영과 중앙 정부 기관은 물론 지방의 감영·병영까지도 독자적으로 군포를 징수하였다. 이에 따라 장정 한명이 이중 삼중으로 군포를 부담하는 경우가 많았다.

② **군포액의 증가**: 정부는 재정을 확보하기 위해 군포액을 점차 증가시켰다. 게다가 부유한 사람들은 **납속**❶이나 **공명첩**❷으로 양반 신분이 되어 양역의 부담을 벗어났고, 양역의 부담은 가난한 농민들에게로 집중되었다.

③ **지방관의 수탈**: 군포 징수 과정에서 실무를 담당한 수령·아전의 부정이 심해져 **백골징포, 황구첨정, 인징, 족징 등 폐단**❸이 늘어났다.

2. 균역법의 실시(영조, 1750)

영조는 창경궁 홍화문에 나아가 백성들에게 양역에 대하여 물었다. 이후 **균역청**❹을 설치하고, 군포를 2필에서 1필로 줄이는 **균역법**을 제정·시행하였다.

(1) 재정 부족 보완

① **결작**❺: 지주에게 결작이라고 하여 **토지 1결당 미곡 2두를 추가**로 부담시켰다(결전은 1결당 5전).

② **선무군관포**: 부유한 양민에게 선무군관이라는 칭호를 주고 1년에 **군포 1필**을 납부하게 하였다.

③ **은결 색출**: 토지 대장에 올리지 않은 숨긴 땅을 찾아내 새로운 세원으로 삼았다.

④ **기타 잡세**: 왕실에서 거두던 **어장세, 선박세, 염세** 등의 잡세를 균역청에서 거두어 보충하게 하였다.

(2) 결과: 농민의 부담이 일시적으로 경감되었다. 그러나 지주가 결작의 부담을 농민에게 전가시키고, 군역의 폐단도 계속되어 농민의 생활은 다시 어려워졌다.

2018. 서울시 7급, 2017. 지방직 9급, 2013. 기상직 9급, 2012. 지방직 9급

심화사료 百出

양역의 폐단

나라의 100여 년에 걸친 고질 병폐로서 가장 심한 것은 양역이다. 호포니 구전이니 유포니 결포니 하는 주장들이 분분하게 나왔으나 적당히 따를 만한 것이 없다. 백성은 날로 곤란해지고 폐해는 갈수록 더욱 심해지니, ······ **이웃의 이웃이 견책을 당하고 친척의 친척이 징수를 당하고**, 황구는 젖 밑에서 군정으로 편성되고 백골은 지하에서 징수를 당하며 ······ － 『영조실록』

감포론

양역을 절반으로 줄이라고 명하셨다. 왕이 말하였다. "구전은 한 집안에서 거둘 때 주인과 노비의 명분이 문란해지고, 결포는 이미 정해진 세율이 있어 더 부과하기 어렵다. ······ 호포나 결포는 모두 문제점이 있다. 이제는 **1필로 줄이는 것으로** 온전히 돌아갈 것이니 경들은 대책을 강구하라." － 『영조실록』

---

❶ 납속(納粟)

부족한 재정 보충 및 빈민 구제를 목적으로, 돈이나 곡물을 납부한 사람에게 특혜를 준 정책이다. 면천, 면역은 물론 관직을 주는 경우도 있었다.

❷ 공명첩(空名帖)

나라의 재정을 보충하기 위해 돈이나 곡식을 받고 팔았던 명예직 임명장이다.

❸ 군역의 폐단

인징	이웃에 대신 부과
족징	친척에 대신 부과
백골징포	이미 죽은 사람에게 군포 부과
황구첨정	어린아이에게 군포 부과
강년채	노인에게 군포 부과
마감채	면제 예정자에게 면제 이전에 미리 몰아서 징수

❹ 균역청

1750년(영조26) 균역법의 실시를 총괄할 기관으로 균역청이 설립되었다. 이후 상진청(상평청·진휼청)과 합쳐져 선혜청으로 편입되었다.

❺ 결작

결작과 대동법의 시행을 통해 조세 부과 기준이 토지로 변화하고 있음을 알 수 있다.

양역변통론⁶(군역의 폐단을 해결하기 위한 대책)

1. 대변통론: 양역 부담자의 수를 확대하는 방식
   - 호포론(戶布論): 집집마다 군포를 부과하여 양반층에게도 군포를 부담시키자고 주장하였다. 대다수 양반들의 반대로 시행되지 못하다가 흥선 대원군 때 실시되었다.
   - 구전론(口錢論): 신분의 구별없이 모든 남녀에게 포나 돈을 징수하자는 주장이다.
2. 소변통론: 군사 수의 감소, 군영 축소, 군포액 감소 등 군역 부담을 낮추는 방식
   - 감포론: 군포액을 줄여서 세 부담을 낮추자는 것이다.
   - 군영 축소론: 군사비 지출을 줄이기 위해 군사의 수를 축소하자는 것이다.

04 수취 체제의 문란

양난 이후 재정비된 수취 체제는 다시 문란해지기 시작했다. 정부는 재정 확보를 위해 세금 총액을 미리 정하고 지역별로 할당하는 **총액제⁷** 실시를 강화했다. 그 결과 **삼정의 문란**이 극에 달했다.

1. 전정⁸의 문란

(1) 배경
숙종 대 이후로는 양전 사업이 제대로 실시되지 못했으며, 18세기 말 이후 면세지와 탈세지가 현저하게 증가하면서 **과세지가 감소**하였다.

(2) 비총제의 실시
올해 농사의 풍흉을 이전의 것과 비교하여 올해 전세의 총액을 미리 결정하였다.

(3) 도결⁹
19세기에 **군역, 환곡, 잡역 등 각종 세액들을 토지에 부과하여 세금을 매긴 방식**인데, 주로 화폐로 징수하였다. 이 과정에서 수령과 아전이 횡령한 공금까지 부세로 부과하는 등 **비리가 만연**하였다.

(4) 전정 문란¹⁰의 내용
관리들은 황무지에 세금을 거두고 각종 잡세를 토지에 부과하였다. 이에 농민들이 실제 부담하는 세금은 본래의 규정된 양보다 몇 배가 되기도 하였다.

2. 군정¹¹의 문란

(1) 배경
군포의 양은 날로 증가하였는데, 신분제의 동요로 **양인이 감소**하여 공정한 배분이 이루어질 수 없었다.

(2) 군총제의 실시
중앙 정부가 군포의 총액을 미리 결정한 후 고을 단위로 일정한 군액의 총 숫자를 배정하면 그에 맞게 상납해야 했는데, 이를 군총제라고 한다.

(3) 군정 문란의 내용
군총제에 따라 **군포액은 미리 결정**되었기 때문에 지방관들은 과도한 징수를 하여 개인적인 축재를 하였다. 이에 따라 **백골징포·황구첨정·족징·인징** 등 폐단이 극에 달했다.

❻ 유형원

유형원은 군역의 폐단을 해결하기 위해 병농일치로 돌아갈 것을 주장하였다. 또한 이를 위해 우선 농민에게 제도적으로 일정한 토지를 지급할 것을 요구하였다.

❼ 총액제(摠額制)

총액제가 적용될 경우 세금의 부과와 징수는 공동 책임으로 전가되었다. 따라서 역을 부담하던 부담자가 도망가거나 세력 있는 토호들이 납세를 거부하는 경우 나머지 백성들에게 부담이 전가되었다. 이 수취 방식은 관의 입장에서는 세금을 안정적으로 확보할 수 있는 장점이 있었으나 백성들에게 부담이 가중되어 19세기 민란의 한 원인이 되었다.

❽ 전정

토지에서 거두어들이는 여러 가지 세금 행정을 말한다.

❾ 도결(都結)

수령들은 기존의 부세 제도로서는 총액제에 의한 부세량을 채우기 어려웠으므로 확실하게 수세량을 채울 수 있는 도결을 선호하였다. 도결 이후 세금을 매기는 방식이 신분이 아니라 토지 소유 여부로 바뀌면서 신분에 따른 부세의 차별은 제도적으로는 거의 남지 않게 되었다.

❿ 전정 문란

황무지에 세금을 거두고, 서리가 개인적으로 사용한 공금이나 군포를 채우기 위하여 정액 이상의 세금을 전결에 부과하였다.

⓫ 군정(軍政)

군정은 정남에게 군포를 징수하는 조세 행정을 말한다.

❶ 환곡(還穀)

환곡은 흉년·춘궁기에 국가에서 곡물을 빈민들에게 빌려주는 제도이다. 이 과정에서 발생하는 원곡의 손실분을 보충하기 위해 일정액을 이자로 받았다.

❷ 일분모회록·삼분모회록

관청의 운영비로 사용하는 이자의 양이 증가하여 명종 때는 일분모회록이, 인조 때는 삼분모회록이 나타났다.

❸ 환곡의 문란

- 늑대(勒貸): 강제로 환곡 대여
- 허류(虛留): 장부에 허위 기재
- 분석(分石): 겨나 쭉정을 섞어 대출
- 반백(半白): 대여할 때 아전들이 절반을 떼어먹음.

❹ 이앙법의 확대

가뭄 극복을 위한 물 관리 기술, 모를 튼튼하게 키우는 법, 이앙법에 적합한 품종 개발 등을 통해 이앙법이 확대될 수 있었다.

❺ 인삼과 담배

일반 농산물보다도 수익성이 높았고, 특히 수출 상품으로 인기가 높았던 인삼은 개성을 중심으로 각지에서 널리 재배되었다. 담배도 17세기 초에 일본에서 전래된 뒤로 전라도 지방을 중심으로 전국에서 재배되었다.

❻ 고구마(감저)

고구마는 1763년(영조 39)에 통신사로 일본에 갔던 조엄이 가지고 왔다.

❼ 감자(마령서)

감자는 1820년대에 무산 군수 이형재에 의해 청으로부터 도입되었다.

3. 환곡❶의 문란

(1) 환곡의 부세화

환곡은 봄에 농민들에게 관청의 곡식을 빌려 주었다가 가을에 약간의 이자를 붙여 받는 것이다. 16세기에는 이자의 10%를, 17세기에는 이자의 30%❷를 국가의 재정으로 삼았다. 이로써 조선 후기에는 환곡의 이자가 주요 재정 수입이 되어, 세금과 같이 되었다.

(2) 환곡의 문란❸과 환총제의 실시

정부는 환곡을 강제로 대여하는 등의 편법을 자행했으며, 환곡의 분배·수납 과정에서 **지방관·향리에 의한 농간**도 점차 심해졌다. 또한, 총액제가 환곡에도 적용되어 농민들의 부담은 가중되었다.

---

05 농업

1. 농업의 발달

(1) 이앙법의 확대와 광작의 등장

① 이앙법의 확대❹: 모내기법을 통한 벼와 보리의 이모작으로 단위 면적당 생산량이 증가하였다. 이모작이 널리 행해지면서 보리 재배가 확대되었다. 논에서의 보리 농사는 대체로 소작료의 수취 대상이 아니었기에 소작농들은 보리 농사를 선호하였다.

② 광작의 대두: 모내기법으로 잡초를 제거하는 일손을 덜게 되자 농민들은 경작지의 규모를 확대하였다.

(2) 밭농사의 변화

① 견종법: 밭고랑에 보리, 콩 등을 심는 견종법이 널리 보급되었다. 한해(旱害)와 냉해(冷害)에도 농작물을 보호할 수 있어 수확량이 늘어났고, 김매기도 쉬워져 노동력도 절감할 수 있었다.

② 그루갈이: 보리와 콩 또는 밀과 조 등을 1년에 2번씩 재배하는 그루갈이가 성행하였다.

(3) 상품 작물의 재배

상품 유통이 활발해지면서 쌀, 인삼, 담배,❺ 채소 등을 재배하는 상업적 농업이 발달하기 시작하였다. 특히 쌀의 상품화가 활발하여 장시에서 가장 많이 거래되자 밭을 논으로 바꾸는(번답, 反畓) 농민이 늘어났다.

(4) 구황 작물의 재배

전란을 겪으면서 기근에 대비한 구황 작물의 필요성이 높아졌다. 이에 따라 고구마(감저),❻ 감자(마령서),❼ 고추, 호박, 토마토 등의 작물이 널리 재배되었다.

고급사료 頻出

2019. 국가직 9급, 2011. 지방직 7급, 2008. 법원직 9급

상품 작물의 재배

농민이 밭에 심는 것은 곡물만이 아니다. **모시, 오이, 배추, 도라지 등의 농사도 잘 지으면 그 이익이 헤아릴 수 없이 크다.** 도회지 주변에는 파밭, 마늘밭, 배추밭, 오이밭 등이 많다. 특히 서도 지방의 담배밭, 북도 지방의 삼밭, 한산의 모시밭, 전주의 생강밭, 강진의 고구마밭, 황주의 지황밭에서의 수확은 모두 상상등전(上上等田)의 논에서 나는 수확보다 그 이익이 10배에 이른다.

– 「경세유표」

2021. 국가직 9급, 2019. 국가직 9급, 2013. 서울시 9급

이앙법

이앙(移秧)을 하는 것은 세 가지 이유다. **김매기 노력을 더는 것이 첫째**요, 두 땅의 힘으로 모 하나를 서로 기르는 것이 둘째며, 좋지 않은 것은 솎아내고 싱싱하고 튼튼한 것을 고를 수 있는 것이 셋째다.

— 『임원경제지』

경영형 부농

부유한 백성은 토지를 겸병(兼幷)하여 농사를 많이 짓고자 하여 적게는 3, 4석씩, 많게는 6, 7석씩 **한꺼번에 모를 부어 노동력을 줄이고, 한꺼번에 모내기를 하여 수고를 줄입니다.** 비록 가뭄을 당하더라도 좋은 논이 많으므로 수확이 많습니다.

— 『정조실록』

견종법

조의 재배는 후직(后稷)의 견전법(畎田法)을 쓰는 것이 최고다. …… 다음 해 청명(淸明)과 곡우(穀雨) 사이에 작은 보습(鏵)으로 이 이랑에다 고랑을 내는데, 너비 1척, 깊이 1척이다. 이렇게 한 이랑, 즉 1묘(畝)마다 고랑(畎) 3개와 두둑(伐) 3개를 만들면, 두둑의 높이와 너비는 고랑의 깊이와 너비와 같아진다. 그 뒤 고랑에 거름재를 두껍게 펴고, 구멍 뚫린 박에 조를 담고서 파종한다.

— 『임원경제지』

이앙법

🖉 이모작

보리 파종	1월	
	2월	
	3월	
	4월	벼 모판 만들기
보리 수확	5월	모내기
	6월	
	7월	김매기
	8월	수확

2. 수리 관개 시설의 발달

정부의 지원 아래 제언, 보, 저수지 등 수리 관개 시설이 새로 축조되거나 보수되었다. 이러한 노력에 따라 18세기 말에는 저수지가 약 6천 개에 달하였다.

3. 지주 전호제의 변화

(1) **지주 전호제의 확대**: 지주 전호제는 지주가 토지를 소작농에게 빌려주고 지대(소작료)를 받는 토지 경영 방식이다. 18세기 말에 이르러 일반화되었다.

(2) **지대의 종류**

① 타조법: 수확의 **일정 비율**을 소작료로 내는 방식이다. 지주와 소작인이 수확량을 절반씩 나누는 것이 관행이었다.

② 도조법[8]: 수확의 일정액을 소작료로 내는 방식으로, 18세기부터 일부 지방에서 시행되었다.

(3) **소작농(전호)의 성장**

소작농은 점차 지주의 간섭에서 벗어나 자유로운 영농을 추구하였다. 이에 따라 지주와 소작농과의 관계도 지배와 종속의 관계에서 벗어나 계약적 관계로 전환되어 갔다.

❋ 지대의 변화

타조법(打租法)	도조법(賭租法)
정률 지대	정액 지대
1/2(병작반수)	약 1/3
전세는 지주가 부담	전세는 전호가 부담
지주의 간섭 多 (수확량에 따라 소작료 달라짐.)	자유로운 영농 가능 (경제 외적 강제 사라짐.)

❽ 도지권(賭地權)

토지를 개간하거나 제방을 축조했을 때 또는 지주의 필요에 의해 성립된 권리이다. 소작농이 소작지를 영구히 경작하거나, 매매 및 양도가 가능하고 영농 방법과 작물 선택의 자유가 있었다. 그러나 모든 지주제에서 도지권이 적용되는 것은 아니었다.

4. 농민의 분화

일부 농민들은 **농업 경영**의 **규모 확대**와 **상업적 농업**을 통해 부를 축적하였다(부농). 이들은 토지를 개간·매입하여 지주로 성장할 수 있었다. 한편, 광작의 성행으로 지주들이 토지를 직접 경영함에 따라 많은 농민들은 소작지 얻기가 어려워졌다. 토지에서 이탈한 이들은 **품팔이**나 **임노동자**로 전락하였다.

2012. 국가직 9급, 2008. 지방직 7급

농민층의 분화

지금 호남 지방 인민의 형편을 보면 평균 100호 중에서 남에게 토지를 주어 소작료를 받아먹는 자는 불과 5호이고 자기 땅을 경작하는 자는 25호 가량이며 지주 땅을 경작하여 소작료를 바치는 농민은 70호나 된다. ──「여유당전서」

농업 노동의 새로운 변화

부농층은 경작하는 토지가 넓어서 빈민을 고용하여 일을 시키거나, 만약 노비가 있으면 밭을 갈지 않고 벼를 베지 않는다. 이에 아무 일도 하지 않고 부호의 즐거움을 누릴 수 있다. **가난한 사람은 송곳 꽂을 땅도 없다.** 다만 **부유한 사람의 토지에 고용**되어 부지런히 밭을 갈고 김을 맨다. 그러나 **겨우 그 수확량의 반을 얻을 수 있다.** 그러하지 아니하면 밭 갈 때 고용하고 김 맬 때 고용하여 매일 골라 뽑을 뿐이다. 또 그러하지 아니하면 가히 고용될 밭이 없거나, 가히 고용될 집이 없다. 이에 걸식을 하거나 떠나게 된다. 혹은 가난하여 도적이 된다. ──「농포문답」

❖ 18세기 황씨 가문의 토지 집적과 추수기(충남 부여)

위치	논/밭	원소유주	면적(두락)	면적(평)	수취 방식	계약량	수취량	작인
도장동	논	송득매	8	1600	도지	4석	4석	주서방
도장동	논	자근노음	7	1400	도지	4석	4석	검금
불근보	논	이풍덕	5	1000	도지	2석 5두	1석 3두 5승	막산
소삼	논	이풍덕	12	2400	도지	7석 10두	6석	둥이
율포	논	송치선	7	1400	도지	4석	1석 10두	주적
부야	논	홍서방	6	1200	도지	3석 5두	2석 10두	주적
잠방평	논	쾌득	7	1400	도지	4석	2석 1두	명이
석을고지	논	수양	10	2000	도지	7석	4석 10두	수양
합계			62	12,400		36석 5두 26석 4두 5승		

324 / 제5막 근대 태동기의 변화

06 수공업

1. 발달 배경

조선 후기에는 도시의 인구가 급증하고, 대동법이 실시되면서 제품 수요가 크게 늘어났다. 이에 따라 시장 판매를 위한 수공업 제품의 생산이 활발해졌다.

2. 관영 수공업의 쇠퇴

(1) 납포장의 증대: 조선 후기, 수공업자들은 국가에 **장인세**만 바치면 자유롭게 수공업 제품을 만들어 시장에 내다 팔 수 있었다. 이에 따라 관영 수공업은 쇠퇴하고 민영 수공업이 발달하였다.

(2) 공장안 폐지: 18세기 말 정조 때 장인 **등록제(공장안)**가 폐지되어 민영 수공업은 더욱 발전하였다.

(3) 장인 고용[1]: 국가는 대규모 건축 사업이 있을 때 장인을 일당 노동자로 고용하였다.

❶ 장인 고용

대표적인 예로 수원 화성을 건설하면서 수천 명의 장인을 고용하여 일당을 지불하였다.

대장간(김홍도)

심화사료 百出

2010. 국가직 7급

화성 축조 당시 장인과 노동자 고용

임금 규정

목수 1인당 매일 돈 4전 2푼, 조각장 1인당 매일 돈 4전 2푼, 기와장 1인당 매일 쌀 3승과 돈 2전 ……

석수(石手)

서울 한시웅 782일, 개성 고복인 752일, 광주 송복남 577일 반, 경기 정수대 694일, 충청 김순노미 168일

— 「화성성역의궤」

---

3. 민영 수공업의 발달

(1) 점(店)의 발달: 민간 수공업자의 작업장은 흔히 철점, 사기점 등 점(店)으로 불렸다.

(2) 선대제[2] 발달: 민간 수공업자들은 작업장과 자본 규모가 작았기 때문에 상업 자본의 지배를 받았다. 따라서 **공인이나 상인에게 자금과 원료를 미리 받아, 제품을 생산하였다(선대제).** 이는 제품 생산 기술의 발달과 작업 과정의 분업화를 촉진하였다.

(3) 독립 수공업[3]: 18세기 후반 **독자적으로 제품을 생산**하고, 직접 판매하는 독립 수공업자가 늘어났다.

(4) 농촌의 수공업: 자급자족을 위한 부업의 형태로 존재하였으나, 점차 전문적인 상품을 생산하는 단계로 발전하였다.

❷ 선대제의 운영

종이, 화폐, 야철, 자기 등과 같이 소비 규모가 크고 많은 양의 원료를 필요로 하는 물품은 대자본을 가진 상인의 힘을 빌리지 않으면 안 되었다. 이 경우 대상인(물주)은 원료와 대금을 미리 빌려주고 생산된 물품을 사들였다.

❸ 독립 수공업

대표적인 독립 수공업으로는 안성의 유기(놋그릇)와 정주의 납청이 있다.

심화사료 百出

2008. 지방직 7급

관영 수공업의 쇠퇴

여러 관청 중에서 내자시, 사도시, 예빈시, 제용감 등은 소속 장인이 없어졌다. 그 밖의 여러 관청들은 장인의 종류도 서로 달라졌고, 정해진 인원도 상당히 들쭉날쭉하였다. 그리고 **장인들을 공조에 등록하던 규정들은 점차 폐지되어 시행되지 않고 있다.**

— 「대전통편」

선대제 생산 양식

3월에 삼씨 뿌려 7월에 삼을 쪄서 닷새 동안 실 잇고 이어 열흘 동안 씻고 씻어 가는 손에 북을 들고 가는 베 짜냈더니 잠자리 날개 같아 한 줌 안에 담뿍 들 듯 **아깝게도 저 모시, 남쪽 장사치에 다 주고** 베 값이라 미리 받은 돈은 관청 빚에 다 털렸는데 베 짜는 저 아가씬 언제 보나 석새삼베 그나마 너무 짧아 정강이도 채 못 가리누나.

— 「이계집」

07 광업

❖ 광업의 발전

15세기	국가가 직접 경영(역의 부과)
16세기	부역제 해이(농민의 부역 동원 거부)
17세기	설점수세제(1651, 효종): 반관반민
18세기 후반	잠채의 성행

* 조선 후기 광산 경영(덕대제): 덕대(경영 전문가)가 물주 (상인)에게 자본을 조달받아 혈주(채굴업자), 제련업자 를 고용 – 자본주의 경영, 분업에 기초한 협업

1. 조선 전기의 광업

❶ 정부의 광산 경영
조선 초기 정부만이 광산을 경영하고, 개인이 광산을 채굴하는 것을 금지하였다.

(1) 15세기: 정부가 광산을 독점❶하여 필요한 광물을 채굴하였다. 해당 고을 수령들이 **농민들을 강제로 부역에 동원**하여 채취하였다.

(2) 16세기: 농민의 부역 동원 거부로 채굴에 어려움을 겪게 되었다.

2. 조선 후기의 광업

(1) 배경
대내적으로 민영 수공업이 발달하자 그 원료인 **광산물의 수요가 급증**하였다. 대외적으로는 **청과의 무역**이 성행하여 그 결제 수단인 은의 수요가 늘어났다.

(2) 광산 경영 방식의 변화
① 설점수세제(1651): 17세기 효종 때 광산에 제련장과 부대 시설을 포함한 점(店)을 설치하고 그 경영은 민간에 맡기고 세금을 거두었다. 이에 따라 **민간인에 의한 광산 개발이 가능**하게 되었다[반관반민(半官半民), 사채 허용]. 이후 숙종 때 각 점에 별장을 파견하여 세금을 거두었다.
② 덕대제: 18세기 후반부터 광산 경영은 대개 **경영 전문가인 덕대가 상인 물주**에게 자본을 조달받아 분업 형태로 진행되었다(덕대제). 덕대는 채굴업자와 채굴 노동자, 제련 노동자 등을 고용하여 광물을 채굴하고 제련하였다.

(3) **잠채의 성행**: 금광·은광을 **몰래 채굴**하는 불법적인 '잠채'가 성행하였다.

고급사료 百出   2008. 지방직 7급

조선 후기의 광산
황해도 관찰사의 보고에 의하면, 수안에는 본래 금광이 다섯 곳이 있었다. 두 곳은 금맥이 다하였고, 세 곳만 금맥이 풍성하였다. 그런데 지난해 장마가 심해 작업이 중지되어 광꾼들 대부분이 흩어졌다. 금년(1799) 여름에 새로이 39개소의 금혈을 팠는데, 550여 명의 광꾼이 모여들었다. 이들은 일부가 도내의 무뢰배들이지만, 대부분은 사방에서 이득을 쫓아 몰려온 무리이다. 그리하여 금점 앞에는 700여 채의 초막이 세워졌고, 광꾼과 그 가족, 좌고, 행상, 객주 등 인구도 1,500여 명에 이른다. 갑자기 많은 사람이 모여들어 그곳에서는 생필품의 값이 폭등하는 사태가 종종 일어나고 있다고 한다.   – 「비변사등록」

설점수세제(設店收稅制)의 시행
호조 판서 서영보가 아뢰길, "전국 각 도에 금을 몰래 채취하는 무리가 없는 곳이 없으니, 지금 비록 엄히 막고 있으나 영원히 막을 수는 없습니다. 여러 도의 금이 생산되는 곳에는 금점(金店) 설치를 허락하고 은점(銀店)의 예에 따라 호조에서 관리하여 세금을 거두면 편리할 것입니다."라고 하니, 왕이 대신의 의견을 들은 후 허락하였다.   – 「효종실록」

08 화폐 유통

1. 배경

양 난 이후 재정 확보 정책으로 화폐 발행의 필요성이 커졌으며 18세기 후반부터 동광이 개발되면서 재료의 공급이 한층 쉬워졌다.

2. 과정

(1) **인조**: 팔분체 조선통보를 주조하였으나 곧 중단되었다. 이후 상평통보를 최초로 주조하여 개성을 중심으로 사용했으나, 전국적인 유통에는 실패하였다.

(2) **숙종**: 1678년에 **상평통보가 법화로 채택되어 전국적으로 유통**되었다.

(3) **신용 화폐의 보급**: 상품 화폐 경제가 발전하면서 상거래의 규모가 커졌다. 이에 따라 환, 어음 등의 신용 화폐가 점차 보급되어 갔다.

▼ 상평통보

심화사료 百出

2012. 국가직 7급

상평통보의 유통

숙종 4년 1월 을미, 대신과 비변사의 여러 신하들을 접견하고 비로소 **돈을 사용하는 일을 정하였다.** 돈은 천하에 통행하는 재화인데, 오직 우리나라에서는 예부터 누차 행하려 하였으나 행할 수 없었다. …… **시중에 유통하게 되었다.**

－「숙종실록」

조선 후기 어음

3. 화폐 유통의 폐해(전황의 발생)

(1) 내용

조선 후기에 동전의 발행량이 상당히 늘어났는데도 시중에서 유통되지 않는 **동전 부족 현상(전황)**이 나타났다. 이는 지주나 대상인들이 화폐를 재산 축적에 이용하였기 때문이었다.

(2) 결과

전황으로 화폐 가치가 상승하고 물가가 하락하여 농촌 경제에 어려움이 가중되었다. 이에 대한 대안으로 중농학파인 **이익**은 **폐전론**을, 중상학파인 박지원은 용전론을 주장하였다.

1. 조선 후기의 상업 발달

조선 후기에 들어와 상품 화폐 경제 발달(조세의 금납화), 농업·수공업·광업 분야의 생산력 증대, 인구의 증가 등은 상업의 발달을 더욱 촉진시켰다. 이에 따라 **공인, 사상** 등이 상업 활동을 주도하였다.

2. 공인(貢人)

(1) **등장**: 대동법 실시 이후에 등장하였다. 공인은 선혜청에서 공가를 받아 정부에서 필요로 하는 물품을 사서 납품하였다. 이렇게 공인[1]은 특허 상인으로서 상권을 독점하여 날로 번창하였다.

(2) **활동**: 특정 물품에 대한 독점권을 확보하고, 특정 물품을 대량으로 거래하여 자본을 축적할 수 있었다. 이들은 점차 **도고**로 성장하였다.

(3) **도고**: 공인이나 사상들이 도고로 성장하였다. 도고는 **독점적 도매 상인**으로, 대규모의 자본을 가지고 상품을 매점매석하면서 부를 축적하였다.

고급사료 百出   2021, 법원직 9급, 2012, 국가직 9급

도고(都賈)의 활동

그(허생)는 안성의 한 주막에 자리잡고서 **밤, 대추, 감, 배, 귤 등의 과일을 모두 사들였다.** 허생이 과일을 도거리로 사 두자, 온 나라가 잔치나 제사를 치르지 못할 지경에 이르렀다. 따라서 **과일 값은 크게 폭등**하였다. **허생은 이에 10배의 값으로 과일을 되팔았다.** 이어서 허생은 그 돈으로 곧 칼, 호미, 삼베, 명주 등을 사 가지고 제주도로 들어가 말총을 모두 사들였다. 말총은 망건의 재료였다. 얼마 되지 않아 망건값이 10배나 올랐다. 이렇게 하여 허생은 50만 냥에 이르는 큰 돈을 벌었다.

— 박지원, 「허생전」

---

3. 사상(私商)의 대두

(1) **사상의 성장**

① **성장**: 사상[2]이 등장한 시기는 16세기경으로 추정한다. 임진왜란 이후 사상은 시전 상인의 상권을 위협할 만큼 크게 성장하였다.

② **활동**: 종루나 이현(동대문), 칠패(남대문) 등에서 상행위를 하였다.[3] 각 지방의 장시를 연결하면서 물품을 교역하고, 각지에 지점을 두어 상권을 확장하였다.

(2) **대표적 사상**

① **만상**: 17세기 말 이후, 의주를 중심으로 대청 무역 활동을 하였다.

② **유상**: 평양을 기반으로 하는 상인이었다.

③ **송상**: 개성의 송상은 전국에 **송방(松房)**이라는 지점을 설치하고 활동했으며, 주로 **인삼을 직접 재배·판매**하였다. 또한 의주와 동래의 상인을 매개로 하여 청·일 간 중계 무역에 종사하였다.

④ **경강 상인[4]**: 한강을 이용해 미곡, 소금, 어물 등을 경기도와 충청도 일대에 판매하며 거상으로 성장하였다. 이들은 운송업에 종사하면서 선박의 건조 등 생산 분야에까지 진출하였다.

⑤ **내상**: 동래(부산)를 기반으로 한 상인으로서 대일 무역에 관여하였다.

---

❶ 공인

선혜청이나 상평청·진휼청·호조 등에서 공가를 받아 소요 물품을 사서 관청에 납품하였다. 그들은 국가에 대한 국역으로서 공인세를 바치기도 하였다.

❷ 사상(난전)

사상은 난전(亂廛)이라고도 불렸다. 난전은 전안(廛案)에 등록되지 않은 상공업자의 상행위나 가게를 뜻하는 것으로, 봉건적 상업 구조를 문란하게 한다 하여 붙여진 이름이다.

❸ 훈련도감 군인들의 상업 활동

국가 재정상 충분한 급료를 지급할 수 없었던 조선 후기 정부는 훈련도감 군인들의 상업 활동을 허용하지 않을 수 없었다. 그리하여 훈련도감 군인과 가족들은 시전 상인과 달리 전안에 오르지도 않고 상업 활동에 종사하였다. 이는 도성 내의 다른 사상의 확산을 촉진하는 결과를 가져왔다.

❹ 경강 상인(京江商人)

이들의 활동으로 뚝섬에서 양화진에 이르기까지 많은 나루터가 생겼다.

4. 금난전권의 철폐[1791, 정조, 신해통공(辛亥通共)]

(1) **금난전권**[5]: 사상들이 난전을 중심으로 활동하며 시전 상인과 대립하자 시전 상인들의 불만이 커졌다. 이에 따라 정부는 시전 상인들에게 사상을 단속할 수 있는 금난전권을 주었다.

(2) **사상의 성장**: 사상들은 금난전권에 대항하여 종루, 이현, 칠패 등에서 상행위를 계속해 갔다. 18세기 후반에 이르러 정부도 더 이상 사상의 성장을 막을 수 없게 되었다. 한편, 사상들도 자유로운 상행위 보장과 시전 상인의 특권 폐지를 요구하였다.

(3) **신해통공**: 정조 때 육의전을 제외한 일반 시전이 행사하던 금난전권을 폐지하였다.

조선 후기 상업과 무역 활동

❺ 금난전권

난전(사상) 행위를 금지할 수 있는 권리이다. 난전 상인의 상품을 압수할 수 있었고, 난전 상인을 붙잡을 수도 있었다.

解法 도움닫기　시대별 시전 상인

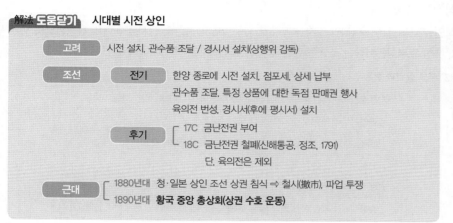

고려	시전 설치, 관수품 조달 / 경시서 설치(상행위 감독)

조선 — 전기: 한양 종로에 시전 설치, 점포세, 상세 납부 / 관수품 조달, 특정 상품에 대한 독점 판매권 행사 / 육의전 번성, 경시서(후에 평시서) 설치

조선 — 후기: 17C 금난전권 부여 / 18C 금난전권 철폐(신해통공, 정조, 1791) / 단, 육의전은 제외

근대 — 1880년대: 청·일본 상인 조선 상권 침식 ⇒ 철시(撤市), 파업 투쟁 / 1890년대: 황국 중앙 총상회(상권 수호 운동)

심화사료 百出

2014. 사회복지직 9급, 2013. 국가직 7급, 2009. 지방직 7급

난전의 성행

이현(梨峴)과 칠패(七牌)는 모두 난전(亂廛)이다. 도고 행위는 물론 집방(執房)하여 매매하는 것이 어물전의 10배에 이르렀다. 또 이들은 누원점의 도고 최경윤, 이성노, 엄차기 등과 체결하여 동서 어물이 서울로 들어오는 것을 모두 사들여 쌓아두었다가 이현과 칠패에 보내서 난매(亂賣)하였다.

— 「각전기사」

신해통공

· 채제공[6]이 말하길, "조정의 금난전법은 육의전으로 하여금 국역에 응하게 하고 전리(專利)를 누리게 하기 위해 제정한 것입니다. 근래 빈둥거리며 노는 무뢰배들이 삼삼오오 떼를 지어 스스로 가게 이름을 붙여 놓고 사람들의 일용품에 관계되는 것들을 제각기 멋대로 전부 주관을 합니다. …… 이 때문에 그 값이 나날이 올라 …… 형조와 한성부에 분부하여 **육의전 외에는 금난전권을 행사하지 못하게 할 뿐만 아니라** 반좌율을 적용하게 하시면, 장사하는 사람들은 매매하는 이익이 있을 것이고 백성들도 곤궁할 걱정이 없을 것입니다."라고 하였다.

— 「비변사등록」

· 면포 상인의 왕래가 끊이지 않은 것을 보았는데, 길 가는 사람들이 **통공 발매의 효과**라 했습니다. 작년 겨울 한양의 면포 가격이 이 때문에 등귀하지 않아 서울 사람들이 생업을 즐길 수 있게 되었습니다.

— 「승정원일기」

❻ 채제공

정조의 탕평책을 추진한 인물로, 신해통공을 주도하였다. 그는 시전 상인의 독점 행위와 이에 따른 물가 상승을 지적하면서 도성 안팎 사람들의 행상·좌판을 금지해서는 안된다고 하였다.

9급 위 한국사

쌀 폭동

19세기 전반기 권세가들과 결탁한 경강 상인들은 유통 체계를 장악하여 막대한 이익을 얻고 있었다. 대표적인 사건이 순조 33년(1833)에 일어난 서울의 '쌀 폭동'이었다. 이것은 서울의 여객 주인 김재순이 경강의 여러 여객 주인을 지휘하여 미곡의 판매를 통제하고 시전 상인들까지도 미곡 매매를 중지하도록 영향력을 발휘하여 쌀값을 폭등시킨 사건이었다. 쌀값이 폭등하자 서울의 빈민층은 대규모 폭동을 일으켰고, 결국 경강 상인의 미곡 매점이 금지되었다.

5. 장시의 발달

(1) 장시의 확대❶

장시는 지방민의 교역 장소로 보통 5일마다 열렸다. 15세기 말에 전라도 지방에서 **처음 발생**했으며, **16세기 중엽에 전국적**으로 확대되었다. 18세기 중엽에는 1,000여 개소를 넘어섰다.

(2) 지역 상권 형성

일부 장시는 **상설 시장**으로 발전했으며, 인근의 장시와 연계하여 지역 상권을 형성하였다. 18세기 말 송파장, 강경장, 원산장 등은 몇 개의 군현을 연결하는 상업 중심지로 성장하였다.

6. 보부상❷의 활동

관허 상인인 보부상은 전국적인 장시를 무대로 활동하면서 **농촌의 장시를 하나의 유통망으로 연계**시켰다. 또한 **보부상단**이라는 조합을 만들어 자신들의 이익을 지키고자 하였다.

❖ **지역별 주요 상인과 활동**

관허 상인	서울	시전 상인	특정 품목을 독점 판매하고 대신 국가가 필요로 하는 물품을 납부
		공인	대동법 시행으로 등장. 국가 수요품 조달
	지방	보부상	보상과 부상을 합친 말, 대개 장시를 거점으로 활동
자유 상인	서울	난전	시전 장부에 등록이 안 된 무허가 상인
	지방	경강 상인	선상(船商), 서남부 지방의 쌀·어물 등을 배로 한양까지 수송·판매
		송상	개성 상인, 인삼 재배·유통으로 성장, 청·일본 간 중계 무역 참여
		만상	의주 상인, 대청 무역에 참여
		내상	동래 상인, 대일본 무역에 참여
		객주·여각	상품을 위탁·매매하는 중간 상인. 금융·창고·숙박업에도 종사
		거간	소비자와 상인을 연결해 주고 품삯을 받는 중계 상인❸

7. 포구의 상업 활동

(1) **포구**: 해상 교통로에 위치하거나 배를 댈 수 있는 시설이 갖추어진 곳이다.

(2) **18세기 이전**: 군사 요충지, 세곡 운송, 소금 생산 등의 역할을 주로 했다.

(3) **18세기 이후**: 육로보다 뱃길이 상품 운반에 편리했기 때문에 포구가 **새로운 상업 중심지**가 되었다. 포구의 상거래는 장시보다 규모가 훨씬 컸다.

(4) **객주·여각**❹: 선상, 객주, 여각 등은 포구를 거점으로 활발한 상행위를 하였다. 객주나 여각은 각지의 선상들이 물건을 싣고 포구에 들어오면 **상품의 매매를 중개**하고, **운송·보관·숙박·금융** 등의 영업도 하였다.

포구 상업

우리나라는 동·서·남의 3면이 모두 바다이므로, 배가 통하지 않는 곳이 거의 없다. 배에 물건을 싣고 오가면서 장사하는 장사꾼은 반드시 강과 바다가 이어지는 곳에서 이득을 얻는다. 전라도 나주의 영산포, 영광의 법성포, 흥덕의 사진포, 전주의 사탄은 비록 작은 강이나, 모두 바닷물이 통하므로 장삿배가 모인다. 충청도 은진의 강경포는 육지와 바다 사이에 위치하여 바닷가 사람과 내륙 사람이 모두 여기에서 서로의 물건을 교역한다. 매년 봄, 여름에 생선을 잡고 해초를 뜰 때에는 비린내가 마을에 넘치고, 큰 배와 작은 배가 밤낮으로 포구에 줄을 서고 있다.

— 「택리지」

⑩ 대외 무역의 발달

1. 청과의 무역⑤

(1) 개시와 후시

17세기 중엽부터 청과의 무역이 활발해졌다. 이에 따라 의주, 회령, 경원 등 국경 지대를 중심으로 공적으로 허용된 무역인 개시와 사적인 무역인 후시가 이루어졌다.

(2) 교역품

수입하는 물품은 비단, 약재, 문방구 등이었고, 수출하는 물품은 은, 종이, 무명, 인삼 등이었다.

2. 일본과의 무역

(1) 왜관 개시

17세기 이후로 일본과의 관계가 점차 정상화되면서 왜관 개시를 통한 무역이 활발히 이루어졌다.

(2) 교역품

조선은 인삼, 쌀, 무명 등을 팔고, 청에서 수입한 물품들을 넘겨주는 중계 무역을 하기도 하였다. 반면에 일본에서는 은·구리·황·후추 등을 수입하였다.

⑤ **팔포무역(八包貿易)**

중국에 가는 사신은 사신 경비로 홍삼을 일정량 들고 갔는데, 세종 때는 1포만을 허용했다가 광해군 이후부터 8포까지 허용하였다. 이에 조선 후기 연행사를 통해 이뤄지는 무역을 팔포 무역이라 부르게 되었다.

대표 기출문제

(가) 세금 제도에 관한 설명으로 옳은 것은?

2018. 법원직 9급

우의정 김육이 아뢰다. "(중략) ___(가)___ 는/은 역을 고르게 하여 백성을 편안케 하니 실로 시대를 구할 수 있는 좋은 계책입니다. (중략) 다만 교활한 아전은 명목이 간단함을 싫어하고 모리배들은 방납하기 어려움을 원망하여 반드시 헛소문을 퍼뜨려 어지럽게 할 것입니다. 삼남에는 부호가 많은데 이 법의 시행을 부호들이 좋아하지 않으나 국가에서 법령을 시행할 때에는 마땅히 소민들이 원하는 대로 해야 합니다."

① 풍흉에 관계없이 1결당 쌀 4~6두씩을 내게 하였다.
② (가)의 실시로 공인이라는 특허 상인이 등장하게 되었다.
③ (가) 시행 이후에는 현물 납부가 완전히 사라지게 되었다.
④ (가)의 시행으로 줄어든 재정을 보충하고자 선무군관포가 신설되었다.

해설

(가)는 대동법이다. ② 대동법의 실시로 나라로부터 공가를 지급받아 물건을 사서 납부하는 특허 상인인 공인이 등장하였다.
① 영정법에 대한 설명이다. ③ 대동법의 실시 이후에도 진상이나 별공은 그대로 남아 있어서 현물 납부가 완전히 사라지지는 않았다. ④ 균역법에 대한 설명이다.

정답 ②

근대 태동기의 사회

02강

解/法 기출분석

구 분		2008~2017	2018	2019	2020	2021	2022	2023	2024
9급	국가직	• 향촌 사회 변화(2) • 가족 제도(2) • 신분 제도 • 중인			• 신분 제도 • 향촌 사회 변화				
	지방직	• 신분 제도와 가족 제도 • 신분 제도(2) • 향촌 사회 변화(3)		천주교					민란
	법원직	• 신분 제도(2) • 조선 후기 사회 변화(4) • 민란(3) • 천주교·동학 • 천주교	조선 후기의 사회		조선 후기의 사회(2)				천주교

解法 요람

신분제의 동요로 인한 향촌의 변화

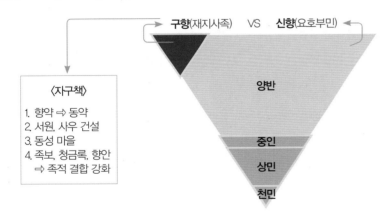

구향(재지사족)　VS　**신향**(요호부민)

⇒ 향전(향촌 사회 주도권 쟁탈전)

⇒ 신향 승리 + 관권: 수령 + 향리
　　　　　　　　　↳ 관권 강화(견제 세력 부재)

⇓

향회 장악: 변질
부세 자문 기구로 전락
⇒ 농민 수탈↑
⇒ 농민 몰락
⇒ 민란

〈자구책〉

1. 향약 ⇒ 동약
2. 서원, 사우 건설
3. 동성 마을
4. 족보, 청금록, 향안
　　⇒ 족적 결합 강화

양반 / 중인 / 상민 / 천민

홍경래의 난과 임술 농민 봉기

홍경래의 난(1811, 순조)

1. **서북인에 대한 차별**(지역적 특수성)
　　　　　+
　　세도 정치의 모순(시대적 보편성)

2. **가산**에서 난을 일으켜 **청천강 이북** 거의 장악
　　(평안도 전체 X, 평양 점령 X)

VS

임술 농민 봉기(1862, 철종)

1. **삼정의 문란**, 탐관오리(백낙신)의 탐학

2. **진주 민란**(백건당의 난): 진주성 점령(유계춘)
　　⇒ **전국적** 확대(임술민란)

3. **삼정이정청** 설치: 안핵사 박규수 건의

1. 조선 후기, 신분 제도의 변화

조선 후기에는 정치적·경제적 변동으로 양반 중심의 신분 질서가 흔들렸으며, 부를 축적한 새로운 계층이 등장하였다. 이들 부농, 상인 등은 양반 신분을 획득하는 경우가 많았기 때문에 점차 양반의 수는 늘어나고, 상민과 노비의 수는 갈수록 줄어들었다.

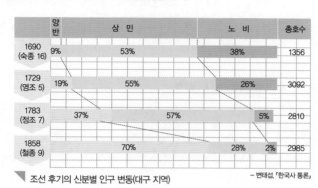

	양반	상 민	노 비	총호수
1690 (숙종 16)	9%	53%	38%	1356
1729 (영조 5)	19%	55%	26%	3092
1783 (정조 7)	37%	57%	5%	2810
1858 (철종 9)	70%		28%	2%	2985

▼ 조선 후기의 신분별 인구 변동(대구 지역)
— 변태섭, 「한국사 통론」

🖊 조선 후기 울산 지역의 호적(단위: %)

시기	양반 호	상민 호	노비 호
1729	26.29	59.78	13.93
1765	40.98	57.01	2.01
1804	53.47	45.61	0.92
1867	65.48	33.96	0.56

2. 양반층의 분화

조선 후기에는 특정 붕당이 권력을 독점하는 일당 전제화가 전개되었다. 이 과정에서 권력을 잡은 일부 양반(권반)을 제외한 다수의 양반들은 벼슬할 기회를 얻지 못한 채 향촌에 내려가 향반이 되거나, 일반 농민과 다를바 없는 잔반으로 몰락하였다.

고등사료 百出
2016. 국가직 9급, 2012. 경찰 1차, 2008. 국가직 9급

조선 후기 신분제의 동요

• 옷차림은 신분의 귀천을 나타내는 것이다. 그런데 어찌된 까닭인지 **근래 이것이 문란**해져 상민과 천민이 갓을 쓰고 도포를 입는 것이 마치 조정의 관리나 선비같이 한다. 진실로 한심스럽기 짝이 없다. 심지어, 시전 상인이나 군역을 지는 상민까지도 서로 양반이라 부른다.
— 「일성록」

• **근래 아전의 풍속이 나날이 변하여** 하찮은 아전이 길에서 양반을 만나도 절을 하지 않으려 한다. 아전의 아들, 손자로서 아전의 역을 맡지 않은 자가 고을 안의 양반을 대할 때, 맞먹듯이 너나하며 자(字)를 부르고 **예의를 차리지 않는다.** — 「목민심서」

3. 서얼[1]의 신분 상승

(1) **납속·공명첩:** 정부가 납속책을 실시하고 공명첩을 발급하자, 서얼은 이를 이용하여 관직에 나아갔다.

(2) **검서관 등용:** 정조 때 유득공, 박제가, 이덕무 등 서얼 출신이 **규장각 검서관**으로 등용되어 활약하였다.

(3) **통청 운동:** 서얼은 여러 차례의 집단 상소 운동을 벌여 관직 진출 제한의 철폐(청요직 진출)를 요구하였다. 마침내 철종 때인 1851년, 신해허통에 따라 서얼들의 완전한 청요직 허통이 이루어졌다.

① 서얼(庶孼)

서얼금고법에 의해 문과 응시는 법제적으로 금지되었다. 주로 무관직이나 기술직으로 등용되었다.

▼ 공명첩(空名帖)

제5막
근대 태동기의 변화

사사건건 그날 1592~1863

~1592 전일 ▶▶
•1402 호패법 실시
•1419 향약 실시
•1543 백운동 서원 건립

Now Event ▶▶
•1600 공명첩 발급
•1608 경기도에 대동법 실시
•1731 노비종모법 시행
•1785 추조 적발 사건
•1791 신해박해(진산 사건)

심화사료 百出

2020. 법원직 9급

서얼

이들의 자손들을 과거에 응시하고 벼슬에 진출하지 못하게 하는 것은 우리나라의 옛 법이 아니다. …… 그런데 『경국대전』을 편찬한 뒤로부터 금고(禁錮)를 가하기 시작했으니 아직 백년도 되지 않았다. (다른 많은 나라에서) 금고하는 법이 있다는 말은 듣지 못했다. …… 그런데 **경대부(京大夫)의 자식으로서 다만 외가가 없다는 이유만으로 대대로 금고하여** 비록 훌륭한 재주와 사용할 만한 기국(器局)이 있어도 끝내 머리를 숙이고 시골에서 그대로 죽으니 …… 참으로 가련하다. ─ 어숙권, 『패관잡기』

9급 위 한국사

조선 후기의 관직 임용 차별

과거에 합격했다 하더라도 실제 관직을 주는 경우에는 어느 가문인가, 어느 지방에 사는가에 따라서 차별이 있었다. 이른바 청요직이라 불리는 승문원·홍문관 등에는 서울 양반(京華士族)이 임용되고, 서북 사람은 그보다 못한 성균관, 중인은 승진이 어려운 교서관에 임용되는 것이 관례였다. 무과(武科)의 경우에도 마찬가지여서, 서울 양반은 왕을 호종하는 선전관(宣傳官)에, 중인은 궁궐이나 성문을 지키는 수문청에 임용되었다.

❶ 중인(기술직)
중인이라는 계층은 조선 초기에는 따로 구분되지 않았으나, 17세기 중엽 이후로 중인의 직역 세습화가 보편화되면서 하나의 독립된 신분 계층으로서 자리매김하였다. 그러나 처음 형성된 시기는 중인 계층의 성격을 어떻게 보느냐에 따라서 15세기설, 16세기설, 17세기설 등 다양한 이설이 존재한다.

4. 중인(기술직)❶의 신분 상승

중인들은 주로 기술직에 종사하며 축적한 재산과 탄탄한 실무 경력을 바탕으로 신분 상승을 추구하였다. 역관들은 청과의 외교 업무에 종사하면서 서학을 비롯한 외래 문화 수용에 있어서 선구적 역할을 수행하였다. 역관을 비롯한 중인층은 개화사상 성립에 큰 영향을 주었다.

(1) **통청 운동**: 서얼 허통에 자극을 받아 중인들도 1850년대에 대대적인 연합 상소 운동(소청 운동)을 벌였으나, 그 세력이 미미하여 **청요직 허통이 실패로 돌아갔다.**

(2) **시사 조직**: 중인들은 **시사**를 조직하고 활발한 저술 활동을 통해 자신들의 위상을 높여갔다.

심화사료 百出

2012. 지방직 9급

중인

• 이들(중인)은 **본시 모두 사대부였는데** 또는 의료직에 들어가고 또는 통역에 들어가 그 역할을 7~8대나 10여 대로 전하니 사람들이 서울 중촌(中村)의 오래된 집안이라고 불렀다. 문장과 대대로 쌓아 내려오는 미덕은 비록 사대부에 비길 수 없으나 유명한 재상, 지체 높고 번창한 집안 외에 이들보다 나은 자는 없다. 비록 **나라의 법전에 금지한 바 없으나 자연히 명예롭고 좋은 관직으로의 진출은 막히거나 걸려** 수백 년 원한이 쌓여 펴지 못한 한이 있고 이를 호소할 기약조차 없으니 이는 무슨 죄악이며 무슨 업보인가? ─ 『상원과방』

• 열일곱에 **사역원(司譯院) 한학과(漢學科)**에 합격하여, 틈이 나면 성현(聖賢)의 책을 부지런히 연구하여 쉬는 날이 없었다. 경전과 백가에 두루 통달하여 드디어 세상에 이름이 났다. …… 공은 평생 고문을 좋아하였다. ─ 『완암집』

•1801 신유박해   •1811 홍경래의 난   •1839 기해박해   •1860 동학 창시
                                                                      •1862 임술 농민 봉기

▶▶ 후일 1863~1900
•1886 노비 세습제 폐지
•1889 방곡령
•1894 신분제 철폐(갑오개혁)

제5편
근대 태동기의 변화

5. 농민의 신분 상승

상품 화폐 경제에 잘 적응한 일부 농민들은 **광작과 상품 작물 재배** 등을 통해 부를 축적할 수 있었다. 이들은 지주로 성장했으며, 임노동자나 머슴을 고용하여 토지 경작 규모를 더욱 확대해 갔다. 이러한 경제력을 바탕으로 **공명첩을 사거나** **양반 족보를 구매·위조**하여 양반 신분을 획득하였다.

6. 노비의 신분 상승

(1) **배경**: 조선 후기에 일부 노비들은 군공과 납속 등을 통해 신분을 상승시켰으며, 노비 신분에서 벗어나려는 도망 노비[2]들도 증가하였다. 정부는 신공을 줄이거나 도망 노비를 잡아오기도 했으나 큰 성과는 없었다.

(2) **정부의 대책**: 공노비 유지에 비용이 많이 들어 그 효율성이 떨어지자, 공노비를 종래의 입역 노비에서 신공을 바치는 납공 노비로 전환시켰다.

(3) **노비종모법[3](영조)**: 영조 때 아버지가 천인이라도 어머니가 **양인이면** 자식은 양인이 될 수 있도록 하는 노비종모법을 정착시켰다.

(4) **노비공감법(영조)**: 매년 노비가 바치는 신공(몸값)을 반으로 줄인 제도이다. 이에 따라 노가 내던 포 2필은 1필로, 비가 내던 1.5필은 반 필로 줄었다.

(5) **공노비의 해방[4](순조, 1801)**: 순조 때 일부의 공노비를 제외한 **중앙 관서의 노비 6만 6,000여 명을** 해방하였다.

(6) **노비제 폐지**: 갑오개혁(1894) 때 신분제 폐지에 따라 노비제는 법적으로 혁파되었다.

심화사료 百出

2018. 서울시 7급(상)

노비의 매매

무릇 노비의 매매는 관청에 신고해야 하며 사사로이 몰래 사고 팔았을 때는 관청에서 노비와 그 대가로 받은 물건을 모두 몰수한다. 나이 16세 이상 50세 이하는 값이 저화 4천 장이고, 15세 이하 50세 이상은 3천 장이다.

－『경국대전』

공노비 해방(1801)

하교하기를, "선조(先朝)께서 **내노비(內奴婢)와 시노비(寺奴婢)[5]**를 일찍이 혁파하고자 하셨으니, 내가 마땅히 이 뜻을 이어받아 지금부터 **일체 혁파**하려 한다. 그리고 그 급대(給代)는 장용영으로 하여금 거행하게 하겠다." 하고, 인하여 문임으로 하여금 윤음(綸音)을 대신 지어 효유케 하였다. 그리고 승지에게 명하여 내사(內司)와 각 궁방(宮房) 및 각 관사(官司)의 노비안을 돈화문(敦化門) 밖에서 불태우고 아뢰도록 하였다.

－『순조실록』

---

❷ 도망 노비

도망한 노비의 신공은 남아 있는 노비에게 부과되었기 때문에 남아 있는 노비의 부담은 더욱 무거워질 수밖에 없었다.

❸ 노비종모법(奴婢從母法)

1731년 영조 때 제정되었고, 1746년 『속대전』에 규정되었다. 이후 정조 재위 기간에는 공권력으로 도망 노비를 찾아주는 노비추쇄법이 폐지되었다.

❹ 공노비의 해방

내수사(왕실의 재정 관리), 각 궁궐, 중앙 관청에 소속된 노비의 장적(호적)을 소각하여 공노비들을 해방시켰다.

❺ 내노비와 시노비

내노비는 내수사 및 각 궁궐에 소속된 노비이며, 시노비는 중앙 관청에 소속된 노비이다.

✎ **노비 제도의 변천**

조선 후기	영조, 노비종모법 확정
	순조, 공노비 해방
근대	1886년, 노비 세습제 폐지
	1차 갑오개혁, 노비제 폐지

02 가족 제도의 변화

1. 가족 제도의 변화 과정

(1) 조선 초기~중기

   ① 남귀여가혼: 조선 중기까지도 혼인 후에 **남자가 여자 집에서 생활**하는 경우가 있었다.

   ② 자녀 균등 상속: 아들과 딸이 부모의 재산을 똑같이 상속받는 경우가 많았다. 집안의 대를 잇는 자식에게 5분의 1의 상속분을 더 준다는 것(『경국대전』) 외에는 모든 아들과 딸에게 재산을 똑같이 나누어 주는 것이 관행이었다.

   ③ 윤회 봉사: 자식의 의무인 제사도 형제남매가 돌아가면서 지내거나 책임을 분담하기도 하였다.

(2) 조선 후기(17세기 이후): 부계 중심의 가족 제도가 더욱 강화되었다.

   ① 친영 제도 정착: 혼인 후에 곧바로 남자 집에서 생활하는 경우가 많아졌다.

   ② 장자 중심 상속제: 제사는 반드시 큰아들이 지내야 한다는 의식이 확산되었고, 재산 상속❶에서도 큰아들이 우대를 받았다.

   ③ 양자의 입양❷: 아들이 없는 집안에서는 **양자**를 들이는 것이 일반화되었으며, **부계 위주의 족보**를 편찬하였다.

   ④ 동성 마을 형성: 같은 성을 가진 사람끼리 모여 사는 **동성 마을**을 이루어 나갔다. 따라서 개인이 개인으로 인정받기보다는 종중(宗中)이라고 하는 **친족 집단의 일원**으로 인식되었다.

(3) 가족 윤리와 혼인 풍습

   조선은 효와 정절을 강조했으며, 이를 장려하기 위해 과부의 재가를 금지하고 효자와 열녀를 표창하였다. 혼인 형태는 일부일처가 기본이었지만, 남자들은 첩을 들일 수 있었다. 정실 부인과 첩은 엄격히 구별했기 때문에, 첩의 자식(서얼)은 문과에 응시할 수 없었고 재산 상속 등에서 차별받았다.

고급사료 百出

여성의 재가 금지

경전에 이르기를 "믿음은 부인의 덕이다. **한번 남편과 혼인하면 종신토록 고치지 않는다.**"라고 하였다. 이 때문에 삼종(三從)의 의(義)가 있고, 한 번이라도 어기는 예가 없는 것이다. 세상의 도덕이 날로 나빠진 뒤로부터 여자의 덕이 정숙하지 못하여 사족 (士族)의 딸이 예의를 생각지 아니해서 혹은 부모 때문에 절개를 잃고, 혹은 자진해서 재가하니, 한갓 자기의 가풍을 파괴할 뿐만 아니라, 실로 성현의 가르침에 누를 끼친다. 만일, 엄하게 금령을 세우지 않는다면, 음란한 행동을 막기 어렵다. **이제부터 재가한 여자의 자손은 관료가 되지 못하게 하여 풍속을 바르게 하라.**

– 「성종실록」

---

2. 호적 작성(호구 조사)

(1) 호적 작성: 인구에 관한 기본 자료로, 원칙적으로 3년마다 수정 사항을 반영하여 작성하였다.

(2) 기재 사항❸: 호 소재지, 호주 직분, 호주 성명, 호주와 아내 나이, 본관, **사조**(四祖, 아버지·할아버지·증조할아버지·외할아버지), 그리고 같이 사는 자녀를 기록하였다.

（왼쪽 여백）

✎ **율곡 선생 남매 분재기(分財記)**

율곡 이이의 7남매와 서모인 권씨가 가옥, 토지, 노비 등의 유산을 나누어 상속한 내용을 작성한 문서이다. 『경국대전』의 재산 분배 원칙을 따라 제사를 승계하는 자식에게 재산의 5분의 1을 더 배정하고 나머지는 균분하였다.

❶ 상속

성리학이 정착된 이후, 재산 상속이나 제사 문제에 종법이 적용되어 부계와 맏아들 위주가 되었다.

❷ 양자 입양

조선 후기에는 이성불양의 관념이 확산되어 아들이 없는 집에서 외손봉사를 거부하고 양자를 들였으며, 자손이 없으면 무후(無後)라 하고 양자를 입양하였다.

❸ 호적의 기재 사항

노비의 경우 호적에 이름, 나이, 부모의 이름과 신분 및 아내의 이름과 도망 여부 등까지 기재하였다.

(3) **양반**: 관료인 양반은 관직·품계를 기록하고, 관직이 없는 양반은 유학(幼學)이라고 기재하였다.

(4) **활용**: 조선 시대의 호적은 신분의 판별, 가계의 파악, 군역 징발, 요역 차출 등을 위해서 작성된 것이기 때문에 군역과 요역을 담당하던 평민은 군역 사항을 기록하였다. 또한, 호적 대장에 기록된 각 군현의 인구 수를 근거로 해당 지역에 공물과 군역 등을 부과하였다.

✎ 인구 분포

국가의 인구 통계는 주로 남성만을 기록하고 있어 실제 인구와는 많은 차이가 났다. 조선 시대에는 대체로 경상도·전라도·충청도의 하삼도에 전 인구의 50% 정도가 거주하였다.

03 조선 후기 향촌 사회의 변화 ☆

1. 향촌에서 양반의 영향력 유지 노력

(1) **족적 결합 강화**: 재지사족들은 족적 결합을 강화함으로써 자신들의 지위를 지켜나가고자 하였다. 이에 따라 전국적으로 **동성 마을**이 많이 만들어지고 **문중을 중심으로 서원·사우가 많이 건립**되었다.

(2) **동약 실시**: 군현 단위로 농민을 지배하기 어렵게 되자, **촌락 단위의 동약**을 실시하였다.

(3) **족보와 청금록(유안), 향안의 작성**: 족보를 만들어 내부 결속을 강화하고 청금록 혹은 향안 등의 양반 명단을 만들어 부농층과의 구별을 강화하였다.

사우(충북 청원)

解法 도움닫기 **동약**

> 향약은 군현 전체를 대상으로 실시되었으나, 점차 범위가 축소되어 향약의 하부 구조인 동약, 동계의 형태로 시행되기도 하였다. 동약의 동(洞)은 오늘날 면 정도의 규모로, 사족들은 자신들이 거주하는 마을을 중심으로 동약을 조직하였다.

---

2. 부농층❹의 성장

(1) **배경**: 조선 후기, 농민들 중에서 여러 가지 방법을 통해 부를 축적하여 지주가 되는 경우가 많았다.

(2) **부농층의 신분 상승(양반화)**

① **원인**: 양반이 되면 군역과 양반 지배층의 수탈에서 벗어날 수 있었고, 향촌 사회에서 영향력을 강화할 수도 있었다.

② **신분 상승**: 납속·공명첩❺을 통하거나 향직을 매매하여 합법적으로 신분을 상승시켰다. 또한 족보를 위조하거나 양반을 사칭하는 등 불법적 행위를 통해 양반이 되기도 하였다.

(3) **향촌 사회에서 영향력 확대**

① **관권과의 결탁**: 경제력을 갖춘 부농층(신향)은 수령을 중심으로 한 관권과 결탁하였다. 그리고 향안에 이름을 올리고, 향회를 장악하고자 하였다.

② **향촌 사회의 운영**: 부농층은 기존 양반이 담당하던 **향촌 운영에 적극 참여**했으며, 향임직에 진출하여 향청(유향소)에서 일을 맡아 보았다.

3. 향전의 발생

(1) **배경**: 양반 중심의 향촌 지배 질서가 무너지고 수령의 지배력이 점차 강화되었다. 이를 기회로 부농층은 우세한 경제력을 바탕으로 기존 양반이 장악하고 있던 향촌 사회의 지배권에 도전하였다.

❹ 부농층

조선 후기에 등장한 부농층을 당시에 요호부민(饒戶富民)으로 불렀다.

❺ 납속과 공명첩

납속은 나라의 재정난 타개와 구호 사업 등을 위해 곡물을 나라에 바치게 하고 그 대가로 벼슬을 주거나 면역 또는 면천하게 해준 정책이다. 공명첩은 받는 사람의 이름란이 비어 있는 관직 임명장으로, 국가 재정을 보충하기 위해 곡식을 바친 사람에게 실제 관직이 아닌 명예직을 주었다.

(2) 향전: 부농층(신향)은 기존 양반(구향)과 향촌의 지배권을 둘러싸고 경쟁하였다.

(3) 결과: 기존 양반의 힘은 약화되었지만 부농층 역시 향촌 사회를 완전히 장악하지 못하였다. 견제 세력이 약해진 틈을 타 수령과 향리의 권한이 강화되었다.

4. 조선 후기, 관권의 강화

(1) 향회의 기능 변화: 재지사족인 양반의 이익을 대변하여 왔던 향회는 수령이 세금을 부과할 때 의견을 물어보는 자문 기구로 변질되었다.

(2) 결과: 관권의 강화는 세도 정치 시기에 수령과 향리의 농민 수탈이 극심해지는 결과를 초래하였다.

고등사료 頻出 2018. 경찰 3차, 2007. 국가직 9급, 2007. 법원직 9급

양반의 권위 약화

양반: 나는 사대부의 자손인데.

선비: 아니, 나는 팔대부의 자손인데.

양반: 팔대부는 또 뭐야?

선비: 아니, 양반이라는 게 팔대부도 몰라? 팔대부는 사대부의 갑절이지 뭐. ……

양반: 첫째, 지식이 있어야지. 나는 사서삼경을 다 읽었네.

선비: 뭣이, 사서삼경? 나는 팔서육경도 다 읽었네.

양반: 도대체 팔서육경이 뭐냐?

선비: 나도 아는 육경, 그걸 몰라? 팔만대장경, 중의 바라경, 봉사 안경, 처녀 월경, 약국 길경(도라지), 머슴 새경(품삯).

– 하회 탈춤 대사

향전

- 보성군에는 교파와 약파가 있다. 교파는 향교에 다니는 자들이고, 약파는 향약을 주관하는 자들이다. 서로 투쟁이 끊이지 않고 모함하는 일이 갈수록 더하여 갔다. 드디어 풍속이 도에서 가장 나빠졌다. – 정약용, 『목민심서』

- 지방 고을의 **향전(鄕戰)**은 마땅히 금지해야 할 것이다. 그런데 **수령이 일에 따라 한쪽을 올리고 내리는 경우가 없지 않으니, 어찌 한심한 일이 아니겠는가.** …… 반드시 가볍고 무거움에 따라 양쪽의 주동자를 먼저 다스려 진정시키고 향전을 없애는 것을 위주로 하는 것이 옳다. 일부 아전들도 한쪽으로 쏠리는 일이 있으니 또한 반드시 아전의 우두머리에게 엄하게 타일러야 한다. 향임을 임명할 때 한쪽 사람을 치우치게 쓰지 않는 것이 좋다. – 『거관대요』

04 천주교의 전파

1. 천주교의 전래

천주교는 17세기에 중국 베이징의 천주당을 방문한 조선 사신들에 의하여 서학으로 소개되었다.

(1) 학문으로서의 전래

① 광해군: 명에 갔던 **이수광**은 『**지봉유설**』에서 이탈리아 신부 마테오 리치가 지은 『**천주실의**』를 소개하였다. 같은 시기 유몽인도 『어우야담』에서 천주교의 교리를 자세히 설명하였다.

② 인조: 정두원은 명나라에서, 소현 세자는 청나라에서 천주교 서적을 가지고 돌아왔다.

(2) 신앙으로 수용: 18세기 후반, 남인 계열의 일부 실학자들이 천주교를 신앙으로 받아들였다.

2. 천주교의 박해

정부는 초기에 천주교를 심하게 금지하지 않았다. 그러나 천주교의 교세가 점차 확산되고, 조상에 대한 유교적 제사 의식을 거부하였다. 이에 정부는 국왕의 권위에 도전하고, 성리학적 사회 질서를 무너뜨린다는 이유에서 **천주교를 사교로 규정하고 탄압하기 시작하였다.**

(1) 천주교 비판

안정복은 성리학의 입장에서 천주교를 비판하는 『**천학고**』, 『**천학문답**』을 저술하였다.

(2) 추조 적발 사건(정조, 1785)

이승훈은 베이징에서 서양 신부에게 영세를 받고 1784년에 돌아왔다. 그는 김범우의 집❶에서 정기적으로 집회를 가져오다가 적발되었다. 이후 정조는 천주교를 혹세무민하는 사교(邪敎)로 규정하여 금지령을 내리고 천주교 서적의 수입을 금지하였다.

(3) 신해박해(정조, 1791)

① 원인과 경과: 천주교인이던 진산의 **윤지충**은 모친상을 당하였을 때 신주를 불태우고, 천주교 의식에 따라 장례를 치렀다. 이것이 문제가 되어 윤지충과 권상연을 사형에 처한 사건을 신해박해라 한다(진산 사건).

② 결과: 정조는 **척사학교**❷를 발표하였으나 정조 때에는 대대적인 탄압은 없었다.

(4) 신유박해(순조 원년, 1801)

① 원인: 남인 및 시파 계열을 탄압하고자 정순 왕후 김씨가 천주교 신자를 박해하였다.

② 결과: 이승훈, 이가환,❸ 정약종 등 남인 학자와 청나라 신부 주문모가 사형을 당하였고, **정약전, 정약용** 등이 유배형을 당하였다. 한편 천주교도인 황사영은 베이징의 프랑스 선교사에게 도움을 요청하려다 발각되었다(**황사영 백서 사건**).❹

(5) 기해박해와 병오박해(헌종)

① 배경: 안동 김씨의 세도 정치기에 탄압이 완화되면서 교세는 더욱 번성하여 1831년(순조 31) 조선 교구가 독립되었다.

② 기해박해(1839): 조선으로 들어와 포교하던 프랑스 신부 3명과 수십 인의 신도를 처형하고, 사교 배격을 내용으로 하는 「척사윤음」을 발표하였다.

③ 병오박해(1846): 프랑스 군함이 나타나 기해박해의 책임을 묻자, 민심의 동요를 막기 위해 이미 체포되어 있던 **김대건 신부**❺를 처형하였다.

(6) 병인박해(고종, 1866): 흥선 대원군 집권기의 대대적인 천주교 탄압으로, **병인양요의 원인**이 되었다.

---

❶ **김범우의 집**
명례동(지금의 서울 명동)에 있었다. 현재 그 근처에 명동 성당이 있다.

❷ **척사학교(斥邪學敎)**
사악한 학문(서학)을 배척하라는 하교

❸ **이가환**
서양의 학문에 관심과 조예가 깊었던 남인계 인물로, 신유박해에 연루되어 처형당하였다.

❹ **황사영 백서 사건**
신유박해가 일어나자 천주교도인 황사영이 흰 비단에 글을 적어 중국 베이징의 구베아 주교에게 보내려다 발각되었다. 프랑스 군대를 동원하여 조선에서의 신앙과 포교의 자유를 보장받을 수 있도록 요청하였다.

❺ **김대건 신부**

우리나라 최초의 신부인 김대건은 고향인 충청도 당진(솔뫼) 지역을 중심으로 포교에 힘쓰다가 병오박해 때 체포되어 처형당하였다.

정조의 척사학교(斥邪學教)

오늘날 사설(邪設)의 폐단을 바로잡는 길은 더욱 정학(正學)을 밝히는 길밖에 없다. …… 연전에 서학(西學) 서적을 구입해 온 이승훈은 어떤 속셈이든지 간에 죄를 묻지 않을 수 없다. 이에 전현감 이승훈을 예산현으로 귀양을 보내고, 이외 시골 백성에게도 상 줄만한 백성은 상 주어야 할 관서가 있어야 하니 묘당(廟堂)에서는 소관 관서를 철저히 감독하라.   ─『홍재전서』

신유박해

대왕대비가 하교하기를, "선왕(先王, 정조)께서는 매번 정학(正學)이 밝아지면 사학(邪學)은 저절로 종식될 것이라고 하셨다. 지금 듣건대. 이른바 사학이 옛날과 다름이 없어 서울에서부터 경기·충청에 이르기까지 날로 더욱 불길같이 성하게 번져가고 있다고 한다. …… 윤리를 업신여기며 강상을 어지럽혔으니. …… 법망에서 빠져나간 천주교 신자들이 사람들을 불러 모아 강습하여 점차 서로 오염시켜 포도청에 붙잡히는 자들이 많이 있었으므로 이러한 하교가 있었던 것이다.   ─『순조실록』

황사영 백서

전선 수백 척과 정예 병사 5, 6만을 얻어서 대포 등 예리한 무기를 많이 싣고 우리나라 해변에 와서 국왕에게 글을 보내기를 '우리는 전교를 목적으로 온 것이지 재물을 탐하여 온 것이 아니므로 선교사를 용납하여 받아들여 달라.'라고 해 주소서.

『상재상서』[1]의 천주교 옹호론

죽은 사람 앞에 술과 음식을 차려 놓는 것은 천주교에서 금하는 일입니다. 살아 있을 동안에도 영혼은 술과 밥을 받아먹을 수 없는데, 하물며 죽은 뒤에 영혼이 어찌하겠습니까? …… 자식된 도리로 어찌 허위와 가식의 예(禮)로써 이미 죽은 부모를 섬기겠습니까?   ─ 정하상, 『상재상서』

❶ 『상재상서』
정하상은 기해박해가 일어나자 체포될 것을 예상하고 미리 이 글을 작성해두었다. 천주교 기본 교리에 대한 설명, 천주교 옹호론, 신앙의 자유 호소 등의 내용을 담고 있다.

05 동학의 발생

1. 배경

19세기 세도 정치로 인해 지배 체제의 모순이 심화되고 이양선의 잦은 출몰·천주교의 확산 등 위기의식이 고조되었다. 이런 상황에서 철종 때 경주의 몰락 양반 최제우가 동학을 개창하였다(1860).

2. 사상적 특징❷

(1) 기반: 유·불·선 3교의 장점을 취하고, 샤머니즘의 부적과 주술을 채용하였다. 천주교의 교리도 일부 수용하였다.

(2) 종교적 성격
　① 신앙의 대상: 동학은 천주(한울님)를 모시는 일을 중시하였다.
　② 부적 중시: '궁궁을을(弓弓乙乙)'이라고 쓴 부적을 태워 마시면 병을 고칠 수 있으며 영생할 수 있다고 하였다.

(3) 사회 개혁❸·반외세적 성격
　① 현세 중시: 동학은 '후천개벽'❹ 사상을 바탕으로 내세가 아니라 현세에 실현되는 세계를 중시하였다.
　② 인간의 존엄성 강조: 모든 사람은 마음속에 천주를 모실 때[시천주(侍天主)] '사람이 곧 하늘이 된다.'고 보아 이른바 인내천(人乃天)을 주장하고, 사람을 섬기기를 하늘처럼 해야 한다[사인여천(事人如天)]고 주장하였다.
　③ 외세 배척: '보국안민(輔國安民)'을 내세워 일본과 서양 국가의 침략을 막아내자는 주장을 폈다.

❷ 동학의 사상적 특징
주기론(主氣論)에 기초하여 귀신을 기(氣)로 해석하고 이를 매개로 사람과 하늘이 하나가 될 수 있다고 하였다.

❸ 동학의 사회 개혁
동학은 양반과 상민을 차별하지 않고, 여성과 어린이의 인격을 존중하는 사회를 추구하였다. 또한 노비 제도를 없애고자 하였다.

❹ 후천개벽(後天開闢)
하늘의 운이 다해 지금 세상은 끝이 나고, 백성이 바라는 새로운 세상이 온다는 의미이다.

3. 교세 확장과 탄압

(1) **교조의 처형**: 조선의 지배층은 신분 질서를 부정하는 동학을 위험하게 여겼다. 이에 흥선대원군은 세상을 어지럽히고 백성을 현혹한다는 죄(혹세무민)로 **최제우를 처형**하였다(1864).

(2) **교리 정리**: 2대 교주 **최시형**은 『동경대전』과 『용담유사』를 펴내어 교리를 정리하였다.
   ① **『동경대전』**: 한문체로 쓰인 동학의 경전으로 「포덕문」, 「논학문」, 「수덕문」 등으로 구성되었다.
   ② **『용담유사』**: 대중들에게 쉽게 이해되도록 한글로 쓰인 포교 가사집으로 「용담가」, 「안심가」 등으로 구성되었다.

(3) **교단 정비와 확산**: 포(包)−접(接) 등의 교단 조직을 정비하였다. 동학은 삼남 지방을 중심으로 교세를 확장하였다.

『동경대전(東經大全)』

『용담유사(龍潭遺詞)』

고급사료 百出

2019. 경찰 2차, 2019. 법원직 9급, 2009. 법원직 9급

동학(東學)

사람이 곧 하늘이라. 그러므로 **사람은 평등하며 차별이 없나니** 사람이 마음대로 귀천을 나눔은 하늘을 거스르는 것이다. 우리 동학은 차별을 없애고 선사(최제우)의 뜻을 받들어 생활하기를 바라노라. — 2대 교주 최시형의 최초 설법 중

『동경대전』

한울님이 대답하길 '그렇지 않다. 나에게 신령한 부적이 있으니 …… 나에게 이 부적을 받아 질병으로부터 사람을 구하고, 나에게 이 주문을 받아 나를 위해 세상 사람들을 가르치면 너 또한 …… 덕을 천하에 펼 수 있으리라.'라고 하셨다.

---

06 농민의 항거

1. 사회 불안의 심화

삼정의 문란,[5] 탐관오리의 수탈, 신분제 동요, 자연재해[6] 등으로 인해 국가 기강이 흔들리고 농촌 사회는 피폐해졌다. 또한, 이 무렵 서양의 이양선이 연해에 출몰하자 민심은 더욱 흉흉해져 갔다.

2. 예언 사상의 대두

조선 후기에는 비기·도참 등을 이용한 예언 사상이 크게 유행하였다. 말세의 도래, 왕조의 교체, 변란의 예고 등이 널리 퍼져 민심을 혼란시켰다. 이때 널리 유행한 비기로는 『정감록』이 있다.

3. 농민의 대응

농민은 지배층의 압제에 대하여 종래의 소극적인 자세에서 벗어나 보다 적극적으로 대항하였다. 처음에는 벽서, 괘서[7] 등의 형태로 나타나던 농민의 저항은 점차 농민 봉기로 변화되어 갔다.

❺ **삼정의 문란**

조선 후기의 수취 제도인 전정(전세 수취 제도), 군정(군포 징수 제도), 환곡(구휼 제도)의 문란을 말한다.

❻ **자연재해**

1820년의 전국적인 수해와 이듬해 콜레라의 만연으로 많은 백성이 목숨을 잃는 비참한 사태가 발생하였다. 이 피해는 그 뒤 수년 동안 계속되었으며, 이에 따라 굶주려 떠도는 백성이 거리를 메울 지경이었다.

❼ **벽서, 괘서**

남을 비방하거나 민심을 선동하기 위해 여러 사람이 볼 수 있는 곳에 몰래 붙이는 게시물

4. 홍경래의 난(순조, 1811)

(1) 원인

　① 정치적: 서북(관서) 지방에 대한 차별 대우와 세도 정권의 수탈에 평안도 지방의 사람들은 불만을 품고 있었다.

　② 경제적: 세도 정권은 서울 특권 상인의 이권을 보호하기 위해 **평안도민의 상공업 활동을 억압**하였다.

(2) 참여: 몰락 양반인 홍경래의 주도 아래 영세 농민, 중소 상인, 광산 노동자 등이 합세하였다.

(3) 과정: 가산에서 난을 일으켜 선천, 정주 등을 별다른 저항없이 점거하였다. 한때는 **청천강 이북 지역**을 거의 장악하였으나 5개월 만에 평정되었다.

19세기의 농민 봉기

조선 후기 평안도❶

평안도는 18세기 이후 전국에서 가장 빨리 경제와 문화가 성장한 지역이었다. 이 시기에 평안도에서는 의주 상인, 평양 상인, 정주의 놋그릇 상인 등이 국내 및 중국과의 국제 무역을 통해 부를 축적하였다. 인구 성장률❷도 전국에서 가장 빨라 영·정조 대에 8도 가운데 인구 순위가 경상도 다음인 2번째였다. 이러한 경제 성장을 바탕으로 부를 축적한 서민들은 문과 시험에도 적극적으로 도전하여, 8도 가운데 평안도의 과거 급제 비율은 영조 이래로 1~2위를 차지할 정도였다. 그러나 높은 급제율에 비해 청요직 벼슬은 거의 받기 어려웠다.

5. 임술 농민 봉기(진주 민란, 철종, 1862)

(1) 원인: 19세기 중엽의 철종 대에 이르러 부세 제도의 모순이 극에 달하였다.

(2) 과정: 경상우병사 백낙신의 탐학에 못이긴 진주 민중은, 향임 유계춘의 지도 아래 머리에 흰 두건을 쓰고 스스로 초군(나무꾼)이라 부르면서 봉기한 다음에 스스로 해산하였다. 이를 두고 '백건당의 난'이라 부른다.

(3) 확대: 이후 농민의 항거는 북쪽의 함흥으로부터 남쪽의 제주에 이르기까지 **전국적으로 퍼졌다.**❸

(4) 정부의 대책

　① **삼정이정청의 설치**: 민란의 수습을 위한 안핵사 **박규수의 상소**로 시정책이 건의되었다. 이에 따라 **삼정이정청**을 설치하고 삼정 문란에 대한 대책을 강구하였다.❹

　② 결과: 삼정이정청은 설치된 그 해에 철폐되었고, 개혁은 미뤄지다가 민란이 소강 상태에 들어가자 철회되었다.

---

❶ **평안도 차별**

평안도 사람들은 서북인(서토인, 관서인)이라 불리면서 차별 대우를 받았다. 그러나 영·정조 때 서북 출신을 의도적으로 보호하였다.

❷ **평안도 인구 성장**

양난 이후 전국적으로 인구 감소가 있었지만, 예외적으로 평안도 지역은 인구가 꾸준히 증가하였다. 이는 지리적 특성상 임진왜란의 피해를 별로 입지 않았으며, 호란 직후에는 요동 지역의 인구가 유입되었기 때문이었다.

❸ **봉기의 전국적 확산**

경상도 단성에서 시작된 민중 봉기는 삼남 지방의 여러 곳으로 확산되었다. 그리고 부분적으로 경기도·함경도·황해도 등지에서도 일어났다.

❹ **삼정이정절목(三政釐整節目)**

삼정의 문란에 대한 시정 내용이 담겨 있다. 전정에서는 종래의 폐단으로 지적되어 온 각종 사항을 금지하나 양전은 실시하지 않는 것으로 결정되었다. 군정에서는 종전의 여러 폐단의 금지만을 강조하는데 그쳤다. 환정은 환곡을 폐지하고 이를 토지에 부과시키는 방법이 논의되었다.

홍경래의 난

- **홍경래**는 과수요, 우군칙은 참모였으며, 이희저는 소굴의 주인이요, 김창시는 선봉이었다. 김사용과 홍총각은 손발의 역할을 하였다. 그 졸개로는 의주부터 개성에 이르는 지역의 거의 대부분 부호·대상들이 망라되었다. — 「진중일기」

- **평서대원수**는 급히 격문을 띄우노니 우리 관서의 부로자제(父老子弟)와 공사천민(公私賤民)은 모두 이 격문을 들으시라. 무릇 관서는 기자(箕子)의 옛 터요, 단군 시조의 옛 근거지로 훌륭한 인물이 넘치고 문물이 번창한 곳이다. …… 그러나 **조정에서는 서토를 버림이 썩은 흙이나 다름없다.** …… 과거에는 반드시 서로(西路)의 힘에 의지하고 서토의 문을 빌었으니 400년 동안 서로의 사람이 조정을 버린 일이 있는가. 지금 **나이 어린 임금**이 위에 있어서 권세 있는 간신배가 날로 치성하여 …… — 「패림」

임술 농민 봉기

- 동치원년 임술년(1862, 철종 13) **진주민 수만 명이 머리에 흰 수건을 두르고** 손에 몽둥이를 들고 무리를 지어 …… 병마절도사가 해산시키고자 시장에 가니 흰 수건을 두른 백성들이 길 위에 빙 둘러 함부로 거둔 명목과 아전들이 억지로 세금을 포탈하고 강제로 징수한 일들을 면전에서 여러 번 질책하는데 능멸함과 위협함이 조금도 거리낌이 없었다. — 「임술록」

- 최근 남쪽에서 일어나는 난은 양민이 일으키는 것이 아니라 궁민(窮民)이 일으킨다. 이들은 생활할 만한 자산이 없으므로 밤낮 원망하고 난을 생각한 지 오래되었다. 비록 의리를 말하면서 그들을 타일러도 따르지 않는다. 요사이 남쪽 농민들의 소란은 대개 이들이 주동한 것이며 양민은 단지 협조자일 뿐이다. — 「고환당수초」

- 경상도 안핵사 **박규수**가 상소를 올렸다. "금번 **진주**의 난민들이 소동을 일으킨 것은 오로지 **전 우병사 백낙신**이 탐욕을 부려 수탈하였기 때문입니다. …… 이에 민심이 들끓고 여러 사람의 노여움이 일제히 폭발하여 전에 듣지 못하던 변란으로 나타난 것입니다. ……" — 「철종실록」

✎ 순무사
반란이나 전시의 군무를 맡아보는 한편, 민심을 수습하는 일을 담당한 임시 관직이다. 조선 후기의 정부는 홍경래의 난 등과 같은 민란이 일어났을 때 순무사를 파견하였다.

대표 기출문제

다음 사실이 있었던 시기의 향촌 사회에 대한 설명으로 옳지 않은 것은?

2020. 국가직 9급

황해도 봉산 사람 이극천이 향전(鄕戰) 때문에 투서하여 그와 알력이 있는 사람들을 무고하였는데, 내용이 감히 말할 수 없는 문제에 저촉되었다.

① 향전의 전개 속에서 수령의 권한이 강화되었다.
② 신향층은 수령과 그를 보좌하는 향리층과 결탁하였다.
③ 수령은 경재소와 유향소를 연결하여 지방 통치를 강화하였다.
④ 재지사족은 동계와 동약을 통해 향촌 사회에 대한 영향력을 유지하려 하였다.

해설
제시된 자료는 조선 후기의 향전과 관련된 내용이다. ③ 경재소가 운영된 것은 조선 전기의 일이다.
① 조선 후기, 향전의 발생으로 수령과 향리의 권한이 강해지는 결과를 가져왔다. ② 조선 후기, 경제력을 갖춘 부농층(신향층)은 수령과 그를 보좌하는 향리 세력과 결탁하여 향안(鄕案)에 이름을 올렸다. ④ 조선 후기, 재지사족은 군현 단위로 농민을 지배하기 어렵게 되자, 촌락 단위의 동약과 동계를 실시하였다.

정답 ③

03 ^강 성리학의 변화

解/法 기출분석

구 분		2008~2017	2018	2019	2020	2021	2022	2023	2024
9급	국가직	• 학문과 사상 • 호락논쟁(3)							
	지방직	• 학문과 사상 • 사상 동향							
	법원직	호락논쟁(2)							

解法
요람

성리학 학파의 형성·분화

북인

<u>조식, 서경덕</u>

실천성 ┌ 절의: 의병장 多
      └ 현실에 도움: 전후 복구, 중립 외교

남인

<u>이황</u>

도덕적 원리, 향촌 사회의 안정 중시 ┌ 근기 남인 ⇒ 경세치용(중농실학)
                              └ 영남 남인

18세기 이후 정계 배제 ⇒ 향촌에서 학문의 본원적 연구, 서원↑

노론

<u>이이, 송시열</u>

대의명분, 민생 안정, 18세기 이후 정계 절대 우위 확보   호락논쟁 ┌ 호론: 인물성이론(차별성)
(주자 중심) 성리학을 절대화, 교조화   └ 낙론: 인물성동론(유사성) ⇒ 이용후생(북학파)

소론

<u>성혼, 윤증</u>

실리 중시, 북방 개척
성리학에 대한 탄력적 이해 ⇒ 양명학 수용 ⇒ 강화학파
                        정제두: 일반민을 도덕적 주체로 상정

01 학파의 형성

1. 영남 학파

(1) **동인 주도**: 선조 17년(1584)에 이이가 죽자 유성룡, 이발 등 동인이 정권을 장악했다.

(2) **동인의 분열**: 동인은 정여립 모반 사건과 정철의 건저의 사건 등이 계기가 되어 분열하였다.

   ① **북인**: 서경덕과 조식의 학통을 이었으며 절의를 중시하였다.

   ② **남인**: 이황의 학통을 계승하였다.

2. 기호 학파

(1) **서인 주도**: 인조반정으로 정권을 잡은 서인은 주자 중심의 성리학, 대명의리론 등을 강조하였다.

(2) **서인의 분열**: 숙종 때 경신환국을 계기로 분열되었다.

   ① **노론**: 이이의 학통을 계승하였고, 주자 중심의 성리학을 절대시하였다.

   ② **소론**: 성혼의 사상을 계승했으며, 윤증 등이 중심이 되었다. 성리학에 대한 탄력적 이해를 추구했으며, 양명학과 노장 사상 등에도 개방적이었다.

02 성리학의 절대화 경향

1. 성리학의 절대화

(1) **내용**

  송시열을 중심으로 한 서인(노론)은 양난 이후에 흔들리던 지배 체제를 강화하기 위해 **성리학적 질서를 절대적 가치로 내세우며** 성리학 이외의 다른 사상이나 학문을 배척하였다.

(2) **숭명반청 운동**: 숙종 때 충북 괴산에 만동묘를 세우고, 창덕궁에 대보단을 두어 명나라 황제를 제사지냈다. 이는 중화주의를 기반으로 청에 대한 문화적 우월성을 확인하고자 한 것이다.

2. 성리학에 대한 비판

(1) **성리학의 상대화 경향**

  17세기 후반부터 주자 중심의 성리학에서 벗어나 유교 경전을 재해석하고, 6경과 제자백가 등에서 사회 모순의 해결책을 찾으려는 경향이 나타났다.

(2) **대표적 학자**

   ① **윤휴**: 유교 경전을 독자적으로 해석하여 기존 성리학과 다른 견해를 내놓았다.

   ② **박세당**: 『사변록』을 통하여 주자와는 다르게 『대학』과 『중용』을 해석하였다.

   ③ **정약용**: 실증적 태도로 유교 경전에 접근하여 주자가 아닌 공자의 본뜻을 찾으려고 노력하였다.

(3) **결과**

  송시열을 중심으로 하는 서인(노론)의 공격을 받아 **윤휴와 박세당** 등은 **사문난적**으로 몰렸다.

❶ **학파의 형성**

16세기 중반 선조 때부터 학설과 지역적 차이에 따라 서원을 중심으로 학파가 형성되었다. 서경덕·이황·조식 학파가 동인을, 이이·성혼 학파가 서인을 형성하였다.

❷ **소론의 학문적 성향**

이황·윤휴의 학설에 대해서도 비교적 관대한 입장을 보였으며 때로는 이이의 사상을 비판하기도 하였다.

만동묘(萬東廟)

『사변록(思辨錄)』

❸ **사문난적(斯文亂賊)**

유교에서 교리를 어지럽히고 사상에 어긋나는 행동을 하는 사람을 일컫는 말이다. 주자성리학의 절대적인 권위를 내세우는 서인들이 상대 당을 공격하는 명분으로 자주 사용하였다.

사사건건 그날 1592~1862

~1592 전일 ▶▶
- 1402 혼일강리역대국도지도 제작
- 1403 주자소 설치
- 1429 『농사직설』 편찬
- 1446 훈민정음 반포

Now Event ▶▶
- 1610 『동의보감』 완성
- 1614 이수광, 『지봉유설』 지음.
- 1628 벨테브레, 제주도 표착
- 1737 유수원, 『우서』 지음.
- 1751 이중환, 『택리지』 지음.

윤휴의 독자적 해석

- 나의 저술 의도는 주자의 해석과 다른 이설(異說)을 제기하려는 것보다 의문점 몇 가지를 기록했을 뿐이다. …… 그런데 근래에 송시열이 이단이라고 배척하였다. 송시열의 학문은 전혀 의심을 내지 않고 주자의 가르침이라면 덮어놓고 의논(議論)을 용납하지 않으니 …… — 윤휴, 『백호기』
- 천하의 많은 이치를 어찌하여 주자만 알고 나는 모른단 말인가. 주자는 다시 태어난다 하여도 내 학설을 인정하지 않겠지만, 공자나 맹자가 다시 태어난다면 내 학설이 승리하게 될 것이다. — 윤휴, 『도학원류속』

박세당의 성리학 비판

그러나 경전에 실린 말은 그 근본은 비록 하나이나 그 실마리는 천 갈래 만 갈래이다. …… 이에 나는 문득 참람한 짓임을 잊고 좁은 소견으로 터득한 것을 대강 기록한 다음 이것을 모아 책을 만들고 『**사변록(思辨錄)**』이라 명명하였는데 …… — 『사변록』

송시열의 박세당 비판

박세당은 윤증의 당이다. 자기보다 나은 사람을 시기하고 괴벽한 행동을 하는 자로 항상 남의 뒤에 있는 것을 부끄러워하더니, 청환에서 탈락된 뒤에는 분한 마음을 품고 물러나서 감히 한 권의 책을 지어 **사변록**이라 하였다. **주자의 사서집주를 공격하고, 심지어 중용에서는 멋대로 장구를 고쳤으니, 한결같이 윤휴의 투식을 그대로 이어받고 있다.** …… 많은 선비를 거느리고 상소하여 그 글을 거두어다가 불속에 넣고 성현과 선정을 모독한 죄를 다스리자고 청하였다. 숙종이 "박세당이 성현을 모독하고 선정을 헐뜯음이 이런 지경에까지 이르렀으니, 사문에 관계되므로 결코 내버려 두기 어려운 일이다."라고 답하였다. — 송자대전

박세당
노자의 도덕경을 해석한 『신주도덕경』을 편찬하였다.

9급 위 한국사

회퇴변척(광해군)

광해군 초에 김굉필, 정여창, 조광조, 이언적, 이황이 문묘에 종사되자 조식의 제자인 정인홍은 '회퇴변척' 상소를 올려 이황, 이언적의 문묘종사를 반대하고 조식의 문묘종사를 건의했다. 그러나 서인과 남인의 격렬한 반발로 무산되었다.

✎ 문묘
공자, 맹자 등을 배향한 사당이다. 조선은 설총, 최치원, 안향, 정몽주, 김굉필, 정여창, 조광조, 이언적, 이황, 김인후, 이이, 성혼, 김장생, 조헌, 김집, 송시열, 송준길, 박세채를 종사해 유학생들의 모범으로 삼았다(문묘 18현).

❶ 이기론(理氣論)
이(理)와 기(氣)의 원리를 통해 자연·인간·사회의 존재와 운동을 설명하는 성리학의 이론 체계이다.

❷ 한원진
이이→송시열→권상하로 이어지는 학통을 계승하였다.

3. 성리학의 이론 논쟁

(1) 이기론

16세기 후반에는 이황 학파와 이이 학파 사이에 이기론❶에 대한 논쟁이 일어났다.

(2) 심성론(心性論)

16세기에는 심성론에 대하여 관심을 가지면서 **이황과 기대승** 간에 **사단칠정** 논쟁이 시작되었다.

(3) 호락논쟁

영조 대 '인간과 사물의 본성을 어떻게 볼 것인가' 하는 문제를 둘러싸고 노론 내부에서 호론과 낙론으로 나누어졌다(인물성동이 논쟁).

① 호론(충청도 노론)

ⓐ 중심 세력: 한원진,❷ 권상하 등이 중심이 되었다.

ⓑ 주장: 인성과 물성이 다르다고 보는 **인물성이론**을 내세웠고, **기(氣)의 차별성**을 강조하였다.

ⓒ 발전: 사람과 짐승을 구별하고, 이를 화이론과 연결시켜 청을 오랑캐로 보았다. 이후 개항을 전후하여 위정척사 사상으로 계승되었다.

• 1778 박제가, 『북학의』 지음.   • 1784 유득공, 『발해고』 지음.   • 1785 『대전통편』 완성   • 1861 김정호, '대동여지도' 완성

▶▶ 후일 1862~1900
• 1883 『한성순보』 창간
• 1884 우정국 설치
• 1896 『독립신문』 창간
• 1899 경인선 개통

② 낙론(서울 노론)
    ㉠ 중심 세력: 이간, 김창협, 김원행 등이 중심이 되었다.
    ㉡ 주장: 인성과 물성을 동일하다고 보는 **인물성동론**을 주장하였다. **이(理)의 보편성**을 강조하며, 사람과 우주 만물의 보편적 이치를 추구하려 하였다.
    ㉢ 발전: 청의 문물을 수용하자는 북학 운동(북학론)으로 발전하였고, 이후 **개화사상으로 계승**되었다.

심화사료 百出   2017. 국가직 7급, 2013. 국가직 7급

한원진의 인물성이론(人物性異論)
만물이 생기고 나면 바르고 통(通)한 기운을 받은 것이 사람이 되고, 편벽되고 막힌 기운을 받은 것이 물건이 된다. 물건은 편벽되고 막힌 기운을 받았기 때문에, 이(理)의 전체를 받지 못한 것은 아니지만 기질을 따라 본성 역시 편벽되고 막히게 된다. …… 사람만은 바르고 통한 기운을 받았기 때문에 마음이 가장 영묘하여 건순과 오상의 덕을 모두 갖추었으니, 그 지극한 것을 확충하면 천지에 참여하여 만물을 화육하는 것을 돕는 것도 모두 우리 인간이 할 수 있는 일이다. **이는 사람과 물건의 다른 점이다.**
                     – 『남당집』

---

03 양명학의 수용

1. 전래와 사상

(1) **전래**: 16세기 중반 중종 때 조선에 소개되었다. 그러나 이황은 양명학을 이단으로 간주하여 『전습록변』❸을 저술했으며, 이후 양명학은 학계에서 이단으로 취급되었다.

(2) **심즉리·치양지**: 양명학의 중요 이론들이다. '마음이 곧 이치'라고 본 심즉리를 바탕으로 모든 인간은 본래 타고난 천리(양지)를 실현하여 사물을 바로 잡을 수 있다고 보았다(치양지).

(3) **지행합일설(知行合一說)**: 앎과 행함이 분리되거나 선후가 있는 것이 아니라 앎은 행함을 통해서 성립한다는 이론으로, **실천을 강조**❹하였다.

❸ 『전습록변』
양명학의 창시자인 명나라의 왕수인이 쓴 『전습록』을 비판한 이황의 저서이다.

❹ 주자 성리학과의 차이
주자 성리학에서는 지식이 선행하고, 실천이 뒤따른다고 보았다.

심화사료 百出   2017. 국가직 7급

양명학
앎(知)은 마음의 본체이다. 심(心)은 자연히 지(知)를 모으게 한다. 아버지를 보면 자연히 효를 안다. 형을 보면 자연히 제(悌)를 안다. 어린아이가 우물에 들어가려는 것을 보면 자연히 측은을 안다. …… 시비의 마음은 기다려서 아는 것이 아니고 배움을 기다려서 할 수 있는 것이 아니다. 그러므로 **양지(良知)**라 한다.
                     – 『전습록』

정제두
나의 학문은 안에서만 구할 뿐이고 밖에서는 구하지 않는다. …… 그런데 오늘날 주자를 말하는 자들로 말하면, 주자를 배우는 것이 아니라 다만 주자를 빌리는 것이요, 주자를 빌릴 뿐만 아니라 곧 주자를 부회해서 자기들의 뜻을 성취하려 하고 주자를 끼고 위엄을 지어 자기들의 사욕을 달성하려 할 뿐이다.
                     – 『존언』

2. 학파의 형성(18세기)

(1) **강화학파의 성립**: 양명학은 몇몇 소론 학자에 의해 명맥을 이어가고 있었다. 18세기 초 **정제두**가 이를 체계적으로 연구하여 **강화학파**를 성립하였다.

(2) 정제두

① **주장**: 양지와 양능을 근거❶로 **지행합일**을 주장하였다. 또한 그는 일반민을 도덕 실천의 주체로 상정하여, 양반 신분제의 폐지를 주장하였다.

② **저서**: 『존언』, 『만물일체설』 등을 저술하여 이론 체계를 세웠다.

③ **계승**: 정권에서 소외된 소론 계열과 왕실 종친·서얼 출신이 그의 학문을 계승하였다.

(3) **영향**: 강화학파의 학자들은 우리의 고유 문화에도 폭넓은 관심을 보였으며, 정약용 등 실학자들과도 영향을 주고받았다.

3. 근대의 양명학

근대 이후에는 이건창, 김택영, 박은식, 정인보 등이 양명학을 계승하여 국학 운동을 전개하였다.

❶ **양지와 양능**

양지(타고난 천리)와 양능(양지를 실현하는 능력)은 하나고, 서로 분리되거나 선후가 있지 않다고 주장하였다.

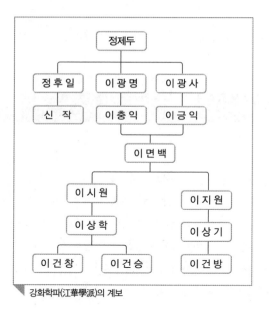

강화학파(江華學派)의 계보

04강 실학의 발달

 解/法 기출분석

구 분		2008~2017	2018	2019	2020	2021	2022	2023	2024
9급	국가직	• 홍대용(2) • 역사서					발해고		
	지방직	• 홍대용(2) • 박제가 • 동사강목 • 발해고	• 서유구 • 동사강목		박지원	박제가와 한치윤	발해고와 동사강목		박제가
	법원직	• 실학(전반)(2) • 이익 • 홍대용 • 역사서	유형원	이익	• 정약용 • 박제가			이익	

 解法 요람

실학과 국학의 발달

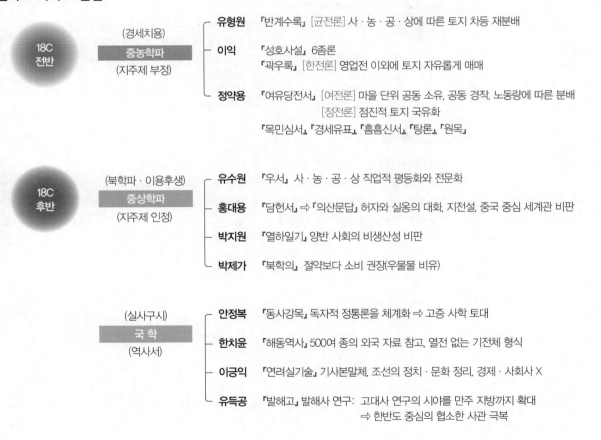

18C 전반

(경세치용)
중농학파
(지주제 부정)

- **유형원** 『반계수록』 [균전론] 사·농·공·상에 따른 토지 차등 재분배
- **이익** 『성호사설』 6종론
  『곽우록』 [한전론] 영업전 이외에 토지 자유롭게 매매
- **정약용** 『여유당전서』 [여전론] 마을 단위 공동 소유, 공동 경작, 노동량에 따른 분배
  [정전론] 점진적 토지 국유화
  『목민심서』 『경세유표』 『흠흠신서』 『탕론』 『원목』

18C 후반

(북학파·이용후생)
중상학파
(지주제 인정)

- **유수원** 『우서』 사·농·공·상 직업적 평등화와 전문화
- **홍대용** 『담헌서』 ⇨ 『의산문답』 허자와 실옹의 대화, 지전설, 중국 중심 세계관 비판
- **박지원** 『열하일기』 양반 사회의 비생산성 비판
- **박제가** 『북학의』 절약보다 소비 권장(우물물 비유)

(실사구시)
국 학
(역사서)

- **안정복** 『동사강목』 독자적 정통론을 체계화 ⇨ 고증 사학 토대
- **한치윤** 『해동역사』 500여 종의 외국 자료 참고, 열전 없는 기전체 형식
- **이긍익** 『연려실기술』 기사본말체, 조선의 정치·문화 정리, 경제·사회사 X
- **유득공** 『발해고』 발해사 연구: 고대사 연구의 시야를 만주 지방까지 확대
  ⇨ 한반도 중심의 협소한 사관 극복

1. 배경

17·18세기 사회·경제적 변동에 따른 사회 모순을 해결하기 위해 실학❶이 등장하였다. 실학은 실증적인 연구 방법을 통해 현실 문제를 탐구하였다.

2. 주요 학자들

(1) **이수광❷**: 『지봉유설』❸을 저술하여 중국과 우리나라의 문화 전통을 폭넓게 정리함으로써, 우리의 문화 수준이 중국과 대등하다고 강조하였다. 또한 천주교 교리서인 『천주실의』를 최초로 소개하였다.

(2) **한백겸❹**: 광해군 때 대동법 실시를 건의했다. 그리고, 문헌 고증에 입각하여 역사와 지리를 연구하여 『동국지리지』를 저술하였다.

(3) **김육**: 대동법 확대 실시와 **시헌력**의 채용을 건의하였으며, 수차(물레방아)의 사용을 강조하였다. 또한 상평통보의 주조를 건의하고, 은광 개발을 허용할 것을 주장하였다.

허목 (1595~1682)

- 정치: 붕당 정치와 북벌 정책의 폐단을 시정하기 위해 왕과 6조의 기능을 강화할 것을 주장
- 경제 정책: 중농 정책의 강화, 사상(私商)의 난전 금지, 부세의 완화, 호포제 실시 반대 등을 주장
- 신분 사회 강화: 서얼 허통을 반대
- 저서: 『동사(東事)』, 『(미수)기언』, 『청사열전』 등

심화사료 頻出

허균의 유재론❺

하늘이 재능을 균등하게 부여하는데 관리의 자격을 대대로 벼슬하던 집안과 과거 출신으로만 한정하고 있으니 항상 인재가 모자라 애태우는 것은 당연한 일이다. 어느 시대, 어느 나라에서 노비나 서얼이어서 어진 인재를 버려두고, 어머니가 개가했으므로 재능을 쓰지 않는다는 것은 듣지 못했다.

– 『유재론』

---

❶ 실학

18세기를 전후하여 크게 융성했으며, 실증적·민족적·근대 지향적 특성을 지닌 학문이었다.

❷ 이수광

인조 때 12조의 상소를 올려 실학에 의한 여러 개혁 방안을 제시하였다.

❸ 『지봉유설』

유교 문명 이외에도 유럽·회교·불교 문명권을 포함한 세계 50여 국의 지리·풍속·물산 등을 소개하여 시야를 넓혀 주었다.

❹ 한백겸의 토지 개혁론

토지 개혁론의 입장에서 기자의 정전(井田)에 주목하였다. 토지 소유의 지나친 편중을 비판하고, 농민들이 균등하게 토지를 소유할 수 있기를 기대하였다.

❺ 허균의 유재론

허균은 유재론을 통해 인재를 등용하는데 있어 출신을 차별하는 것이 문제라는 점을 지적하고 있다.

1. 등장

18세기 전반 서울 부근의 농촌에서 생활하던 남인들이 중심이 되었으며 **경세치용(중농주의) 학파**라고 불렸다. 이들은 **농촌 사회의 안정을 위해 토지 제도의 개혁을 강조**하였다.

2. 대표적인 중농주의 실학자

(1) **유형원**[6](1622~1673) – 중농 실학의 선구자

일생 동안 농촌(부안 우반동)에 살면서 학문에 몰두하여 『반계수록』, 『동국여지지』 등을 저술하였다.

① **균전론**[7]: 유형원은 『반계수록』에서 **사농공상의 신분에 따라 차등 있게 토지를 분배**하여 자영농을 육성할 것을 주장하였다. 이를 바탕으로 조세와 군역을 다시 조정하자고 밝혔다.

② **조세 제도 개편**: 기존의 결부법 대신에 경무법을 실시할 것[8] 등을 주장하였다.

③ **군사·교육 제도 개편**: 자영농 중심으로 군사·교육 제도를 재정비하여 **병농일치**의 국방 제도를 수립하고, **사농일치**(士農一致)의 교육 제도를 마련해야 한다고 하였다.

심화사료 百出

유형원의 균전론

옛날의 정전법은 아주 이상적인 제도이다. …… **농부 한 사람당 1경(頃)의 토지를 받고 법에 따라 조세를 내며, 매 4경마다 군인 1명을 내게 한다.** 사(士)로서 처음 학교에 입학한 자는 2경의 토지를 받고, 내사(內司)에 들어간 자는 4경을 받되 병역을 면제한다. 현직 관료는 9품부터 7품까지 6경, 그리고 정2품은 12경으로 조금씩 더 준다.

– 『반계수록』

(2) **이익**[9](1681~1763) – 실학의 학파 형성 ☆

안정복·이가환·이중환 등의 제자를 길러 **성호 학파**를 형성하였다. 『성호사설』,[10] 『곽우록』 등을 저술하였다.

① **한전론**: 매 호마다 **영업전**을 갖게 하고, **토지의 매매를 제한**(영업전을 제외한 그 나머지 토지만 매매를 허락)하였다. 이를 통해 한 가정이 생활을 유지하는 데 필요한 **최소한의 땅**을 보전하게 하였다. 점진적으로 토지 균등과 자영농의 육성 등을 이루고자 한 것이다.

② **6좀론**: 나라를 좀먹는 여섯 가지 악폐로 노비 제도[11]·과거 제도·양반 문벌·기교(사치와 미신)·승려·게으름을 들었다.

③ **붕당론**[12]: 제한된 관직을 둘러싼 갈등에서 당쟁이 비롯되었다고 여겼다. 이에 따라 과거 시험을 3년에서 5년으로 늘려 합격자를 줄이고, 대신 천거 제도를 확대할 것을 주장하였다.

④ **경제 제도**: 화폐 사용에 비판적인 입장을 취했으며(폐전론), 환곡 대신 사창제 실시를 주장하였다.

⑤ **역사관**: 실증적이고, 비판적인 역사 서술을 제시하였다.

　㉠ **도덕 중심 사관 비판**: 역사를 움직이는 힘을 '시세(시대의 추세)–행·불행(운수 또는 우연성)–시비(도덕)'의 순서로 봄으로써 도덕 중심 사관을 비판하였다.

　㉡ **중국 중심의 세계관 탈피**: '중국도 대지 중 한 조각 땅'이라고 주장하였다.

❻ 유형원

농촌 사회의 안정을 위해 공전제와 과전제에 의한 토지 재분배가 필요하다고 주장하였다.

❼ 균전론(均田論)

신분에 따라 토지를 차등 있게 재분배하자고 주장하는 등 성리학적 한계를 벗어나지는 못하였다.

❽ 결부법과 경무법

결부법은 생산량 측정에 관리들의 농간이 개입될 수 있었다. 이에 유형원은 『동국여지지』 등에서 토지의 절대 면적 단위로 조세를 거두는 경무법 실시를 주장하였다.

❾ 이익

북인에서 전향한 남인 가문 출신으로, 주로 숙종~영조 때 활동하였다. 그는 형이 당쟁으로 희생되자 벼슬을 단념하고 광주 첨성촌에서 일평생 학문에 전념하였다.

❿ 『성호사설』

천지·만물·인사·경사·시문 등 5개 부분으로 나누어 우리나라와 중국의 문화를 폭넓게 정리하였다.

⓫ 노비 제도 비판

이익은 노비 제도를 비판하면서, 당장 폐지할 수 없다면 노비 매매만이라도 금지해야 한다고 강조하였다.

⓬ 이익의 붕당론

붕당의 폐해를 극복하기 위해 이조·병조의 전랑들의 권한을 약화시킬 것, 그리고 『주례』의 정신을 받아들여 군주와 재상의 권한을 높이고, 특히 군주가 친병(親兵)을 거느려야 한다고 주장하였다.

심화사료 百出　　2023. 법원직 9급, 2019. 서울시 9급, 2019. 법원직 9급, 2019. 경찰 2차, 2018. 서울시 9급(상), 2010. 국가직 7급, 2010. 법원직 9급

이익의 한전론

국가는 마땅히 일가(一家)의 생활에 맞추어 재산을 계산해서 **한전(限田) 몇 부(負)를 한 가구의 영업전으로 하여** 당나라의 제도처럼 한다. 그러나 **땅이 많다고 해서 빼앗아 줄이지 않으며, 못 미친다고 해서 더 주지 않는다.** 돈이 있어 사고자 하는 자는 비록 천백결(結)이라도 허락해 주고 땅이 많아서 팔고자 하는 자는 영업전 몇 부 외에는 허락하여 준다.　　－「곽우록」

이익의 6종론

농사를 힘쓰지 않는 자 중에 그 좀이 여섯 종류가 있는데, 장사꾼은 그중에 들어가지 않는다. **첫째가 노비요, 둘째가 과거요, 셋째가 벌열이요, 넷째가 기교요, 다섯째가 승니요, 여섯째가 게으름뱅이들**이다. 저 장사꾼은 본래 사민(四民)의 하나로서 그래도 통화의 이익을 가져온다. 소금, 철물, 포맥 같은 종류는 장사가 아니면 운반할 수 없지만, 여섯 종류의 해로움은 도둑보다도 더한다.　　－「성호사설」

---

(3) 정약용[1](1762~1836) – 실학의 집대성 ⭐⭐

　　　이익 등 남인의 학풍을 계승하여 토지 제도를 비롯한 전반적인 개혁을 강조하였다. 한편, 과학 기술과 상공업 발달에도 많은 관심을 보였다.

　　① 토지 제도 개혁

　　　　㉠ 여전론: 토지를 여(閭, 마을) 단위로 **공동 소유·공동 경작**하고 노동량에 따른 분배를 하자는 것으로, 일종의 공동 농장 제도이다. 또한 이것을 군사 조직으로도 활용할 수 있다고 하였다.

　　　　㉡ 정전제: 국가가 장기적으로 토지를 사들여서 가난한 농민에게 나누어 줌으로써 **자영 농민을 육**성하자는 주장이다.

고등사료 百出　　2020. 법원직 9급, 2019. 서울시 9급, 2017. 서울시 사회복지직 9급, 2015. 국가직 7급, 2012. 지방직 7급, 2012. 경찰 2차

정약용의 여전론(閭田論)

정전법(井田法)은 시행할 수 없다. 정전은 모두 한전(旱田)이었는데, 수리 시설이 갖춰지고 메벼와 찰벼가 맛이 좋으니 수전을 버리겠는가. 정전이란 평평한 농지인데 나무를 베어 내느라 힘을 들였고 산과 골짜기가 이미 개간되었으니, 이러한 밭을 버리겠는가. …… 균전법(均田法)은 시행할 수 없다. 균전은 농지와 인구를 계산하여 분배해 주는 것인데, 호구의 증감이 달마다 다르고 해마다 다르다. 금년에는 갑의 비율로 분배하였다가 명년에는 을의 비율로 분배해야 하므로 조그마한 차이는 산수에 능한 자라도 살필 수 없고 토지의 비옥도가 경마다 묘마다 달라 한정이 없으니, 어떻게 균등하게 하겠는가. …… 여전제를 실시해야 한다. 산과 강을 지세 기준으로 구역을 확정하여 경계를 삼고, 그 경계선 안에 포괄되어 있는 지역을 1여(閭)로 한다. 여 셋을 합쳐서 이(里)라 하고 다섯을 합쳐서 방(坊)이라 하고 방 다섯을 합쳐서 읍(邑)이라 한다. **여에는 여장(閭長)을 두며 여민들이 공동으로 경작**한다.　　－「전론(田論)」

정약용의 정전론(井田論)[2]

농가 1호당 100무의 토지를 준다. 그리고 농가의 노동력에 따라 25무까지 차등 있게 준다. **토지는 점진적으로 국가에서 사들여 국유화한다.**　　－「경세유표」

▼ 다산 정약용

❶ 정약용의 정치 개혁론

정약용은 「경세유표」에서 제도 전반에 걸친 개혁의 기본 방향을 제시하였다. 먼저 군주 중심의 정치 체제를 수립하고, 언관의 역할 제한·6조의 업무 재조정 등을 제안하였다. 지방을 효율적으로 통치하기 위해 8도를 12개의 성으로 고쳐야 한다고 하였다.

❷ 정약용의 정전론

먼저 전국의 토지를 국유화하여 정전을 편성하고, 그중 9분의 1은 공전으로 만들어 조세를 충당하고 나머지는 농민에게 분배하자고 하였다.

② 저술 ❸

　ⓐ 『목민심서』 ❹ : 지방 제도의 개혁에 대하여 쓴 책으로, 목민관인 수령이 지켜야 할 기본 자세를 다루었다.

　ⓑ 『경세유표』 : 주례에 나타난 주나라 제도를 모범으로 하여 국가 체제 전반에 걸친 개혁을 주장했으며, 정전제 등을 기술하였다.

　ⓒ 『흠흠신서』 : 형법서로, 지방의 수령들이 살인 사건과 같은 범죄가 일어났을 때 참고하였다.

　ⓓ 『탕론』 ❺ : 역성혁명의 정당성을 옹호하였다.

　ⓔ 『원목』 : 통치자는 백성을 위해 존재한다는 이론서로 통치자의 이상적인 상(橡)을 제시하였다.

　ⓕ 『기예론』 : 인간이 금수와 다른 점은 기술을 창안하고 이를 생활에 이용할 줄 아는 데 있다고 보고, 과학 기술에 많은 관심을 가졌다. 또 이용감의 설치를 주장 ❻ 하였다.

심화사료 百出

2015. 지방직 7급, 2010. 지방직 7급

『탕론(湯論)』

무릇 천자란 어떻게 있는 것인가? 하늘이 천자를 내려서 그를 세운 것인가? 아니면 땅에서 솟아나 천자로 된 것인가? **민이 필요했기 때문에 천자를 뽑아서 된 것이다.** …… 천자는 민이 추대해서 이루어지니 또한 민이 밀어주지 않으면 그 자리를 유지할 수 없다. **천자를 붙잡아 끌어내리는 것도 민이요, 올려서 윗자리에 앉히는 것도 민이다.**　— 『탕론』

「원목(原牧)」

백성을 위해서 목(牧)[통치자]이 존재하는가, 백성이 목을 위해서 태어나는가. 백성들은 곡식과 피륙을 내어 목을 섬기고, 백성들은 수레와 말을 내어 추종하면서 목을 보내고 맞이하며, 백성들은 고혈과 진수를 모두 짜내어 목을 살찌게 하니, 백성들이 목을 위해서 태어난 것인가. 아니다. **목이 백성을 위해서 존재하는 것이다.** 옛적에는 백성만이 있었을 뿐이니. 어찌 목이 존재하였을 것인가.　— 『여유당전서』

「기예론(技藝論)」

하늘이 날짐승과 길짐승에게 발톱을 주고 뿔을 주고 단단한 발굽과 예리한 이빨을 주고 여러 가지 독도 주어서 각각 저 하고 싶어하는 것을 얻게 하고 사람으로 인한 염려되는 것을 막을 수 있게 하였는데, 사람에게는 벌거숭이로 유약하여 제 생명도 구하지 못할 듯이 하였으니, 어찌하여 하늘은 천한 금수한테는 후하게 하고 귀하게 해야 할 인간에게는 박하게 하였는가. 그것은 **인간에게는 지혜로운 생각과 교묘한 궁리가 있으므로, 기예를 익혀서 제 힘으로 살아가도록 한 것**이다. 그런데 지혜로운 생각으로 미루어서 아는 것도 한정이 있고, 교묘한 궁리로 깊이 파는 것도 차례가 있다.　— 『여유당전서』

9급 위 한국사

다산 정약용 연보

1762	경기도에서 진주 목사 정재원의 4남으로 태어남.
1789	문과에 급제한 뒤 초계문신에 임명되어 정조의 개혁 정치에 참여함.
1792	왕명을 받아 수원 화성을 설계하고 거중기와 녹로(도르래)를 고안하여 수원 화성 축조에 이용함.
1794	경기 암행어사가 되어 백성들의 고통을 목격함.
1800	정조가 승하하자 관직에서 물러남. 호를 여유당이라고 함.
1801	신유박해로 체포되어 하옥되었고, 이후 강진으로 유배됨.
1818	『목민심서』를 완성했으며, 유배에서 풀려남.
1836	75세의 나이로 세상을 떠남.

❸ 정약용의 저술

1801년 신유박해 때 유배형에 처해졌다. 이후 전라도 강진에서 저술 활동에 전념하여 『경세유표』, 『목민심서』, 『흠흠신서』 등을 남겼다. 그의 저술은 500여 권에 달하는데 『여유당전서』에 수록되어 전해지고 있다.

❹ 『목민심서』

수령들이 백성을 수탈하는 도적으로 변한 현실을 바로잡기 위해 저술한 책이다.

❺ 『탕론』

신하로서 임금(하나라 걸왕)을 몰아내고 은나라를 세운 탕왕의 행위에 대해 논하였다.

❻ 이용감의 설치 주장

정약용은 이용감이라는 관청을 두고 매년 기술자를 중국에 파견해서 그곳의 앞선 기술을 배워오자고 주장했다.

다산초당(전남 강진)

서유구의 둔전론

소론이자 북학파인 서유구는 국가가 주체가 되는 국영 농장제인 둔전론을 제기하였다. 이는 정부가 토지가 없는 농민을 고용하여 집단 농장을 경영하는 것이다. 그는 전국 주요 지역에 국가 시범 농장인 둔전을 설치하여 혁신적 농법과 경영 방법으로 수익을 올려서 국가 재정을 보충하고, 부농층의 참여를 유도하여 유능한 자를 지방관으로 발탁할 것을 제시하였다. 이러한 그의 생각은 정조가 화성에 대유둔전을 설치하여 운영하였던 것에서 큰 영향을 받은 것이다.

03 상공업 중심의 개혁론

1. 등장

18세기 후반 서울의 노론[1]들을 중심으로 형성됐으며, **이용후생(중상주의)** 학파 또는 북학파라고 한다. 이들은 주로 **인물성동론**을 따랐으며, 상공업 진흥과 기술 혁신을 통한 **부국강병**을 주장하였다. 청나라의 발달된 기술과 문물을 적극 수용하자고 하였다.

❶ 노론 출신 실학자
노론에 속한 북학파로는 홍대용과 박지원 등이 있다.

2. 대표적인 중상주의 실학자

(1) 유수원(1694~1755) – 중상주의 실학의 선구자
　① **사농공상의 직업 평등**: 『우서』에서 무위도식하는 양반들을 농·공·상으로 전업시키고 **사·농·공·상**을 평등한 직업으로 만들어 전문화시켜야 한다고 역설하였다.
　② **농업론**: 상업적 경영과 기술의 혁신을 통하여 생산성을 높여야 한다고 주장하였다.
　③ **상업 진흥책**: 상인 간의 합자를 통한 경영 규모의 확대와 상인이 생산자를 고용하여 생산과 판매를 주관할 것을 주장하였다.

심화사료 百出

2010. 지방직 7급

유수원의 개혁안
상공업은 말업(末業)이라 하지만 본래 부정하거나 비루한 일은 아니다. 그것은 스스로 재간 없고 덕망 없음을 안 사람이 관직에 나가지 않고 스스로의 노력으로 물품의 교역에 종사하며, 남에게서 얻지 않고 자기의 힘으로 먹고사는데 그것이 어찌 천하거나 더러운 일이겠는가?
　　　　　　　　　　　　　　　　　　　　　　　　　　　　　　　－ 『우서』

(2) 홍대용(1731~1783) – 성리학적 세계관 부정 ☆
　① **저서**: 청을 왕래하면서 얻은 경험을 토대로 『임하경륜』, 『의산문답』, 『연기』[2] 등의 저술을 남겼는데, 이는 『담헌서』에 수록되어 있다.
　　㉠ 『임하경륜』: 놀고먹는 선비들은 생산 활동에 종사하라고 하였다. 또한, 성인 남자들에게 2결의 토지를 나누어 줄 것과 병농일치의 군대 조직을 제안하였다.
　　㉡ 『의산문답』: 실옹과 허자의 문답 형식을 빌려 고정 관념을 상대주의 논법으로 비판하였다.

❷ 『연기(燕記)』
홍대용이 청나라에서 견문한 바를 기록한 책이다.

② 부국강병: 기술 혁신과 문벌의 철폐, 성리학의 극복이 부국강병의 근본이라고 강조하였다.

③ 세계관^❸: 지전설을 받아들이고 무한우주론을 주장했으며, 중국 중심의 세계관을 비판하였다. 또한 천체의 운행을 측정하는 혼천의를 제작하기도 하였다.

❸ 홍대용의 세계관

지구가 우주의 중심이 아니며 인간도 다른 생명체보다 우월하지 않다는 것, 다른 별들에도 우주인이 있을 수 있다는 것 등 파격적인 주장을 하였다.

심화사료 百出

2014. 국가직 9급, 2010. 국가직 7급

홍대용의 세계관

중국은 서양과 180도 정도 차이가 난다. **중국인은 중국을 중심으로 삼고 서양을 변두리로 삼으며**, 서양인은 서양을 중심으로 삼고 중국을 변두리로 삼는다. 그러나 실제는 하늘을 이고 땅을 밟는 사람은 땅에 따라서 모두 그러한 것이니 **중심도 변두리도 없이 모두가 중심이다.**

– 『의산문답』

---

(3) 박지원(1737~1805) ☆

① 양반의 모순 비판: 「양반전」,^❹ 「호질」^❺ 등을 통해서 양반 문벌의 허위성과 비생산성을 신랄하게 비판하였다.

② 『열하일기』(정조, 1780): 청에 다녀온 후 『열하일기』를 저술하였다. 그는 이 책에서 청나라의 문물을 소개하고, 청과의 통상 강화, 수레와 선박의 이용, 화폐 유통의 필요성 등을 강조하였다.

③ 농업 진흥책

　　㉠ 『한민명전의』: 토지 소유의 상한선을 설정하는 한전론을 주장하였다.

　　㉡ 『과농소초』: 영농 방법의 혁신, 상업적 농업의 장려, 농기구의 개량, 관개 시설의 확충 등과 같은 경영과 기술적 측면의 개선을 통해서 농업 생산력을 높이고자 하였다.

❹ 「양반전」

『방경각외전』에 수록되어 있다.

❺ 「호질」

『열하일기』에 「허생전」 등과 함께 수록되었다.

심화사료 百出

2022. 국가직 9급, 2019. 경찰 2차, 2016. 지방직 7급, 2013. 국가직 7급

토지 개혁론(한전론)

토지를 겸병하는 자라고 해서 어찌 진정으로 빈민을 못살게 굴고 나라의 정치를 해치려고 했겠습니까? 근본을 다스리고자 하는 자라면 역시 부호를 심하게 책망할 것이 아니라 관련 법제가 세워지지 않은 것을 걱정해야 할 것입니다. …… **진실로 토지의 소유를 제한하는 법령을 세워**, "어느 해 어느 달 이후로는 **제한된 면적을 초과해 소유한 자는 더는 토지를 점하지 못한다.** 이 법령이 시행되기 **이전부터 소유한 것에 대해서는 아무리 광대한 면적이라 해도 불문에 부친다.** …… 법령을 공포한 이후에 제한을 넘어 더 점한 자는 백성이 적발하면 백성에게 주고, 관(官)에서 적발하면 몰수한다"라고 하면, 수십 년이 못 가서 전국의 토지 소유는 균등하게 될 것입니다.

– 『한민명전의』

「양반전」

정선(旌善) 고을에 어떤 양반이 살고 있었는데, 어질고 책 읽기를 좋아하였다. 고을 군수가 부임할 적마다 방문하여 인사하였는데, 살림이 무척 가난하였다. 그래서 관가에서 내주는 환자(還子)를 타서 먹었는데 결국 큰 빚을 졌다. 그러자 **마을 부자가 양반의 위세를 부러워해서 양반을 사겠노라 권유하니 그 양반은 기뻐하며 승낙하였다.**

나의 아버지 박지원(『과정록』 서문 –방경각외전)

아버지는 권력의 부침에 따라 아첨하는 자들을 보면 참지 못하였으니 이 때문에 평생 남의 노여움을 사고 비방을 받는 일이 아주 많았다. …… 여기에 붙었다 저기에 붙었다 하는 세태가 꼴불견이었는데 아버지는 젊을 때부터 이런 세태를 미워하셨다. 그래서 **아홉 편의 전(傳)을 지어 세태를 풍자**하셨는데 그 속에는 왕왕 우스갯소리가 들어있었다.

① 박제가

정조의 명을 받아 『무예도보통지』를 편찬하였다.

② 박제가의 상공업 진흥책

박제가는 청나라에 무역선을 파견하고, 청나라에서 행하는 국제 무역에 참여해야 한다고 강조하였다. 또한 서양 선교사를 초빙하여 서양의 과학·기술을 배우자고 제안하였다.

박제가

③ 『동국통감제강(東國通鑑提綱)』

주로 편년체로 저술했으나, 고대사 부분은 강목체로 썼다. 철저한 반도 중심·신라 중심·성리학 중심의 사관을 바탕으로 서술하였다.

④ 허목

허목은 생전에 자신의 저술을 정리하여 문집으로 편찬하였는데, 이것이 『기언』이다.

(4) 박제가**①**(1750~1805) ⭐⭐

① 활동: 서얼 출신으로 정조 대에 규장각 검서관으로 활약했다. 이덕무·유득공 등과 친분을 쌓았으며, 채제공의 수행원으로 청나라에 다녀왔다.

② 『북학의』 저술: 청나라에 다녀온 뒤 『북학의』를 저술하였다. 상공업의 육성, **청과의 통상 무역**, 신분 차별의 타파, 벽돌 이용 등을 강조하였다.

③ 상공업 진흥책**②**

㉠ 진흥안: 청과의 통상 강화, 수레와 선박의 이용 등을 역설하였다.

㉡ 소비론: 소비를 우물물에 비유하여 생산을 자극하기 위해서 절약보다는 **소비를 권장해야 한**다고 주장하였다.

고등사료 百出   2024. 지방직 9급, 2021. 경찰 1차, 2020. 법원직 9급, 2019. 서울시 7급, 2018. 경찰 2차, 2017. 국가직 7급(하), 2013. 지방직 9급

박제가의 소비론

비유하건데 재물은 대체로 샘과 같은 것이다. 퍼내면 차고, 버려두면 말라 버린다. 그러므로 비단옷을 입지 않고서 나라에 비단 짜는 사람이 없게 되면 여공(女工, 여자들의 길쌈일)이 쇠퇴하고, 쭈그러진 그릇을 싫어하지 않고 기교를 숭상하지 않아서 나라에 공장(수공업자)을 도와(기술을 익힘)하는 일이 없게 되면 기예가 망하게 되며, 농사가 황폐해져서 그 법을 잃게 되므로 사농공상의 사민이 모두 곤궁하여 서로 구제할 수 없게 된다.

– 『북학의』

3. 중상주의 실학의 의의와 영향

북학파(중상주의) 실학 사상은 19세기 후반에 개화사상으로 이어졌다.

---

04 국학 연구의 확대

1. 국학 연구의 발달

실학의 발달로 민족의 전통과 현실에 관한 관심이 깊어지면서 우리의 역사·지리·국어 등 국학을 연구하였다.

2. 17세기 역사서

(1) 홍여하의 『동국통감제강』(1672, 현종 13)**③**

『동국통감』을 강목법에 따라 재정리한 편년체 역사서이다. 기자–마한–신라를 정통으로 하는 삼한 정통론을 내세웠다.

(2) 오운의 『동사찬요』(선조, 1606)

왜란 때 의병에 참여했던 경험을 바탕으로 절의를 지킨 인물과 애국 명장의 활약을 크게 드러냈다.

(3) 허목**④**의 『동사(東事)』(현종, 1667)

북벌 운동과 붕당 정치를 비판하는 입장이 반영된 역사서로, 단군~고대사까지의 내용을 담고 있다.

3. 18~19세기 역사서

(1) 홍만종의 『동국역대총목』(숙종, 1705)

단군에서부터 조선까지의 역사를 간단히 서술했는데 여기서 제기된 **단군 정통론**(단군을 시작으로 하여 단군–기자–마한–신라로 이어진다고 여김)은 **이익**[5]과 안정복에게 영향을 주었다.

(2) 임상덕의 『동사회강』(숙종, 1711)

고대의 위치·지명과 단군, 기자에 대해 고증하였다. 또한 삼국을 무통, 통일 신라와 고려만 정통으로 인정하였다.

(3) 이익: 역사를 움직이는 힘은 '시세(시대의 추세)–행·불행(운수 또는 우연성)–시비(도덕)'의 순서라고 주장하며 도덕 중심 사관을 비판하였다.

(4) 안정복[6]의 『동사강목』(정조, 1778) ☆: 이익의 역사 의식을 계승하였다.

① 서술: 고조선에서 고려 공양왕까지의 통사를 다루었다. **편년체**로 기술하며 그 안에 **강목체**의 서술 방식을 따랐다. 문헌 고증 작업을 통해 **고증 사학의 토대**를 만들었다고 평가된다.

② 삼한 정통론: 단군–기자–마한–삼국(삼국 무통)–통일 신라로 이어지는 우리나라의 독자적 정통론을 세워 이를 체계화하였다.

③ 평가: 성리학적 명분론에 입각한 역사 의식과 실증적 역사 연구를 집대성하였다. 그러나 발해를 '외기'로 처리하여 말갈의 역사로 간주했다.

고등사료 頻出

2015. 지방직 9급

안정복의 삼국 인식

삼국사에서 신라를 으뜸으로 한 것은 신라가 가장 먼저 건국되었고, 뒤에 고구려와 백제를 통합하였으며, 고려는 신라를 계승하였으므로 편찬한 것이 모두 신라의 남은 문적(文籍)을 근거로 하였기 때문이다. 그러므로 편찬한 내용이 신라에 대하여는 약간 자세히 갖추어져 있고, 백제에 대하여는 겨우 세대만을 기록했을 뿐 없는 것이 많다. …… 고구려의 강대하고 현저함은 백제에 비할 바가 아니며, 신라가 자처한 땅의 일부는 남쪽에 불과할 뿐이다. 그러므로 김씨(김부식)는 신라사에 쓰인 고구려 땅을 근거로 했을 뿐이다.

– 『동사강목』

---

(5) 이종휘의 『동사』[7]

최초로 기전체 형식을 완전히 갖춘 역사서로, 단군부터 고려까지 서술하였다. 또한 열전, 지에서 고구려의 전통을 강조하였고 발해를 고구려의 후예로 인정하였다.

---

❺ 이익의 삼한 정통론

단군–기자–마한으로 이어지는 정통론을 주장하였다. 위만이 나라를 찬탈하였으므로 기자 조선의 정통성은 고조선의 준왕이 남쪽으로 옮겨 와서 세운 마한으로 이어진다고 보았다.

❻ 안정복

안정복의 또 다른 저서로 조선 왕조의 역사를 각 왕별로 편찬한 편년체 역사서인 『열조통기(列朝通紀)』가 있다.

✎ 조선 후기 정통론

성리학의 화이관에서는 중국 한족의 역사를 주류로 인식하여 우리 민족사에 대한 정통론을 제기하지 않았다. 그러나 조선 후기의 실학자들은 중국 중심의 세계관에서 벗어나 민족의 역사적 정통성을 밝히고자 하였다.

『동국통감 제강』	삼한 정통론 최초 제시 (기자–마한–신라)
『동국역대 총목』	단군 정통론 강조 (단군–기자–마한–통일 신라)
『동사회강』	삼국: 무통
『동사강목』	단군 정통론+삼국 무통 (단군–기자–마한–삼국 무통–통일 신라)

❼ 『동사(東史)』

이종휘 사후인 순조 때 출간된 문집인 『수산집』에 수록되어 있다. 『동사』의 저술 시기는 이종휘가 벼슬길에 나가기 이전인 영조 말기로 추정되고 있다.

❶ 유득공의 『발해고(渤海考)』

발해사를 우리나라 역사로 체계화할 목적으로 저술했으며, 발해를 신라와 대등한 국가로 인정하였다.

(6) 유득공의 『발해고』(1784)❶ ☆

민족사 측면에서 신라와 발해를 병립시켜 남북국 시대를 처음으로 제안하였다. 또한, 발해의 역사를 본격적으로 다루어 만주 지역까지 우리 역사의 범위를 확장하였다. 이종휘의 『동사』와 유득공의 『발해고』는 고대사 연구의 시야를 만주 지방으로 확대시킴으로써 반도 중심의 협소한 사관을 극복하는데 기여하였다.

심화사료 百出   2024. 법원직 9급, 2022. 국가직 9급, 2018. 서울시 7급, 2012. 법원직 9급, 2009. 국가직 9급

유득공의 발해사 연구

부여씨가 망하고 고씨(고구려)가 망한 다음, **김씨(신라)가 남방을 차지하고 대씨(발해)가 북방을 차지하고는 발해라 하였으니, 이것을 남북국이라 한다.** 당연히 남북국을 다룬 역사책이 있어야 하는데, 고려가 편찬하지 않은 것은 잘못이다. 저 대씨가 어떤 사람인가? 바로 고구려 사람이다. 그들이 차지하고 있던 땅은 어떤 땅인가? 바로 고구려 땅이다.   ─『발해고』

❷ 『해동역사(海東繹史)』

고조선부터 고려까지의 역사를 다루고 있다.

(7) 한치윤의 『해동역사』❷

500여 종의 다양한 **외국 자료(중국, 일본 등)**를 인용하여 문헌적 고증을 거친 **기전체 형식의 사서**이다. 열전은 없고 세기, 지, 고(考)로 구성되었으며 민족사 인식의 폭을 넓히는 데 이바지하였다.

(8) 이긍익의 『연려실기술』(18세기 후반)

조선 왕조의 정치사를 객관적 입장에서 서술한 **기사본말체** 사서이다. 400여 종의 야사(野史)를 참고하여 조선의 정치와 문화를 정리한 것으로 사료적 가치가 크다(경제·사회사 제외).

(9) 김정희의 『금석과안록』(19세기, 순조)

김정희는 『금석과안록』을 지어 북한산비가 진흥왕 순수비임을 밝혔다.

解法 **도움닫기**   역대 역사서들의 단군에 대한 인식

13세기 (고려)	『삼국유사』	고조선 계승 의식에 입각하여 단군을 민족의 시조로 인식
	『제왕운기』	고조선 계승 의식(단군 신화 수록) ⇒ 예맥, 부여, 옥저, 삼한, 삼국 등 고대 국가들이 모두 단군의 후손이라고 서술
15세기	『삼국사절요』	『삼국사기』에 빠진 고조선사 보완, 단군 신화 기록 ×
	『동국통감』	단군을 민족의 시조로 인식, 그러나 상고사를 외기로 처리하여 평가 절하
16세기	『동몽선습』	단군을 한국사의 시작으로 서술
	『표제음주동국사략』	단군 조선을 상세하게 다룸.
17세기	『동사(東事)』	단군 - 기자 - 신라를 이상 시대로 서술
18~19세기	『동국역대총목』	단군 정통론(단군을 정통 국가의 시작으로 간주)
	『동사(東史)』	단군 - 부여 - 고구려로 이어지는 역사적 흐름에 중점을 두어 만주 수복을 희구
	『동사강목』	삼한 정통론: 우리나라의 독자적 정통론(단군-기자-마한-삼국-신라)을 세워 이를 체계화

4. 국토에 대한 연구

(1) 지리서

① 역사지리서

　㉠ 한백겸의 『동국지리지』(광해군, 1615): 고대 지명을 새롭게 고증하고, 특히 고구려의 발상지가 평안도 성천이라는 통설을 뒤집고 만주 지방이라는 것을 처음으로 고증하였다.

　㉡ 정약용의 『아방강역고』(1811): 고대사의 강역을 새롭게 고증한 서적으로, 백제의 첫 도읍지가 지금의 서울이라고 기술하였다.

② 인문지리서

　㉠ 이중환의 『택리지』❸: 지리적인 환경과 각 지역의 경제 생활과 인물·풍속을 자세히 조사하여 『택리지』를 썼다. 특히 자연과 인간의 관계를 인과적으로 이해하려고 한 점에서 주목된다.

　㉡ 정약용의 『대동수경』: 한반도 북쪽의 6대강(압록강, 두만강, 청천강, 대동강, 예성강, 임진강)에 대해 자세히 수록하였다.

(2) 지도 제작: 지도 제작에 모눈종이를 활용하기도 하였다.

① 서양식 지도의 전래: 1603년에 명나라 사신으로 갔던 이광정 등이 마테오 리치가 제작한 '곤여만국전도'를 가져왔다. 이후 정밀하고 과학적인 지도가 많이 제작되었다.

② 정상기의 동국지도: 최초로 100리척❹을 사용하여 정확하고 과학적인 지도 제작에 공헌하였다.

③ 김정호

　㉠ 청구도: 여러 관찬 지도를 보고 제작하였다. 경선과 위선을 표시하였다.

　㉡ 동여도: 전국 지도로, 청구도를 더욱 발전시킨 것이다.

　㉢ 대동여지도❺: 거리를 알 수 있도록 10리마다 눈금을 표시하고, 산맥·하천·포구·도로망 등을 정밀하게 그려 넣었다. 목판으로 인쇄한 지도로, 22개의 첩으로 구성되어 휴대가 편리하였다.

5. 언어에 대한 연구

(1) 어휘 연구: 훈민정음의 기원, 글자 모습 및 음운에 관해 다양한 해석들이 내려졌다.

① 훈민정음 연구: 대표적으로 신경준의 『훈민정음운해』,❻ 유희의 『언문지』 등이 있다.

② 음운서: 이서구와 이덕무의 『규장전운』은 사성에 따라 글자를 나누어 설명한 것이다.

(2) 어휘 수집

정약용의 『아언각비』,❼ 이의봉의 『고금석림』,❽ 권문해의 『대동운부군옥』 등이 있다. 특히 이의봉의 『고금석림』은 우리 방언과 해외 언어를 정리하였다.

6. 백과사전의 편찬

실학이 발달하고 문화 인식의 폭이 넓어짐에 따라 백과사전류의 저서가 많이 편찬되었다.

(1) 『대동운부군옥』(권문해, 16세기 말)

어휘 백과사전으로, 지리·역사·인물·문학·동물 등의 옛말들을 총정리하였다.

(2) 『지봉유설』(이수광, 17세기)

천문·지리·관직·인물 등 25개 분야로 나누어 서술하였다. 『천주실의』를 소개했으며, 우리의 문화 수준이 중국과 대등함을 강조하였다.

---

❸ 『택리지(擇里志)』

선비가 살만한 곳으로 가거지(可居地)를 말하였는데 지리·산수·인심·생리를 제시하였으며 그 중 생리(생업에 유리한 곳)를 중요하게 보았다.

❹ 100리척

100리를 1척으로 정한 지도 제작 방식

❺ 대동여지도(大東輿地圖)

지도 제작 이후 정부에서 국가 기밀을 누설했다는 이유로 판목을 소각시켰다는 설 등이 제기되었으나, 이는 전부 거짓으로 밝혀졌다.

❻ 『훈민정음운해』

음운 연구서로, 영조 때 편찬되었다.

❼ 『아언각비』

단어의 어원과 사용처를 고증하여 정확한 예시를 제시하였다.

❽ 『고금석림』

우리 방언과 해외 언어인 산스크리트어, 몽골어, 만주어, 일본어, 태국어, 거란어, 퉁구스어 등 해외 언어를 정리하였다.

(3) 『성호사설』(이익, 18세기)

천지·만물·경사·인사·시문의 5개 부문으로 나누어 서술하였다. **중국 중심의 세계관을 탈피**하고, 도덕 중심의 역사관을 비판하였다.

(4) 『동국문헌비고』(18세기)

영조 때 국가적 사업으로 편찬한 **최초의 관찬 한국학 백과사전**이다. 우리나라의 역대 문물을 13분 야로 나누어 정리하였다.

(5) 『청장관전서』(이덕무, 18세기)

서얼 출신의 규장각 검서관인 **이덕무가 저술**하였다. 경·사·문예로부터 경제·풍속·초목까지 광범 위하게 정리하였다.

(6) 『임원경제지』(서유구, 19세기)

농촌 생활 백과사전으로, 사대부가 전원 생활을 하면서 알아야 할 지식과 정보를 주로 다루었다.

(7) 『오주연문장전산고』(이규경, 19세기)

이덕무의 손자인 이규경이 저술하였다. 사상, 역사, 농업, 지리 등에서 1,417항목으로 분류하여 정리하였다.

대표 기출문제

(가), (나)에 들어갈 이름을 바르게 연결한 것은?

2021. 지방직 9급

___(가)___는/은 『북학의』를 저술하여 청의 선진 기술을 적극적으로 수용할 것과 상공업 육성 등을 역설하였다. 한편, ___(나)___는/은 중국 및 일본의 방대한 자료를 참고하여 『해동역사』를 편찬함으로써, 한·중·일 간의 문화 교류를 잘 보여주었다.

	(가)	(나)
①	박지원	한치윤
②	박지원	안정복
③	박제가	한치윤
④	박제가	안정복

해설
박제가는 청에 다녀온 후 『북학의』를 저술하여 청의 문물을 적극적으로 수용할 것을 주장하였다. 또한 그는 상공업의 발달, 청과의 통상 강화, 수레와 선박의 이용 등을 역설하였다. 한치윤은 500여 종의 다양한 외국 자료(중국, 일본 등)를 인용하여 『해동역사』를 편찬하였다.

정답 ③

과학 기술의 발달과 문화의 새 경향

제2장 근대 태동기의 경제·사회·문화

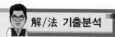

解/法 기출분석

구 분		2008~2017	2018	2019	2020	2021	2022	2023	2024
9급	국가직	• 의서 • 과학 기술 • 서민 문화							
	지방직	• 지도(대동여지도) • 문학과 예술							건축
	법원직	과학 기술 발달		조선 후기 문화				조선 후기 문화	

解法
要覧

과학 기술의 발달

천문학	김석문 『역학도해』(최초로 지전설 주장), 홍대용(지전설, 무한우주론)
역 법	시헌력(서양 선교사 아담 샬): 김육의 노력으로 채용
자기 공예	17세기 이후 청화백자 유행: 회청으로 백자에 그림을 그린 것
의 학	17세기 『동의보감』(허준, 광해군): 우리 전통 한의학을 체계적으로 정리 18세기 『마과회통』(정약용, 정조): 제너의 종두법 소개, 천연두 치료법 연구 19세기 『동의수세보원』(이제마, 고종): 체질의학(사상 의학) 이론 확립, 현대 의학에 영향

농 서	『농가집성』(신속, 효종)	벼농사 중심의 수전 농법 소개, 이앙법 보급에 공헌
	『과농소초』(박지원, 정조)	영농 방법 혁신, 상업적 농업 장려
	『임원경제지』(서유구)	조선 후기 농업 기술, 경영 이론 정리, 농촌 생활 백과사전

조선 후기 회화

18세기	진경산수화	정 선	인왕제색도, 금강전도: 바위산은 선으로, 흙산은 묵으로 묘사
	풍속화	김홍도	무동, 서당도, 씨름도: 소탈하고 역동적인 필체로 묘사
		신윤복	단오풍정, 선유도: 도시인의 풍류 등을 감각적, 해학적으로 묘사
	서양화풍	강세황	영통골 입구도: 서양화 기법인 원근법 반영
19세기	문인화	김정희	세한도: 복고적 문인화 부활
	민 화	작자 미상	호작도, 문자도: 소원을 기원하고 생활 공간을 장식

1. 서양 문물의 수용

(1) **전래 과정**: 서양 문물❶은 17세기경부터 중국을 왕래하던 사신을 통해서 들어왔다. 선조 때 이광정은 세계 지도를 전하고, 인조 때 정두원은 화포·천리경·자명종 등을 전하였다.

(2) **실학자들의 관심**: 북학파 실학자들을 중심으로 서양 문물의 수용에 관심을 보였다. 한편, 이익의 제자 중 일부는 천주교를 신앙으로 수용하였다.

2. 서양인의 표류

(1) **벨테브레(박연)❷**: 인조 때 표류해 온 네덜란드인 벨테브레는 훈련도감에 소속되어 서양식 대포의 제조법과 조종법을 가르쳐 주었다.

(2) **하멜**: 효종 때 제주도에 표착한 하멜 일행은 장기간 체류하면서 박연과 함께 서양식 대포를 만드는 기술을 전해 주었다. 또한 네덜란드로 돌아가 『하멜 표류기』를 지어 조선의 사정을 서양에 알렸다.

3. 세계 지도의 전래

조선 후기에 서양 선교사가 만든 **곤여만국전도** 같은 세계 지도가 중국을 통하여 전해졌다. 이로써 보다 과학적이고 정밀한 지리학 정보를 가지게 되었고, 이를 통하여 당시 **조선인의 세계관이** 확대될 수 있었다.

곤여만국전도

---

❶ 서양 문물

조선의 사신은 중국에 머물고 있던 서양 선교사와 접촉하여 서양 문물을 소개받았다.

❷ 벨테브레

인조 때 제주도에 표류하여 귀화하였다. 조선 여성과 혼인하여 1남 1녀를 두었다고 하며, 박연이라는 이름을 사용하였다.

홍이포(紅夷砲)

네덜란드·포르투갈산 장거리 화포로 정부는 벨테브레와 하멜 등에게 홍이포의 제작을 명하였다.

---

1. 천문학

천문학은 서양 과학의 영향을 받아 크게 발전하였다. 천리경(망원경) 등의 천문 기구가 들어오고 서양 역법이 전래되면서 우리나라 천문학 발달에 큰 자극을 주었다.

(1) **17세기 초**: 이수광은 『지봉유설』에서 일식·월식·벼락·조수의 간만 등을 소개했다.

(2) **17세기 말**: 숙종 대 김석문은 처음으로 지구가 1년에 366회씩 자전한다고 주장하였다. 그는 저서 『역학도해』를 통해 천동설을 부정하는 **지전설을 주장**하여 우주관을 크게 전환시켰다.

(3) **18세기 말**

　① **이익**: 지구가 둥글다면 중국뿐만이 아니라 어느 나라든지 세계의 중앙이 될 수 있다고 하였다.

　② **홍대용**: 지구 자전설과 지구가 우주의 중심이 아니라는 '**무한우주론**'을 주장하였다.

　③ **최한기❸**: 자전 공전설이 코페르니쿠스의 것임을 밝힌 『지구전요』를 저술하였다.

혼천의(홍대용)

❸ 최한기

북학 사상을 받아들여 상공업 국가의 건설을 목표로 여러 개혁안을 제시하였다. 또한 뉴턴의 만유인력설을 비롯한 각종 서양 과학 기술에도 조예가 깊었으며 이를 바탕으로 새로운 주기적 경험 철학을 발전시켰다. 훗날 1971년에 그가 쓴 저서들을 모아 『명남루총서』가 편찬되었다.

고등사료 百出

홍대용의 지전설

천체가 운행하는 것이나 지구가 자전하는 것은 그 세가 동일하니 분리해서 설명할 필요가 없다. 다만 9만 리의 둘레를 한 바퀴 도는 데 이처럼 빠르며, 저 별들과 지구와의 거리는 겨우 반경(半徑)밖에 되지 않는데도 몇천만억의 별들이 있는지 알 수 없다. 하물며 천체들이 서로 의존하고 상호 작용하면서 이루고 있는 우주 공간의 세계 밖에도 또 다른 별들이 있다. …… 칠정(七政 : 태양, 달, 화성, 수성, 목성, 금성, 토성)이 수레바퀴처럼 자전함과 동시에, 맷돌을 돌리는 나귀처럼 둘러싸고 있다. 지구에서 가까이 보이는 것을 사람들은 해와 달이라 하고, 지구에서 멀어 작게 보이는 것을 사람들은 오성(五星 : 수성, 금성, 화성, 목성, 토성)이라 하지만, 사실은 모두가 동일하다.

– 「담헌집」

2. 역법

(1) 시헌력❹ : 김육의 건의로 **효종** 때 청의 시헌력을 채용하였다. 시헌력은 **태음력에 태양력의 원리를 부합시켜 24절기의 시각과 하루의 시각을 정밀히 계산하여 만든 역법**이었다.

(2) 천세력(정조)❺ : 1777년부터 1886년(고종 23)에 이르는 110년간의 역(曆)을 기록한 책이다.

3. 수학

(1) 『기하원본』 : 유클리드의 『기하학서』를 **마테오 리치**와 서광계가 번역·정리한 것이다.

(2) 『주해수용』 : 홍대용이 우리나라, 중국, 서양 수학을 연구하여 정리한 것이다.

03 의학·농학의 발달과 기술 개발

1. 의학의 발달

(1) 특징 : 실증적이고, 과학적인 태도를 가지고, 의학 이론과 실제 치료가 서로 일치하도록 노력하였다.

(2) 대표적 의서

① 17세기 의학

㉠ 『동의보감』❻ : 17세기 초에 허준은 『동의보감』을 저술하여 의학 발전에 큰 공헌을 하였다. 이 책은 **도교의 영향을 받아 예방 의학에 중점**을 두고 있다. 또한 **우리의 전통 한의학을 체계적으로 정리**한 책으로, 우리나라뿐만 아니라 중국과 일본에서도 간행되었다.

㉡ 『침구경험방』❼ : 인조 때 허임이 저술한 의서이다. 이 책은 침술과 뜸에 대해 서술하였다.

㉢ 『벽온신방』❽ : 효종 때 황해도에 열성 전염병이 유행하자, 왕명으로 편찬되었다.

② 18세기 의학 : 정약용은 마진(홍역)에 대해 연구하고, 『마과회통』을 편찬하였다. 박제가와 함께 종두법을 연구하여 실험하기도 하였다.

심화사료 百出

『동의보감』

그대는 여러 가지 의학책을 모아서 좋은 의학책을 하나 편찬하는 것이 좋겠다. 그런데 사람의 병은 다 몸을 잘 조섭하지 못하는 데서 생기므로 수양하는 방법을 먼저 쓰고 약과 침, 뜸은 그다음에 쓸 것이며, 또 여러 가지 처방이 번잡(煩雜)하므로 되도록 그 요긴한 것만을 추려야 할 것이다. 산간벽지에는 의사와 약이 없어서 일찍 죽는 일이 많다. 우리나라에는 곳곳에 약초가 많이 나기는 하나 사람들이 잘 알지 못하니 이를 분류하고 지방에서 불리는 이름도 같이 써서 **백성들이 알기 쉽게 하라.** – 「동의보감」, 서문

❹ 시헌력(時憲曆)

서양 선교사인 아담 샬이 중심이 되어 만든 것으로 청에서 사용되고 있었는데, 종전의 역법보다 한 걸음 더 발전한 것이었다.

❺ 천세력(千歲曆)

정조는 관상감에 명하여 1777년을 기점으로 대략 100년간의 역을 미리 계산하여 편찬하게 하였다.

❻ 『동의보감(東醫寶鑑)』

의학 서적으로서는 세계 최초로 유네스코 세계 기록 유산에 등재되었다(2009).

❼ 『침구경험방』

일본으로 전파되어 일본판 침구경험방이 간행되기도 하였다.

❽ 『벽온신방(辟瘟新方)』

병원·약치 등을 간단하게 기술하고 각 항목마다 한글로 번역을 붙였다.

구암 허준

③ 19세기 의학
○ 『동의수세보원』: 이제마는 『동의수세보원』을 저술하여 **사상 의학**을 확립하였다. 이는 사람의 체질을 태양인·태음인·소양인·소음인으로 구분하여 치료하는 체질 의학 이론으로, 오늘날까지도 한의학계에서 통용되고 있다.
○ 『방약합편』: 고종 때 황필수가 아버지 황도연의 저술에 10여 편을 더하여 편찬한 의서이다. 종래에 사용되었던 많은 처방들과 약물의 지식을 일목요연하게 정리하였다.

2. 농서의 편찬: 17세기에 이르러 많은 농서가 편찬되고, 농업 기술도 크게 발달하였다.

(1) 신속의 『농가집성』: 효종 때인 1655년에 신속은 『농가집성』을 펴내 벼농사 중심의 수전 농법을 소개하고, 이앙법의 보급에 공헌하였다.

(2) 박세당·홍만선: 상업적 농업이 발달함에 따라 채소, 과수, 원예, 양잠, 축산 등의 농업 기술을 소개하는 농서가 필요하게 되었다. 이에 따라 **박세당**의 『색경』, **홍만선**의 『산림경제』 등이 저술되었다.

(3) 서호수의 『해동농서』: 정조 때 왕명에 따라 저술된 농서이다. 우리 고유의 농학을 중심에 두고 중국 농업 기술을 선별적으로 수용하였다.

(4) 서유구❶의 『임원경제지』: 19세기에 서유구는 농업과 농촌 생활에 필요한 것을 종합하여 『임원경제지』라는 **농촌 생활 백과사전**을 편찬하였다.

❶ 서유구

서유구는 19세기 초반에 활약한 조선 지식인 중 정약용, 이규경과 함께 3대 박학(博學)으로 꼽히는 학자로, 종래 조선 농학과 박물학을 집대성하였다.

3. 어업의 발달

(1) 어업 방식의 변화: 17세기에는 전라도 지방에서 김 양식의 기술이 개발되었고, 18세기 후반에는 냉장선이 등장하였다.

(2) 『자산어보』: 정약용의 형 **정약전**은 어류학의 신기원을 이룩한 『자산어보』를 저술하였다. 이 책은 저자가 흑산도에서 귀양살이하는 동안 직접 채집하고 조사한 155종 해산물에 대해 기록한 것이다.

4. 정약용과 과학 기술

(1) 기술 강조: 정약용은 인간이 다른 동물보다 뛰어난 것은 기술 때문이라고 보고, 기술의 발달이 인간 생활을 풍요롭게 한다고 믿었다.

(2) 이용감 설치: 정약용은 『경세유표』에서 서양의 과학 기술을 배워오기 위해 **이용감**❷이라는 관청을 두자고 제안했으나, 정책에 반영되지는 않았다.

(3) 정약용의 기계 제작
① 거중기: 서양 선교사 요하네스 테렌츠가 중국에서 펴낸 『기기도설』을 참고하여 거중기를 만들었는데, **수원 화성을 쌓을 때 사용**되어 공사 기간을 단축하고 공사비를 크게 줄였다.
② 배다리 설계: 정조가 수원에 행차할 때 한강을 안전하게 건너도록 배다리를 설계하였다.

❷ 이용감(利用監)

이용감을 신설하고, 해마다 과학 기술자와 중국어 통역을 중국에 파견해서 그곳의 앞선 기술을 배워오자고 주장했다.

거중기(擧重機)

04 서민 문화의 발달

1. 배경

상공업의 발달과 **농업 생산력의 증대**, 서당 교육의 보급, 서민의 경제적·신분적 지위 향상, 서민들의 지식 습득 용이 등에 따라 서민 문화가 대두하였다.

2. 문화 주도층의 변화[3]

양반을 중심으로 이루어지던 문예 활동에 중인층과 서민층이 참여하여 큰 변화가 나타났다.

[3] 문화 주도층의 변화
역관이나 서리 등의 중인층 및 상공업 계층과 부농층의 문예 활동이 활발해졌고 상인이나 광대의 활동도 활기를 띠었다.

05 조선 후기의 문학

1. 배경

조선 후기의 사회 변동을 구체적으로 반영한 것은 문학이었다. 그중에서도 한글 소설과 사설시조가 대표적이었는데, 이는 **문학의 저변이 서민층에까지 확대**되면서 나타난 현상이었다.

2. 한글 소설의 발달

(1) 「홍길동전」[4]

허균이 쓴 한글 소설로 서얼에 대한 차별의 철폐, 탐관오리의 응징을 통한 이상 사회의 건설을 묘사하였다.

(2) 「춘향전」

애정 문제와 사회 문제를 함께 다루고 있을 뿐 아니라, 양반·상민이 모두 공감할 수 있는 보편적 가치를 담고 있었기에 대중의 사랑을 가장 많이 받았다.

(3) 그 외 한글 소설

심청 이야기를 그린 『심청전』, 남의 목숨을 빼앗아 자기 목숨을 구하려는 용왕을 놀려 주는 『별주부전』, 불합리한 가족 관계를 그린 『장화홍련전』 등이 널리 읽혔다.

(4) 소설의 보급

조선 후기에는 소설을 읽어주고 일정한 보수를 받던 직업적 낭독가인 전기수와 돈을 받고 소설을 대여해 주는 세책점[5]이 등장하였다. 이는 소설의 보급과 독자층의 확대에 크게 기여하였다.

[4] 「홍길동전」

허균은 연산군 때 활동한 도적인 홍길동을 주인공으로 하여 정치의 부패상을 비판한 『홍길동전』을 저술하였다.

[5] 세책점(貰冊店)
조선 후기 도시 지역에는 돈을 받고 책을 빌려주는 세책점이 등장하여 지식을 접할 수 있는 길이 넓어졌다. 세책은 주로 여성 독자에게 인기가 있었고, 이에 따라 여성 주인공을 등장시키고 여성의 관심거리를 세세하게 파헤치는 소설도 등장하기 시작하였다.

심화사료 百出

전기수의 등장

전기수는 동문 밖에 살고 있다. 그는 숙향전, 소대성전, 심청전, 설인귀전 등의 소설을 소리 내어 읽는다. …… 읽는 솜씨가 훌륭하기 때문에 주위에 사람들이 많이 모여든다. 가장 긴요해서 꼭 들어야 할 대목에 이르면 문득 소리를 멈춘다. 사람들이 그 다음 대목을 듣고 싶어서 돈을 던져 주며 말하기를, '이것이 바로 그가 돈을 버는 방법이구나.'라고 한다.　　－ 조수삼, 「추재집」

3. 사설시조

기존 시조의 엄격한 형식에서 벗어나 글자 수에 구애받지 않고 길게 늘여 쓴 시조이다. 서민들의 감정을 사실적으로 묘사했으며, 사회적 불만을 숨김없이 표현하였다.

4. 한문학의 변화: 사회의 부조리한 현실을 예리하게 비판하는 경향이 나타났다.

(1) 정약용: 삼정의 문란을 폭로하는 한시인 「애절양」을 남겼다.

(2) 박지원

① 한문 소설❶: 「양반전」, 「허생전」, 「호질」, 「민옹전」 등의 한문 소설을 써서 양반 사회의 허구성을 지적하며 실용적 태도를 강조하였다.

② 문체 혁신: 박지원과 홍대용 등은 현실을 올바르게 표현할 수 있는 문체로 혁신할 것을 주장하였다. 이 신문체의 대표적인 작품으로 『열하일기』와 『의산문답』 등이 있다.

③ 문체반정❷: 정조는 신문체를 배척하고 순정고문으로 환원시키려는 문풍 개혁 정책을 실시하였다.

심화사료 百出

정약용의 애절양(哀絕陽)

군인 남편 못 돌아옴은 있을 법도 한 일이나.
예로부터 생식기를 자름은 들어보지 못했노라.
시아버지 죽어서 이미 상복 입었고 갓난 아인 배냇물도 안 말랐는데
삼대의 이름이 군적에 실리다니 달려가서 억울함을 호소하려도
범 같은 문지기 버티어 있고 이정이 호통하여 단벌 소만 끌려갔네.
남편 문득 칼을 갈아 방 안으로 뛰어들자 붉은 피 자리에 낭자하구나.
스스로 한탄하네. **"아이 낳은 죄로구나."**

5. 시사❸의 조직(위항 문학)

(1) 등장: 18세기 후반 서얼과 중인들은 높은 경제력과 전문 지식을 바탕으로 문학 창작 활동이 활발해졌다. 이를 위항 문학이라고도 하였다.

(2) 조직: 위항인들은 인왕산, 청계천 등에서 많은 시사를 결성하여 문학 활동을 전개하면서 자신들의 위상을 높여갔다. 특히, 천수경이 인왕산 기슭에서 만든 옥계 시사가 유명했다.

9급 위 한국사

중인들의 저술

작품	작가(편찬 시기)	특징
「규사」	작자 미상(1858)	서얼의 역사와 차별 대우 철폐 주장
「연조귀감」	이진흥(1777, 1848)	향리의 뿌리는 양반과 같음을 주장, 향리의 역사 정리
「호산외기」	조희룡(1844)	중인·화가·승려 등 42인의 행적을 정리
「풍요삼선」	유재건 등(1857)	철종 대 직하시사(稷下詩社)에서 간행한 위항 시집
「이향견문록」	유재건(1862)	중인층 인물의 행적 기록
「희조일사」	이경민(1866)	중인 전기
「소대풍요」	고시언	위항인들의 시를 모은 시집❹

---

❶ 박지원의 한문 소설
- 『열하일기』: 「호질」, 「허생전」 등의 작품이 수록되어 있다.
- 『방경각외전』: 「양반전」을 포함한 총 9편으로 구성된 단편 소설집으로, 이름없는 하층민을 주요 소재로 삼았다.

❷ 문체반정(文體反正)
정조가 패관잡문(稗官雜文)이나 소설의 문체를 배척하고 순정고문으로 환원시키려는 문풍 개혁 정책으로 문체 순정이라고도 한다. 정조는 당시 유행하던 명말청초의 문집과 패관 소설류, 잡서, 서학서(西學書)와 박지원의 소설 등을 비판하고 복고적이며 보수적인 정학이나 경학을 옹호하였다.

❸ 시사(詩社)
중인층의 시인들이 서울 주변 지역에서 시사를 조직하여 문학 활동을 전개하면서 자신들의 사회적 지위를 높였고, 역대 시인의 시를 모아 시집을 간행하기도 하였다.

❹ 위항인들의 시집
위항인들이 간행한 대표적인 시집으로 「청구영언」, 「해동가요」, 「해동유주」, 「소대풍요」, 「풍요속선」 등이 있다.

6. 시조와 가사집의 편찬

영조 때의 서리 출신 시인 김천택과 김수장 등은 우리나라 역대의 시조와 가사를 모아 『청구영언』과 『해동가요』를 각각 편찬하였다.

7. 풍자 시인의 활동

김삿갓, 정수동 같은 풍자 시인은 아예 민중 속으로 파고들어 민중과 어우러져 활동하기도 하였다.

8. 야담 잡기류

유몽인의 『어우야담』, 야사와 야담류 57종을 모은 야사 전집인 『대동야승』 등이 출간되었다.

06 판소리와 탈놀이

판소리와 탈놀이(가면극)는 **상품 유통 경제의 활성화와 함께 성장**하여 양반층의 위선 등 당시의 사회적 모순을 예리하게 비판하면서 서민 자신들의 존재를 자각하는 데 기여하였다.

1. 판소리[5]

(1) 특징

서민 문화의 중심이 된 판소리는 구체적인 이야기를 창과 사설로 엮어 가기 때문에 **감정 표현이 직접적**이고 솔직했다. 또한 관중이 함께 어울릴 수 있었기 때문에 넓은 계층에서 호응을 받을 수 있었다.

(2) 구성과 주요 작품

판소리 작품으로는 열두 마당이 있었으나, 지금은 「춘향가」·「심청가」·「흥부가」·「적벽가」·「수궁가」 등 다섯 마당만 전하고 있다.

(3) 발전[6]

19세기 후반 신재효는 판소리 6마당을 정리하였다. 또한 판소리는 지방마다 창법이 달라 동편제, 서편제[7]의 구별이 있었다.

2. 탈놀이(가면극)

(1) 탈놀이

탈놀이는 향촌에서 마을굿의 일부로서 공연되어 인기를 얻었다. 황해도의 봉산탈춤, 강령탈춤, 안동의 하회탈춤 등이 있다.

(2) 산대놀이

산대놀이는 산대라는 무대에서 공연되던 가면극이 민중 오락으로 정착되어 도시의 상인이나 중간층의 지원으로 성행하였다. 양주의 별산대놀이가 대표적이다.

---

[5] 판소리

광대가 한 편의 이야기를 노래에 해당하는 창과 이야기에 해당하는 아니리와 몸놀림인 발림으로 연출한 것이다.

[6] 판소리의 발전

19세기 전후에 성립된 판소리 열두 마당 중에서 오직 춘향가·퇴별가(수궁가)·심청가·박흥보가·적벽가·변강쇠가 등 여섯 마당만이 신재효에 의해서 기록으로 남겨졌다. 이 여섯 마당 중에서 변강쇠가는 20세기에 들어오면서 사라졌다.

[7] 동편제와 서편제

동편제는 장단에 충실하고 박자의 변화를 엄격하게 제한하는 특성이 있는 반면, 서편제는 박자의 변화와 잔가락이 많은 특징이 있다.

산대놀이

❶ 회화의 새 경향

17세기 이후 우리의 고유 정서와 자연을 표현하려는 움직임이 커졌다.

❷ 남종화와 북종화

남종화는 문인 화가들의 그림이며, 북종화는 화원 출신의 전문 직업 화가의 그림을 말한다.

금강전도(정선)

07 회화❶

1. 18세기

(1) 진경산수화(18세기 전반)

① **특징**: 진경산수화는 중국 남종과 북종 화법❷을 고루 수용하여 우리의 고유한 자연을 사실적으로 그리는 새로운 화법으로 창안한 것이었다.

② **겸재 정선**(영조 때 진경산수화 화법 터득)
정선은 '인왕제색도'와 '금강전도'에서 바위산은 선으로 묘사하고, 흙산은 묵으로 묘사하는 기법을 사용하여 산수화의 새로운 경지를 이룩하였다.

인왕제색도(정선)

심화사료 百出

2012. 경북 교행

진경산수화(眞景山水畵)

그림에서 산수보다 더 어려운 것은 없나니, 그 경치가 크기 때문이다. 또 진경을 그리는 것보다 더 어려운 것이 없나니, 비슷하게 그리기가 어렵기 때문이다. 또 우리나라 진경을 그리는 것보다 더 어려운 것은 없나니 그 본디 경치를 잃은 것을 엄폐하기가 어렵기 때문이다. 또 눈으로 보지 못한 경치를 그리는 것보다 더 어려운 것은 없나니 억측을 하여 비슷하게 그려 내기가 어렵기 때문이다.

– 『표암유고』

(2) **풍속화**(18세기 후반): 당시 사람들의 일상적인 생활 모습을 생동감 있게 그려냈다.

① **김홍도**: 도화서 화원 출신으로 화성 행차와 관련된 병풍, 행렬도, 의궤 등 궁중 풍속을 많이 그렸으며, 정감 어린 풍속화를 그린 것으로도 유명하다. 그는 밭갈이, 추수, 씨름, 서당 등에서 자신의 일에 몰두하는 사람들의 특징을 소탈하고 익살스러우며 역동적인 필치로 묘사하였다.

씨름도(김홍도)

서당도(김홍도)

무동(김홍도)

② 신윤복: 도화서 화원 출신으로 주로 **도시인의 풍류 생활, 양반·부녀자의 생활과 유흥, 남녀 사이의 애정 등을 감각적이고 해학적인 필치로 묘사**하였다.

단오풍정(신윤복)

선유도(신윤복)

미인도(신윤복)

(3) 서양 화풍의 발전(18세기 말)

강세황은 서양화 기법인 원근법을 반영하여 사물을 실감나게 표현하였다. 대표작으로 '**영통골 입구도**'가 있다.

(4) 기타

18세기 **심사정**❸은 정교하고 세련된 필치로 산수화·풍속화·인물 등을 잘 그렸다. 또한 윤두서는 자화상으로 유명하였다.

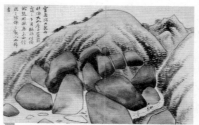
영통골 입구도(강세황)

윤두서 자화상

❸ 심사정

정선의 문하에서 그림을 배웠으며, 강세황·이광사·이덕무 등과 교류하였다.

2. 19세기

(1) 궁궐도

① **동궐도**❹: 창덕궁과 창경궁의 전모를 그린 것으로 **서양화의 기법이 도입**되어 위에서 비스듬히 내려다보는 듯한 부감법과 평행 사선 구도의 기법을 사용한 것이 특징이다.

② **서궐도**: 경희궁의 모습을 대형 화폭으로 담아낸 것으로 부감법과 평행 사선 구도를 활용하였다.

❹ 동궐도

효명 세자(헌종의 부)가 대리청정할 때 창덕궁과 창경궁의 전모를 그려낸 작품으로, 기록화로서의 정확성과 정밀성이 뛰어날 뿐 아니라 배경 산수의 묘사가 극히 예술적이어서 현재 국보로 지정되어 있다.

동궐도

서궐도

❶ 세한도
조선 후기 헌종 때 제작된 김정희의
대표적인 작품이다. 지조·선비 정신
등을 표현하였다.

호취도(장승업)

삼인문년도(장승업)

(2) 문인화의 유행

19세기에 이르러 진경산수화와 풍속화가 쇠퇴하고 김정희의 '세한도'❶ 등 복고적 화풍이 유행하였다.

세한도

(3) 화원 출신

장승업은 19세기 후반에 활동한 화가로, 강렬한 필법과 채색법이 뛰어났는데, 대표작으로 '군마도'·'호취도'·'삼인문년도' 등이 있다.

3. 민화

작가 미상의 민화도 유행하였다. 해, 달, 나무, 꽃, 동물, 물고기 등을 소재로 삼아 소원을 기원하고 생활 공간을 장식하였다. 이런 민화에는 소박한 우리 정서가 짙게 배어 있다.

4. 서예

(1) 이광사

우리의 정서와 개성을 추구하는 단아한 글씨의 **동국진체**를 완성하였다.

호작도   문자도

(2) 김정희

고금의 필법을 두루 연구하여 **굳센 기운과 다양한 조형성**을 가진 **추사체**를 창안하여 서예의 새로운 경지를 열었다.

동국진체   추사체

08 건축의 변화

1. 배경

조선 후기 양반과 새롭게 부상하고 있던 부농·상공업 계층의 지원 아래 많은 사원이 세워졌고, 정치적 필요에 의하여 대규모 건축물이 세워지기도 했다.

2. 17세기

17세기의 건축으로는 화엄사 각황전, 법주사 팔상전, 금산사 미륵전 등을 대표로 꼽을 수 있다. 이 것들은 모두 **규모가 큰 다층의 사원 건물로 내부는 하나로 통하는 구조**로 되어 있는데, 불교의 사회적 지위 향상과 양반 지주층의 경제적 성장을 반영하고 있다.

❷ 법주사 팔상전

우리나라에서 유일한 목조 5층탑이다.

화엄사 각황전

법주사 팔상전

금산사 미륵전

3. 18세기

(1) 사원 건축

부농과 상인의 지원을 받아 **장식성이 강한 사원**이 많이 세워졌다. 논산 쌍계사, 부안 개암사, 안성 석남사 같은 사원이 대표적이다.

논산 쌍계사

부안 개암사

안성 석남사

(2) 수원 화성❸

정조 때 만든 화성은 이전의 성곽과는 달리 **방어와 공격을 겸한 성곽 시설**이었다. 주위의 경치와 조화를 이루며 경제적 터전까지 아우르는 종합적인 도시 계획 아래 건설되었다.

❸ 수원 화성

화포를 둘 수 있는 망루인 공심돈을 적재적소에 설치하였고, 4대문에 방어용 성곽인 옹성을 두었다. 정문은 북문인 장안문으로 한양의 숭례문보다 높게 쌓아 웅장함을 더해준다. 또한 북학파 실학자들의 의견을 수용하여 성의 주요 시설물을 벽돌로 건축하기도 하였다.

4. 19세기

흥선 대원군이 국왕의 권위를 높일 목적으로 재건한 **경복궁의 근정전과 경회루**가 화려하고 장중한 건물로 유명하다.

경복궁 근정전 　　　　　　　　　　　　경복궁 경회루

▼ 달항아리

청화 백자 죽문 각병

❶ 가곡(歌曲)

관현악의 반주가 따르는 전통 성악곡. 선율로 연결되는 27곡의 노래 모음으로, 노랫말은 짧은 시를 쓴다.

❷ 산조(散調)

느린 장단으로부터 빠른 장단으로 연주하는 기악 독주의 민속 음악으로, 장구 반주 따르며, 무속 음악과 시나위에 기교가 확대되어 19세기경에 탄생하였다.

❸ 잡가(雜歌)

조선 후기에 평민이 지어 부르던 노래의 총칭이다.

---

09 공예와 음악

1. 공예

(1) 자기 공예

백자가 유행하여 민간에까지 널리 사용되었다. 흰 바탕에 푸른 색깔로 그림을 그린 청화 백자도 많이 만들어졌는데 형태가 다양해지고, 안료도 청화·철화·진사 등으로 다채로웠다.

(2) 옹기

서민들은 옹기를 많이 사용하였다.

(3) 목공예

생활 수준이 높아짐에 따라 크게 발전하였다. 장롱·책상·문갑·소반·의자·필통 등 나무의 재질을 살리면서 기능을 갖춘 작품이 만들어졌다.

2. 음악

양반층은 종래의 가곡❶과 시조를 애창하였으며, 서민은 민요를 즐겨 불렀다. 한편 상업의 성황으로 직업적인 광대나 기생이 판소리, 산조❷와 잡가❸ 등을 창작하여 발전시켰다. 이 시기의 음악은 전반적으로 감정을 솔직하게 표현하는 경향이 더욱 강하였다.

🍀 대표 기출문제

밑줄 친 '이 시기'에 관한 다음 설명 중 가장 옳지 않은 것은?　　　　　2019. 법원직 9급

<u>이 시기</u>에는 형태가 단순하고 꾸밈이 거의 없는 것이 특색인 백자가 유행하였고, 흰 바탕에 푸른 색깔로 그림을 그린 청화 백자도 많이 만들어졌다. 특히, 청화 백자는 문방구, 생활용품 등의 용도로 많이 제작되었다.

① 판소리, 잡가, 가면극이 유행하였다.
② 위선적인 양반의 생활을 풍자하는 「양반전」, 「허생전」 등의 한문 소설이 유행하였다.
③ 서얼이나 노비 출신의 문인들이 등장하였고, 황진이와 같은 여류 작가들도 활동하였다.
④ 김제 금산사 미륵전, 보은 법주사 팔상전, 논산 쌍계사 등이 이 시기를 대표하는 불교 건축물이다.

[해설]

제시된 자료의 밑줄 친 '이 시기'는 조선 후기이다. ③ 16세기에 들어와 문학의 저변이 확대되어 서얼이나 노비 출신의 문인들이 등장하였으며, 황진이·허난설헌 등의 여류 문인들도 활동하였다.
①② 조선 후기의 문화 양상들이다.
④ 김제 금산사 미륵전·보은 법주사 팔상전은 17세기, 논산 쌍계사는 18세기를 대표하는 사원 건축물이다.

[정답] ③

MEMO

노범석

주요 약력
박문각 공무원 한국사 온라인, 오프라인 전임교수
전) EBS 공무원 한국사 강사
전) KG패스원 공무원 한국사 전임교수
전) 강남구청 인터넷수능방송 강사
전) 두로경찰간부학원 한국사 교수
전) 을지대학교 한국사 특강 교수

주요 저서
박문각 공무원 입문서 시작! 노범석 한국사
노범석 한국사 기본서
노범석 한국사 필기노트
노범석 한국사 기선제압 OX
노범석 한국사 기출문제집
노범석 한국사 기출필수코드 단원별 실전문제
노범석 한국사 파이널 모의고사
박문각 한국사능력검정시험 노범석 원샷 한능검 심화 1/2/3급

노범석 한국사

초판 발행 | 2024. 7. 25.　**2쇄 발행** | 2024. 10. 7.　**편저** | 노범석
발행인 | 박 용　**발행처** | (주)박문각출판　**등록** | 2015년 4월 29일 제2019-000137호
주소 | 06654 서울시 서초구 효령로 283 서경 B/D 4층　**팩스** | (02)584-2927
전화 | 교재 문의 (02)6466-7202

저자와의
협의하에
인지생략

정가 47,000원 (전2권)
ISBN 979-11-7262-124-7
　　　979-11-7262-123-0(세트)